SUDAN

Antike Königreiche am Nil

SUDAN

Antike Königreiche am Nil

Bearbeitet von
Dietrich Wildung

Fotos von
Jürgen Liepe

**Kunsthalle der
Hypo-Kulturstiftung München**
2. Oktober 1996 – 6. Januar 1997

De Nieuwe Kerk Amsterdam
30. September 1997 – I. Februar 1998

Institut du Monde Arabe Paris
3. Februar – 31. August 1997

**Ensemble Conventuel
des Jacobins Toulouse**
20. Februar – 23. Mai 1998

Reiss-Museum Mannheim
14. Juni – 20. September 1998

Kunsthalle der Hypo-Kulturstiftung

Stiftungsvorstand:
Dr. Hans Fey, Dr. Eberhard Martini, Martin Kölsch

Fachbeirat:
Peter A. Ade, Prof. Dr. Götz Adriani,
Dr. Johann Georg Prinz von Hohenzollern, Prof. Dr. Dietrich Wildung

Ausstellungssekretariat:
Rita Seitz, Monika von Hagen

Katalog:
Bearbeitet von Dietrich Wildung, unter Mitarbeit von Timothy Kendall (T. K.)
und Karl-Heinz Priese (K.-H. P.)

Dokumentation Josephine Kuckertz

Objektfotos:
Jürgen Liepe, mit Ausnahme von
Kat. 229: Museum of Fine Arts Boston
Kat. 306: The Guggenheim Museum New York
Kat. 438: Università di Pisa

Ausstellungsgestaltung:
Matthias Kammermeier, Mathias Schmalzl

Umschlag vorn: Sandsteinkopf eines Mannes (*Kat. 318*)
Umschlag hinten: Schildring (*Kat. 329*)
Vorsatz: Meroë, Nordfriedhof
(nach Richard Lepsius, Denkmäler aus Ägypten und Äthiopien I, 138)
Frontispiz: Bronzestatue eines Königs (*Kat. 270*)

©1996 by Kunsthalle der Hypo-Kulturstiftung, München,
©1996 by Institut du Monde Arabe, Paris.

Ernst Wasmuth Verlag GmbH & Co., Tübingen
Lektorat: Sigrid Hauser
Gestaltung und Herstellung: Rosa Wagner
Druck und Bindung: Passavia Druckerei, Passau
Reproduktionen: Horlacher & Partner, Heilbronn
Printed in Germany
Katalogausgabe ISBN 3 8030 3087 0
Buchhandelsausgabe ISBN 3 8030 3084 6

Eine Ausstellung des
Institut du Monde Arabe Paris
und der
Kunsthalle der Hypo-Kulturstiftung München

Organisation

Peter A. Ade, München
Badr Eddine Arodaky, Paris

Arbeitskomitee

Hassan Hussein Idris, Khartum
Salah Mohamed Ahmed, Khartum
Siddig Mohamed Gasm Elseed, Khartum
Haidar Hamed Moukhtar, Khartum
Timothy Kendall, Boston
Karl-Heinz Priese, Berlin
Jacques Reinold, Khartum
Sylvia Schoske, München
Dietrich Wildung, Berlin – München

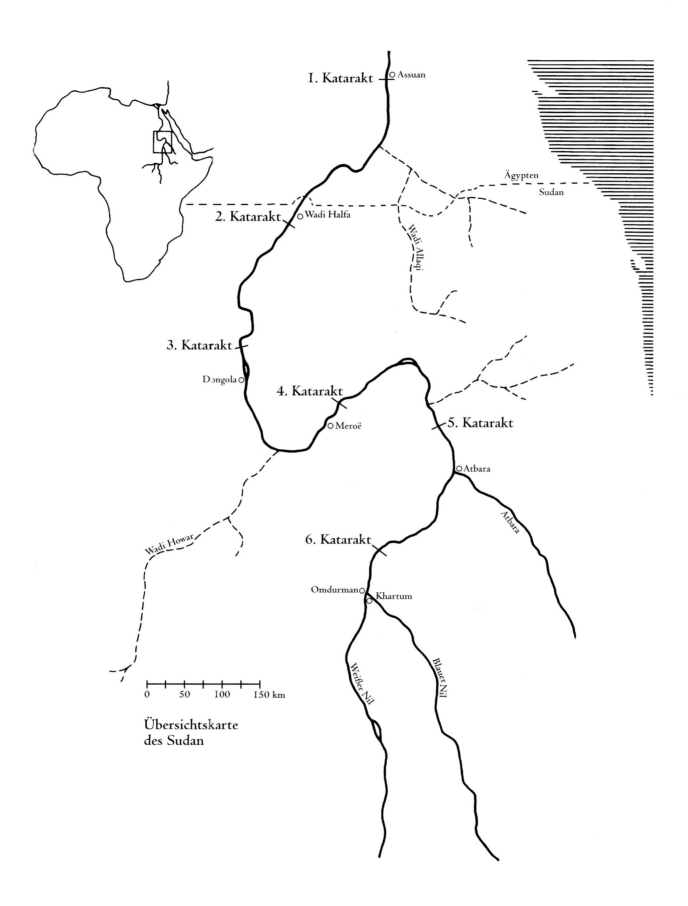

1. Katarakt ○ Assuan

Ägypten
Sudan

2. Katarakt ○ Wadi Halfa

Wadi Allaqi

3. Katarakt

Dongola ○

4. Katarakt

○ Meroë

5. Katarakt

○ Atbara

Atbara

Wadi Howar

6. Katarakt

Omdurman ○ ○ Khartum

Weißer Nil

Blauer Nil

0   50   100   150 km

Übersichtskarte
des Sudan

VI

Vorwort

Telle est la magnificence de l'Egypte pharaonique tout au long des trente-et-une dynasties de ses pharaons que les historiens modernes l'ont considérée en elle-même – sans prendre garde que le Nil est un grand fleuve d'Afrique et que la civilisation égyptienne a conservé des traces nombreuses de ses origines africaines.

Jean Leclant

Der europäische Blick hat die großen antiken Kulturen des östlichen Mittelmeerraumes für sein abendländisches Geschichtsbild vereinnahmt. Altägypten ist eingebunden in einen Traditionsstrang, der über Griechenland und Rom bis in unsere Gegenwart führt. Die afrikanischen Aspekte des Reichs der Pharaonen sind ebenso wenig bekannt wie der geographische Raum, in dem sie wurzeln, und dessen Geschichte. Nubien und der Sudan, die südlichen Nachbarn Ägyptens, sind eine historische *terra incognita*, ein Niemandsland zwischen Ägyptologie und Ethnologie. Der unvollkommene Forschungsstand steht in einem starken Gegensatz zur überaus reichen archäologischen Hinterlassenschaft am mittleren und oberen Nillauf. Der Archäologe sieht sich vor einer Situation, die mit dem Aufbruch der Archäologie in Ägypten in der zweiten Hälfte des 19. Jahrhunderts vergleichbar ist.

Die Sonderausstellung SUDAN – Antike Königreiche am Nil bietet den bisher umfangreichsten Überblick über den antiken Sudan. Die Idee zu dieser Ausstellung entwickelten zunächst parallel Dietrich Wildung, Ägyptisches Museum Berlin, und Badr Eddine Arodaky, Institut du Monde Arabe Paris, die dann ihre Anstrengungen um die Realisierung des Projektes in einer äußerst fruchtbaren und alle Aspekte umfassenden Zusammenarbeit bündelten. Die Initiative der Kunsthalle und des Institut du Monde Arabe, ein europäisches Ausstellungsprojekt, stieß in Khartum auf lebhaftes Echo und ungeteilte Zustimmung. Dank des außergewöhnlichen Entgegenkommens des National Board for Antiquities and Museums und des persönlichen Engagements sowie der freundschaftlichen Hilfe seiner Generaldirektoren Ahmed Ali Hakem und Hassan Hussein Idris mit allen ihren Mitarbeitern konnte eine reiche Leihgabenliste aus dem Nationalmuseum Khartum zusammengestellt werden, die die wichtigste Grundlage der Ausstellung bildet. Die Botschafter Frankreichs und Deutschlands in Khartum gewährten dem Projekt ebenso wertvolle Hilfe wie die Botschafter des Sudan in Paris und Bonn. Nicht weniger entgegenkommend waren Rita Freed und Timothy Kendall am Museum of Fine Arts Boston; die reichen Leihgaben aus Boston ergänzen häufig die Khartum-Stücke, die durch die Fundteilung vor 75 Jahren von ihnen getrennt worden waren. Dorothea Arnold am Metropolitan Museum of Art New York und David Silverman am University Museum Philadelphia unterstützten das Projekt durch ihre Leihgaben mit Nachdruck.

Die Leihgaben aus deutschen Museen bilden dank der Hilfe von Elke Blumenthal in Leipzig, Sylvia Schoske in München sowie Dietrich Wildung und Karl-Heinz Priese in Berlin eine ausgezeichnete Ergänzung der Bestände aus dem Sudan und den Vereinigten Staaten. Lech Krzyzaniak steuert mit den Leihgaben aus Posen neuestes Grabungsmaterial bei.

Dietrich Wildung hat die Ausstellung konzipiert und sich intensiv der Bearbeitung und Gestaltung des Katalogs gewidmet. International wie die Liste der Leihgeber ist das Team derer, die mit ihren Essays zum Katalog beigetragen haben. Als aktive Forscher vor Ort legen Salah Ahmed (Khartum), Charles Bonnet (Genf), Friedrich Hinkel (Berlin), Timothy Kendall (Boston), Lech Krzyzaniak (Posen), Jean Leclant (Paris), Karl-Heinz Priese (Berlin) und Jacques Reinold (Khartum) den vielfach noch unveröffentlichten aktuellen Forschungsstand vor. Aus dieser Aktualität resultiert der Charakter des Katalogs, der nicht immer gesichertes Wissen vorlegen kann, sondern die kontroverse Diskussion auf einem noch jungen Feld der archäologischen Forschung erkennen läßt. Widersprüche sind nicht ausgeschlossen, Unvollkommenheiten nicht zu verbergen. Vollkommen ist jedoch die Schönheit der Kunstwerke, die Jürgen Liepe mit seinen Fotos ins rechte Licht gesetzt hat.

Die Realisierung des Vorhabens ist durch die Bereitschaft von De Nieuwe Kerk Amsterdam, des Ensemble Conventuel des Jacobins Toulouse und des Reiss-Museums Mannheim, die Ausstellung nach den Stationen in München und Paris zu übernehmen, wesentlich gefördert worden.

Allen, die zum Abenteuer und Wagnis dieser Ausstellung mit Begeisterung beigetragen haben, gebührt herzlichster Dank.

Der Katalog wurde im Ernst Wasmuth Verlag hergestellt, dessen Mitarbeitern wir für ihre ausgezeichnete Arbeit danken.

München, im Oktober 1996

Kunsthalle
der Hypo-Kulturstiftung

Inhaltsverzeichnis

Hassan Hussein Idris

Geleitwort

Der Sudan ist in seiner Lage am Schnittpunkt der großen Süd-Nord- und West-Ost-Achsen des afrikanischen Kontinents seit jeher eine Region kultureller Vielfalt. Islam, Christentum und Animismus bestehen hier nebeneinander; zum Arabischen als Landessprache des Nordens treten im Süden zahlreiche afrikanische Sprachen und Dialekte. Vielerlei Kontakte bestehen zu den neun Anliegerstaaten, von Ägypten im Norden bis Uganda und Kenya im Süden. In dieser seiner Mittlerrolle zwischen Afrika und Europa hat der Sudan seit dem 19. Jahrhundert das Interesse der Ethnologen und Archäologen geweckt, ohne jedoch aus dem Schatten Ägyptens treten zu können.

Erst in jüngster Zeit hat die archäologische Feldforschung den Nachweis geführt, daß die neolithischen Kulturen des Sudan mit beträchtlichem zeitlichen Abstand den prähistorischen Kulturen Ägyptens vorangehen und eine von deren Wurzeln bilden, daß andererseits aber auch der spätantike Sudan in den schwarzen Kontinent ausstrahlt.

Die Renaissance der archäologischen Feldforschung spiegelt sich in eindrucksvoller Weise in der Ausstellung SUDAN – Antike Königreiche am Nil. Führende Fachleute der Sudan-Archäologie haben sich zusammengefunden, um eine Bilanz der gegenwärtigen Forschung zu ziehen und sie einem breiten Publikum in Europa vorzustellen. Daß diese Ausstellung so attraktiv werden konnte, ist zuallererst das Verdienst der Menschen des antiken Sudan. Sie haben in ihren Kunstwerken, aber auch den Gegenständen des täglichen Lebens ein Zeugnis hoch entwickelten ästhetischen Empfindens und meisterhafter technischer Fähigkeiten hinterlassen.

Die Töpferkunst des Sudan bietet von 4500 v. Chr. bis in die Spätantike die Meisterwerke afrikanischer Keramik schlechthin. Die Goldschmiedekunst aus drei Jahrtausenden begeistert durch ihre Formenvielfalt und ihre einzigartige Mischung afrikanischer und ägyptischer Aspekte. Die Skulptur, von den kleinen Tonfigürchen der Vorgeschichte bis zur Kolossalplastik der napatanischen Zeit, zeigt in besonders eindrucksvoller Weise die künstlerische Eigenständigkeit dieser Region.

Nur wenige Museen besitzen repräsentative Bestände archäologischer Denkmäler aus dem Sudan; viele von ihnen haben sich in diesem Ausstellungsprojekt zusammengeschlossen, um zusammen mit den Leihgaben aus dem Nationalmuseum in Khartum, die den Kern der Ausstellung bilden, der europäischen Öffentlichkeit ein in seiner Vollständigkeit einmaliges Bild des antiken Sudan vorzustellen. Wir sind glücklich, daß damit die Bemühungen der National Corporation for Antiquities and Museums der Republik Sudan, die antiken Denkmäler des Landes zu erforschen, zu pflegen und publik zu machen, auf eine internationale Ebene gehoben werden. Im Rahmen dieser Ausstellung von den 223 antiken Pyramiden zu erfahren, die unser Land besitzt, von den Königreichen von Kerma, Napata und Meroë, von der einzigartigen Stellung der Frau im öffentlichen Leben, aber auch von den eigenartigen Bräuchen der Gefolgschaftsbestattungen, muß für die Ausstellungsbesucher eine recht neue Erfahrung sein, ein Blick auf eine fast unbekannte Welt, die in der Antike Europa näher gestanden zu haben scheint, als dies in unserem Jahrhundert der Fall ist.

Daß Frankreich und Deutschland die Initiative zu dieser europäischen Ausstellungstournee ergriffen haben, hat seinen guten Grund. Beide Länder haben sich in besonderer Weise um die Erforschung unseres Landes verdient gemacht. Im 19. Jahrhundert waren es Frédéric Cailliaud und Richard Lepsius. Heute sind es die französischen Expeditionen in Sai, in Sedeinga und Soleb wie die Arbeit der Section Française unserer Antikenverwaltung sowie die deutschen Expeditionen in Musawwarat, in Naga und Wadi Howar wie Friedrich Hinkels jahrzehntelange Tätigkeit in unserer Organisation, die eine Grundlage der Arbeit der National Corporation for Antiquities and Museums bilden. Das neu geschaffene Ministerium für Tourismus und Umwelt fördert mit Nachdruck die Arbeit der ausländischen Expeditionen.

Wir hoffen und wünschen, daß die Öffnung des Sudan nach außen, die er mit seiner Bereitstellung von fast zweihundert Leihgaben für diese Ausstellung zeigt, ihre Antwort finden möge im offenen Zugehen der europäischen Länder auf den Sudan, auf seine gastfreundlichen Menschen, seine unberührte Landschaft und die eindrucksvollen Zeugnisse seiner viele Jahrtausende alten Kultur.

Salah Mohamed Ahmed

175 Jahre Archäologie im Sudan

Der Sudan ist nicht nur das größte Land Afrikas, sondern zugleich eines der archäologisch interessantesten Gebiete dieses Kontinents. In seiner Lage zwischen Ägypten und dem Äquator, zwischen dem Roten Meer und Zentralafrika, mit seinen verschiedenen Klimazonen und als Heimat zahlreicher ethnischer Gruppen und Stämme ist er stets ein Berührungsfeld verschiedener Völker und Kulturen gewesen. Hier begegneten sich schon im Altertum die Welt des Mittelmeers und das Herz Afrikas. Seit jeher bildete der Nil die Nord-Süd-Achse, auf der Menschen, Waren und Ideen zueinander fanden. Diese Brückenfunktion prägt den Sudan mit seinen Hunderten von Stämmen und Bevölkerungsgruppen unterschiedlicher kultureller Traditionen bis in die Gegenwart. Sie gliedern sich heute in zwei große Einflußbereiche, die arabisch-islamische Welt im Norden und Zentralafrika im Süden.

In seiner Rolle als Brennpunkt zivilisatorischer Evolution hat der Sudan seit alter Zeit die Aufmerksamkeit der Außenwelt geweckt. Lange bevor im vergangenen Jahrhundert seine archäologische Erforschung begann, wußte man von diesem Land durch die Schriften griechischer, römischer, byzantinischer und arabischer Autoren.

Die alten Griechen nannten die Gegend südlich von Ägypten „Äthiopien". Ohne so eine spezifische Bevölkerungsgruppe oder ein klar definiertes Gebiet zu bezeichnen, wollten sie wohl damit ganz allgemein die „Sonnenverbrannten" südlich des Ersten Katarakts charakterisieren. „Äthiopien" wird von den klassischen Autoren seit dem 5. Jahrhundert v. Chr. beschrieben, allen voran von Herodot um 430 v. Chr., gefolgt von Diodor, Strabo, Dio Cassius und Plinius[1].

Ein besonderes Licht auf die Beziehungen zwischen dem Sudan und der Mittelmeerwelt werfen zwei Fundstükke: Auf eine Säulentrommel aus Meroë, heute in Liverpool,
ist das griechische Alphabet geschrieben, und man nimmt an, sie sei im Griechischunterricht für die Schüler von Meroë verwendet worden. Eine lateinische Inschrift aus Musawwarat es-Sufra mag einem ähnlichen Zweck gedient haben[2].

Über die Christianisierung des Sudan im 6. Jahrhundert berichten zahlreiche Kirchenschriftsteller. Besonders bedeutend sind die Werke des Johannes von Ephesos[3].

Die arabische Eroberung Ägyptens im Jahr 641 führte Nubien in den Gesichtskreis der arabischen Geschichtsschreiber. Mit der Islamisierung des Landes und mit der Gründung des Königreiches der Funj in Sennar im 16. Jahrhundert setzt ein sehr reiches lokales Schrifttum zu Politik, Religion und Wirtschaft des Sudan ein[4].

Die Kenntnis all dieser Schriften antiker und späterer Autoren regte im 18. und 19. Jahrhundert viele Reisende zum Besuch des Sudan und zur Erforschung seiner Denkmäler an. James Bruce besuchte 1772 auf seinem Rückweg von Äthiopien viele Denkmälerstätten zwischen Sennar und Assuan. Er erkannte als erster in den Ruinen von Begrawija das antike Meroë[5]. Ihm folgt J.-L. Burckhardt mit seiner Beschreibung des Sudan[6].

Mohammed Ali, der türkische Vizekönig von Ägypten, der nach Unabhängigkeit vom Osmanischen Reich strebte, annektierte den Sudan auf einem Eroberungszug, dem das Funj-Königreich von Sennar 1821 zum Opfer fällt. Für die Archäologie des Sudan ist dieser Feldzug von großer Bedeutung, denn in Mohammed Alis Armee befanden sich auch unternehmungslustige Europäer, die sich für Archäologie interessierten und nun damit begannen, viele der Denkmälerstätten zu dokumentieren. Der bedeutendste dieser Pioniere der Archäologie ist der Franzose Frédéric Cailliaud, dessen Beschreibungen, Pläne und Zeichnungen (*Abb. 1*) bis heute unersetzbar sind[7]. In derselben Zeit tä-

1

Abb. 1   Frédéric Cailliaud (1822): Der Nordfriedhof von Meroë (Voyage, Tf. XXXVI). (Foto: M. Büsing)

tig sind Linant de Bellefonds[8], Waddington und Hanbury[9], Hoskins[10], vor allem aber der italienische Arzt Giuseppe Ferlini, der um 1834 als Schatzgräber in Meroë mehrere Pyramiden zerstörte.

Den Höhepunkt der archäologischen Erforschung des Sudan im 19. Jahrhundert bildet die große preußische Expedition von Karl Richard Lepsius 1842–1845[11]. Die wissenschaftliche Dokumentation dieser Expedition (*Abb. 2*) umfaßt nahezu alle damals sichtbaren archäologischen Denkmäler und Stätten von der ägyptischen Grenze bis in die Gegend südlich von Khartum.

In der zweiten Hälfte des 19. Jahrhunderts klafft eine Lücke in der archäologischen Erforschung des Sudan. Während des Mahdi-Aufstands (1881–1898) ist das Land von der Außenwelt praktisch abgeschnitten. Erst nach der Eroberung durch die anglo-ägyptischen Truppen im Jahr 1898 kamen wieder Archäologen und Reisende in den Sudan.

Seit dem Beginn des 20. Jahrhunderts erlebt die Archäologie in Nubien einen beträchtlichen Aufschwung. Systematisch geplante Großprojekte, zahlreiche Einzelunter-

nehmungen sowie gesetzliche und administrative Maßnahmen zur Schaffung einer Altertümerverwaltung des Sudan bestimmen seither das Bild. Drei groß angelegte archäologische Kampagnen werden in diesem Jahrhundert in Nubien durchgeführt — alle als Reaktion auf die Errichtung bzw. Erhöhung der Assuan-Staudämme am Ersten Katarakt und auf die Bedrohung der Denkmäler und archäologisch relevanten Orte durch die Fluten des Stausees.

Der 1902 errichtete alte Damm wurde bereits 1907 erhöht, wodurch das Niltal und seine bedeutenden Denkmäler vom Ersten Katarakt bis Wadi es-Sebua von Überflutung bedroht waren. In einer ersten internationalen Kampagne unter Leitung von G. A. Reisner und C.-M. Firth[12] wurden von 1907 bis 1911 mehr als vierzig Friedhöfe ausgegraben, dazu einige Festungsanlagen, unter ihnen Ikkur und Quban. Reisner erstellte auf der Grundlage dieser Grabungen ein typologisches und chronologisches Gerüst der Archäologie Nubiens. Da sich keine direkten Bezüge zur ägyptischen Archäologie herstellen lassen, entwarf er eine eigene Terminologie, die A-Gruppe, B-Gruppe

Abb. 2   Richard Lepsius (1844): Ansicht von Naga (Denkmäler I, 141). (Foto: M. Büsing)

und C-Gruppe. Sie ist als wesentliches Ergebnis der ersten Nubien-Kampagne bis heute gültig geblieben.

Durch eine weitere Erhöhung des alten Staudamms von Assuan in den dreißiger Jahren wurde auch das Niltal zwischen Wadi es-Sebua und Adindan in Mitleidenschaft gezogen. Die von W. B. Emery und L.-P. Kirwan organisierte zweite archäologische Nubien-Kampagne (1929–1934) bestätigte das von Reisner und Firth erstellte Schema. Das wichtigste Ergebnis ihrer Arbeit ist die Freilegung königlicher Gräber in Ballana und Qustul[13].

Obwohl sich die beiden Nubien-Kampagnen auf das ägyptische Staatsgebiet beschränkten und sudanesisches Territorium gar nicht einbezogen, konnte über sie doch ein Gerüst der Kulturentwicklung dieser Region erarbeitet werden, das heute allgemein anerkannt wird.

1959 beschloß Ägypten den Bau des neuen Hochdamms, dessen Stausee ein erheblich größeres Gebiet als bisher unter Wasser setzen würde. Zwischen Assuan und Dal südlich des Zweiten Katarakts sollten alle Dörfer am Nil und auf den Nilinseln auf Dauer im Nasser-Stausee versinken. Auf einen UNESCO-Appell, den Ländern Ägypten und Sudan bei der Rettung der reichen Kulturschätze Nubiens zu helfen, erfolgte eine schnelle Reaktion, und über dreißig Archäologenteams aus aller Welt beteiligten sich an der Rettungsaktion[14]. Sie kamen aus Argentinien, Belgien, der Bundesrepublik Deutschland, der Deutschen Demokratischen Republik, Frankreich, Ghana, Großbritannien, Holland, Indien, Italien, Jugoslawien, Kanada, Österreich, Polen, Schweiz, den skandinavischen Ländern, Spanien, der Tschechoslowakei, UdSSR und den USA.
Die „Nubian Campaign" beinhaltete im Sudan zwei Projektarten:

– einen systematischen achäologischen Survey mit Ausgrabungen auf beiden Nilufern und auf den Nilinseln zwischen Gemai an der ägyptisch-sudanesischen Grenze und Dal direkt südlich des Zweiten Katarakts,

– den Abbau und Abtransport wichtiger Bauwerke dieser Region und ihren Wiederaufbau im archäologischen Park beim neu errichteten Nationalmuseum in Khartum[15].

Die Arbeit zahlreicher Einzelexpeditionen begann bald nach dem Ende des Mahdi-Aufstands (1898). Die britische Verwaltung (1898–1956) setzte zur Betreuung der archäologischen Stätten einen eigenen Beamten ein. Anfänglich wurde diese Aufgabe oft dem „Director of Education" oder einem seiner Assistenten übertragen und nebenher erledigt. Erst 1939 schuf man die feste Position des „Commissioner for Archaeology", deren erster Inhaber A. J. Arkell ist.

Ein erstes Altertümer-Gesetz wird von der britischen Verwaltung 1905 formuliert; aus ihm entstand die „Antiquities Ordinance", die in ihrer 1952 aktualisierten Fassung bis heute Gültigkeit hat. Die Altertümerverwaltung, heute „National Corporation for Antiquities and Museums" (NCAM) genannt, ist dem Ministerium für Umwelt und Tourismus zugeordnet. Als staatliche Instanz für Ausgrabungen, Denkmalpflege und Präsentation der nationalen Kulturdenkmäler zuständig, gliedert sie sich in die drei Abteilungen Feldforschung, Restaurierung und Museen. Neben Grabungen und Restaurierungsprojekten vor Ort und in Museen widmet sich die NCAM der Präsentation der Kulturgüter in mehreren Museen:

– Das Nationalmuseum des Sudan in Khartum (*Abb. 3*) wurde 1972 eröffnet. Als archäologisches Museum zeigt es die kulturelle Entwicklung von der Vorgeschichte bis zum Islam,

– im Haus des Khalifa in Omdurman, der Residenz des Nachfolgers des Mahdi (1885–1898), wird die Geschichte des Mahdi-Aufstands und der anglo-ägyptischen Verwaltung dargestellt,

– das Ethnographische Museum in Khartum zeigt die ethnische Vielfalt des gesamten Sudan,

– das Schaikan-Museum in el-Obeid stellt als Regionalmuseum in der Hauptstadt des Staates Kordofan archäologisches und völkerkundliches Material des Westsudan aus,

– das Sultan Ali Dinar Palast-Museum in el-Fascher ist dem Andenken eines Führers des Mahdi-Aufstands gewidmet, der die Schlacht von Omdurman (1898) überlebte und in Darfur im Westsudan ein kleines Königreich gründete, das bis 1916 bestand.

Museumsneugründungen sind für den Gebel Barkal, Meroë und andere Orte geplant.

Nicht nur im administrativen Bereich und in den Museen äußert sich das Interesse des Staats an seiner Vergangenheit, sondern auch in den Hochschulen. Seit Anfang der sechziger Jahre gibt es an der Universität Khartum eine archäologische Abteilung. Eine Fakultät für Kulturerbe und Archäologie wurde 1992 in Karima am Gebel Barkal eingerichtet. Sie gehört heute als Fakultät für Geistes- und Sozialwissenschaften zur neuen Dongola-Universität. Ein weiteres archäologisches Institut ist für die Universität Schendi vorgesehen.

Seit ihrer Gründung zu Beginn des 20. Jahrhunderts fördert die sudanesische Altertümerverwaltung nachdrücklich den Beitrag ausländischer Archäologen zur Erforschung der Geschichte des Landes. Lang ist die Liste bedeutender Unternehmungen:

Während der ersten Nubien-Kampagne (1907–1911) grub die University of Pennsylvania in Areika[16], Karanog und Schablul[17]. Gleichzeitig unternahm G. S. Mileham einen Survey der christlichen Kirchen in Unternubien[18]. Georg Steindorff arbeitete mit der Leipziger Ernst von Sieglin-Expedition in Aniba an der ägyptischen Festung, den Friedhöfen des Mittleren und Neuen Reiches und an der nubischen Nekropole[19]. Ein Team der Wiener Akademie der Wissenschaften unter H. Junker legte den C-Gruppen-Friedhof in Kubanieh-Nord frei[20] und arbeitete 1910–11 in Toschka und Arminna[21].

Weit im Süden war von 1898 bis 1905 E. A. W. Budge aus London tätig. Außer einem groß angelegten Survey grub er am Gebel Barkal und in Meroë. 1907 veröffentlichte er sein Standardwerk „The Egyptian Sudan"[22]. Die englischen

Abb. 3   Das Nationalmuseum in Khartum (S. Schoske)

Aktivitäten umfassen die Arbeiten von J.-W. Crowfoot[23] und P. D. Scott-Moncrieff[24], vor allem aber J. Garstangs umfangreiche Grabungen in der Hauptstadt Meroë[25]. Am Gebel Moya war 1911–14 Sir H. Wellcome tätig[26], und F. Ll. Griffith aus Oxford grub 1910–12 in Faras[27], später in Sanam Abu Dom[28] (Tempel des Taharka, napatanischer Friedhof, kleiner Teil der napatanischen Stadt) und im Tempelkomplex von Kawa[29].

Als Heros der Sudanarchäologie kann G. A. Reisner aus Boston gelten. Er eröffnete 1907/08 die erste Kampagne des Nubien-Projekts als Chef einer Harvard-Boston-Expedition. Von 1913 bis 1932 war Reisner in Kerma, an den Tempeln und Pyramiden am Gebel Barkal, in den königlichen Pyramidenfeldern von Nuri, el-Kurru und Meroë sowie an einer Gruppe von ägyptischen Festungen am Zweiten Katarakt tätig. In Kerma führten Reisners Grabungen zur Entdeckung eines der ältesten Königreiche Afrikas[30]. Zwar sah er in den meisten Fundstücken fälschlicherweise Arbeiten der ägyptischen Besatzung des Mittleren Reiches in Nubien, doch war die Vollständigkeit und Präzision der Reisnerschen Grabungsdokumentation später die Grundlage für weiterführende Forschungen zum rein nubischen Charakter dieser Kultur.

Die Detailuntersuchung der Königsgräber in el-Kurru[31], Nuri[32], Gebel Barkal[33] und Meroë[34] erlaubte Reisner erstmals die Erstellung eines chronologischen Gerüsts der Geschichte des napatanischen und meroïtischen Reiches, eine fast lückenlose Herrscherfolge vom 9. Jahrhundert v. Chr. bis ins 4. Jahrhundert n. Chr. Von 1928 bis 1932 konzentrierte sich Reisner auf die ägyptischen Festungen am Zweiten Katarakt, auf Schelfak, Uronarti, Mirgissa, Semna und Kumma[35].

Weltwirtschaftskrise und Zweiter Weltkrieg ließen in den dreißiger und vierziger Jahren die archäologischen Arbeiten im Sudan fast zum Erliegen kommen. In diese Zeit fällt die zweite Erhöhung des alten Assuan-Dammes und die dadurch ausgelöste zweite Nubien-Kampagne (1929–1934). U. Monneret de Villard schloß den von Mileham zu Anfang des Jahrhunderts begonnenen Survey der christlichen Kirchen ab[36].

In den vierziger Jahren erfuhr die Sudan-Archäologie eine wichtige Bereicherung durch den Beginn prähistorischer Feldforschung von A. J. Arkell, der am Khor Abu Anga[37] auf paläolithisches, in Khartum[38] auf mesolithisches und in es-Schaheinab[39] auf neolithisches Material stieß. Zur gleichen Zeit begann H. O. Myers vom Gordon Memorial College in Khartum seine prähistorischen Grabungen in Abka[40].

Nach dem Zweiten Weltkrieg nahm die archäologische Forschung im Sudan einen lebhaften Aufschwung. P. L. Shinnie leitete Grabungen im Kloster Deir Ghazali[41] und an den nachmeroïtischen Tumulus-Gräbern von Tanqasi[42] und Soba-Ost[43]. In der Region Schendi führte der sudanesische Antikendienst um 1960 unter J. Vercoutter und Thabit H. Thabit Grabungen in Wad Ban Naga durch[44], die Humboldt-Universität Berlin unternahm einen Survey in der Butana-Steppe und begann Grabungen in Musawwarat es-Sufra[45]; später folgen Untersuchungen zur Vorgeschichte der Butana durch die University of Texas und die Khartum University[46].

Im Norden bekam die archäologische Forschung neuen Auftrieb durch die französischen Grabungen in Mirgissa und auf der Insel Sai[47], die Expedition der Michela Schiff Giorgini-Stiftung in Soleb[48] sowie der Stiftung Blackmer und der Universität Genf auf der Insel Argo[49]. P. Shinnie begann mit den Universitäten Khartum und Calgary die Ausgrabung der Hauptstadt Meroë[50], nachdem er seine Arbeiten mit der Egypt Exploration Society in Nubien[51] beendet hatte.

Von größter Bedeutung für die sudanesische Altertümerverwaltung ist die Gründung der „Section Française" der NCAM in den siebziger Jahren, einer von Frankreich finanzierten dauernden Forschungseinrichtung, die Rettungsgrabungen in verschiedenen Teilen des Sudan möglich macht.

Heute arbeitet die National Corporation for Antiquities and Museums (NCAM) mit mehr als zwanzig ausländischen Archäologenteams in verschiedenen Teilen des Landes zusammen:
— Insel Sai (Mission Archéologique Française de l'Ile de Sai),
— Sedeinga (Unité Archéologique de Sedeinga, Frankreich),
— Dritter Katarakt (Universität Khartum und Universität Newcastle),
— Kerma (Universität Genf),
— Kadruka (Section Française, NCAM),
— Gism Arbaa (Universität Lille),
— Kawa – Khandaq (The Sudan Archaeological Research Society, SARS, England),

- Alt-Dongola (Universität Warschau),
- Latti Bassin (Royal Ontario Museum, Toronto),
- Gebel Barkal (Universität La Sapienza, Rom; Museum of Fine Arts, Boston; Fondacion Clos, Barcelona),
- el-Arab (Universität Cassino, Italien, und NCAM),
- Gabatti – Begrawija – Atbara Survey (SARS, England),
- Meroë (Universität Khartum und Humboldt Universität Berlin),
- Musawwarat es-Sufra (Humboldt Universität Berlin),
- Naga (Ägyptisches Museum Berlin) *(Abb. 4)*,
- Geili (Universität La Sapienza Rom),
- Kadero (Archäologisches Museum Poznan),
- Blauer Nil (Universität Madrid),
- Kassala – Ghasch Delta (Universität Neapel),
- Ostwüste (Eastern Desert Research Center, Italien),
- Rotmeerküste (The Center of Middle Eastern Studies of Tokyo),
- Libysche Wüste (Universität Köln).

Diese Übersicht zeigt, daß sich die archäologischen Arbeiten auf das Niltal konzentrieren, sich jedoch auch auf andere Regionen auszudehnen beginnen, vor allem den Osten des Landes am Roten Meer, im Ghasch-Delta und in der Ostwüste, wo zuvor nur eine kleinere Untersuchung der Universitäten Lyon und Khartum stattgefunden hatte. Der Westen und der Süden des Sudan sind archäologisch weitgehend unerforscht; nur die Universität Hamburg und das British Institute in East Africa (Nairobi) haben in Darfur am Gebel Marra bzw. im Südsudan gearbeitet.

Die Grabungsabteilung der NCAM führt, teilweise von ausländischen Kollegen unterstützt, laufend Notgrabungen durch, um Kulturdenkmäler zu retten, die zunehmend durch die schnelle Entwicklung der Wirtschaft und das Bevölkerungswachstum bedroht sind. Auch die über

Abb. 4 Arbeiten des Naga-Projekts des Ägyptischen Museums Berlin am Amun-Tempel in Naga (1996). (Foto: W. Jerke)

mehrere Jahre zum Stillstand gekommene Restaurierung der Pyramiden von Meroë hat einen neuen Anstoß erfahren; mit technischer und wissenschaftlicher Unterstützung durch Friedrich Hinkel, Berlin, soll sie bald zum Abschluß gebracht werden. Ebenso soll die Rettung der alten Hafenstadt Suakin am Roten Meer wieder in Angriff genommen werden.

Die Archäologie im Sudan erlebt in den letzten Jahren eine wahre Renaissance. Dennoch bleiben gewaltige Aufgaben zu lösen, denn ein großer Teil der archäologischen Stätten und Denkmäler ist noch unerforscht. Die National Corporation for Antiquities and Museums begrüßt und unterstützt alle privaten und institutionellen Initiativen zu Ausgrabungen, Denkmalpflege und Ausstellungen, um das kulturelle Erbe des Sudan als wichtigen Teil der Weltkultur zu retten, ins Bewußtsein zu heben und der Nachwelt zu bewahren.

NEOLITHIKUM

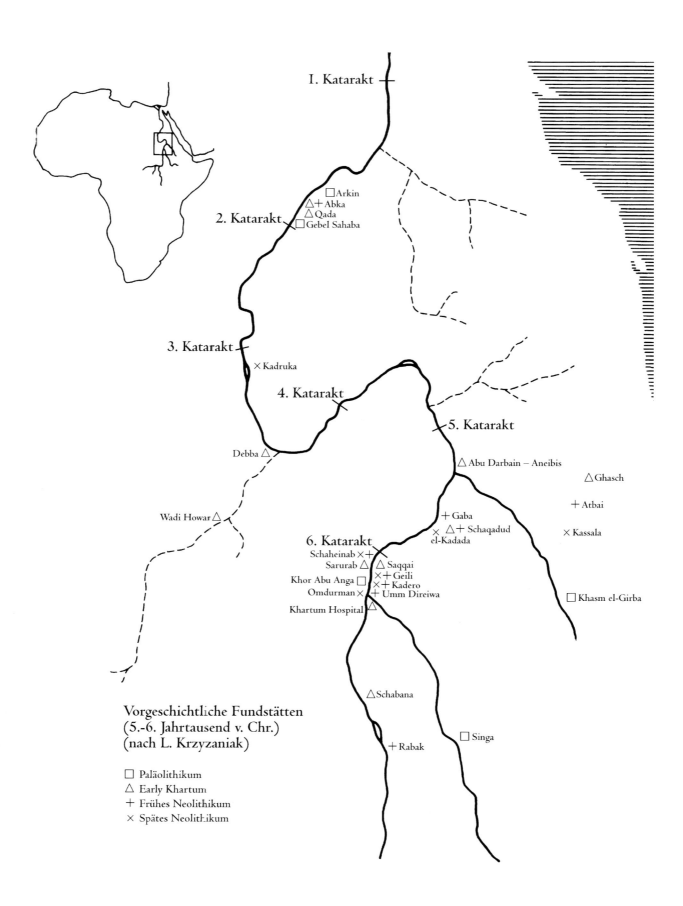

1. Katarakt

2. Katarakt

☐ Arkin
△+ Abka
△ Qada
☐ Gebel Sahaba

3. Katarakt

× Kadruka

4. Katarakt

5. Katarakt

Debba △

△ Abu Darbain – Aneibis

△ Ghasch

+ Atbai

Wadi Howar △

+ Gaba
× △+ Schaqadud
el-Kadada

× Kassala

6. Katarakt

Schaheinab ×+
Sarurab △ △ Saqqai
×+ Geili
Khor Abu Anga ☐ ×+ Kadero
Omdurman × +
× + Umm Direiwa

☐ Khasm el-Girba

Khartum Hospital △

△ Schabana

☐ Singa

**Vorgeschichtliche Fundstätten
(5.-6. Jahrtausend v. Chr.)
(nach L. Krzyzaniak)**

☐ Paläolithikum
△ Early Khartum
+ Frühes Neolithikum
× Spätes Neolithikum

+ Rabak

Jacques Reinold – Lech Krzyzaniak

Vor 6000 Jahren

Bemerkungen zur Vorgeschichte des Sudan

Die Vorgeschichte des Sudan steckt noch in den Kinderschuhen. Nach zaghaften Ansätzen während des Zweiten Weltkriegs hat die Vorgeschichtsforschung erst durch die internationale Kampagne zur Rettung der nubischen Altertümer in den sechziger Jahren wesentliche Impulse empfangen. Dennoch bleiben in einem so riesigen Land wie dem Sudan, dessen Fläche einem Viertel Europas entspricht, viele Regionen nach wie vor eine *terra incognita*, und es wäre vermessen zu behaupten, daß die Umrisse seiner Kulturen und ihrer Chronologie bereits festgelegt sind.

Paläolithikum

Westlich des ostafrikanischen Grabenbruches gelegen, der als Wiege der Menschheit gilt, hat der Sudan nicht unmittelbar Anteil an der frühesten Evolution des Menschen, der „East Side Story", wie man sie bisweilen nennt.

Erste Spuren des Menschen reichen wohl nicht weiter als 300.000 Jahre zurück; es sind Faustkeile aus Feuerstein eines wenig differenzierten frühen Acheuléen, auf das vor etwa 70.000 Jahren während einer feuchteren Periode das mittlere Paläolithikum folgt, von den Fachleuten als Levallois- und Mousterien-Kultur bezeichnet. Jagd und Fischfang bilden die Lebensgrundlage. Zu den jagbaren Tieren zählt auch der Auerochse. Um 40.000 schließt sich das späte Paläolithikum mit typischen Steinklingen und Mikrolithen, kleinformatigen Feuersteingeräten, an. Das trockene und kühle Klima dieser Zeit konzentriert menschliche Aktivitäten auf die Flußtäler, wie sich aus den Fundstätten am Atbara und am Blauen Nil ergibt. Ob sich in dieser Trockenphase der Weiße Nil nahe dem heutigen Khartum mit dem Blauen Nil vereinigte, bleibt zweifelhaft.

Nun setzt bis um 10.000 eine zunehmende Differenzierung einzelner epipaläolithischer Kulturkreise ein. Die Steinwerkzeuge weisen zahlreiche Ähnlichkeiten zu Kulturen im Maghreb, in der Levante und in Zentralafrika auf. Auffallend sind die Hinweise auf eine entwickelte Fischfangtechnik.

Im 8. Jahrtausend vollzieht sich ein tiefgreifender Klimawandel. Beiderseits des Niltals entsteht eine Steppenlandschaft. Das Wadi Howar im Nordwesten des Sudan wird zu einer Abfolge von Wasserläufen und Seen. Ein heute für den Süden des Sudan typisches Klima ist um diese Zeit etwa 500 km weiter im Norden vorherrschend und erlaubte menschliches Leben in den heutigen Wüstenzonen, teils in festen Siedlungen an den Flußläufen, teils in Lagern, die je nach Jahreszeit bewohnt wurden.

Aus dieser Zeit bieten Fundplätze in Khartum (Khartum Hospital) und beim Sechsten Katarakt (Saqqai) Anhaltspunkte für die ersten Entwicklungsstufen von Keramik, für die es zu diesem frühen Zeitpunkt im ägyptischen Niltal keinerlei Entsprechung gibt. Fischfang, Jagd und das Sammeln von Pflanzen und Früchten bilden in einem feuchten Klima die Lebensgrundlage. Die dünnwandige, teils großformatige Keramik ist zunächst mit Wellenlinien (*wavy line*) verziert, zu denen seit dem 6. Jahrtausend Punktmuster (*dotted wavy line*) treten. Dieser Dekor findet sich bereits erheblich früher im gesamten Bereich der Südsahara von Mauretanien bis zu den ostafrikanischen Seen. Die Annahme, es handle sich hier um eine homogene Kulturzone, wird jedoch durch die Datierung der neuesten Funde aus dem Zentralsudan nicht bestätigt.

Neolithikum

Da neuere Grabungsergebnisse aus dem Westen und Osten des Sudan nur in unvollständigen Vorberichten zugänglich sind, muß sich ein Überblick über die Entwicklungen im

5. und 4. Jahrtausend zunächst auf die beiden Regionen beschränken, die bereits seit geraumer Zeit intensiver untersucht worden sind: auf den Zentralsudan von Atbara bis etwa 100 km südlich von Khartum und auf Nubien von der ägyptisch-sudanesischen Grenze bis in das Gebiet zwischen dem Dritten und Vierten Katarakt.

Die zweite Hälfte des 6. Jahrtausends ist von zunehmend trockenerem Klima gekennzeichnet. Ursprung und Zusammensetzung der Bevölkerung sind nur schwer zu fassen, da kaum gut erhaltene Skelette gefunden wurden. Während in Unternubien die spätpaläolithische Lebensweise weiterentwickelt wird, treten im Zentralsudan Jagd und Fischerei gegenüber der Haltung domestizierter Tiere in den Hintergrund. Rind, Ziege, Schaf und Hund stammen von Wildtieren ab, die im Niltal nicht heimisch sind, so daß nicht auszuschließen ist, daß sie mit Bevölkerungsgruppen aus der Sahara in den Sudan gekommen sind. Der Nachweis von Ackerbau bereitet Schwierigkeiten; die als Magerung in Keramik eingelagerten Reste von Hirse unterscheiden sich morphologisch nicht von Wildpflanzen. Gerste ist hingegen seit der Mitte des 5. Jahrtausends in domestizierter Form bezeugt. Einen indirekten Hinweis auf Getreideanbau liefern die an vielen Fundstellen in großer Zahl nachgewiesenen Reibsteine zum Mahlen von Korn.

Die Bearbeitung der neolithischen Waffen und Geräte ist recht einfach. Quarzkiesel stehen auf den Uferterrassen des Nils überreich zur Verfügung und liefern, wenn sie zerschlagen werden, Splitter, die man zum Schneiden und Schaben verwenden kann, um sie hinterher achtlos wegzuwerfen. Sorgfältiger bearbeitet sind kleine Klingen mit Randabschlägen und feinen Retuschen; sie dienen als Pfeilspitzen oder sind in die Schneide von hölzernen Sicheln und Messern eingesetzt. Von höherer Qualität sind polierte Steingeräte aus vulkanischem Gestein, Axt- und Beilklingen, aber auch Schminkpaletten mit Reibsteinen und Keulenköpfe, die als Waffen und Machtsymbole verwendet werden. Sandstein wird vor allem für die Herstellung von Mahl- und Reibsteinen wie von Paletten verwendet. Aus Knochenmaterial oder Elfenbein werden neben Sticheln auch Harpunen, Angelhaken, scharfe und stumpfe Klingen, Äxte, fein verzierte Messergriffe und Nadeln, selten auch Schminkkästchen aus Nilpferdzahn hergestellt. Schmuck aus verschiedenen Materialien — Stein, Knochen, Elfenbein, Muscheln — wird in Gestalt von Armreifen, Perlenketten, Anhängern und Ohrringen hergestellt.

Keramik spielt eine herausragende Rolle. Im Schutt größerer Siedlungen finden sich Tonnen von Gefäßscherben. Der Formenschatz dieser Keramik ist einfach, umfaßt aber Beispiele jeglicher Art, von geschlossenen Formen (Flaschen) bis zum flachen Teller. Besonders hervorzuheben sind die kelchförmigen Gefäße. Ihre unfunktionale, weit ausladende Form, ihre Seltenheit und ihr ausschließlich funerärer Kontext weisen auf ihre rituelle Einbindung hin; wahrscheinlich wurden sie beim Totenopfer hochgestellter Persönlichkeiten verwendet. Die stets geglätteten oder polierten Oberflächen tragen einen formenreichen Dekor, der meist mit einem kammähnlichen Gerät eingedrückt ist. Ritz- und Punktmuster in Mäander- und Dreiecksmotiven stehen neben einer feinen streifigen Politur (später als *rippled ware* eine typische Oberfläche der A-Gruppen-Keramik), und ganz vereinzelt finden sich sogar bemalte Gefäße. Steingefäße bilden die absolute Ausnahme. Besondere Beachtung verdienen die meist aus gebranntem Ton, selten auch aus Sandstein gefertigten Frauenfigürchen, die gerne als Fruchtbarkeitsidole erklärt werden. Ihre bisweilen extreme formale Abstraktion, die kaum noch Geschlechtsmerkmale erkennen läßt, erschwert jedoch eine sichere Deutung ihrer Funktion.

Die Art der Fundstätten spielt bei deren Deutung als Siedlung oder Nekropole eine wesentliche Rolle. Wenn sich eindeutige Indizien für eine Siedlung erkennen lassen, so sind doch einzelne Bauformen kaum ablesbar; nur vereinzelt haben sich Feuerstellen feststellen lassen. Vom Menschen verursachte Zerstörung der Fundplätze durch spätere Überbauung oder modernen Abbau von fruchtbarem, phosphatreichem Boden und natürliche Wasser- und Winderosion haben die Gebäudestrukturen zerstört und die Spuren von Werkplätzen, Abfallgruben und Unterständen verwischt. So muß sich die Untersuchung von steinzeitlichen Siedlungen oft auf das Absammeln von Einzelfunden in quadratmetergroßen Arealen und wenigen Zentimeter tiefen Schichten beschränken. An die Stelle paläoethnologischer Methoden, wie sie heute in der prähistorischen Forschung üblich sind, tritt daher meist eine einfache typologische Klassifizierung. Es ist verständlich, daß sich unter diesen Bedingungen das Interesse der Forscher vor allem auf Grabareale richtet, die als geschlossene Fundkomplexe in oft ungestörtem Kontext wertvolle Informationen über Lebensweise, Wirtschaft, Sozialstruktur und religiöse Vorstellungen liefern.

Fundstätten im Zentralsudan

Dank der Initiative von A. J. Arkell, dem Pionier der Vorgeschichtsforschung im Sudan, ist der Zentralsudan seit den vierziger Jahren zum Zentrum der prähistorischen Archäologie geworden. Hier hat sich ein chronologisches Gerüst erarbeiten lassen, das heute allgemein anerkannt ist. Am Anfang steht das Khartum-Neolithikum, meist nach seinem Hauptfundort südlich des Sechsten Katarakts es-Schaheinab benannt. Ihm folgt die von trockenerem Klima geprägte Kulturstufe von Kadada. Zwei Fundorte, von denen Fundstücke in der Ausstellung zu sehen sind, sollen etwas genauer dargestellt werden.

Kadero

Der etwa 20 km nördlich von Khartum gelegene Fundort birgt eine frühneolithische Siedlung. Am Rand des Hügels finden sich im Abfall der Siedlung Knochen von Haus- und Wildtieren, Bruchstücke von Mahlsteinen, Steingeräten und Tongefäßen. Die eigentliche Siedlung und die Stallungen lagen in der Mitte des Hügels, nahebei auch der Friedhof. Die archäologische Untersuchung von Siedlung und Friedhof derselben Bevölkerungsgruppe bietet eine einzigartige Gelegenheit, alle Aspekte der Lebensweise dieser frühen afrikanischen Hirtenkultur darzustellen.

Lebensgrundlage war die Viehzucht (Ziege, Schaf), ergänzt durch Jagd, Fischfang und Sammeln von Früchten. Ob bereits domestiziertes Getreide angebaut oder noch wilde Hirse gesammelt wurde, ist nicht eindeutig geklärt.

Der Friedhof von Kadero liefert wertvolle Informationen über die Bevölkerungsstruktur einer neolithischen Siedlung. Die bisher ausgegrabenen 160 Gräber sind nur ein Teil des Friedhofs, der mehrere hundert Bestattungen umfaßt haben muß. Gegenüber frühneolithischen Siedlungen bedeutet dies einen erheblichen Zuwachs. Besonders auffallend ist jedoch die Differenzierung zwischen einer kleinen Elite mit aufwendiger Grabausstattung und dem Rest der Bevölkerung. Etwa zehn Prozent der Kadero-Gräber — Bestattungen von Männern, von Frauen und Kindern — gehören zu dieser Gruppe, die ihre Stellung als Häuptlingsfamilie vielleicht von Generation zu Generation vererbte (*Abb. 5*).

Die Grabgruben dieser reichen Gräber in Kadero sind tief ausgehoben. Schmuck aus Elfenbein, aus Muscheln vom Roten Meer und aus Malachit, Steingeräte, dünnwandige

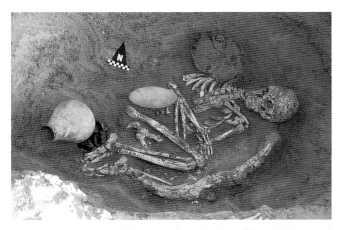

Abb. 5   Kadero, Grab 60. (Foto: K. Kroeper)

Abb. 6   Kadruka, Grab 106. (Foto: J. Reinold)

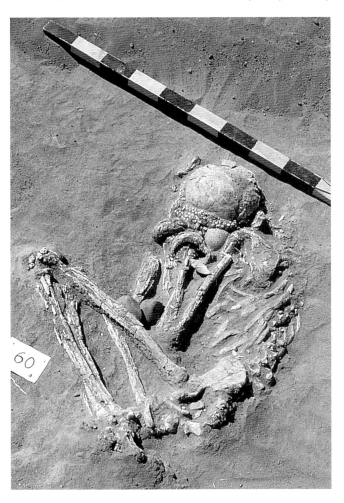

11

Tongefäße und Waffen, darunter steinerne Keulenköpfe, bilden ein reiches Grabinventar. Die rot polierten oder mit Ritzdekor geschmückten Tongefäße aus Kadero sind technologisch und künstlerisch ein erster Höhepunkt in der Keramik Afrikas.

Zu den technischen Innovationen zählen Komposit-Werkzeuge, bei denen Mikrolithen in Holz eingesetzt werden, um als Klingen von Messern und Sicheln zu dienen. Malachit, Amazonit und Muscheln vom Roten Meer sind Luxusbeigaben, die von weither besorgt werden müssen und damit Kontakte weit über den eigenen Lebensraum hinaus belegen.

el-Kadada

In der Gegend von Schendi, etwa 180 km nilabwärts von Khartum, liegt beim Ort el-Kadada ein spätneolithischer Fundplatz aus der ersten Hälfte des 4. Jahrtausends. Die

Anlage der Friedhöfe läßt Veränderungen der Sozialstruktur erkennen, wohl ausgelöst durch neue Wirtschaftsformen als Folge eines trockener werdenden Klimas. An den Funden kann man jedoch trotz ihrer Unterschiede zum Neolithikum von Khartum in hinreichend vielen Ähnlichkeiten die Kontinuität beider Kulturstufen ablesen.

Ein Siedlungsareal dehnt sich auf einer Anhöhe über mehrere Hektar aus; die Kulturschicht ist stellenweise über einen Meter stark. Alle Gebäudestrukturen und Schichtfolgen sind durch spätere Störungen vernichtet worden. Die Nekropole am Nordabhang und am Südfuß der Anhöhe gliedert sich in verschiedene Friedhöfe. Im Friedhof A wurden etwa hundert Bestattungen freigelegt und dokumentiert; von den 3000 Gräbern im Friedhof C sind bislang 200 ausgegraben worden.

Das neolithische 'Idealgrab' ist eine einfache Grube, deren Aushub beim Verfüllen des Grabes wiederverwendet

Abb. 7   el-Kadada, Grab einer hochgestellten Persönlichkeit mit Menschenopfer eines Jugendlichen. (Foto: J. Reinold)

wird. Die runde oder ovale Grube von 0,8 m bis 2 m Durchmesser weist keinerlei architektonische Ausgestaltung auf; sie könnte jedoch einen Oberbau aus vergänglichem Material besessen haben. Die Hockerbestattungen (*Abb. 6, Kadruka*) auf einer Mattenunterlage lassen keine klare Orientierung oder Körperlage erkennen.

Die Ausstattung des Leichnams nimmt ebenso wie das sonstige Grabinventar auf die Lebensgewohnheiten der Zeit Bezug. Ob die Zusammensetzung der Grabbeigaben geschlechtsspezifisch ist, läßt sich angesichts der nur wenigen als eindeutig weiblich oder männlich identifizierbaren Skelette nicht feststellen. Die Beigaben erlauben eine Klassifizierung der ganzen Bandbreite der Funde aus dem Kontext der Siedlungen, beinhalten aber auch bislang unbekannte Typen. Ein festes Schema der Grabausstattung ist nicht erkennbar. Stein- und Knochengeräte werden dem Verstorbenen in die Hand gegeben; Rindergehörne liegen hinter dem Kopf des Verstorbenen. Alle anderen Beigaben sind rings um den Leichnam gelegt. Die Deutung dieser Beigaben ist umstritten; daß sich in ihrer verschiedenartigen Zusammensetzung soziale Unterschiede niedergeschlagen haben, darf als sicher gelten. Aus der Zusammenschau von Grabausstattung und Lage der Gräber läßt sich der Schluß ziehen, daß sich der Platz eines Menschen im Gemeinwesen im Platz seines Grabes im Gefüge des Friedhofs widerspiegelt.

Im Vergleich zum älteren Kadero weist der Friedhof C von el-Kadada eine völlig andere Gliederung auf; reiche und arme Gräber sind nicht mehr in getrennten Arealen angelegt. In einem neuartigen Grabtypus sind zwei oder drei Bestattungen übereinander gesetzt, wobei eine Beschädigung der ersten Bestattung vermieden wird. Dieser eigenartige Brauch läßt vielleicht darauf schließen, daß beim Begräbnis einer bedeutenden Persönlichkeit ein Menschenopfer dargebracht (*Abb. 7*) und im selben Grab beigesetzt wurde. Die hierarchische Gliederung der Gesellschaft, die sich im Neolithikum von Khartum andeutet, hat im 4. Jahrtausend feste Formen angenommen.

Der etwas jüngere Friedhof A zeigt deutlich den gesellschaftlichen Wandel, der ja bisweilen als „neolithische Revolution" bezeichnet wird. Auf engstem Raum und über eine nur kurze Zeitspanne drängt sich eine ungewöhnlich große Zahl von Gräbern. Die Überschneidung der Gräber kann nur absichtlich erfolgt sein, und es zeigt sich, daß eine erste Bestattung von ungefähr einem Dutzend weiterer umgeben, teils überlappt und auch zerstört wird. Wahr-

scheinlich handelt es sich um Familiengräber. Eigenartig ist das völlige Fehlen von Kindergräbern. Oben auf dem Hügel, mitten im Siedlungsgebiet, finden sich dagegen knapp unter der Oberfläche Bestattungen von Kleinkindern in großen, teils zerstörten Tongefäßen. Man muß also annehmen, daß Kinder bis zum Alter von etwa sechs Jahren (bis zu einem Initiationsritus?) noch nicht vollgültige Glieder der Gemeinschaft waren und deshalb außerhalb des Friedhofs in der Siedlung oder in ihrer Nähe begraben wurden.

Zwischen dem Ende des Neolithikums und dem Beginn der historischen Zeit liegt im Zentralsudan eine archäologische Fundlücke, die sich wohl aus dem Wechsel zur nomadisierenden Weidewirtschaft erklärt, von der kaum archäologische Spuren zu erwarten sind. Die Familienstruktur als Grundlage dieser Lebensweise hat ihre Wurzeln in der Endphase der Kultur von el-Kadada.

Nubien: Kadruka und Wad el-Khowi

In Unternubien am Zweiten Katarakt lassen sich um die Mitte des 5. Jahrtausends drei neolithische Gruppen feststellen, die als Wildbeuter gelebt haben. Zwei von ihnen scheinen lokalen Ursprungs gewesen zu sein, die dritte ist wohl eingewandert und zeigt Ähnlichkeiten mit Early Khartum (*dotted wavy line*). Die lokale Abka-Kultur läßt sich über ein ganzes Jahrtausend verfolgen und geht in der Mitte des 4. Jahrtausends in die A-Gruppe über. Auffallend bleibt, daß trotz der großen Nubian Campaign der sechziger Jahre in Unternubien das Neolithikum weder durch Siedlungen noch durch Friedhöfe repräsentiert ist.

Erst oberhalb des Dritten Katarakts zeigt sich – dank der Grabungen des letzten Jahrzehnts – eine völlig andersartige Entwicklung. Spätestens seit der zweiten Hälfte des 5. Jahrtausends sind alle wesentlichen Elemente neolithischer Kultur vorhanden, die Domestizierung von Tieren und Pflanzen, die Keramikproduktion und die Technik polierter Steingeräte. Die laufenden Untersuchungen konzentrieren sich auf ein Territorium von etwa 50 km im Wad el-Khowi im Distrikt Kadruka. In der sehr fruchtbaren Schwemmlandebene am rechten Nilufer lassen sich mehrere alte Nilläufe feststellen. Die archäologischen Fundstätten liegen jeweils an einem dieser alten Flußläufe und lassen sich so in einer Art Topo-Chronologie zusammenfassen. Am östlichsten der alten Flußbetten begann die Besiedlung bereits im Mesolithikum und nimmt im Neolithikum angesichts des guten Ackerbodens noch erheblich zu. Mit

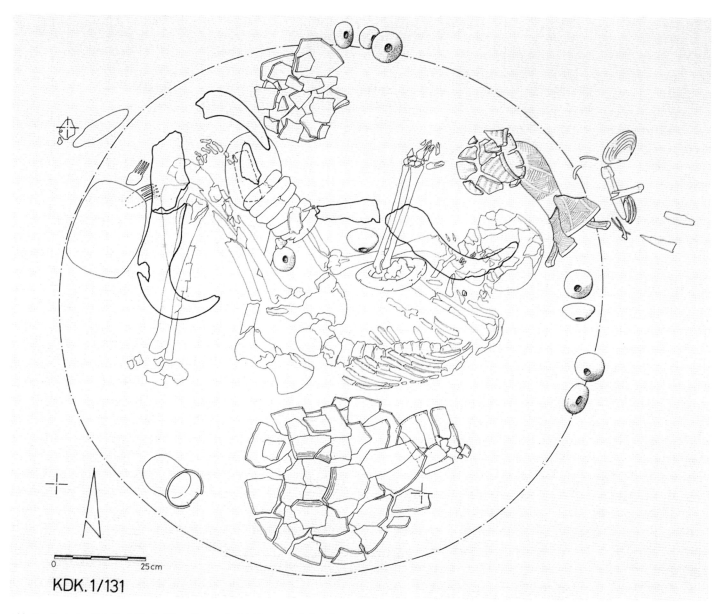

KDK.1/131

Abb. 8   Kadruka, Friedhof Nr. 1, Häuptlingsgrab. (Zeichnung J. Reinold)

der Verschiebung des Flußlaufs wird diese Zone aufgegeben; erst in jüngster Zeit wird sie durch den Einsatz von Motorpumpen wieder landwirtschaftl:ch nutzbar gemacht – eine dramatische Bedrohung für ein Gebiet, das einen ganzen archäologischen Park birgt. In Abständen von weniger als einem Kilometer liegen in dichter Folge Siedlungs- und Bestattungsplätze in der heute flacher. Gegend. Die wenigen Hügel sind entweder rezente Sandanwehungen oder Reste alter Nilinseln. Die sehr starke Winderosion hat die

einst viel höheren Hügel nivelliert und zwischen ihnen tiefen Sand abgelagert. Mehr als ein halber Meter ist vom ursprünglichen neolithischen Horizont zerstört; anstelle zusammenhängender Strukturen sind nur Streufunde übriggeblieben. Jegliche Interpretation der verbliebenen Reste steht daher auf schwachen Füßen.

Die Friedhöfe bieten ein völlig anderes Bild. Sie liegen auf Hügeln, und die Tiefe der Grabschächte hat die Gräber vor der Zerstörung gerettet. Mehr als dreißig Nekropolen stehen dem Archäologen zur Auswahl und bieten einen großartigen Forschungsgegenstand. Vom 6. bis zum 4. Jahrtausend lassen sie die Entwicklung der Bestattungsbräuche nachvollziehen. Drei oder vier dieser Nekropolen zählen jeweils mehr als 1000 Gräber; im Durchschnitt besitzen die Friedhöfe etwa 150 Bestattungen. Die erste Gruppe ist über einen langen Zeitraum belegt und kann zur Überprüfung eines chronologischen Grundgerüsts dienen, da sie in ihrer gegliederten Stratigraphie verschiedene lokale Grabtypen vereinigt. Die Friedhöfe der zweiten Gruppe sind in sich homogen, entsprechen einer nur kurzen Belegungsphase und sind typisch für kleine geschlossene Bevölkerungsgruppen. Das ist wichtig, denn für schriftlose Gesellschaften ist der Totenkult eine der wenigen Äußerungsformen der sozialen Gliederung. Der Friedhof Nr. I von Kadruka (*Abb. 8*) liefert hierfür ein typisches Beispiel.

Durch ihre Lage lassen sich zwei Gruppen von Gräbern unterscheiden. Die Grabgruppe auf dem höchsten Punkt des Hügels entwickelt sich konzentrisch um ein zentral gelegenes, besonders tiefes Grab (Nr. 131). In ihm liegen Verstorbene mit reichen Beigaben, wie sie für höhere soziale Schichten typisch sind. Am Abhang liegen Gräber mit einem höheren Anteil weiblicher Bestattungen. Die Grabausstattung des mit etwa 40 Jahren verstorbenen Besitzers von Grab 131 ist die reichste dieser Epoche überhaupt. Zweifellos war er die bedeutendste Persönlichkeit dieser Gemeinschaft von Ackerbauern und Viehzüchtern. Schon im 5. Jahrtausend standen also Häuptlinge an der

Spitze von Stammesgemeinschaften, eine außergewöhnliche Beobachtung für diese frühe Epoche. Daß sich diese Entwicklung gerade in dieser Region abspielt, ist sicher nicht zufällig: Im 3. Jahrtausend v. Chr. wird hier das erste afrikanische Königreich entstehen, das Reich von Kerma.

Die hier vorgeführten neolithischen Fundplätze stehen beispielhaft für die jüngste Entwicklung der Vorgeschichtsforschung im Sudan. Mehrere Teams haben in den letzten Jahren damit begonnen, den Anschluß an die internationale Forschung herzustellen. Schrittweise schälen sich die typischen Züge einer frühen Zivilisation heraus, deren riesiges Einzugsgebiet durch seine geographische Lage verschiedenste Einflüsse und Querverbindungen vermuten läßt. Langsam beginnt sich auch die Chronologie zu klären, und die frühe Zeitstellung der ersten Kulturen im Sudan gibt ihnen ihre besondere Bedeutung für die Entstehung der späteren Hochkultur in Ägypten.

Nach mehreren hunderttausend Jahren ohne erkennbare zivilisatorische Evolution bringt das Neolithikum grundlegende und anhaltende Veränderungen. Aus den Bestattungsbräuchen lassen sich differenzierte Sozialstrukturen ablesen, die sich ihrerseits schnell verändern und zu lokalen Sonderentwicklungen führen. Die Kulturformen in Nubien und im Sudan stehen beispielhaft für diese Herausbildung von eigenständigen Kulturen. Obwohl sie schriftlos sind und bleiben werden, sind sie ein entscheidender Faktor in der historischen Entwicklung der kommenden Jahrtausende.

1

Frauenfigur

Sandstein; H. 19,6 cm, Br. 5,8 cm, T. 4,2 cm
Aus Kadruka, Friedhof I, Grab 131
Grabungen der SFDAS, KDK 1/131/8
Neolithisch
Khartum, Nationalmuseum 26861

Geradezu symbolhaft für die Kreativität und Autonomie der Kultur des sudanesichen Niltals seit ihren Anfängen steht die Sandsteinfigur aus Kadruka, die im Grab eines hochgestellten Mannes gefunden wurde.

In ihrer mumienhaft wirkenden geschlossenen Form, unterstützt von der geschickt genutzten Maserung des Sandsteins, umreißt sie einen weich gerundeten, straffen weiblichen Körper. Die extreme Reduzierung der Form auf eine charakteristische Silhouette wird nur am Kopf durch vier horizontale Ritzungen auf zwei Ebenen durchbrochen; sie geben der Figur ihre Blickrichtung, ohne daß anatomisch zu benennende Gesichtsdetails zu erkennen sind. Eine Ritzlinie über den Augen mag den Haaransatz markieren.

Von allen anderen Frauenfiguren der Vorgeschichte des Niltals (vgl. *Kat. 2–4, 31*) und späterer Epochen (z. B. *Kat. 41–46*) unterscheidet sich die Sandsteinfigur aus Kadruka durch den Verzicht auf die Betonung der Hüften und auf die plastische Ausbildung der Brüste. Gegenüber diesen typischen Formen vorgeschichtlicher Frauenidole zeichnet sie sich durch lineare Strenge im Aufbau und äußerst kompaktes Körpervolumen aus und gewinnt dadurch ausgeprägte Monumentalität.

Dem Kenner moderner Kunst drängt sich die Analogie zu den Skulpturen Brancusis auf.

Lit.: Reinold, in: W. V. Davies (Hrgb.), Egypt and Africa, London 1991, 28, Abb. 6; ders., Etudes nubiennes, II, Genf 1994, 96–97, Abb. 3; ders., Katalog Nubie, Lille 1994, 70, Abb. 76, Nr. 72; Welsby, in: Katalog Africa. The art of a continent, London 1995, 104, Nr. 1.72 (deutsche Ausgabe: Afrika. Die Kunst eines Kontinents, Berlin 1996, 104, Nr.1.72)

2
Frauenfigur

Gebrannter Ton; H. 8,98 cm, Durchm.
max. 4,07 cm
Aus el-Kadada, Friedhof C, Sektor 76, Grab 9
Grabungen der SFDAS, KDD 76/9/2
Neolithisch
Khartum, Nationalmuseum 26895

Der zu einer Kugel vereinfachte Unter-
körper und der Oberkörper sind mit
Tätowierungen bedeckt. Zwei schräge
Striche markieren die Augen. Am Hinterkopf sitzt ein langer Zopf. Die Betonung des Unterkörpers und der Frisur ist
später in der ägyptischen Kunst ein ero-
tisches Signalmotiv.

Lit.: Reinold, in: ANM 2, 1987, 34, 37, Abb. 7;
ders., in: Katalog Nubie, Lille 1994, 55f., Nr. 54;
Welsby, in: Katalog Africa. The art of a
continent, London 1995, 104, Nr.1.73 (deutsche Ausgabe: Afrika. Die Kunst eines Kontinents, Berlin 1996, 104, Nr.1.73)

3
Frauenfigur

Gebrannter Ton; H. 6,7 cm, Br. 2,2 cm,
T. 2,0 cm
Aus el-Kadada, Friedhof C, Sektor 85, Grab 95
Grabungen der SFDAS, KDD 85/95/1
Neolithisch
Khartum, Nationalmuseum 26970

In der Körperbildung und der Tätowierung der anderen Frauenfigur aus el-Kadada (*Kat. 2*) ähnlich, trägt diese Statuette eine voluminöse Perücke. In die zahlreichen Löcher waren vielleicht kleine
Haarbüschel gesteckt.

Lit.: Geus, in: Van Moorsel (Hrgb.), New
discoveries in Nubia (Proceedings of the
colloquium on Nubian Studies, The Hague
1979), Leiden 1982, 16, Tf. XIII

4
Frauenfigur

Gebrannter Ton; H. 9,3 cm, Br. 3,2 cm,
T. 3,4 cm
Aus el-Kadada, Friedhof C, Sektor 22, Grab 15
Grabungen der SFDAS, KDD 22/15/15
Neolithisch
Khartum Nationalmuseum 26969

In der Körperbildung weist diese Figur
über den Typus von *Kat. 2* und *3* hinaus.
Zwar sind wie bei diesen die Arme nur
als Stummel angedeutet, aber an die Stelle der zur Kugel vereinfachten Form des
Unterkörpers setzt sie die detailgenaue
Anatomie von Bauch und Oberschenkeln.

Die Profilansicht zeigt unmißverständ-
lich, daß eine Schwangere dargestellt ist.
Von den Tätowierungen, die Körper und
Beine überziehen, unterscheiden sich die
in Hüfthöhe um den Körper laufenden
tief eingeschnittenen Linien. Sie sind,
den Halslinien bei *Kat. 2* und *3* vergleichbar, wohl als Hautfalten zu verstehen –
ein weiterer Hinweis auf die Darstellung
der Schwangeren.

Zwischen den Schultern deutet eine feine Ritzung darauf hin, daß der nicht
erhaltene Kopf einen kurzen Zopf trug.

Lit.: Geus, o. c. (vgl. *Kat. 3*), 16, Tf. XIII; ders.,
Rescuing Sudan ancient cultures, Lille 1984, 47,
Abb. 100; 66f., Abb. 3; ders., in: Kobusiewicz –
Krzyzaniak (Hrgb.), Origin and early devel-
opment of food-producing cultures in North-
Eastern Africa, Posen 1984, 370, Abb. 9.

gleichzeitig ein schräg aufsteigendes Streifenmuster – ein wohl überlegtes differenziertes Netz, das dem Gefäß optisch zusätzlich Festigkeit zu verleihen scheint. Am Boden finden sich konzentrische Punktlinien, am inneren Rand Kerben.

Der Gefäßtypus scheint ausschließlich der Verwendung als Grabbeigabe vorbehalten gewesen zu sein.

Lit.: Krzyzaniak, in: Antiquity 65/248, 1991, 527, Abb. 9. Zu Kadero: Krzyzaniak, in: Etudes et Travaux 16, 1992, 363–381; ders., in: F. Klees – R. Kuper (Hrgb.), New Light on the north-eastern African past, Africa Praehistorica 5, Köln 1992, 241–248; ders., in: The Sudan Archaeological Research Society Newsletter 10, 1996, 14–17

6
Schüssel

Gebrannter Ton; H. 19,7 cm, Durchm. 26,3 cm
Aus Kadero, Grab 60
Grabungen des Archäologischen Museums Posen, 1983
Neolithisch
Posen, Archäologisches Museum 1983: 50/2 (als Dauerleihgabe im Ägyptischen Museum Berlin)

Die halbkugelige große Schüssel mit einer leichten Einziehung der Gefäßlippe nimmt in ihrer auffallenden Dünnwandigkeit ein Spezifikum der nubisch-sudanesischen Keramik vorweg. Federnd dünne Wandungen sind charakteristisch für die Töpferware der A-Gruppe (*Kat. 35–37, 39*), der Kerma-Kultur (*Kat. 110–125*) und der meroïtischen Zeit (*Kat. 401–432*).

Kaum sichtbar ist die sehr sorgfältige Verzierung des Randes; ein Saum kleiner schwarzer Dreiecke begrenzt nach oben die rot polierte Außenfläche.

Lit.: zu Kadero vgl. *Kat. 5*

5
Kelchgefäß

Gebrannter Ton; H. 27,3 cm, Durchm. 19,4 cm
Aus Kadero, Grab 113
Grabungen des Archäologischen Museums Posen, 1992
Neolithisch
Posen, Archäologisches Museum 1992: I/1 (als Dauerleihgabe im Ägyptischen Museum Berlin)

Wie eine Blüte öffnet sich das Gefäß, dessen tropfenförmige untere Hälfte in einem gerundeten Boden endet. Die Außenfläche ist in Streifen mit einem Dreiecksmuster dekoriert, in dem stehende glatte Dreiecke mit hängenden Dreiecken abwechseln, deren Innenfläche mit waagerechten Punktlinien gefüllt ist. Durch die Anordnung der Dreiecke entsteht

7
Schale

Gebrannter Ton; H. 8,4 cm, Durchm. 16 cm
Aus Kadero, Grab 60
Grabungen des Archäologischen Museums
Posen, 1983
Neolithisch
Posen, Archäologisches Museum 1983: 50/3 (als
Dauerleihgabe im Ägyptischen Museum Berlin)

Konzentrische Halbkreise aus doppelten
Punktlinien bedecken die Außenfläche
mit rotem Überzug.

Lit.: Krzyzaniak, in: Antiquity 65/248, 1991,
526, Abb. 8 (Mitte links)

8
Schale

Gebrannter Ton; H. 13,3 cm, Durchm. max.
21,3 cm
Aus Kadero, Grab 170
Grabungen des Archäologischen Museums
Posen, 1994
Neolithisch
Posen, Archäologisches Museum, 1994/1
(als Dauerleihgabe im Ägyptischen Museum
Berlin)

Das liegend eiförmige, asymmetrische
Gefäß ist am Rand an einer Seite leicht
nach oben gezogen, so daß sich eine Art
Griff bildet; die gegenüberliegende Seite ist am Rand stark eingezogen. Das
Muster der Außenseite mit halbkreisför-
migen doppelten Punktlinien entspricht
dem Dekorationsschema von *Kat.* 7.
Die Dünnwandigkeit und das Fehlen von
Gebrauchsspuren weisen die Kadero-Ke-
ramik als Produktion für die Verwendung als Grabbeigaben aus, nicht als
wirklich benutzte Gebrauchsware.

Lit.: Zu Kadero vgl. *Kat.* 5

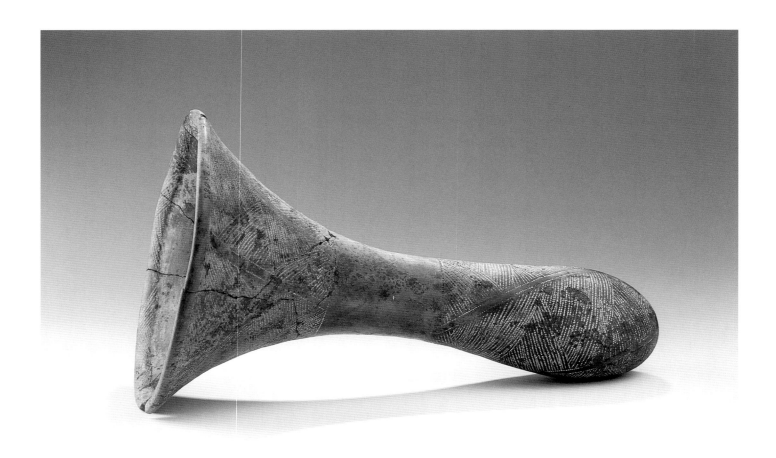

9
Kelchgefäß

Gebrannter Ton; H. 27,7 cm, Durchm. max.
23,4 cm, min. 5,4 cm
Aus el-Kadada, Friedhof C, Sektor 76, Grab 3
Grabungen der SFDAS, KDD 76/3/59
Spätes Neolithikum
Khartum, Nationalmuseum 26899

Die Kelchgefäße aus el-Kadada stellen gegenüber den Vertretern des gleichen Typus aus Kadero (*Kat. 5*) eine deutliche stilistische Fortentwicklung dar. Der Gefäßkörper ist schlanker geworden, die Mündung öffnet sich weiter; der kompakte, gedrungene Umriß des Kadero-Kelches wird von einer eleganten, hoch aufstrebenden Umrißlinie abgelöst.

Das mit einem kammähnlichen Gerät eingedrückte gepunktete Streifenmuster bedeckt das obere und untere Drittel der Außenfläche des Gefäßes und läßt eine glatt polierte Mittelzone frei. Den inneren Rand umzieht ein Dreiecksmuster. Alle Muster waren mit weißer Farbe ausgefüllt und traten dadurch deutlich hervor.

Lit.: Geus, in: Van Moorsel (Hrgb.), New discoveries in Nubia, Leiden 1982, 16, Tf. V, Abb. 4, Tf. XI(c); ders., Rescuing Sudan ancient cultures, Lille 1984, 57, Abb. 7; Reinold, in: Katalog Nubie, Lille 1994, 60f., Nr. 63; Welsby, in: Katalog Africa. The art of a continent, London 1995, 105, Nr. 1.75 (deutsche Ausgabe: Afrika. Die Kunst eines Kontinents, Berlin 1996, 105, Nr.1.75)

10

Kelchgefäß

Gebrannter Ton; H. 37,4 cm, Durchm. max.
21,9 cm, min. 6,2 cm
Aus Kadruka, Friedhof 1, Grab 131
Grabungen der SFDAS, KDK 1/131/18
Neolithisch
Khartum, Nationalmuseum 26883

Der niedrige, in seinem unteren Teil kugelige Gefäßkörper läßt den weit ausladenden Gefäßrand besonders stark in
Erscheinung treten. Knapp oberhalb der
stärksten Einziehung des Halses unter-
bricht ein poliertes horizontales Band die
Streifenmusterung der Außenfläche, die
Flechtwerk aus breiten Pflanzenfasern,
vielleicht aus Palmblättern, nachzuah-
men scheint. Den inneren Rand umgibt
ein großflächiges Dreiecksmuster.

Lit.: Reinold, in: Katalog Nubie, Lille 1994, 82f.,
Nr. 86; ders., in: W. V. Davies, Egypt and Africa,
London 1991, 25, Abb. 6; ders., in: Etudes
nubiennes, II, 1994, 93–100

11
Felsbild eines Nashorns

Nubischer Sandstein; H. 31 cm, Br. 55 cm
Herkunft unbekannt
Vorgeschichtlich(?)
Berlin, Ägyptisches Museum und Papyrus-
sammlung 25949

Auf der Keramik des nubisch-sudanesischen Neolithikums fehlen figürliche
Darstellungen. Möglicherweise sind Felsbilder aus der nubischen Wüste in diese
Zeit zu setzen, da ihre Motive eine Tierwelt zeigen, die später zumindest im
ägyptischen Niltal nicht mehr angetrof-
fen wird, wenn sie auch in Nubien und
im Sudan wohl noch in historischer Zeit
heimisch war. Eine sichere Datierung von
Felsbildern ist allerdings nach wie vor
äußerst schwierig.

Das Profilbild eines Nashorns befolgt in
der Nebeneinandersetzung der Ohren
bereits ein Grundprinzip der typisch
ägyptischen Flachbildkunst, die Frontal-
und Profilansicht miteinander kombiniert.

Lit.: Priese, in: Katalog Das Ägyptische Museum, Staatliche Museen zu Berlin, Rostock
1989, 44

12
Felsbild eines Elefanten

Nubischer Sandstein, H. 40 cm, Br. 58 cm
Herkunft unbekannt
Vorgeschichtlich(?)
Berlin, Ägyptisches Museum und Papyrus-
sammlung 25943

Während die Nashorn-Figur (*Kat. 11*)
flächig aus der patinierten Felsoberfläche
gehämmert ist, begnügt sich die Darstellung des Elefanten mit einer gehämmer-
ten Umrißlinie, die in äußerster forma-
ler Reduktion ein hieroglyphenhaft ein-
faches Bild des Tieres gibt.

Lit.: Priese, o. c. (vgl. *Kat.11*)

13
Schale

Gebrannter Ton; H. 14 cm, Durchm. max.
34,2 cm
Aus Kadruka, Friedhof 1, Grab 2
Grabungen der SFDAS, KDK 1/2/1
Neolithisch
Khartum, Nationalmuseum 26875 (falsch
beschriftet als 26874)

Die steilwandige Schale mit leicht kon-
vexem Boden ist bereits vor ihrer Verwendung als Grabbeigabe zerbrochen. Als
kostbares, außergewöhnlich großes Gefäß wurde sie repariert; beiderseits der

Bruchlinie sind Bohrungen zu erkennen,
durch die Schnüre oder Riemen gezogen
wurden, um die Gefäßhälften miteinander zu verbinden.
Einziger Dekor ist ein schmales Fischgrätmuster, das mit einem kammähnlichen Gerät in den Gefäßrand gedrückt
wurde.

Lit.: Reinold, in: Katalog Nubie, Lille 1994, 83,
Nr. 88

26

14
Schale mit zwei Schnäbeln

Gebrannter Ton; H. 9 cm, Br. 21,1 cm,
T. 14,5 cm
Aus Kadruka, Friedhof 1, Grab 69
Grabungen der SFDAS, KDK 1/69/1
Neolithisch
Khartum, Nationalmuseum 27360

Im Inneren Reste roter Farbe.

Lit.: Reinold, in: W. V. Davies (Hrgb.), Egypt
and Africa, London 1991, 25, Abb. 6

15
Sieb

Gebrannter Ton; H. 6,1 cm, Durchm. max.
8,7 cm
Aus Kadruka, Friedhof 1, Grab 120
Grabungen der SFDAS, KDK 1/120/3
Neolithisch
Khartum, Nationalmuseum 26882

Löcher vor dem Brand von innen nach
außen durch die Wandung gestoßen.
Ritzmuster am Rand.

Lit.: Reinold, in: Katalog Nubie, Lille 1994, 86,
Nr. 94

16
Tüllengefäß

Gebrannter Ton; H. 8,5 cm, Durchm. max.
13,3 cm, B. mit Tülle 17,5 cm
Aus Kadruka, Friedhof 21, Grab 36
Grabungen der SFDAS, KDK 21/36/1
Neolithisch
Khartum, Nationalmuseum 26968

Aufwärts gebogene Ausgußtülle; keine
Dekoration der Oberfläche.

Lit.: Unveröffentlicht

17
Flasche

Gebrannter Ton; H. 22,9 cm, Durchm. max.
17,3 cm
Aus Kadruka, Friedhof I, Grab 106
Grabungen der SFDAS, KDK 1/106/4
Neolithisch
Khartum, Nationalmuseum 26880 (falsch
beschriftet als 26878)

Ungewöhnliche Form von ausgeprägt
'afrikanischem' Charakter; Ritzmuster
am plastisch abgesetzten Rand.

Lit.: Leclant – Clerc, in: Orientalia 57, 1988, Abb. 74
(*in situ*); Reinold, in: Katalog Nubie, Lille 1994, 84f.,
Nr. 91

18
Ovales Gefäß

Gebrannter Ton; H. 16,7 cm, Durchm. max.
28,2 cm
Aus Kadruka, Friedhof I, Grab 45
Grabungen der SFDAS, KDK 1/45/4
Neolithisch
Khartum, Nationalmuseum 26879

Bohrungen entlang einer alten Bruchlinie
zur Reparatur des Gefäßes. Ritzorna-
ment am Rand.

Lit.: Reinold, in: Katalog Nubie, Lille 1994, 84,
Nr. 90

19
Keulenkopf

Hartgestein (Gabbro?); H. 4,4 cm, Durchm.
max. 9 cm
Aus Kadruka, Friedhof I, Grab 119
Grabungen der SFDAS, KDK 1/119/8
Neolithisch
Khartum, Nationalmuseum 26874

Die zylindrische Bohrung zur Befestigung des Stiels sitzt asymmetrisch im
konischen Keulenkopf. Als Machtsymbole werden Keulen, auch in größerer
Stückzahl, den Bestattungen hochgestellter Personen beigegeben.

Lit.: Reinold, in: Katalog Nubie, Lille 1994, 80, Nr. 82

20/21/22

20
Schale mit Griffzunge

Gebrannter Ton; H. 9,6 cm, Durchm. max.
16,7/19,3 cm
Aus el-Kadada, Friedhof C, Sektor 75, Grab 3
Grabungen der SFDAS, KDD 75/3/10
Neolithisch
Khartum, Nationalmuseum 26894

Die Form ist bereits in Kadero (*Kat. 8*) angedeutet. Streifendekor auf der Außenseite.

Lit.: Geus – Reinold, in: CRIPEL 5, 1979, 39f.,
42, Abb. 14, Tf. XVIa (hier falsche Fund-Nr. KDD
75-1-10); F. Geus, Rescuing Sudan ancient cultures,
Lille 1984, 45, Abb. 96, 65, Abb. I; Reinold, in:
Katalog Nubie, Lille 1994, 64ff., Nr. 70. Vgl. J.
Bourriau, Umm el-Gaa'b, Cambridge 1989, 98f.,
Nr. 194, 195, 200

21
Teller

Gebrannter Ton; H. 4,1 cm, Durchm. max.
18,8 cm
Aus el-Kadada, Friedhof C, Sektor 86, Grab 16
Grabungen der SFDAS, KDD 86/16/22
Spätes Neolithikum
Khartum, Nationalmuseum 26901

Ein großflächiges geritztes Quadrat- und
Dreiecksmuster auf Außen- und Innenseite; glatter Rand.

Lit.: F. Geus, Rescuing Sudan ancient cultures,
Lille 1984, 45, Abb. 96, 56, Abb. I; ders., in:
M. Krause (Hrgb.), Nubische Studien, Mainz
1986, 79, Abb. c; Reinold, in: Krause (Hrgb.)
o. c., 160, 167, Abb. 5; ders., in: Katalog Nubie.
Lille 1994, 60ff., Nr. 64

22
Steilwandiger Napf

Gebrannter Ton; H. 12,3 cm, Durchm. max.
17,5 cm
Aus el-Kadada, Friedhof C, Sektor 76, Grab 3
Grabungen der SFDAS, KDD 76/3/40
Spätes Neolithikum
Khartum, Nationalmuseum 26898

Geritzter Streifendekor, der durch glatte senkrechte Linien in vier Sektoren geteilt ist.

Lit.: F. Geus, Rescuing Sudan ancient cultures,
Lille 1984, 58f., Abb. 2; ders., in: Kobusiewicz
– Krzyzaniak (Hrgb.), Origin and early devel-
opment of food-producing cultures in North-
Eastern Africa, Posen 1984, 367, Abb. 6; Rei-
nold, in: Katalog Nubie, Lille 1994, 62f., Nr. 65

23
Beilklinge

Grüner Stein; L. 22,3 cm, Br. 6,5 cm,
T. 4,9 cm
Aus el-Kadada, Friedhof A, Sektor 12, Grab I
Grabungen der SFDAS, KDD 12/1/5
Neolithisch
Khartum, Nationalmuseum 26884

Politur nur im Bereich der Schneide.
Keine Gebrauchsspuren, also wohl Zere-
monialwaffe.

Lit.: Geus – Reinold, in: CRIPEL 5, 1979, 87,
143, Tf. XXXVIIa; Geus, in: Kobusiewicz –
Krzyzaniak (Hrgb.), o. c. (vgl. *Kat.* 22), 369,
Abb. 8; Reinold, in: Katalog Nubie, Lille 1994,
56f., Nr. 55

23   24/25/26 ▷

24
Kugelgefäß

Gebrannter Ton; H. 26,8 cm, Durchm. max.
26,3 cm
Aus el-Kadada, Friedhof A, Sektor 22, Grab 14
Grabungen der SFDSA, KDD 22/14/26
Neolithisch
Khartum, Nationalmuseum 27361

Der Dekor aus eingeritzten Viertelkreisen, die sich schuppig überlappen, verleiht dem Gefäß den Charakter einer blättrigen Frucht. Während rein kugelige Gefäßformen im Niltal sehr selten belegt sind, finden sich entsprechende Formen in der afrikanischen Keramik recht häufig.

Lit.: Geus, in: Van Moorsel (Hrgb.), New discoveries in Nubia, Leiden 1982, 16, Tf. XI(a); ders., Rescuing Sudan ancient cultures, Lille 1984, 63, Abb. 3

25
Eiförmiges Gefäß

Gebrannter Ton; H. 10,9 cm, Durchm. max.
13,5/17,6 cm
Aus el-Kadada, Friedhof A, Sektor 22, Grab 15
Grabungen der SFDAS, KDD 22/15/8
Neolithisch
Khartum, Nationalmuseum 26891

Die asymmetrische Form mit stark eingeschlagenem Rand an der einen Schmalseite ist vorgeprägt in Kadero (*Kat. 8*). Die streifig geglättete Oberfläche (*rippled ware*) ist typisch für spätneolithische Keramik und findet sich später auf den Gefäßen der A-Gruppe (*Kat. 39*) wieder.

Lit.: Reinold, in: Katalog Nubie, Lille 1994, 65, Nr. 69

26
Eiförmiges Gefäß

Gebrannter Ton; H. 17,5 cm, Durchm. max.
14,5 cm
Aus el-Kadada, Friedhof A, Sektor 22, Grab 9
Grabungen der SFDAS, KDD 22/9/3
Spätes Neolithikum
Khartum, Nationalmuseum 26890

In starkem Gegensatz zur 'freien' Form von *Kat. 25* steht das symmetrisch geformte Gefäß mit seiner sorgfältig gearbeiteten Streifung der Oberfläche, die radial vom Mittelpunkt des Gefäßbodens ausgeht. Obwohl wie alle neolithischen Gefäße ohne Töpferscheibe geformt, bildet es in seiner Regelmäßigkeit als Endpunkt einer jahrhundertelangen Entwicklung den Übergang zur Frühgeschichte.

Lit.: F. Geus, Rescuing Sudan ancient cultures, Lille 1984, 54f., Abb. 4; Reinold, o. c., 64f., Nr. 68

27
Keulenkopf

Grüner Stein; H. 1,3 cm, Durchm. max.
17,9 cm
Aus el-Kadada, Friedhof A, Sektor 22,
Grab 94
Grabungen der SFDAS, KDDD 22/94/11
Neolithisch
Khartum, Nationalmuseum 26887

Mit Ausnahme des Zentrums, durch dessen von beiden Seiten gebohrtes, leicht
asymmetrisches Loch der Keulenschaft
gesteckt wurde, ist diese beidseitig polierte Tellerkeule nur wenige Millimeter
dick. Sie ist damit für den praktischen
Gebrauch als Waffe ungeeignet. Sie wurde als Machtsymbol und Zeremonialwaf-
fe ins Grab gegeben.

Lit.: Geus, in: Van Moorsel (Hrgb.), New
discoveries in Nubia, Leiden 1982, 16, Tf. XII;
ders., Rescuing Sudan ancient cultures, Lille
1984, 60f., Abb. 2; Reinold, in: Katalog Nubie,
Lille 1994, 58, Nr. 58

28
Keulenkopf

Grüner Stein; H. 2,8 cm, Durchm. max. 8,9 cm
Aus el-Kadada. Friedhof C, Sektor 85,
Grab 11
Grabungen der SFDAS, KDD 85/11/3
Neolithisch
Khartum, Nationalmuseum 26900

Beidseitig poliert; im Schnitt linsenför-
mig: von beiden Seiten Bohrung des exakt zentrierten Schaftloches .

Lit.: Reinold, in: Katalog Nubie, Lille 1994, 58,
Nr. 59

29
Schminkpalette

Diorit(?); L. 13,3 cm, Br. 9,2 cm, H. 1,9 cm
Aus el-Kadada, Friedhof C, Sektor 76, Grab 3
Grabungen der SFDFAS, KDD 76/3/14
Neolithisch
Khartum, Nationalmuseum 26896

Die grob rechteckige Palette ist auf einer
Seite konvex gewölbt, während die andere
Seite durch ihre leicht konkave Oberfläche darauf hindeutet, daß sie als Reibflä-
che verwendet wurde. In einigen Gräbern
fanden sich Paletten mit Resten von Malachit oder auch Bleiglanz, die als Augen-
schminke verwendet wurden. Malachit
ist auch als Mittel zum Färben der Zähne belegt.

Lit.: Reinold, in: M. Krause (Hrgb.), Nubische
Studien, Mainz 1986, 161, Abb. 9; ders., Katalog Nubie, Lille 1994, 59, Nr. 61

30
Reibstein

Diorit(?); H. 4,2 cm, Durchm. 2,4 cm
Aus el-Kadada, Friedhof C, Sektor 76, Grab 3
Grabungen der SFDAS, KDD 76/3/13
Neolithisch
Khartum, Nationalmuseum 26897

Der leicht konisch geformte Reibstein
kommt aus demselben Grab wie die Palette *Kat. 29*, ist jedoch nicht aus dem
gleichen Stein gefertigt.

Lit.: Reinold, in: Krause (Hrgb.), o. c. (vgl.
Kat. 29); ders., in: Katalog Nubie, Lille 1994,
59f., Nr. 62

A-Gruppen-Kultur

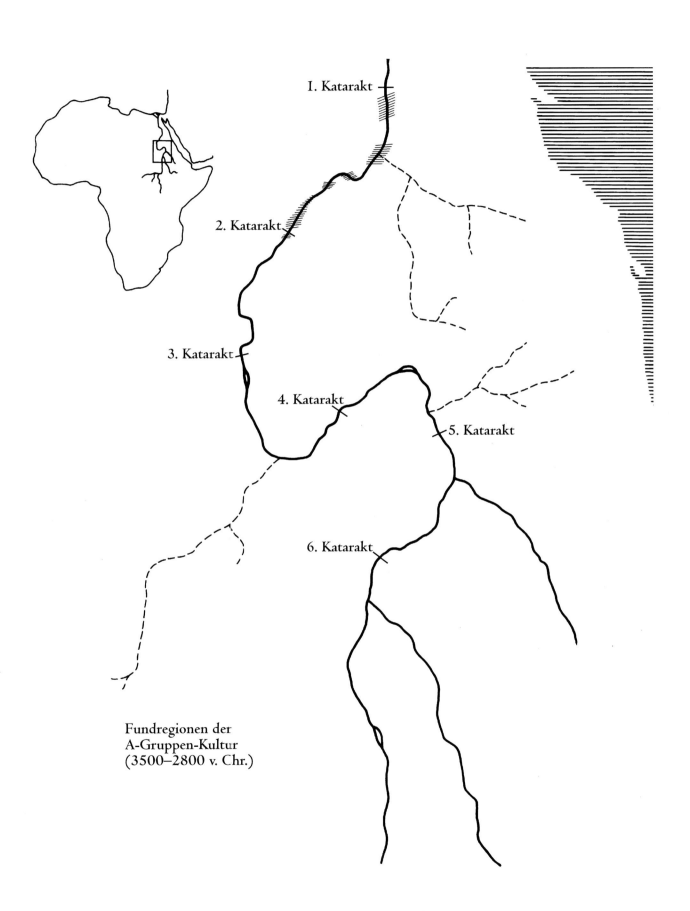

I. Katarakt

2. Katarakt

3. Katarakt

4. Katarakt

5. Katarakt

6. Katarakt

Fundregionen der
A-Gruppen-Kultur
(3500–2800 v. Chr.)

Charles Bonnet

A-Gruppe und Prä-Kerma

Die heute üblichen Bezeichnungen der nubischen Kulturen des späten 4. und des 3. Jahrtausends v. Chr. gehen auf den amerikanischen Ägyptologen George A. Reisner zurück. Er lenkte zu Beginn des 20. Jahrhunderts das Augenmerk der Archäologie auf Nubien, als er angesichts der Erhöhung des alten Assuan-Dammes Survey-Arbeiten durchführte, zu denen der Generaldirektor der ägyptischen Altertümerverwaltung, Gaston Maspero, aufgerufen hatte. Reisner bezeichnete in chronologischer Reihenfolge die verschiedenen von ihm entdeckten Kulturstufen als A-Gruppe, B-Gruppe, C-Gruppe und X-Gruppe – eine Terminologie, die sich in ihren Grundzügen bis heute gehalten hat[1].

Zu den Ursprüngen der Kultur der A-Gruppe einerseits in der reichen neolithischen Tradition des nubischen Raumes, andererseits in den vorgeschichtlichen Negade-Kulturen des ägyptischen Niltals hat die „Nubian Campaign" 1960–1969 wichtige Erkenntnisse geliefert[2]. Es scheint, daß die Kultur der A-Gruppe seit der Mitte des 4. Jahrtausends v. Chr., also zu einer Zeit, in der die allerersten Anfänge der Staatsbildung in Ägypten liegen, in kleine Stammesgemeinschaften oder Fürstentümer gegliedert war. Zwischen Ägypten im Norden und den weiter südlich gelegenen Kulturen hat die A-Gruppe eine wichtige Mittlerrolle gespielt und war wohl auch an der Ausbeutung der Bodenschätze in der Ostwüste beteiligt[3]. Drei Phasen ihrer historischen Entwicklung kennzeichnen sie: Die frühe (3700–3250 v. Chr.), die klassische (3250–3150 v. Chr.) und die späte A-Gruppe (3150–2800 v. Chr.).

Während sich für den unternubischen Raum dank der intensiven Forschungen während der Nubian Campaign die geschichtliche Entwicklung in diesem Zeitraum recht ge-

Abb. 9   Felsrelief vom Gebel Scheich Suliman. (Foto: F. Hinkel)

nau nachzeichnen läßt, bleibt die Region zwischen dem Zweiten und Vierten Katarakt weitgehend unerforscht[4]. Die jüngsten archäologischen Untersuchungen in Kerma[5] und in Kadruka[6] bezeugen für diese Region südlich des Dritten Katarakts um 3000 v. Chr. eine Bevölkerung, die mit einem eigenen Terminus „Prä-Kerma" zu bezeichnen nicht nur wegen der andersartigen geographischen Situation naheliegt, sondern auch wegen der eigenständigen, wenn auch der A-Gruppe verwandten Keramik; außerdem lassen sich anders als bei der A-Gruppe keine Einflüsse aus Ägypten feststellen.

Diese Prä-Kerma-Kultur scheint auch teilweise das archäologische Vakuum zu füllen, das nach dem Ende der A-Gruppe von 2800 bis 2400 v. Chr. klafft. Unternubien entvölkerte sich offenbar ab 2800 v. Chr. aufgrund klimatischer Veränderungen. Seit dem Beginn der I. Dynastie versuchten die Ägypter, ihren Einfluß auf Nubien auszudehnen; sie unternahmen mehrere Vorstöße bis zum Zweiten Katarakt. Das berühmte Felsrelief vom Gebel Scheich Suliman (heute in Khartum) (Abb. 9) ist ein Beleg hierfür. Ein Teil der Bevölkerung zog sich wohl in die Wüste zurück oder fand neuen Lebensraum südlich des Dritten Katarakts im fruchtbaren Kerma-Becken, dessen Besiedlung seit dem Neolithikum ohne Unterbrechung bezeugt ist. Ob die jüngst ausgegrabene Prä-Kerma-Siedlung in Kerma bereits ein Stammessitz war, läßt sich noch nicht sagen.

Das Einzugsgebiet der A-Gruppe – und später der C-Gruppe – liegt an einem Handelsweg, auf dem aus Zentralafrika und vom Roten Meer kostbare Waren wie Gold, Elfenbein, Ebenholz, Weihrauch, Tierfelle nach Ägypten weitergereicht wurden. Die reichen Funde ägyptischen Ursprungs in den Gräbern der klassischen und der späten A-Gruppe – große Gefäße für Bier, Wein, Öl und Korn sowie Waffen und Metallwerkzeuge – belegen den Warenfluß auch in der Gegenrichtung. Diese Funde sind nur bis zum Ende der ersten Dynastie belegt; die A-Gruppe scheint also ihre Kontrolle über diese Handelswege verloren zu haben. Wesentlicher Bestandteil der Außenbeziehungen war sicherlich der Viehhandel, der auch später in Nubien stets eine wichtige Rolle spielte.

Am aussagekräftigsten sind für die A-Gruppe die Grabfunde. Die Bestattungssitten haben ihre Wurzeln in der Vorgeschichte. In den kleinen rechteckigen, ovalen oder runden Grabgruben (Abb. 10) liegt der Verstorbene in Hockerstellung auf einer Matte, oft mit Leder- oder Leinen-

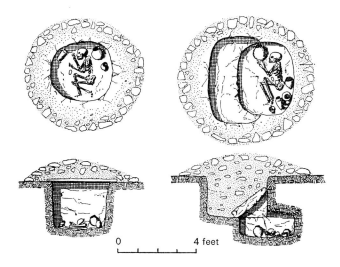

Abb. 10   Grabtypen der A-Gruppen-Kultur (nach W. Adams)

kleidung und Hals- und Armschmuck. Manchmal findet man einen Fächer aus Straußenfedern oder einige Tonfigürchen (Kat. 31), vor allem jedoch Keramik.

Bisweilen sind in derselben Grabgrube mehrere Bestattungen übereinander angelegt worden; ob hierin – wie im Neolithikum – ein Hinweis auf Menschenopfer zu sehen ist, bleibt unsicher. Die Gliederung der Friedhöfe, die Form der Gräber und die Zusammensetzung der Grabbeigaben lassen auf eine hierarchische Struktur der Gesellschaft schließen. Manche Grabbeigaben sind offenbar Machtsymbole eines Häuptlings, so die Zeremonialkeule aus Sayala mit ihrem goldüberzogenen Griff mit Tierfriesen[7] oder das Steingefäß aus Qustul mit seinen hochinteressanten Reliefdarstellungen[8].

Die meist kleinen Siedlungen der A-Gruppe bestanden aus leicht gebauten Hütten. In der großen Siedlung von Afyeh setzten sich die mehrräumigen rechteckigen Häuser aus Steinen und Schlammverputz zusammen. Sicherlich handelt es sich hier um einen Häuptlingssitz[9]. In Khor Daud wurden 500 Silo-Gruben freigelegt, in denen sich große Tongefäße meist ägyptischer Herkunft befanden[10]. Wahrscheinlich lag ringsum oder in unmittelbarer Nähe eine größere Siedlung.

Einen ganz ähnlichen Befund bietet Kerma. Rings um einen Bereich mit Silo-Gruben lagen Rundhütten von 4,30 –4,70 m Durchmesser. Ein einziges Gebäude weist einen rechteckigen Grundriß auf. Aus Pfostenlöchern läßt sich eine differenzierte Raumgliederung erschließen. Bislang konnten 180 Gruben festgestellt werden, einige mit roten Brandspuren; nur in drei Gruben fanden sich Gefäße[11].

Der Nilarm, an dem sich diese Siedlung befand, trocknete offensichtlich in der ersten Hälfte des 3. Jahrtausends aus, so daß die Siedlung aufgegeben wurde. Ein sich über mehrere Kilometer erstreckender Survey entlang dieses fossilen Nilarms läßt aufgrund von Oberflächenfunden auf weitere derartige Siedlungen schließen, die jedoch völlig zerstört sind. Nicht ein einziges typisches Prä-Kerma-Grab ist gefunden worden; einige Bestattungen in Kadruka ohne nennenswerte Beigaben gehören wohl in diese Zeit.

Die nubische A-Gruppen- (Kat. 35–37) und die Prä-Kerma-Keramik unterscheiden sich deutlich von der zeitgleichen in Ägypten[12] – vor allem durch die Behandlung der Oberfläche. Sie ist oft poliert und mit einer großen Vielfalt geometrischer Muster bemalt, die Flechtwerk nachahmen. Spitzbodige Näpfe, Schüsseln, Becher und halslose Vasen sind handgeformt. Häufig sind die außen rot polierten Gefäße am Rand und innen schwarz. Typisch für die Keramik der A-Gruppe ist die in feinen Rippen geglättete rote Außenhaut (*rippled ware*) (Kat. 39) mit schwarzem Rand sowie ein beigefarbener Scherben mit dunkelroter geometrischer und selten auch figürlicher Bemalung (*eggshell ware*) (Kat. 34)[13]. Eine Klassifizierung der Prä-Kerma-Keramik ist in Arbeit; sie soll den Vergleich mit der A-Gruppe, aber auch mit dem späten Neolithikum des Zentralsudan[14] oder mit der Kultur von Omdurman nahe Khartum[15] ermöglichen.

31

Frauenfigur

Gebrannter Ton; H. 8,4 cm, Br. 3,2 cm, T. 8,6 cm
Aus Halfa Degheim, Site 277, Grab 16B
Grabungen der Scandinavian Joint Expedition
1963–64, 277/16 B:3
A-Gruppe
Khartum, Nationalmuseum 13729

Die Frauenfigur aus einem Grab der A-Gruppen-Kultur, in dem eine erwachsene Frau und ein Mädchen bestattet waren, wurde zusammen mit dem Figürchen eines Kindes gefunden, so daß sich aus der Analogie zwischen Bestatteten und rundplastischen Darstellungen erschließen läßt, daß in den Statuetten Mutter und Kind zu sehen sind.
Die Modellierung der mächtigen Hüften und der Oberschenkel und die tiefen Einkerbungen in diesem Bereich der Figur finden ihre unmittelbare Entsprechung bei einer neolithischen aus el-Kadada (*Kat. 4*). Wenn dort diese eingeschnittenen Linien als Falten des Leibes der Schwangeren gedeutet werden können, darf dies wohl auch für die Figur der A-Gruppe gelten, die damit eine ältere Tradition aufnimmt und fortführt. Motivlich neu ist die Ausarbeitung der Arme, die die vollen Brüste unterstützen

— ein Motiv, das in der meroïtischen Kunst wieder erscheinen wird, dann allerdings zur Darstellung weiblicher Gottheiten (*Kat. 374*). Stilistisch bemerkenswert ist die Gestaltung des langen zylindrischen Halses und des unmittelbar aus ihm wachsenden, kaum ausgeprägten Kopfes, der nur durch die Augenkerben, eine breite Mundspalte und die Andeutung der Nase als solcher erkennbar wird. Die voluminösen fußlosen Beine, durch eine tiefe Furche voneinander getrennt, finden ebenso wie die Sitzhaltung der Figur ihre Entsprechung in vorgeschichtlichen Frauenfiguren aus dem ägyptischen Niltal. So steht die Figur in einem Geflecht von Beziehungen, die auf das Neolithikum zurückverweisen und künftige Entwicklungen vorwegnehmen.

Lit.: Keating, in: Les Courriers de l'UNESCO 17/10, 1964, 26f.; Leclant, in: Orientalia 34, 1965, 209, Abb. 33; H.-A. Nordström, Neolithic and A-Group sites, SJE 3, Uppsala 1972, 127, 196, Tf. 56.3, 197; Säve-Söderbergh, in: Kush 15, 1973, 228, Tf. XLIII; Huard, in: Kush 15, 1973, 109, Abb. 8 (9f.), 110; Wenig, in: AiA II, 114, Nr. 1; Welsby, in: Katalog Africa. The art of a continent, London 1995, 104, Nr. 1.74 (deutsche Ausgabe: Afrika. Die Kunst eines Kontinents, Berlin 1996, 104, Nr. 1.74); Pl. L. Shinnie, Ancient Nubia, London – New York 1996, Tf. 7b

32
Felsbild

Nubischer Sandstein; H. 50 cm, Br. 60 cm
Herkunft unbekannt
A-Gruppe(?)
Berlin, Ägyptisches Museum und Papyrus-
sammlung 25950

In seiner technischen Ausführung den
Felsbildern mit Darstellungen wilder
Tiere – Nashorn und Elefant (*Kat.
11,12*) – entsprechend, unterscheidet
sich dieses Bild durch sein Motiv, ein
buckliges Langhorn-Rind. Haustierhal-
tung als Schritt zur seßhaften Lebensweise ist ein wesentlicher Schritt der zivili-
satorischen Entwicklung. Die Darstellung des Gehörns in reiner Vorderansicht
auf einem Körper, der im Profil wiedergegeben wird, nimmt das Grundprinzip
des Flachbildes in der ägyptischen Kunst
vorweg. Sie erzeugt ein Maximum an in-
haltlicher Klarheit, ohne dem Naturvor-
bild zu entsprechen.

Lit.: Priese, in: Katalog Das Ägyptische Museum, Staatliche Museen zu Berlin, Rostock 1989,
44

33
Felsbild

Nubischer Sandstein; H. 20,5 cm, Br. 27,5 cm
Aus Naga Kolofanda (nordwestlich von Korosko)
A-Gruppe(?)
München, Staatliche Sammlung Ägyptischer
Kunst ÄS 5522

Auf wenige charakteristische Linien reduziert, ist die Figur in den weichen
Sandstein gekratzt. Stilistisch folgt sie
dem 'kubistischen' Prinzip von *Kat. 32.*

Lit.: Katalog Staatliche Sammlung Ägyptischer
Kunst, München 1976, 20; Katalog Meisterwerke
altägyptischer Keramik, Höhr-Grenzhausen 178,
246, Nr. 444; Wildung, in: Katalog Africa. The
art of a continent, London 1995, 103, Nr. 1.71
(deutsche Ausgabe: Afrika. Die Kunst eines Kontinents, Berlin 1996, 103, Nr. 1.71)

34
Bauchiges Gefäß

Gebrannter Ton, rote Bemalung; H. 15,5 cm,
Durchm. 20 cm
Aus Dakka, Friedhof 102, Grab 140
Archaeological Survey of Nubia 1909/10,
102/140/1
A-Gruppe
München, Staatliche Sammlung Ägyptischer
Kunst ÄS 2728

Das Gefäß, von dem zwei breite Schnurösen sekundär abgearbeitet wurden, gehört einem ägyptischen Keramiktyp der
Negade II-Kultur an; die atypische Bemalung mit sechs Tieren – Rindern und
Antilopen – dürfte im Fundgebiet Unternubien nachträglich angebracht worden sein.

Lit.: C. M. Firth, The Archaeological Survey of
Nubia. Report for 1909–1910, Kairo 1915, 65;
Katalog Meisterwerke altägyptischer Keramik,
Höhr-Grenzhausen 1978, 246f., Nr. 445; We-
nig, in: AiA II, 25, Abb. 3

35
Spitzbodiges Gefäß

Gebrannter Ton, bemalt; H. 17,2 cm, Durchm.
max. 22,8 cm
Aus Gezira Dabarosa, Friedhof 6-G-18, Grab
50 (1953)
SAS UNESCO-Campaign 1963, 6-G-18: 50/2
A-Gruppe
Khartum, Nationalmuseum 15800

Die Bemalung des sehr dünnwandigen
Gefäßes mit schraffierten Dreiecken führt
ein Dekorationsschema der neolithischen
Keramik (*Kat. 9,10, 20–22*) fort.

Lit.: Zum Survey Gezira Dabarosa: Nordström,
in: Kush 10, 1961, 45–47; Hewes, in: Kush 12,
1964, 174–187

36
Spitzbodiges Gefäß

Gebrannter Ton; H. 16,1 cm, Durchm.
20,5 cm
Aus Saras (nahe Diffinarti), Friedhof 11-H-6
SAS UNESCO Campaign 1965, 11-H-6: 4/1
A-Gruppe
Khartum, Nationalmuseum 16358

Der schwarz geschmauchte Rand und die
Glättung der Oberfläche in feinen Rippen (*rippled ware*) stehen in der Tradition
der neolithischen Keramik (*Kat. 6, 26*).

Lit.: Zum Friedhof 11-H-6 in Saras: Mills –
Nordström, in: Kush 14, 1966, 7f.

37
Spitzes Gefäß mit Standfläche

Gebrannter Ton, bemalt; H. 13,8 cm, Durchm.
18,7 cm
Aus Mediq (nahe Gerf Hussein), Friedhof 79
Archaeological Survey of Nubia 1908/09,
79/86/3
A-Gruppe
München, Staatliche Sammlung Ägyptischer
Kunst ÄS 2571

Das dunkelrot auf den hellroten Grund
gemalte Fischgrätmuster, die Dünnwandigkeit und der schwarze Überzug auf
der Innenwand sind typische Merkmale
der A-Gruppen-Keramik.

Lit.: C. M. Firth, The Archaeological Survey of
Nubia. Report for 1908–1909, II, Leipzig 1912,
13, Tf. 46b6; Katalog Staatliche Sammlung
Ägyptischer Kunst, München 1976, 20, Nr. 14

38
Vorratsgefäß

Gebrannter Ton; H. 56,5 cm, Durchm.
43,2 cm
Aus Akscha
Mission Archéologique Franco-Argentine
1963, Acs IX Tx/25-3
A-Gruppe
Khartum, Nationalmuseum 14028

Form, Material und Bemalung weisen
das große eiförmige Gefäß der ägyptischen Negade II-Kultur zu. Daß es sich
um ägyptischen Import nach Nubien
handelt, ergibt sich nicht nur aus dem
Fundort, sondern auch aus der sekundär
eingeritzten großformatigen Figur eines
extrem langbeinigen Rindes.

Lit.: Zum A-Gruppen-Friedhof in Akscha:
Leclant, in: Orientalia 32, 1963, 192; Geus, in:
Katalog Nubie, Lille 1994, 89ff.

40
Stand-Schreit-Figur

Braun-roter Quarzit, bemalt; H. 89,5 cm
Angeblich aus Gebelaw zwischen Luksor und
Qena
1962 aus der Sammlung Kofler erworben
(Dick Fund)
Altes Reich, 6. Dynastie, um 2300 v. Chr.
New York, Metropolitan Museum of Art
62.200

Von der großen Zahl von schreitend dargestellten Figuren des ägyptischen Alten
Reiches hebt sich die halb lebensgroße
Statue unter drei Aspekten ab. Ihr Material ist nicht der im Alten Reich meist
verwendete Kalkstein oder der seltener
belegte Granit oder Gneis, sondern ein
braun-violetter harter Sandstein. Die
Figur wurde nicht, wie die überwältigen-

Statue Philadelphia E 16160

39
Rundbodiges Gefäß

Gebrannter Ton; H. 15 cm, Durchm. 13,8 cm
Aus el-Kubanieh-Süd, Grab P 60
Grabungen der Wiener Akademie (H. Junker)
1910/11
1931 vom Kunsthistorischen Museum Wien im
Austausch erworben
A-Gruppe
Berlin, Ägyptisches Museum und Papyrus-
sammlung 23658

Die fein gerippte Oberfläche, das Kerb-
muster am schwarzen Rand, das schwarze Innere und die dünne Gefäßwandung
machen den steilwandigen Napf zu einem hervorragenden Beispiel nubischer
Keramik der A-Gruppe.

Lit.: H. Junker, Bericht über die Grabungen der
Akademie der Wissenschaften in Wien auf den
Friedhöfen von El-Kubanieh-Süd, Winter 1910–
1911, Wien 1919, 63 (Typ V), 124

de Mehrheit der Skulpturen dieser Epoche, im memphitischen Bereich der großen Residenzfriedhöfe des Alten Reiches in Gisa, Abusir oder Sakkara, also nahe dem modernen Kairo, gefunden, sondern stammt aus Oberägypten.

Ihr Stil hebt sie stark von den memphitischen Arbeiten ab. Er ist geprägt von einem kurzen Hals, gedrungenen Proportionen des Körpers und machtvoll ausschreitenden massigen Beinen mit extrem großen Füßen. Die Züge des kantigen Gesichts werden durch Bemalung unterstrichen, den schwarzen Oberlippenbart, die schwarzen Brauen und Lidränder. Bunt aufgemalt war ein mehrreihiger Schulterkragen mit einem Brustgehänge. Das Schwarz der Perücke, das Dunkelrot der Haut und das Weiß des gewickelten Schurzes bildeten kräftige flächige Farbakzente. Die gedrungenen Proportionen der Gliedmaßen, die stark schematisierte Modellierung der Arm- und Beinmuskulatur und das weit nach

vorne vorspringende Gesicht mit niedriger Stirn lassen durchaus an die Kuschitenzeit denken, an die Epoche, in der zwischen 750 und 660 v. Chr. eine nubisch-sudanesische Dynastie Ägypten beherrschte (vgl. *Kat 164–228*); eine archaisierende Rezeption der Kunst früherer Epochen kennzeichnet das bildnerische Schaffen dieser Zeit.

Zum anderen ist die stilistische Nähe zu Werken des Alten Reiches und des frühen Mittleren Reiches um 2050 v. Chr. unübersehbar, insbesondere zu den Statuen des Königs Mentuhotep II. aus Theben-West, deren Material dem dieser Figur eng verwandt ist.

Eine Entscheidung zwischen archaisierender Arbeit der Kuschitenzeit oder Original des späten Alten Reiches wird durch eine in Format, Material und Stil nahezu identische Statue ermöglicht, die in Elkab südlich von Luksor ausgegraben wurde (Philadelphia E 16160) und einem „Bekannten des Königs und Ober-

priester Nefer-Schemem" gehört. Sie ist durch Fundumstände und Inschrift ins späte Alte Reich datiert. Die stilistische Sonderstellung beider Statuen erklärt sich aus ihrer oberägyptischen Provenienz. Formal sowie ikonographisch in ägyptische Konventionen eingebunden, sind sie stilistisch eigenständige Werke, die eine selbständige oberägyptische Kunstrichtung vertreten, eine Richtung, die im Kontext mit dem südlichen Nachbarn Nubien zu sehen ist. Die ethnische und sprachliche Grenze zwischen Ägypten und Nubien liegt halbwegs zwischen Luksor und Assuan.

Lit.: Hayes, in: Bull. MMA 22, Oct. 1963, 65; Fischer, in: JARCE 2, 1963, 18, Anm. 6; Schoske, in: Münchner Jahrbuch der Bildenden Kunst 1986, 222, Anm.6; Russmann, in: MDAIK 51, 1995, 277. Zum Parallelstück Philadelphia, University Museum E 16160: J. E. Quibell, El Kab, London 1898, 5, Nr. 8, Tf. III; W. St. Smith, A history of Egyptian sculpture and painting of the Old Kingdom, London 1946, 45, 142

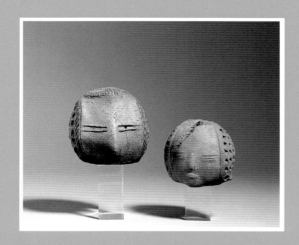

C-Gruppen-Kultur

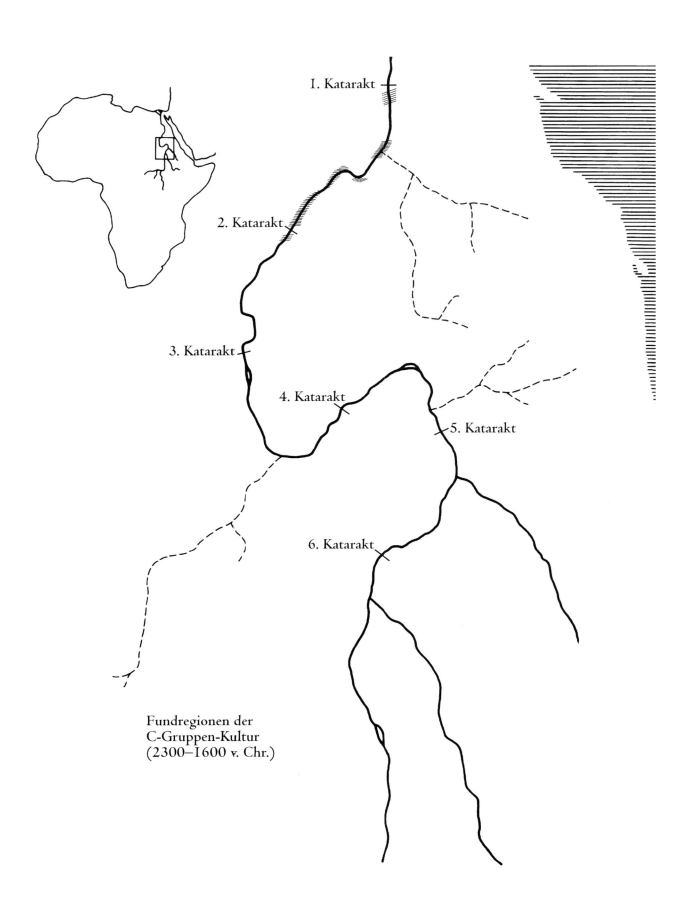

1. Katarakt

2. Katarakt

3. Katarakt

4. Katarakt

5. Katarakt

6. Katarakt

Fundregionen der
C-Gruppen-Kultur
(2300–1600 v. Chr.)

Charles Bonnet

C-Gruppe

Im Niltal zwischen dem Ersten und Zweiten Katarakt liegen die Fundstätten der C-Gruppe häufig an denselben Orten wie die der A-Gruppe, und man darf annehmen, daß sich die C- aus der A-Gruppe entwickelt hat. Der Übergang zwischen diesen beiden Kulturstufen läßt sich allerdings archäologisch nicht eindeutig nachweisen. George A. Reisner postulierte deshalb als Übergangsphase eine B-Gruppe, die sich jedoch als gegenstandslos erwiesen hat. Ohne Zweifel hat die Expansionspolitik Ägyptens nach Süden die Entwicklung der einheimischen Kulturen in Unternubien beeinträchtigt und vielleicht die Schaffung fester Siedlungen verhindert. Während der 4. und 5. Dynastie unternahmen die Pharaonen mehrere militärische Vorstöße beträchtlichen Ausmaßes nach Nubien und gründeten mehrere Außenposten nahe den Bergbauzentren und Handelsrouten; das eindrucksvollste Beispiel für diese befestigten Anlagen ist Buhen am Südrand des Zweiten Katarakts[1]. Ein weiterer Grund für die Entvölkerung des nubischen Niltals liegt vielleicht in der Intensivierung des Goldbergbaus in der Ostwüste und den Bergen am Roten Meer. Neueste Untersuchungen in diesen entlegenen Gebieten konnten Fundmaterial feststellen, das zur C-Gruppe gehört[2]. Daß es jedoch zur Zeit des Alten Reiches zwischen dem Zweiten Katarakt und Aniba eine einheimische Bevölkerung gegeben haben muß, ergibt sich aus den Untersuchungen von Brigitte Gratien an der Keramik von Buhen. Die Keramikanalyse erlaubt auch einen Anschluß der A-Gruppe sowohl an die C-Gruppe als auch an das frühe Kerma[3]. Der Kontakt zur C-Gruppe läßt sich in Kerma dadurch nachweisen, daß einfache Gräber dieser Gruppe über Bestattungen der frühen Kerma-Kultur liegen.

Die Gesamtdauer der C-Gruppe von 2300 bis 1500 v. Chr. läßt sich in verschiedene Entwicklungsstufen gliedern[4]. Die Kontakte zu Ägypten sind eng, da Unternubien von 2000 bis 1750 v. Chr. praktisch unter ägyptischer Verwaltung steht. Von der 13. bis zur 18. Dynastie hat die C-Gruppe offenbar eine gewisse Unabhängigkeit genossen; oft als Söldner in der ägyptischen Armee aktiv, besaßen die Nubier der C-Gruppe jedoch nicht genügend Macht, um den Ägyptern die Stirn zu bieten.

Für die frühe C-Gruppe (2300–1900 v. Chr.) sind mehrere Siedlungsplätze belegt, insbesondere in Sayala[5] und in Aniba[6]. Die Häuser werden über rundem Grundriß errichtet. Sie besitzen ein Pfahlgerüst, das auf Grundmauern aus senkrecht gestellten Steinplatten steht. Daneben gibt es Zelt- und Hüttenbauten mit Mittelpfosten.

In der zweiten Phase, zeitgleich mit dem Ende des Mittleren Reiches und dem Beginn der Zweiten Zwischenzeit in Ägypten (1900–1600 v. Chr.), nimmt die Anzahl der Häuser zu, die Grundrisse werden differenzierter und lassen unterschiedliche Hausformen für verschiedene Nutzungen entstehen. Rundhütten, die halb unterirdisch angelegt wurden, sind in Aniba bezeugt[7]. Die Verwendung von ungebrannten Ziegeln nimmt zu. Gegen 1600 v. Chr. entstehen mehrere große Dörfer, zum Beispiel in Wadi es-Sebua[8]. Auf einem Hügel gelegen, maß diese Siedlung etwa 40 m im Durchmesser und war von einer Mauer umgeben, in die drei Tore und in regelmäßigen Abständen Schießscharten eingelassen waren.

Die Anlage von Areika[9] war wohl von Anfang an als Festung konzipiert, als ein Rechteck von 80 m Länge und 30 m Breite. Mehrere Bauphasen in Stein und ungebrannten Ziegeln und mit sehr unterschiedlichen Grundrissen sprechen für eine relativ lange Nutzung dieses Platzes.

Die Bestattungssitten der C-Gruppe sind typisch nubisch. Die mit der 6. Dynastie zeitgleichen Gräber bestehen aus einem Tumulus, den ein sorgfältig ausgelegter Steinkreis umgibt und der mit Kies aufgefüllt ist (Abb. 11). An

seiner Ostseite weisen Tonscherben auf eine Opferstelle hin. Im runden Grabschacht liegt in 1 m bis 2 m Tiefe der Verstorbene in Hockerstellung auf der rechten Körperseite, den Kopf nach Osten gerichtet. Grabbeigaben aus Knochen oder Stein kommen nur in geringer Zahl und einfacher Qualität vor. Der Tote trägt ein ledernes Gewand, das bisweilen geometrische Perlenmuster aus Fayence oder Knochen trägt. In Kerma bestehen die Gräber dieser Phase der C-Gruppe aus einem kreisförmigen Oberbau aus Sandsteinplatten, der 0,40 m bis 1,50 m im Durchmesser mißt und mit weißem Kies aufgefüllt war.

Seit der mittleren Phase, gleichzeitig mit dem Ende des Mittleren Reiches und dem Beginn der Zweiten Zwischenzeit, sind die Grabgruben rechteckig, und ihre Wandungen sind manchmal mit Steinplatten oder mit Ziegeln ausgekleidet. In den Grabkammern aus ungebrannten Ziegeln finden sich bisweilen außergewöhnlich interessante Bestattungen. Der Tote liegt auf einem Bett, und unter den Beigaben finden sich geopferte Tiere, wohl ein Einfluß der Kerma-Kultur. Dolche und Äxte treten als neue Waffen zum traditionellen Pfeil und Bogen, und nicht selten werden kleine Tier- und Menschenfiguren aus gebranntem Ton (*Kat. 41–52*) beigegeben.

Oft finden sich an der Ostseite der Tumuli, die bis zu 16 m Durchmesser erreichen, Opferkapellen. Ringsum liegen Bukranien, Tierschädel mit roter Punktverzierung auf der Stirn. Auffallend große Gräber bilden bisweilen eine eigene Grabgruppe und verweisen auf die hierarchische Gliederung der Bevölkerung. Ein deutliches Bevölkerungswachstum spricht für das Blühen dieser Kultur von Hirten, die mit den Kerma-Leuten in engen Kontakt treten und mit ihnen Handelsbeziehungen anknüpfen.

Die Kultur der C-Gruppe ist sehr bodenständig, wenn auch Handel mit Kerma und Ägypten getrieben wird. Besondere Leistungen bringt die Keramikproduktion hervor. Typisch sind halbkugelige Näpfe und Schüsseln mit linearen Ritzmustern, deren weiße Einlagen zur schwarzen Oberfläche kontrastieren, die durch reduzierenden Brand erzeugt wird (*Kat. 53–55, 56–61*). Diese dekorierten Gefäße sind in ihrer ornamentalen Vielfalt unter die schönsten Arbeiten des nubischen Kunsthandwerks zu rechnen[10].

0 ⊢————⊣ 5 feet

Abb. 11   Grabtypen der C-Gruppen-Kultur (nach W. Adams)

41
Frauenfigur

Gebrannter Ton; H. 8,3 cm, Br. 2,4 cm,
T. 2,1 cm
Aus Schirfadik, Bezirk Serra-Ost, Site 179,
Grab 80
Scandinavian Joint Expedition 1961–62, 179/
080: 2
C-Gruppe
Khartum, Nationalmuseum 62/12/66

Mit ihren vollen Hüften und Oberschenkeln und ihrer Tätowierung steht diese
Frauenfigur in der Tradition des Neolithikums (*Kat. 4*) und der A-Gruppe
(*Kat. 31*). Neuartig und typisch für die
Kultur der C-Gruppe sind die abgespreizten Armstummel, die Angabe eines
Gürtels und einer Halskette sowie die
Gestaltung des Kopfes. Er war gesondert
gearbeitet (vgl. *Kat. 42, 43*) und auf den
spitz endenden Halsansatz aufgesteckt.

Lit.: Wenig, in: AiA II, 125, Nr. 15; zum Fundort Säve-Söderbergh, Middle Nubian sites, SJE
4, Uppsala 1989, 205ff. (Die o. c., 147, 214,
Tf. 61,3 a,b veröffentlichten Tonfiguren aus Grab
80 sind nicht mit dieser Figur identisch.)

44/45/46/47 ▷

42
Kopf einer Frauenfigur

Gebrannter Ton; H. 6,5 cm
Aus Aniba, Grab N 133 (zusammen mit
Kat. 43)
Ernst von Sieglin-Expedition 1914
C-Gruppe
Leipzig, Ägyptisches Museum 4396

Alle Elemente des Frauenkopfes sind
bereits in den neolithischen Statuetten
(*Kat. 1–4*) angelegt, die Angabe der Augen durch zwei waagerechte Linien, die
Andeutung der Nase, der hohe Haaransatz und die Perforierung der kugeligen
Frisur (möglicherweise zur Aufnahme
von Haarbüscheln?). Die Kugelform des
Kopfes bildet ein neuartiges, für die C-

Gruppe typisches Element. Ein rundes
Loch an der Unterseite des Kopfes diente
zur Befestigung auf dem spitzen Halsansatz einer Statuette (vgl. *Kat. 41, 44, 46*).

Lit.: G. Steindorff, Aniba, I, Glückstadt – Hamburg 1935, 121, Nr. 12, 134, Tf. 72.12 a,b; Katalog Nubien und Sudan, Berlin 1963, 19; Wenig, in: AiA II, 125, Nr. 14

43
Kopf einer Frauenfigur

Gebrannter Ton; H. 5,5 cm
Aus Aniba, Grab N 133 (zusammen mit
Kat. 42)
Ernst von Sieglin-Expedition 1914, 1914/773
C-Gruppe
Leipzig, Ägyptisches Museum 4395

Im Unterschied zu dem sehr ähnlichen
Kopf *Kat. 42* sind hier Mund und Kinn
plastisch modelliert.

Lit.: Steindorff, o. c., 121f., Nr. 13, 134,
Tf. 72.13; Wenig, in: AiA I, 54, Abb. 29; II, 128,
Nr. 17; T. Säve-Söderbergh (Hrgb.), Temples and
tombs of Ancient Nubia, London 1987, 253,
Abb. 43; R. Krauspe, Ägyptisches Museum Leip-
zig, Leipzig 1987, 39 (51/12)

44
Frauenfigur

Gebrannter Ton; H. 6,5 cm
Aus Aniba, Grab N 99
Ernst von Sieglin-Expedition 1914, 1914/658
C-Gruppe
Leipzig, Ägyptisches Museum 4401

Der Kopf war gesondert gearbeitet (vgl.
Kat. 42, 43) und auf den spitzen Hals-
ansatz gesteckt. Die Füße der sitzenden
Figur sind nur angedeutet.

Lit.: G. Steindorff, Aniba, I, Glückstadt – Hamburg 1935, 122, 132, Tf. 72.17

45
Frauenfigur

Gebrannter Ton; H. 9 cm
Aus Aniba, Stadtruine
Ernst von Sieglin-Expedition 1914, 1914/649
C-Gruppe
Leipzig, Ägyptisches Museum 4405

Von den Beinen sind nur die recht fülli-
gen Oberschenkel ausgearbeitet, die an
den Knien als Stummel enden. Tätowierungen in Zickzacklinien und punktier-
ten Rauten bedecken die Beine, den
Oberkörper und die hängenden Brüste.
Um den Hals ist eine Halskette eingeritzt. Die Arme sind teilweise abgebrochen; der linke Arm hielt ein Gefäß. Der
Hals ist abgebrochen; der wohl gesondert
gearbeitete Kopf fehlt.

Lit.: Steindorff, o. c., 121, Nr. 10, Tf. 72.10;
Katalog Nubien und Sudan im Altertum, Berlin
1963, 18

46
Frauenfigur

Gebrannter Ton; H. 8 cm, T. 12,5 cm
Aus Aniba, Grab 390
Ernst von Sieglin-Expedition 1914, 1914/
1623
C-Gruppe
Leipzig, Ägyptisches Museum 4403

Als eine der wenigen vollständig erhaltenen Frauenfiguren der C-Gruppe trägt
diese Statuette den kugeligen Kopf auf
langem Hals. Halskette und Gürtel sind
als Ritzungen angegeben, Brustwarzen
und Nabel als eingestochene Löcher.

Lit.: Steindorff, o. c., 122, Nr. 16, 150,
Tf. 72.16; Katalog Nubien und Sudan im Al-
tertum, Berlin 1963, 18; M. Bietak, Studien zur
Chronologie der nubischen C-Gruppe, Wien
1968, 185, Tf. 13 (II/b/21 alpha); Wenig, in:
AiA II, 126, Nr. 16; R. Krauspe, Ägyptisches
Museum Leipzig, Leipzig 1987, 39 (51/11)

47
Frauenfigur

Gebrannter Ton; H. 5,5 cm
Aus Aniba, Grab N 108
Ernst von Sieglin-Expedition 1914
C-Gruppe
Leipzig, Ägyptisches Museum 4398

In ihrer Haltung und der Andeutung der
Füße ähnelt die Statuette, deren Kopf
verloren ist, der Figur Kat. 44.

Lit.: Steindorff, o. c., 132

48
Rinderfigur

Gebrannter Ton; H. 10 cm, L. 15,8 cm
Aus Aniba, Grab S 31, Vorraum des Oberbaus
Ernst von Sieglin-Expedition 1812, 1912/320
C-Gruppe
Leipzig, Ägyptisches Museum 2757

Tonfiguren von Rindern und Schafen finden sich in Gräbern der C-Gruppe als Beigaben neben den Frauenfigürchen. Die Funktion der Frauenfiguren als Garanten der Fruchtbarkeit erscheint aufgrund der Betonung der sekundären Geschlechtsmerkmale eindeutig. Damit gewährleisten sie das existenziell wichtige Fortleben in den Nachkommen. Für die Deutung der Rinderfiguren ist zunächst an die Analogie zu den Herdendarstellungen im Bildprogramm ägyptischer Gräber zu denken. Sie dienen der Absicherung der Naturalversorgung der Verstorbenen, stehen also im Kontext des Opfers.

Die Rinderfigur mit ihren weit nach vorn ausladenden Hörnern stellt einen Stier dar. Augen und Tierschweif sind plastisch herausgearbeitet. Die Haltung des Kopfes und die stämmigen kurzen Beine verleihen der Figur eine latente Aggressivität, die nicht zum Opfertier passen will, sondern eher an ägyptische Grabbilder des Mittleren Reiches – z. B. in Deir el-Berschah – denken läßt, auf denen kämpfende Stiere dargestellt sind.

Lit.: G. Steindorff, Aniba, II, Glückstadt – Hamburg – New York 1937, 86, 168, Tf. 46.5; Katalog Nubien und Sudan im Altertum, Berlin 1963, 19 (falsche Grabnummer); F. Hintze – U. Hintze, Alte Kulturen im Sudan, Leipzig 1966, 13, Tf. 49 unten links; Eggebrecht, in: Cl. Vandersleyen (Hrgb.), Das alte Ägypten (= Propyläen Kunstgeschichte 15), Berlin 1975, 399, Tf. 401a li.; Wenig, in: AiA II, 130, Nr. 21

49
Rinderfigur

Gebrannter Ton; H. 8 cm, L. 10,5 cm
Aus Aniba, Friedhof N, Oberflächenfund
Ernst von Sieglin-Expedition 1912, 1912/1157
C-Gruppe
Leipzig, Ägyptisches Museum 4380

Auch diese Figur stellt einen Stier dar, dessen spitz endende Hörner weit nach vorn stehen.

Lit.: G. Steindorff, Aniba, I, Glückstadt – Hamburg 1935, 123, Nr. 32, Tf. 73.32; M. Bietak, Studien zur Chronologie der nubischen C-Gruppe, Wien 1968, 185, Tf. 13 (II/b/21 beta); R. Krauspe, Ägyptisches Museum Leipzig, Leipzig 1987, 39 (51/16)

50
Ziegenfigur

Gebrannter Ton; H. 12 cm, L. 13 cm
Aus Aniba, in der Nähe von Grab N 214
Ernst von Sieglin-Expedition 1914, 1914/969
C-Gruppe
Leipzig, Ägyptisches Museum 4387

Diese gemeinhin als Rind beschriebene Figur kann aufgrund der deutlichen Angabe eines Kinnbartes und angesichts der ungewöhnlichen Form der Hörner nur als Ziege angesprochen werden.

Lit.: Steindorff, o. c., 123, Nr. 25, 140, Tf. 73.25; Katalog Nubien und Sudan im Altertum, Berlin 1963, 19; F. Hintze – U. Hintze, Alte Kulturen im Sudan, Leipzig 1966, 13 Tf. 49 unten rechts; Bietak, o. c., Tf. 8 (II/a/25 beta); Eggebrecht, o. c., Tf. 401a re.; R. Krauspe, Ägyptisches Museum Leipzig, Leipzig 1976, 38 (51/15),

51
Figur eines Schafes

Gebrannter Ton; H. 5 cm, L. 7 cm
Aus Aniba, Friedhof N, Oberflächenfund
Ernst von Sieglin-Expedition 1914, 1914/622
C-Gruppe
Leipzig, Ägyptisches Museum 4373

Körper- und Kopfform unterscheiden die Tierfigur deutlich von den Rinderfiguren. Auf dem Kopf sitzt ein kugeliger Kopfputz, der von zahlreichen Löchern durchbohrt ist.

Es liegt nahe, eine Verbindungslinie zu Felsbildern zu ziehen, auf denen Hörnertiere mit ähnlichen Kopfaufbauten dargestellt sind. Vor allem aber bietet sich ein Vergleich mit dem Kopfputz von Widdern an, die in Kerma als geopferte Tiere dem Toten mit ins Grab gegeben wurden. Ihr Kopfschmuck läßt daran denken, daß sie als heilige Tiere einer widdergestaltigen Gottheit, wenn auch nicht als Erscheinungsformen der Gottheit selbst, dem Toten nahe sein sollten.

Lit.: Steindorff, o. c., 123, Nr. 34, Tf. 73.34; Huard, in: Kush 15, 1973, 106–107, Abb. 7,25; Wenig, in: AiA II, 129, Nr. 20; R. Krauspe, Ägyptisches Museum Leipzig, Leipzig 1987, 39 (51/14). Zu den Widderbestattungen in Kerma: Bonnet, in: Katalog Kerma. Royaume de Nubie, Genf 1990, 77, mit Abb. 71

52
Figur eines Schafes

Gebrannter Ton; H. 5,5 cm, L. 10,5 cm
Aus Aniba, Friedhof N
Ernst von Sieglin-Expedition
C-Gruppe
Berlin, Ägyptisches Museum und Papyrussammlung 22545

In seinen Körperformen steht dieses Figürchen der Tierdarstellung *Kat. 51* sehr nahe. Die bisweilen größere Anzahl solcher Figuren in einem Grab findet ihre Entsprechung in Kerma-Gräbern, in denen verschiedentlich zahlreiche Widdergehörne beigesetzt sind.

Lit.: Steindorff, o. c., 122ff., Tf. 73

48/49

50/51/52 ▷

Keramik der C-Gruppe

Die Keramikproduktion der neolithischen Kulturen Nubiens und des Sudan (*Kat. 5–18, 20–22, 24–26*) bildet im 5. Jahrtausend v. Chr. den Auftakt zu einem bis in die meroïtische und frühchristliche Zeit durchlaufenden Charakteristikum der Kulturen des mittleren und oberen Nils. Keramiktechnologie, formale Vollendung der Gefäße und ikonographische Vielfalt ihrer Dekoration weisen der Töpferei in Nubien und im Sudan einen hohen Stellenwert als kulturelle Selbstäußerung zu, der in Ägypten nicht seinesgleichen hat.

Die Keramik der C-Gruppe zeigt sich formal einheitlich und verwendet primär halbkugelige Näpfe mit leicht eingezogenem Rand. Die Vielfalt der C-Gruppen-Keramik liegt im Dekor der Außenseite, der Punkt- und Ritzornamente im Wechsel mit der polierten schwarzbraunen Oberfläche zu Streifen-, Dreiecks- und Rhombusmustern verbindet. Neben der weißen Füllung der Ornamente findet sich in den späteren C-Gruppen-Gefäßen auch gelbe und rote Farbfüllung. Die Klassifizierung der Keramik, insbesondere durch Manfred Bietak ausgearbeitet, erlaubt eine relative Chronologie der Bestattungen.

Klassifizierung von Keramik der C-Gruppe (nach M. Bietak)

53
Gefäß

Gebrannter Ton, bemalt; H. 8,3 cm,
Durchm. 9,5 cm
Aus Aniba, Grab N 389
Ernst von Sieglin-Expedition 1914, 1914/1597
C-Gruppe
Leipzig, Ägyptisches Museum 4211

Kugeliger Napf. Tief eingeschnittene liegende Rauten in vier Reihen, rot und gelb ausgefüllt. Stufe IIb

Lit.: Steindorff, o. c., 69, 150, Tf. 34.8; Katalog Nubien und Sudan im Altertum, Berlin 1963, 17; F. Hintze – U. Hintze, Alte Kulturen im Sudan, Leipzig 1966, 13, Tf. 48; R. Krauspe, Ägyptisches Museum Leipzig, Leipzig 1987, 38 (51/8)

54
Gefäß

Gebrannter Ton, bemalt; H. 8,3 cm,
Durchm. 11 cm
Aus Aniba, Grab N 322
Ernst von Sieglin-Expedition 1914, 1914/1398
C-Gruppe
Leipzig, Ägyptisches Museum 4212

Kugeliger Napf. Tief eingeschnittene liegende Rauten, rot und gelb ausgefüllt. Stufe IIb

Lit.: Steindorff, o. c., 81, 148, Tf. 47.6; Wenig, in: AiA II, 140, Nr. 38; R. Krauspe, Ägyptisches Museum Leipzig, Leipzig 1987, 38 (51/7)

55
Gefäß

Gebrannter Ton, bemalt; H. 7,7 cm,
Durchm. 8,6 cm
Aus Aniba, Grab N 234
Ernst von Sieglin-Expedition 1914, 1914/1000
C-Gruppe
Leipzig, Ägyptisches Museum 4213

Kugeliger Napf. Locker gestreutes Rautenmuster, rot und gelb ausgefüllt. Stufe IIb

Lit.: Steindorff, o. c., 81, 141, Tf. 47.8

56
Gefäß

Gebrannter Ton; H. 11 cm, Durchm. 16 cm
Aus Aniba
Ernst von Sieglin-Expedition Fundnr. 866
C-Gruppe
Berlin, Ägyptisches Museum und Papyrus-
sammlung 22533

In große Dreieckfelder eingeteiltes Streifenmuster. Stufe Ib

Lit.: A. Scharff, Die Altertümer der Vor- und
Frühzeit Ägyptens. Staatliche Museen zu Berlin,
Mitteilungen aus der Ägyptischen Sammlung IV,
Berlin 1931, 21, Abb. 8

57
Gefäß

Gebrannter Ton; H. 8 cm, Durchm. 10,4 cm
Aus Aniba
Ernst von Sieglin-Expedition
C-Gruppe
Berlin, Ägyptisches Museum und Papyrus-
sammlung 22535

Zwei Reihen stehender Dreiecke, doppelte Punktlinie am Rand. Stufe Ib/IIa

58
Gefäß

Gebrannter Ton; H. 9 cm, Durchm. max.
11 cm
Aus Aniba, Friedhof N, Grab 170
Ernst von Sieglin-Expedition Fundnr. 863
C-Gruppe
Berlin, Ägyptisches Museum und Papyrus-
sammlung 23806

In Dreieckfelder eingeteiltes Streifenmuster, Stufe Ib

Lit.: G. Steindorff, Aniba, I, Glückstadt – Hamburg 1935, Tf. 38,8

59
Gefäß

Gebrannter Ton; H. 10,9 cm, Durchm. max.
14,3 cm
Aus Aniba, Friedhof N, Grab 454
Ernst von Sieglin-Expedition, Fundnr. 1486
C-Gruppe
Berlin, Ägyptisches Museum und Papyrus-
sammlung 23803

Streifenmuster in senkrecht abgeteilten
Zonen. Stufe Ib

Lit.: Steindorff, o. c., 154, Tf. 36,4

60
Gefäß

Gebrannter Ton; H. 8,3 cm, Durchm. max.
13 cm
Aus Aniba, Friedhof N, Grab 429
Ernst von Sieglin-Expedition, Fundnr. 1381
C-Gruppe
Berlin, Ägyptisches Museum und Papyrus-
sammlung 23802

Vier Reihen stehender Dreiecke. Stufe
IIa

Lit.: Steindorff, o. c., 153, Tf. 43,3

61
Gefäß

Gebrannter Ton; H. 9 cm, Durchm. max.
10 cm
Aus Aniba, Friedhof N, Oberflächenfund
Ernst von Sieglin-Expedition, Fundnr. 1152
C-Gruppe
Berlin, Ägyptisches Museum und Papyrus-
sammlung 23800

Rhombenmuster. Stufe IIb

Lit.: Unveröffentlicht

62
Gefäß

Gebrannter Ton; H. 23 cm, Durchm. 19 cm
Aus Aniba, Grab N 256
Ernst von Sieglin-Expedition 1914, 1914/
1057
C-Gruppe
Leipzig, Ägyptisches Museum 4116

Krug mit niederem Hals. Ritzdekor in
drei Zonen: unter dem Hals Zickzacklinie; auf der Schulter mit Schraffur ge-
füllte Dreiecke; auf dem Gefäßkörper
nach rechts gewendete Vögel. Stufe IIa

Lit.: G. Steindorff, Aniba, I, Glückstadt – Hamburg 1935, 93, 143, Tf. 56.2; Bietak, in: Meroïtica
5, 1979, 122, Abb. 11

63
Gefäß

Gebrannter Ton; H. 15,5 cm, Durchm. der
Öffnung 7,5 cm
Aus Toschka
Grabungen der Wiener Akademie (H. Junker)
1911/12
1926 im Austausch vom Kunsthistorischen
Museum Wien erworben
C-Gruppe
Berlin, Ägyptisches Museum und Papyrus-
sammlung 1458

Kugeliger Krug mit zylindrischem Hals.
Um den Hals geritzte Zickzacklinie, von
der auf den Gefäßkörper Rautenbänder
herabhängen. Stufe IIa/b

Lit.: H. Junker, Bericht über die Grabungen der
Akademie der Wissenschaften in Wien auf dem
Friedhof von Toschke (Nubien) im Winter
1911/12, Leipzig 1926, 35, Tf. XV.161

64
Gefäß

Gebrannter Ton; H. 15 cm, Durchm. der
Öffnung 8,5 cm
Aus Toschka, Grab C 140
Grabungen der Wiener Akademie (H. Junker)
1911/12
1926 im Austausch vom Kunsthistorischen

Museum Wien erworben
C-Gruppe
Berlin, Ägyptisches Museum und Papyrus-
sammlung 1456

Kugeliger Krug mit niederem Hals. Auf
der Schulter zwei Schraffurbänder und
Dreieckreihen. Stufe IIa/b

Lit.: Junker, o. c., 34f., Tf. XIV.137

65
Schale

Gebrannter Ton; H. 8,3 cm, Durchm. 14,5 cm
Aus Aniba, Grab N 453
Ernst von Sieglin-Expedition 1914, 1914/
1485
C-Gruppe
Leipzig, Ägyptisches Museum 4229

Innen schwarz poliert, außen rote Politur. Aus der Oberflächenschraffur ausge-
spart die glatten Leiber von vier Schlangen, deren Schwanzspitzen vom Mittelpunkt der Schale ausgehen. Kerbrand aus
zwei Reihen kleiner Halbkreise. Stufe Ib

Lit.: G. Steindorff, Aniba, I, Glückstadt – Hamburg 1935, 67, 154, Tf. 33.4; M. Bietak, Studien zur Chronologie der nubischen C-Gruppe,
Wien 1968, 182, Tf. 4 (I/b/8 alpha); ders., in:
Meroïtica 5, 1979, 112, Abb. 4(3); R. Krauspe,
Ägyptisches Museum Leipzig, Leipzig 1987, 38
(51/1)

66
Vierbeiniges Gefäß

Gebrannter Ton; H. 18,5 cm, Durchm.16 cm
Aus Aniba, Grab N 126
Ernst von Sieglin-Expedition 1914, 1914/728
C-Gruppe
Leipzig, Ägyptisches Museum 4139

Gefäße mit figürlichen Elementen stehen
typologisch den Figurenvasen aus Kerma
(Kat. 96–99) nahe.

Lit.: Steindorff, o. c., 134; vgl. M. Bietak, Studien zur Chronologie der nubischen C-Gruppe,
Wien 1968, 183, Tf. 8 (II/a/23 delta)

67
Gefäßständer

Gebrannter Ton; H. 9,7 cm, Br. 5–5,9 cm
Aus Aniba, Grab N 10
Ernst von Sieglin-Expedition 1912, 1912/1035
C-Gruppe
Leipzig, Ägyptisches Museum 4179

Auf dem Schaft des dreibeinigen Gefäßständers eingeritztes Rautenmuster.

Lit.: Steindorff, o. c., 95, 126, Tf. 58.17; Katalog Nubien und Sudan im Altertum, Berlin 1963,
18; Wenig, in: AiA II, 143, Nr. 4168

68
Schale

Gebrannter Ton; H. 3,4 cm, Durchm. 11,5 cm
Aus Aniba, Grab N 10
Ernst von Sieglin-Expedition 1912, 1912/1039
C-Gruppe
Leipzig, Ägyptisches Museum 4180

Das Rautenmuster des Gefäßständers
(Kat. 67) kehrt auf der Innenseite der
Schale wieder. Auf der Außenseite zwei
Zickzacklinien, darunter Rauten und
vogelähnliche Muster.

Lit.: Steindorff, o. c., 95, 126, Tf. 58.17; Katalog Nubien und Sudan im Altertum, Berlin 1963,
18; Wenig, in: AiA II, 143, Nr. 41

69
Gefäß

Gebrannter Ton; H. 17 cm, Durchm. 13,5 cm
Aus Aniba, Grab N 33
Ernst von Sieglin-Expedition 1912, 1912/1129
C-Gruppe
Leipzig, Ägyptisches Museum 4137

Kugelige Vase mit hohem weitem Hals.
Auf der Schulter Dreiecksmuster. Auf
dem Gefäßkörper Ritzfiguren von drei
Gazellen, einem Hund (?) und einer
Doppelgazelle (antithetisch). Stufe IIb

Lit.: Steindorff, o. c., 94, 128, Tf. 55.15, 56.3;
Bietak, in: Meroïtica 5, 1979, 122, Abb. 11

66/67/68
69

70
Gefäß

Gebrannter Ton; H. 18,3 cm, Durchm.
26,9 cm
Aus Ambikol
SAS UNESCO Campaign 1967, Fundnr.
16-R-22: 17/3
C-Gruppe
Khartum, Nationalmuseum 20122

Bauchige Vase mit leicht ausladender
Lippe. Auf der Schulter doppeltes Zickzackband.

Lit.: Unveröffentlicht

71
Gefäß

Gebrannter Ton; H. 25 cm, Durchm. max.
27,3 cm
Aus Faras, Friedhof der C-Gruppe, Grab 177
Oxford Excavations in Nubia 1910–13,
Fundnr. 2/177/2
C-Gruppe
Khartum, Nationalmuseum 4224

Große kugelige Vase, geschlossene Form
mit leicht hochgezogenem Rand. Rot
poliert, Rand schwarz geschmaucht.

Lit.: Griffith, in: LAAA 8, 1921, Tf. XV

72
Gefäß

Gebrannter Ton; H. 16 cm, Durchm. 12,5 cm
Aus der Gegend zwischen Ukma und Kumbur
Geneva Expedition 1970/71, Fundnr. 21-N-
13: 511
C-Gruppe
Khartum, Nationalmuseum 23156

Beutelförmige Vase, dunkel poliert. Streifendekor mit Punktfüllung.

Lit.: Unveröffentlicht

73
Gefäß

Gebrannter Ton; H. 16,7 cm, Durchm. 19,4 cm
Angeblich aus el-Chozam (nördlich von
Luksor)
1924 von A. Scharff in Luksor erworben
C-Gruppe(?)
Berlin, Ägyptisches Museum und Papyrus-
sammlung 22392

Kugelige Vase ohne Lippe. Um den Rand
Dreieckband. Auf dem Gefäßkörper
Ritzfiguren: Steinbock, Frau (?), Krokodil. Die Technik des Dekors entspricht
der Keramik der C-Gruppe. Da die Her-
kunftsangabe nicht archäologisch fun-
diert ist, erscheint eine nubische Provenienz nicht ausgeschlossen zu sein.

Lit.: Unveröffentlicht

74
Gefäß

Gebrannter Ton; H. 9,5 cm, Durchm. 10 cm
Angeblich aus Abydos
Sears Fund, erworben in Ägypten von A. Lythgoe
Pan-Grave-Kultur, um 1700–1520 v. Chr.
Boston, Museum of Fine Arts 03.1316

Konischer Napf mit steiler Wandung.
Diagonal geführter gerippter Streifendekor. Um den Rand doppeltes plastisches
Schnurornament, ein Charakteristikum
der Keramik der Pan-Grave-Kultur, deren Bestattungen in Unternubien, Oberägypten und vereinzelt bis nach Mittelägypten belegt sind. Die Pan-Grave-Leute, so benannt nach ihren pfannenartig
flachen Grabgruben, waren wohl Bewohner der nubischen Ostwüste, die als
Söldner in Ägypten Dienst taten und
ihre typischen Bestattungssitten und
Grabbeigaben beibehielten.

Lit.: Vgl. G. Brunton, Mostagedda, Tf. LXXIV;
K. Sadr, in: Archéologie du Nil Moyen 2, 1987,
265–291

75
Schüssel

Gebrannter Ton; H. 10 cm, Durchm. 17 cm
Aus Balabisch, Ägypten
Grabungen der Egypt Exploration Society
Pan-Grave-Kultur, um 1700–1520 v. Chr.
Boston, Privatsammlung

Halbkugelige Schale mit geritztem Gittermuster; glatter, plastisch abgesetzter
Rand. Wie bei vielen Pan-Grave-Gefäßen
aus Gräbern ist in den Boden ein Loch
gebohrt, ein Brauch der wohl magisch
motiviert ist.

Lit.: Unveröffentlicht

76
Gefäß

Gebrannter Ton; H. 10,3 cm, Durchm.
11,2 cm
Herkunft unbekannt
Ehemals Sammlung v. Bissing
Pan-Grave-Kultur
München, Staatliche Sammlung Ägyptischer
Kunst ÄS 2764

Steilwandiger Napf mit Gittermuster
und plastischem Rand. Typ P7

Lit.: Katalog Staatliche Sammlung Ägyptischer
Kunst, München 1976, 231; Katalog Meisterwerke altägyptischer Keramik, Höhr-Grenzhau-sen
1878, 253f., Nr. 472; D. Wildung, Sesostris und
Amenemhet, München 1984, 183, Abb. 161, 244

77
Ziegengehörn

Knochen, bemalt; H. 16,3 cm, Br. 7,2 cm
Aus Aniba, Friedhof C
Pan-Grave-Kultur
München, Staatliche Sammlung Ägyptischer
Kunst ÄS 1699

Tiergehörne, oftmals bemalt, sind typische Grabbeigaben der Pan-Grave-Kultur.

Lit.: G. Steindorff, Aniba, I, Glückstadt – Hamburg 1935, 193, 195, Tf. 80; Katalog Staatliche
Sammlung Ägyptischer Kunst, München 1976,
232

78
Schale

Gebrannter Ton; H. 7 cm, Durchm. 15,8 cm
Herkunft unbekannt
Ehemals Sammlung v. Bissing
Pan-Grave-Kultur
München, Staatliche Sammlung Ägyptischer
Kunst ÄS 2769

Asymmetrische Schale: gekerbter Rand,
der an vier Stellen hochgezogen ist. Außen Fischgrätmuster.

Lit.: Katalog Staatliche Sammlung Ägyptischer
Kunst, München 1976, 231; D. Wildung, Sesostris
und Amenemhet, München 1984, 183, Abb. 160,
244; vgl. J. Bourriau, Umm el-Gaa'b, Cambridge
1989, 101, Nr. 201

79
Gefäß

Gebrannter Ton; H. 6,2 cm, Durchm. 9,9 cm
Aus Mostagedda (Mittelägypten), Grab 3158
British Museum Expedition (G. Brunton)
1929/30
Pan-Grave-Kultur
Berlin, Ägyptisches Museum und Papyrus-
sammlung 23228

Halbkugeliger Napf; Rand schwarz geschmaucht.

Lit.: Unveröffentlicht

80
Gefäß

Gebrannter Ton; H. 9 cm, Durchm. 11 cm
Angeblich aus Gurna (Theben-West)
Pan-Grave-Kultur
Berlin, Ägyptisches Museum und Papyrus-
sammlung 15791

Steilwandiger Napf. Plastisch abgesetzter Rand mit Ritzmuster.

Lit.: Unveröffentlicht

ÄGYPTEN IN NUBIEN I

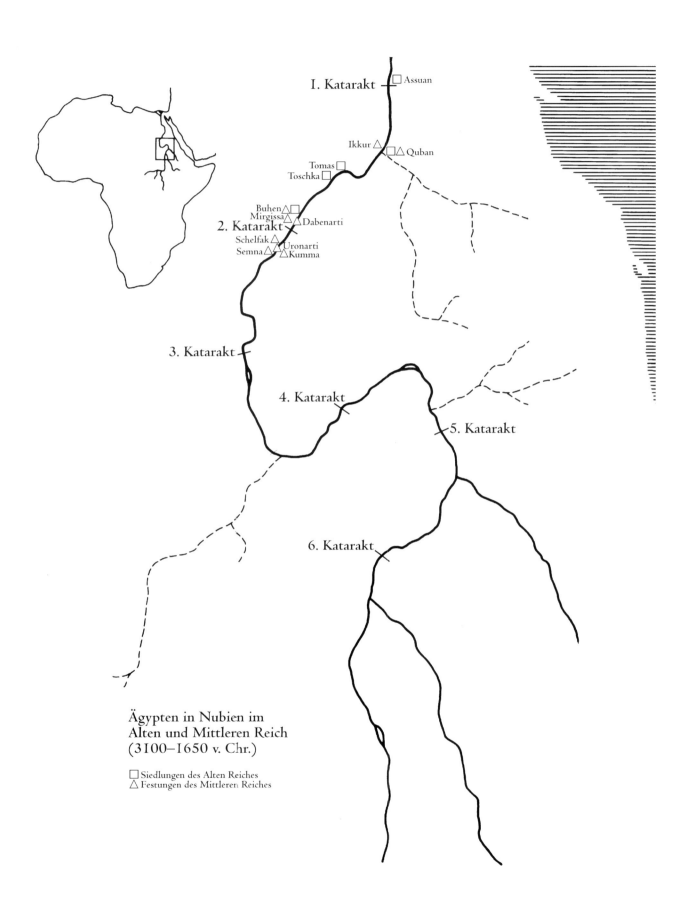

I. Katarakt — □ Assuan

Ikkur △   □△ Quban

Tomas □
Toschka □

Buhen △□
Mirgissa △ △ Dabenarti
2. Katarakt
Schelfak △
Semna △ △ Uronarti
△ Kumma

3. Katarakt

4. Katarakt

5. Katarakt

6. Katarakt

Ägypten in Nubien im
Alten und Mittleren Reich
(3100–1650 v. Chr.)

□ Siedlungen des Alten Reiches
△ Festungen des Mittleren Reiches

Jean Leclant

Ägypten in Nubien

Das Alte und Mittlere Reich

So überwältigend ist die Kultur des alten Ägypten über die 31 Dynastien ihrer Geschichte vom mythischen König Menes um 3000 v. Chr. bis zu den Ptolemäern (304–30 v. Chr.) und zu den römischen Kaisern (30 v. Chr.–395 n. Chr.), daß die Historiker der Moderne diese stets als eine eigenständige Größe betrachtet haben. Sie haben dabei übersehen, daß der Nil ein afrikanischer Strom ist und daß die altägyptische Kultur zahlreiche Spuren ihrer Verwurzelung im schwarzen Kontinent bewahrt hat.

Zweimal während der letzten hundert Jahre stand Nubien, das Niltal südlich des Ersten Katarakts, im Brennpunkt weltweiten kulturellen Interesses: Um das nubische Niltal vor den Fluten von Stauseen zu retten, mußten in großem Umfang Surveys und Grabungen durchgeführt werden, zunächst anläßlich des Baus des alten Assuan-Dammes im Jahr 1898 und seiner Erhöhung 1930, dann im Wettlauf mit der Errichtung des Hochdamms in den sechziger Jahren. Viele dieser archäologischen Projekte konnten nicht zu Ende geführt werden oder sind bis heute unveröffentlicht geblieben; dennoch ist durch sie diese Region, insbesondere das unternubische Niltal vom Ersten bis zum Zweiten Katarakt, heute eine der besterforschten archäologischen Zonen der Erde.

Es ist eine karge Gegend. Eingezwängt zwischen riesige Wüsten, der glühenden Sonne Afrikas ausgesetzt, zerschnitten von den Felsbarrieren der Katarakte, bildet das schmale nubische Niltal jedoch die wichtigste Verbindung zwischen Zentralafrika und dem Mittelmeer und gewinnt aus dieser Funktion sein einzigartiges kulturelles Profil, das erst durch die Forschungen der letzten Jahrzehnte ins Bewußtsein der Fachwelt getreten ist.

Die Beziehungen zwischen Ägypten und seinem südlichen Nachbarn, die es hier darzustellen gilt, gehen in beide Richtungen. Einerseits wächst Ägypten aus den Wurzeln der großen Kultur der Paläo-Sahara, wie sie sich in den Felsbildern und in den vorgeschichtlichen Stammeskulturen des Niltals abzeichnet, andererseits hat die Hochkultur Ägyptens nachhaltig auf Nubien eingewirkt, und dieser intensive Kontakt ist nicht immer friedlicher Natur gewesen.

Über die vor- und frühgeschichtlichen Beziehungen zwischen Ägypten und Nubien ist nach wie vor wenig bekannt. Die Grenze lag beim Ersten Katarakt. Die Insel Elephantine als Grenzort war Tauschplatz für Elfenbein, und Ta-seti, „Nubier-Gau", war der Name für den ersten oberägyptischen Gau bis zur Talenge des Gebel es-Silsila, wo die Nordgrenze des nubischen Sandsteingebiets liegt, das sich nach Süden bis in den Sudan hinzieht. Bis hierher mag auch das Einzugsgebiet der A-Gruppe gereicht haben; in ihr ein durchorganisiertes Gemeinwesen mit der „Königsstadt" Qustul zu sehen, dürfte jedoch eine zu weit gehende Interpretation sein.

Die Handelsbeziehungen zwischen dem vorgeschichtlichen Ägypten und der A-Gruppe sind gut belegt; in unternubischen Gräbern sind zahlreiche Tongefäße der ägyptischen Negade II-Kultur (*Kat. 38*) sowie ägyptische Kupferwaffen gefunden worden. Auf Feindseligkeiten deutet zu Beginn der ersten Dynastie ein Jahrestäfelchen des Horuskönigs Aha hin, das einen Sieg über Ta-seti nennt. Unter seinem Nachfolger Djer dringt ein ägyptischer Trupp bis zum Zweiten Katarakt vor; so berichtet zumindest eine schwer lesbare Felsinschrift am Gebel Scheich Suliman in der Nähe von Wadi Halfa (*Abb. 9*). Ob diese Razzien der Pharaonen der Frühzeit, belegt durch eine Stele des Königs Chasechem in Hierakonpolis und eine Felsinschrift von Naga Abu Schanak, zur Schwächung und schließlich zur Auslöschung der A-Gruppe geführt haben, ist jedoch fraglich. Eine gezielte Kolonisierung Nubiens durch die Ägypter wird man für diese frühe Zeit ausschließen dürfen.

Mit dem Alten Reich (2700–2250 v. Chr.) beginnen allerdings größer angelegte Expeditionen in den Süden. Unter die Großtaten des Königs Snofru, des Begründers der 4. Dynastie, rechnen seine Annalen auf dem Palermostein einen Feldzug nach Nubien, von dem er 7000 Gefangene und riesige Viehherden als Beute heimführt. Eine weitere Kampagne erwähnt eine Inschrift im Khor el-Aqiba. In diese Zeit fällt auch die Gründung eines ägyptischen Außenpostens in Buhen nahe Wadi Halfa; Keramikfunde und Siegelabdrücke mit den Königsnamen Mykerinos, Chephren, Userkaf, Sahure, Kakai (Neferirkare) lassen keinen Zweifel an der Datierung dieser Neugründung. Sogar eine Kupferschmelze wird angelegt, vielleicht zur Herstellung von Werkzeugen, denn Cheops und seine Nachfolger lassen in der nubischen Wüste 60 km westlich von Toschka Diorit abbauen, der von den Bildhauern der Pyramidenzeit wegen seiner Härte und Feinkörnigkeit als Material für Statuen und Steingefäße hoch geschätzt wird. Vielleicht kann man diesen Steinbruchexpeditionen die Felsinschriften von Tomas und drei neue Inschriften von Kulb im Südbereich des Zweiten Katarakts zuschreiben – die südlichsten Inschriften des Alten Reiches überhaupt.

Der Zugriff Ägyptens auf Unternubien verstärkt sich in der 6. Dynastie. In der Armee, die der General Uni für seinen König Pepi I. nach Asien führt, finden sich Truppen verschiedener nubischer Fürstentümer. Für Pepis Nachfolger Merenre holt Uni aus nubischen Steinbrüchen den Sarkophag und das Pyramidion für die königliche Bestattung und gräbt für den Transport einen Kanal durch den Ersten Katarakt. Pharao selbst begibt sich nach Elephantine, um die Huldigung der Häuptlinge kleiner nubischer Stammesgemeinschaften entgegenzunehmen: der Regionen Medjau, Irtet, Wawat. Wie schwierig der Kontakt zum Süden war, beschreiben die Inschriften von Tomas und in den Gräbern der Gaufürsten von Elephantine, der Hüter dieses „Tors des Südens"; man mußte „den Weg öffnen", quer durch das Nubierland, und – wie der General Pepinacht berichtet – gelegentlich auch zur Waffe greifen. Wichtigste Informationen liefern die Inschriften des Herchuf. Er unternahm mehrmonatige Expeditionen bis ins ferne Land Yam, vielleicht identisch mit dem Dongola-Becken, das später Irem genannt wird. Um nicht mit den im nubischen Niltal ansässigen Stämmen in Konflikt zu geraten, nahm Herchuf es auf sich, den beschwerlichen Weg durch die Libysche Wüste zu nehmen. Er nennt in seinem Expeditionsbericht die Kostbarkeiten, die seine Karawane auf dem Rücken von 300 Eseln nach Ägypten brachte: Weihrauch, Salbe, Ebenholz, Leopardenfelle, Elfenbein – Güter, die im Tauschhandel aus den Tiefen Afrikas bis an den südlichsten Punkt seiner Expedition gelangt waren. Nach dem Tod des Königs Merenre unternahm Herchuf eine vierte und letzte Reise in den tiefen Süden: Diesmal brachte er für den noch kindlichen König Pepi II. einen Zwerg mit, vielleicht einen Pygmäen. In seiner Grabinschrift gibt Herchuf eine Abschrift des königlichen Dankesbriefes, in dem der Kindkönig ausdrücklich darum bittet, beim Weitertransport auf den Zwerg besonders gut aufzupassen, damit er in guter Gesundheit an den Königshof gelange. Mit der langen Regierungszeit Pepis II., in die Unruhen in Nubien fallen, endet das Alte Reich.

Während der Ersten Zwischenzeit (2150–2030 v. Chr.), einer Periode politischer Schwäche, geht der Einfluß Ägyptens in Nubien zurück, und eine neue Kultur entsteht, die C-Gruppe. Die Verbindungen zu Ägypten bleiben bestehen: In seinem Grab in Moalla südlich von Luksor berichtet Anchtifi, der Gaufürst des zweiten und dritten oberägyptischen Gaues, daß er Korn nach Wawat geschickt habe, um eine Hungersnot zu vermeiden. Unter den Modellfiguren im Grab des Gaufürsten Mesechti in Assiut in Mittelägypten befindet sich eine Truppe nubischer Bogenschützen, ein Zeichen für die Wertschätzung, die nubische Söldner an den ägyptischen Fürstenhöfen genossen.

Mit dem Ende der 11. Dynastie (2030–1990 v. Chr.) beginnt unter Mentuhotep II. Neb-hepet-Re eine neue Phase der ägyptischen Nubien-Politik. Ein Graffito in Abisko südlich des Ersten Katarakts erwähnt eine Expedition gegen Wawat. Auf dem Triumphalrelief von Gebelen ist die Unterwerfung der Nubier rein programmatisches Machtsymbol; andere Quellen sind jedoch authentische Zeugnisse ägyptischer Aktivität in Nubien. Die Furcht vor den Südvölkern war tief eingewurzelt. In den Ächtungstexten, die auf magische Figürchen (*Kat. 93*) geschrieben werden, erscheinen neben den asiatischen Feinden und ägyptischen Aufständischen auch die Namen von nubischen Prinzen und Stämmen. Die 'Praxis' eines ägyptischen Magiers, der für die Beschwörung möglicher Feinde Ägyptens zuständig war, wurde bei den Grabungen in Mirgissa nahe von Wadi Halfa freigelegt.

Unter den Königen der 12. Dynastie (1990–1785 v. Chr.) verstärken sich die Aktionen gegen den Süden. Die

Abb. 12   Die Festung Buhen. (Foto: F. Hinkel)

Abb. 13   Die Festung Buhen (Aufriß und Grundriß) zur Zeit des Mittleren Reiches (nach W. B. Emery)

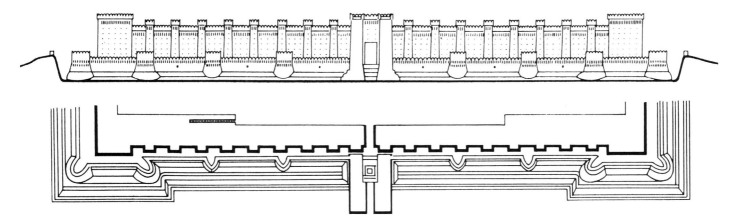

ägyptische Politik nimmt imperialistische Züge an und geht weit über die gelegentlichen Einfälle von Truppen in Nubien hinaus, wie sie für das Alte Reich belegt sind. Es war nun notwendig, die Handelskarawanen und die Steinbruchexpeditionen zu schützen, vor allem aber den Zugang zu den Goldminen im Wadi Allaki (vgl. *Kat. 86–88*) zu sichern, die für die ägyptische Wirtschaft von größter Bedeutung waren. Es ging nicht mehr nur darum, gegen einzelne Stammesgemeinschaften wie Wawat zu kämpfen. Im Bereich des Zweiten Katarakts und in Unternubien hatte sich die wohl aus der Sahara zugewanderte C-Gruppe niedergelassen, d. h. kriegerische und gut bewaffnete Stämme. Dazu kam, daß sich südlich des Dritten Katarakts im fruchtbaren Dongola-Becken eine neue Macht etabliert hatte, die Kerma-Kultur, die nach neuesten Forschung identisch ist mit dem in ägyptischen Quellen genannten Reich von Kusch.

Ein berühmter ägyptischer Text, die „Weissagung des Neferti", sagt die Thronbesteigung eines neuen Königs voraus, „der aus dem Süden kommt, Ameni genannt, Sohn einer Frau aus Nubien". Dieser Amenemhet I. (1990–1970 v. Chr.) entsendet laut einer Inschrift von el-Girgaui (flußaufwärts von Korosko) seine Armee, um Wawat wieder unter ägyptische Kontrolle zu bringen. Sein Nachfolger Sesostris I. (1970–1925 v. Chr.) macht den Zweiten Katarakt zur neuen Südgrenze. Mehrere Erlasse sprechen von seiner Anwesenheit in Nubien, darunter eine Sandstein-Stele aus Buhen, heute in Florenz. Sie zeigt den König vor Month, dem Kriegsgott, der ihm die unterworfenen Stämme Nubiens zuführt, allen voran Kusch. Dies ist die erste Erwähnung einer später bis in die Bibel gebräuchlichen Ortsbezeichnung, die weit über ihre ursprüngliche Bedeutung hinaus einmal allgemein für die südlichen Nachbarländer Ägyptens verwendet werden wird.

Unter Sesostris I. beginnt der Bau einer ganzen Reihe von Festungen in Unternubien (*Abb. 12*), insbesondere am Zweiten Katarakt, eine 'Maginot-Linie' mitten in der Wüste. An diesen Festungen wird während der folgenden Regierungszeiten bis hin zu Sesostris III. (1878–1840 v. Chr.) weitergebaut. Viele dieser Festungen sind erst während der Nubian Campaign der UNESCO in den sechziger Jahren wieder ans Tageslicht gekommen, für kurze Zeit nur, bevor sie endgültig im Stausee untergingen. Ihre gewaltigen Bastionen (*Abb. 13*) aus ungebrannten Ziegeln, die Wehrgänge mit ihren Schießscharten, die tiefen Gräben bildeten gi-

gantische Befestigungswerke. Manche Festungen lagen auf Nilinseln. Die dort stationierten Truppen waren sehr gut bewaffnet; in Mirgissa wurde eine Waffenkammer ausgegraben, die Lanzen, Spieße, Pfeilspitzen und Steinmesser in sorgfältiger Ordnung enthielt. Die Namen dieser Festungen waren militärpolitisches Programm: „Unterwerfer der Stämme", „Vertreiber der Inu", „Beschützer der Bogen".

Mitten in den Stromschnellen und Strudeln des Zweiten Katarakts ließ Sesostris III. hoch über dem Nil zwei riesige Festungen errichten, Semna auf dem Westufer, Kumma gegenüber auf dem Ostufer. Zwei Inschriften aus seinem achten Regierungsjahr (*Kat. 81*) setzen hier die Südgrenze des Pharaonenreiches fest, „um zu verhindern, daß irgendein Nubier nach Norden gelangt, sei es zu Fuß oder im Schiff, oder irgendwelches nubisches Vieh, außer wenn ein Nubier auf den Markt von Iken (Mirgissa) geht oder als Bote unterwegs ist."

Um die Flußschiffahrt nach Nubien zu erleichtern, ließ Sesostris III. einen Kanal durch die Felsmassen des Ersten Katarakts graben. Da der Nil an manchen Stellen bei niedrigem Wasserstand nicht schiffbar war, legte man auch Schiffsrutschen an; eine von ihnen ist in Mirgissa ausgegraben worden. Sie trug noch Reste des Belags mit Nilschlamm, der angefeuchtet eine ideale Rutschbahn für den Schiffstransport gab.

Die ägyptische Armee drang über den Zweiten Katarakt hinaus weiter nach Süden vor; Inschriften aus dem zehnten Regierungsjahr fanden sich am Dal-Katarakt. Vielleicht ist der Zeit Sesostris' III. auch ein Lager zuzuweisen, dessen Reste auf der Insel Sai gefunden wurden. Für seine Nubien-Feldzüge appellierte Pharao an das Ehrgefühl der Truppen: „Ein echter Feigling ist, wer von seiner Grenze vertrieben wird." „Wenn man angriffslustig ist gegen den Nubier, dann ergreift er die Flucht; aber wenn man sich zurückzieht, dann wird er selbst angriffslustig. Das sind keine Leute, die man achtet; das sind Elende mit gebrochenem Herzen." In einem Hymnus als „unser Horus" gepriesen, wird Sesostris III. in Nubien eine Art Schutzgott; Spuren seiner Verehrung finden sich in Toschka, Buhen, Uronarti, Semna und Kumma. Sein ruhmreiches Andenken lebt bis in die Zeit Herodots fort.

Nach der glorreichen Ära Sesostris' III. zeugen von der ägyptischen Präsenz in Nubien fast nur noch die Nilstandsmarken von Semna und Kumma; 18 von ihnen stammen aus der Zeit Amenemhets III. (1840–1800 v. Chr.)

(*Kat. 82*), einige sind unter Amenemhet V. und Sebekhotep III. in der 13. Dynastie (*Kat. 83*) geschrieben worden. Der Name Sebekhoteps IV. findet sich auf einer Statue von der Insel Argo, die sicherlich erst in späterer Zeit dorthin gelangte. Eine Stele des Königs Wagef aus der 13. Dynastie wurde bei den Grabungen in Mirgissa gefunden; derselbe König ist auch in einer Statue in Semna belegt, die ihn im Festgewand zeigt und als „geliebt von Dedun, der über Nubien herrscht", bezeichnet. Eine Reihe von Siegeln auf Verwaltungstexten und Nahrungsbehältern läßt vermuten, daß Ägypten weiterhin eine gewisse Kontrolle über den Südhandel ausübte. Sonst aber herrscht Schweigen; die Zweite Zwischenzeit (1785–1550 v. Chr.) hat begonnen.

Wie ist es dazu gekommen? Nubien war offenbar kein auslösendes Moment für den Niedergang Ägyptens. Die Beschädigungen an den Festungen gehen wohl eher auf die Wiedereroberung Nubiens durch die Ägypter zu Beginn des Neuen Reiches zurück als auf Angriffe feindlich gesinnter Nubier. Die Gründe für die historische Krise lagen in Ägypten selbst und im Eindringen der Hyksos, der 'Hirtenkönige' aus Vorderasien. 'Kusch', das Königreich von Kerma,

verstand es, den Rückzug Ägyptens aus Nubien zu nutzen. Es dehnte sich bis zum Zweiten Katarakt aus; Stelen aus Buhen deuten darauf hin, daß dort weiterhin Ägypter lebten, aber wahrscheinlich kuschitischer Oberhoheit unterstanden. Die C-Gruppe zeigt jetzt eine eigenartige Anpassung an ägyptische Bräuche, nachdem sie bislang passiven Widerstand gegen die ägyptische Vorherrschaft geleistet hatte. Die Vermutung, daß sie unter ärmlichsten Verhältnissen lebte, muß aufgrund neuer Forschungen über Areika und Aniba, wo ein blühendes Gemeinwesen nachgewiesen werden konnte, ernsthaft in Zweifel gezogen werden. In Kerma fanden sich ägyptische Statuen, Alabastergefäße und Kupferdolche. Diese Funde bezeugen auch für diese dunkle Zeit wirtschaftliche Beziehungen zwischen Ägypten und dem kuschitischen Königreich von Kerma. Auch zu den Nomaden der Ostwüste, den Medjau, unterhalten die Ägypter weiterhin Kontakt. Die Medjau stellen die Söldner für die ägyptische Armee (vgl. *Kat. 85*). Ihre Gräber, aufgrund ihrer flachen Grubenform „Pfannengräber" (*pan graves*) genannt (vgl. *Kat. 74–80*), liegen oft in der Nähe altägyptischer Garnisonen in Nubien, aber auch Ober- und Mittelägypten, vielleicht sogar in Sakkara.

81
Stele des Königs Sesostris III.

Brauner Quarzit; H. 160 cm, Br. 96 cm
Aus Semna
Preußische Ägypten-Expedition 1844
Mittleres Reich, 12. Dynastie, um 1820 v. Chr.
Berlin, Ägyptisches Museum und Papyrus-
sammlung 1157

Als der holländische Kunsthändler Jan H. Insinger 1886 nach Semna südlich des Zweiten Katarakts kam, fand er nahe den Ruinen der Festung des Mittleren Reiches am Nilufer eine Kiste. Sie war dort 1844 von Richard Lepsius vergessen worden und enthielt den oberen Teil einer monumentalen Stele, deren unterer Teil von Lepsius nach Berlin gebracht worden war. 1899 gelangte schließlich auch dieser obere Teil der Stele ins Berliner Ägyptische Museum.

Der in den formvollendeten Hieroglyphen des Mittleren Reiches geschriebene Text in klassischem Mittelägyptisch enthält eine auf den Standort der Stele an der ägyptischen Südgrenze hin konzipierte außenpolitische Regierungserklärung des Königs Sesostris III. aus seinem 16. Regierungsjahr:

„Ich machte meine Grenze, indem ich weiter stromauf zog als meine Väter. Ich bin ein König, der nicht nur redet, sondern auch handelt. Was mein Herz erdenkt, ist das, was durch mich geschieht, draufgängerisch, um zu nehmen, zäh entschlossen, um zu bewahren. Der nicht milde ist gegenüber dem Feind, der ihn angegriffen hat; der angreift, wenn er angegriffen wird. Tapfer sein ist ein Draufgehen. Etwas Elendes ist das Zurückweichen.

Ein wahrer Feigling ist, wer sich von seiner Grenze verdrängen läßt. Wenn man gegen den Nubier angeht, dann macht er sich davon. Es sind keine Leute, die Respekt verdienen. Erbärmlich und mutlos sind sie. Meine Majestät hat sie gesehen. Es ist keine Lüge.

Ich erbeutete ihre Frauen, ich holte ihre Leute. Ich zog an ihre Brunnen. Ich schlug ihre Stiere. Ich riß ihr Getreide aus und legte Feuer daran. So wahr mein Vater lebt, ich sage die Wahrheit. Nicht ein Wort von Prahlerei ist an dem, was aus meinem Mund gekommen ist.

Jeder Sohn von mir, der diese Grenze, die Meine Majestät festgesetzt hat, halten wird, der ist mein Sohn und Meiner Majestät geboren. Vorbildlich ist der Sohn, der seinen Vater schützt und die Grenze seines Erzeugers hält. Wer sie aber verfallen lassen und nicht um sie kämpfen wird, der ist nicht mein Sohn und ist mir nicht geboren.

Meine Majestät hat veranlaßt, daß man eine Statue Meiner Majestät mache auf dieser Grenze, die Meine Majestät gesetzt hat, damit man bei ihr ausharren und für sie kämpfen soll." (Nach W. Wolf, Das alte Ägypten, München 1971, 196–197)

Eine zweite Ausfertigung des Textes wurde auf der nahe gelegenen Insel Uronarti aufgestellt. Ein kurzer Stelentext aus dem achten Regierungsjahr Sesostris' III. gesteht den Nubiern, die als Kaufleute nach Norden reisen wollen, den Durchzug durch die Grenzfestungen am Zweiten Katarakt zu. Hier klingt an, was in zahlreichen Papyrustexten aus den Festungen am Zweiten Katarakt festgehalten ist: Der Kontakt zwischen Ägyptern und Nubiern an der Südgrenze war keineswegs von feindseligen Auseinandersetzungen geprägt, sondern verlief vielmehr im Rahmen eines kontrollierten Grenzverkehrs.

So ist der martialische Ton der Semna-Stele weniger ein militärischer Rechenschaftsbericht als ein Stück politischer Propaganda.

Lit.: PM VI, 151; R. Lepsius, Denkmäler aus Aegypten und Aethiopien, II, 136h; J. H. Breasted, Ancient Records of Egypt, I, New York 1906, 294–297, §§ 653–660; M. Lichtheim, Ancient Egyptian literature, I, Berkeley – Los Angeles – London 1973, 118–120; R. D. Delia, A study of the reign of Senwosret III, Ann Arbor 1984, 42–77; Chr. Eyre, in: Studies in egyptology presented to M. Lichtheim, Jerusalem 1990, 134–165; Priese, in: Katalog Ägyptisches Museum Berlin, Mainz 1991, 46, Nr. 28

82
Felsinschrift

Schiefer; H. 33 cm, Br. 77 cm
Aus Kumma
Preußische Expedition 1844
Mittleres Reich, 12. Dynastie, um 1788 v. Chr.
Berlin, Ägyptisches Museum und Papyrus-
sammlung 1161

Die ins Jahr 30 König Amenemhets III.
datierte Inschrift war am Nilufer im
Zweiten Katarakt auf einem Felsen bei
Kumma angebracht und markierte den
Wasserstand des Nils.

Lit.: PM VII, 156; R. Lepsius, Denkmäler aus
Aegypten und Aethiopien, II, 139m; Vercoutter,
in: RdE 27, 1975, 224. Vgl. J. Vercoutter, in:
CRIPEL 4, 1976, 139–172.

83
Felsinschrift

Schiefer; H. 22,5 cm, Br. 107 cm
Aus Kumma
Preußische Expedition 1844
Mittleres Reich, 13. Dynastie, um 1700 v. Chr.
Berlin, Ägyptisches Museum und Papyrus-
sammlung 1160

Die Nilstandsmarke aus dem Jahr Drei
des Königs Sechemre-Chu-Taui (Sebekhotep II.) datiert in das späte Mittlere
Reich.
Nicht nur für die alten Ägypter waren
die Nilstandsmarken wichtige Indikato-
ren für die Fruchtbarkeit des gesamten
Niltals; auch für die Ägyptologie sind sie
hochinteressante Quellen für die Rekonstruktion der klimatischen Verhältnisse.

Lit.: PM VII, 156; R. Lepsius, Denkmäler, II,
151d; Vercoutter, in: RdE 27, 1975, 224; ders.,
in: CRIPEL 4, 1976, 160, 170

84

Tempelrelief

Kalkstein; H. 37 cm, Br. 33,5 cm
Aus Deir el-Bahari, Totentempel Mentuhoteps II.
Mittleres Reich, 11. Dynastie, um 2000 v. Chr.
1936 aus der Sammlung v. Bissing erworben
München, Staatliche Sammlung Ägyptischer
Kunst ÄS 1621

Das Relieffragment von einem der Gräber der Gemahlinnen des Königs Mentuhotep II. in Deir el-Bahari zeigt die
Königin mit deutlich nubisch geprägten
Gesichtszügen und einer eng anliegenden
Kraushaarfrisur.
Es ist anzunehmen, daß das Herrscherhaus des frühen Mittleren Reiches, das
im oberägyptischen Theben beheimatet
war, in enger Verbindung zu Nubien
stand.

Lit.: PM II/2, 390; H. W. Müller, Ägyptische
Kunst, Frankfurt 1970, Nr. 56; Katalog Staatliche
Sammlung Ägyptischer Kunst, München 1976,
60f., Nr. 38; S. Schoske – D. Wildung, Ägyptische
Kunst München, München 1984, 30f., Nr. 19; D.
Wildung, Sesostris und Amenemhet, München
1984, 41, Abb. 35; S. Schoske, Egyptian art in
Munich, München 1993, 14, Nr. 11; dies. (Hrgb.),
Staatliche Sammlung Ägyptischer Kunst München,
Mainz 1995, 50, Abb. 49. Zum Kontext: E. Naville,
The XIth dynasty temple at Deir el-Bahari, II, Lon-
don 1910, Tf. 11, 18

85

Stele des Kedes

Kalkstein; H. 46 cm, Br. 49,5 cm
Wahrscheinlich aus Gebelen
Ehemals Sammlung Hearst, 1943 in Paris
erworben
Erste Zwischenzeit, um 2100 v. Chr.
Berlin, Ägyptisches Museum und Papyrus-
sammlung 24032

Der Stelenstifter Kedes, zusammen mit
Frau und Sohn als Empfänger von Op-
fergaben abgebildet, war in Gebelen süd-

lich von Luksor im Militärdienst tätig. Er äußert sich in seinem Stelentext voll Stolz über seine Leistungen und Fähigkeiten und schließt mit der Bemerkung, daß er schneller als die nubischen und ägyptischen Soldaten in seiner Truppe gewesen sei.

Gebelen war offenbar der Standort nubischer Söldner, die sich auf ihren eigene Grabstelen in landestypischer Tracht darstellen ließen – ein Zeichen ihres ethnischen Selbstbewußtseins, selbst in fremden Diensten.

Lit.: Fischer, in: Kush 9, 1961, 44–56, 67, 79f., Abb. I, Tf. X

86
Beschrifteter Kegel

Holz, stuckiert; H. 22,5 cm, Durchm. max. 4,5 cm
Aus Uronarti, Raum F 5 des Forts
Harvard University – MFA Boston-Expedition, Mai 1924, Fundnr. 24-5-18
Mittleres Reich
Boston, Museum of Fine Arts 24.747

Der schlanke Kegel ahmt vermutlich die Form eines Spitzbrotes nach. Er konnte mit Holzstiften, die durch die Bohrlöcher gesteckt wurden, an einem anderen Gegenstand befestigt werden. Worauf sich die hieroglyphische Inschrift, in der vom Backen, von Korn und Ernte die Rede ist, genau bezieht, ist nicht feststellbar. Vermutlich ging es um Verpflegungslieferungen für die in der Festung von Uronarti stationierten ägyptischen Truppen. Ähnliche Inschriften finden sich auf anderen Holzobjekten aus demselben Fundkomplex.

Lit.: PM VII, 143; D. Dunham, Second Cataract forts, II, Uronarti, Shalfak and Mirgissa, Boston 1967, 35, 37, Tf. XXVIII.3; Simpson, in: JEA 59, 1973, 220ff., Abb. 1B; Zibelius, in: LÄ VI, 1986, 893f.

87
Goldwaage

Holz, Kupfer; H. 12 cm, Br.16,5 cm, Durchm. Schalen 5,9 cm
Aus Semna, Raum q unter dem Taharqa-Tempel
Harvard University – MFA Boston-Expedition, Januar 1928, Fundnr. 28-1-96-98
Mittleres Reich
Khartum, Nationalmuseum 2642

Die kleine Balkenwaage mit ihrem Ständer in Form eines Palmstamms, dem Waagebalken mit einem Endstück in Form einer Papyrusdolde und den beiden kupfernen Waagschalen diente wohl zum Abwiegen von Gold, das aus den Minen der Ostwüste über die Festungen am Zweiten Katarakt nach Ägypten geliefert wurde.

Lit.: Vercoutter, in: Kush 7, 1959, 133f., Tf. XXXIIa; D. Dunham – J. Janssen, Second Cataract forts, I, Semna, Kumma, Boston 1960, 48, Tf. 130C

88
Goldgewichte

Serpentin, Kalzit-Alabaster; H. 3,9–4,65 cm, Br. 2,7–3,5 cm, T. 2,4 cm; Gewicht: 61 g, 86,5 g, 92 g
Aus Uronarti, Raum F 5 (nach Vercoutter, o. c., von Einheimischen gekauft)
Harvard University – MFA Boston-Expedition, Mai 1924, Fundnrn. 24-5-5/7/2
Mittleres Reich
Khartum, Nationalmuseum 2481

Die kurzen Inschriften enthalten neben dem Hieroglyphenzeichen für „Gold" die Zahlen 5, 6, 7. Das exakte Gewicht der Steine läßt sich mit diesen Zahlangaben nicht in eine feste Relation bringen. Waage und Gewichte lassen erkennen, daß es sich nur um geringe Mengen Gold handelte, die im Mittleren Reich über die Südgrenze nach Ägypten geliefert wurden.

Lit.: Vercoutter, o. c., 134, Tf. XXXIIb; Dunham – Janssen, o. c., 17, 35f. (Nr. 21, 23, 18), Tf. 35B

89
Spiegel

Bronze; H. 21,9 cm, Durchm. 12 cm,
T. 1,4 cm
Aus Semna, Grab S 552
Harvard University – MFA Boston-Expedition,
März 1924, Fundnr. 24-3-444
Mittleres – Neues Reich
Boston, Museum of Fine Arts 27.872

In einem Grab der 18. Dynastie in Semna gefunden, gehört der Spiegel jedoch
zu einem Typus, der im Mittleren Reich
und der Zweiten Zwischenzeit seine Vorbilder hat. Die Dekoration des Griffs
weist auf Einflüsse der Kerma-Kultur, so
daß an eine lokale Werkstätte zu denken
ist.

Lit.: Dunham – Janssen, o. c., 93, Tf. 129C;
Lilyquist, in: Katalog Egypt's Golden Age, Boston 1982, 185f., Nr. 214; dies., in: Katalog
Ägyptens Aufstieg zur Weltmacht, Hildesheim
1987, 213, Nr. 137; zum Typus: dies., Ancient
Egyptian mirrors, MÄS 27, München – Berlin
1979, 61, Abb. 82–86

90
Halskette

Gold; L. 21 cm
Aus Uronarti, Friedhof, Grab 3 (wie *Kat. 91*)
Harvard University – MFA Boston-Expedition,
Februar 1930, Fundnr. 30-2-177
Mittleres Reich
Boston, Museum of Fine Arts 31.787

In der Mitte der Kette aus kugeligen geriefelten Goldperlen und Muscheln sitzt
ein Anhänger; er zeigt zwischen zwei Sa-
Hieroglyphen („Schutz") den Djedpfei-
ler („Dauer"). Die Kette wurde am Hals
des Verstorbenen gefunden.

Lit.: D. Dunham, Second Cataract forts, II,
Uronarti, Shalfak, Mirgissa, Boston 1967, 59,
Tf. XXIII.A

91

Halskette

Gold, Amethyst; L. 62 cm
Aus Uronarti, Friedhof, Grab 3 (wie *Kat. 90*)
Harvard University – MFA Boston-Expedition,
Februar 1930, Fundnr. 30-2-175 und
30-2-180 (Skarabäus)
Mittleres Reich
Boston, Museum of Fine Arts 31.786

Beide Rohmaterialien der 141 runden
Amethystperlen und 141 zylindrischen
Goldperlen sind typisch nubisch. Neben
dem nubischen Gold aus den Minen der
Ostwüste ist es der Amethyst aus den
Steinbrüchen des Wadi el-Hudi, der be-
sonderes Interesse weckt. Im Mittleren
Reich wird Amethyst in Ägypten in grö-
ßerem Umfang für königliche Juwelen
verwendet.
Ein Skarabäus aus Amethyst bildet das
zentrale Element der Kette, die am Hals
des Bestatteten neben der Goldkette
Kat. 90 gefunden wurde.

Lit.: Dunham, o. c., 59, Tf. XXIII.A

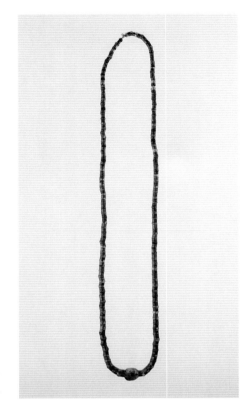

92

Stele

Sandstein; H. 45,8 cm, Br. 33 cm, T. 9,4 cm
In der Wüste östlich von Argin von Einheimi-
schen gefunden
Mittleres Reich – Zweite Zwischenzeit
Khartum, Nationalmuseum 14221

Im Bildfeld der in versenktem Relief dekorierten Stele kniet rechts eine männliche Figur, deren Arme auf dem Rücken
gefesselt sind. Ihre kurze kugelige Perük-
ke charakterisiert sie als Nubier. Hinter
ihr steht nach rechts ausschreitend ein
Mann. Er hält in seiner Linken einen
Bogen, in der vor die Brust erhobenen
Rechten drei Pfeile. Diese Bewaffnung
weist ihn als Angehörigen einer militärischen Einheit aus. Das Motiv des Soldaten und des knienden gefesselten Nubiers findet sich häufig auf Siegelabdrük-
ken und vereinzelt auf Stelen aus dem
Bereich der Festungen des Mittleren Rei-
ches am Zweiten Katarakt. In diesen
Darstellungen hält der Soldat, oft mit
einer Feder im Haar, den Gefangenen am
Arm fest.
Offenbar handelt es sich um nubische
Grenztruppen in ägyptischen Diensten,
die den Grenzverkehr zu kontrollieren
haben.
Die zweizeilige Inschrift im oberen Ste-
lenteil nennt den Gott „Horus, Herr der
Fremdländer", der als „Großer Gott,
Herr des Himmels", bezeichnet wird.
Damit ist die realpolitische Aussage des
Bildes auf eine religiöse Ebene gehoben.
So wie der Soldat in ägyptischen Dien-
sten die Grenze sichert, beschützt der
Gott Horus als Herr der Fremdländer
das Land Ägypten.
Schon im Zusammenhang mit der Semna-
Stele des Königs Sesostris III. (*Kat. 81*)
wurde auf die Papyrusdokumente hinge-
wiesen, die von einem friedlichen Grenz-
verkehr sprechen. Die Stele hat in ihrem
auch dem nicht Schriftkundigen lesbaren
Bildmotiv den Charakter einer Warnung
an potentielle Grenzverletzer.

Lit.: Unveröffentlicht; vgl. Kairo JdE 68759:
Engelbach, in: ASAE 38, 1938, 389, Tf. LV.3,
Stele aus Buhen: H. Smith, The fortress of Bu-
hen. The inscriptions, London 1976, 12, 84,
Tf. III, Nr. 732, LIX, 1–2; vgl. auch Wegner,
in: JARCE 32, 1995, 144–148

93
Figur eines Gefangenen

Kalkstein; H. 13 cm, Br. 7 cm, T. 6 cm
Aus Uronarti, Block III, Quadrat 10.3
Harvard University – MFA Boston-Expedition,
Januar 1929, Fundnr. 29-I-160
Mittleres Reich
Khartum, Nationalmuseum 3053

Der Typus des am Boden Knienden mit auf dem Rücken gefesselten Armen begegnete bereits im Reliefbild der Stele *Kat. 92*. In der dreidimensionalen Kalksteinfigur sind die Arme auf dem Rücken nur in flachem Relief angegeben. Den Nubier charakterisiert die kurze kugelige Perücke.

Die Statuette gehört zu einem auch von vielen anderen Fundorten her bekannten Komplex von Gefangenenfiguren, die als „Ächtungsfiguren" bezeichnet werden. Auf viele von ihnen sind mit Tusche kursive Texte geschrieben, in denen die Namen fremder Länder, Städte, Stämme und Personen genannt werden. Ähnliche Texte finden sich auch auf Tongefäßen, die nach ihrer Beschriftung absichtlich zerschlagen wurden. Mit dieser Zerstörung der beschrifteten Töpfe wurden die in den Texten Genannten magisch vernichtet.

Die Kalksteinfigur ist funktional eingebunden in diesen Vorstellungskreis der magischen Vernichtung der Feinde Ägyptens und bildet damit einen Teil des Systems der Verteidigung der Südgrenze am Zweiten Katarakt.

Lit.: Dunham, o. c., 18, 54, Tf. XXXI.C–E; Posener, in: Bibliothèque d'Etude 101, 1987, 5; vgl. Vila, in: L'homme, hier et aujourd'hui, Receuil d'études en hommage de A. Leroi-Gourhan, Paris 1973, 625–639

94
Stele des Sobekemheb

Sandstein, H. 43,3 cm, Br. 22,7 cm,
T. 10,7 cm
Aus Buhen, Südtempel
Grabung Scott-Moncrieff 1905
Zweite Zwischenzeit, um 1650 v. Chr.
Khartum, Nationalmuseum 5320

Die starke ägyptische Präsenz am Zweiten Katarakt wirkt über das Ende des Mittleren Reiches hinaus. Noch im Neuen Reich wird Sesostris III. in den Reliefs der Tempel der 18. Dynastie in dieser Region als vergöttlichter König dargestellt und genannt, als Begründer der ägyptischen Herrschaft über Nubien.
Die Stele des Sobekemheb hebt aus dem unordentlich geschriebenen Text drei Zeilen durch größere und sorgfältiger ausgeführte Hieroglyphen heraus: „Der Gute Gott, der Herr der Beiden Länder, der Herr der Rituale, der König von Ober- und Unterägypten Cha-kau-Re, der Sohn des Re Sesostris, dem Leben gegeben ist, geliebt von Horus, dem Herrn von Buhen".
Diese Titulatur des Königs Sesostris III., des Stifters der Semna-Stele (*Kat. 81*), steht allerdings im Kontext einer kurzen Biographie des Sobekemheb: „Der Fürst Sobekemheb sagt: Ich machte einen Tempel für meinen Gott Horus. Ich stifete ihm ein Gefäß. Sein Sohn: Ka. Seine Tochter: Ta-Ibscheki. Der Priester des Guten Gottes .... Sesostris." Es folgt eine Opferformel.

Sobekemheb ist also Priester des vergöttlichten Königs Sesostris, und dies lange nach dessen Lebenszeit.
Interessant ist ein sekundär ganz links oben unter dem Emblem der Udjat-Augen angebrachter kurzer Text: „Zahlreiche Rinder schlachten", wahrscheinlich eine Aufforderung zum Opfer an den vergöttlichten Herrscher vergangener Zeiten.

Lit.: PM VII, 138; Barns, in: Kush 2, 1954, 19–22; H. Smith, The fortress of Buhen. The inscriptions, London 1976, 47f., 73–78, 80, 92, 253

KERMA

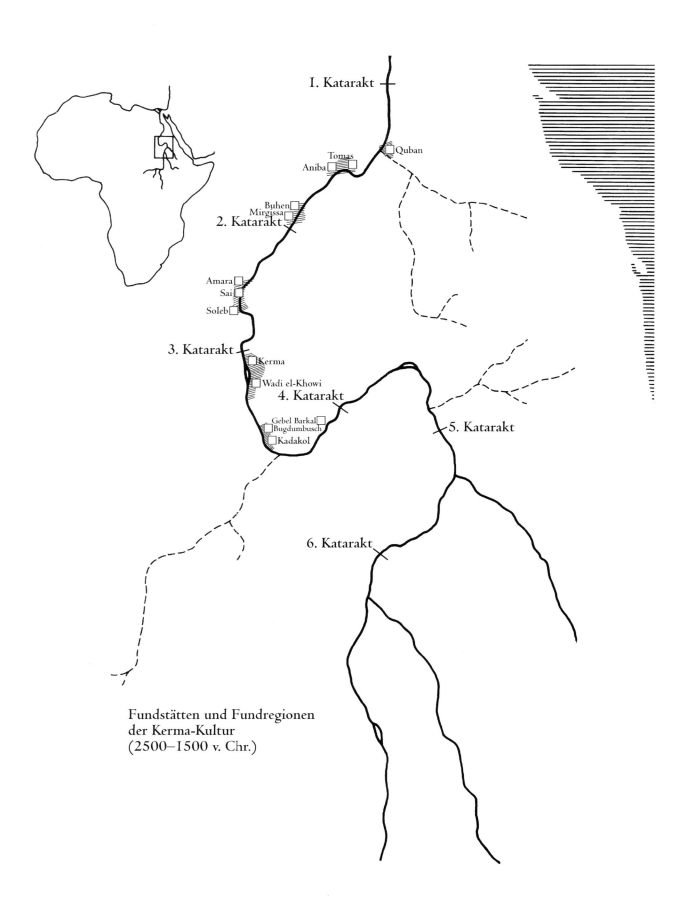

I. Katarakt

Quban

Tomas

Aniba

Buhen

Mirgissa

2. Katarakt

Amara

Sai

Soleb

3. Katarakt

Kerma

Wadi el-Khowi

4. Katarakt

Gebel Barkal

Bugdumbusch

Kadakol

5. Katarakt

6. Katarakt

Fundstätten und Fundregionen
der Kerma-Kultur
(2500–1500 v. Chr.)

Charles Bonnet

Das Königreich von Kerma

Um 2500 oder 2400 v. Chr. tritt ein geeintes Königreich an die Stelle der Prä-Kerma-Kultur. Die Gräber aus der Frühphase des Reiches von Kerma finden sich in unmittelbarer Nähe zur Prä-Kerma-Siedlung. Die zeitlich nachfolgende Siedlung liegt etwa 4 km entfernt am Hauptlauf des Flusses. Bis heute ist Kerma die einzige große Stadt dieses Reiches, die systematisch ausgegraben wurde. Die funktionale Vielfalt ihrer Struktur legt die Folgerung nahe, hier die Hauptstadt des Landes zu sehen. Zusätzlichen Aufschluß bieten mehrere Nekropolen und nicht zuletzt auch die ägyptischen Quellen über Kerma. Aufgrund intensiver archäologischer Forschung im Sudan kann man heute davon ausgehen, daß das Königreich von Kerma der Zielpunkt der ägyptischen Expeditionen der 6. Dynastie war, vielleicht das berühmte „Land Yam", das der Gaufürst Her-chuf aus Elephantine nennt, der meherere dieser Expeditionen leitete. Bereits zu dieser Zeit ist Kerma eine aufstrebende Stadt und besitzt ein Verteidigungssystem[1].

Fast ein ganzes Jahrtausend bleiben diese nubischen Herrscher an der Macht. Die Grenzen ihres Reiches lassen sich nicht präzise nachzeichnen; im Süden finden sich Spuren der Kerma-Kultur bis zum Vierten Katarakt; im Norden bildet zweifellos der Batn el-Hagar eine Grenze. Die großen Pharaonen des Mittleren Reiches mußten ihr ganzes militärisches Können aufwenden, um Kerma in Schach zu halten, dessen militärisches Potential den Ägyptern wohl bekannt war. Die gewaltigen Festungsanlagen, die von den Königen der 12. Dynastie am Zweiten Katarakt angelegt wurden, sind ein deutliches Indiz dafür, wie ernst man die Bedrohung aus dem Süden nahm. Während der Zweiten Zwischenzeit gelang es den Truppen von Kerma, eine Zeit lang auch Unternubien zu besetzen. Mit dem Beginn der 18. Dynastie beleben die Pharaonen ihre Expansionspolitik und dringen bis nach Obernubien vor, aber es bedarf

mehrerer Feldzüge, um den Widerstand der Nubier zu brechen. Um 1500 v. Chr. wird Kerma zerstört und sein Friedhof aufgegeben.

Schon die ersten europäischen Reisenden des 19. Jahrhunderts besuchten den Ort Kerma, der heute dieser Kultur ihren Namen gibt. Sie alle erwähnen die beiden riesigen Ruinenberge aus Nilschlamm, die Kerma berühmt gemacht haben: die „Deffufas", wie sie noch heute mit einem nubischen Ausdruck bezeichnet werden, der Ziegelbefestigungen meint. 1913 und 1916 unternahm George Reisner erste Ausgrabungen. Da er in den großen Tumulus-Gräbern von Prinzen sehr viel ägyptische Objekte fand, Statuen, Stelen, Stein- und Tongefäße, nahm er an, daß Kerma der Sitz einer ägyptischen Kolonie war und daß die westliche Deffufa die befestigte Residenz des ägyptischen Gouverneurs bildete. Den eigenartigsten der Bestattungsbräuche von Kerma, die extrem hohe Zahl von Menschenopfern, brachte er mit den indischen 'Sati-Gräbern' in Verbindung. Obwohl manche dieser Deutungen schon bald in Zweifel gezogen wurden, muß man der Qualität der Dokumentation, die Reisner vorlegte, allerhöchste Bewunderung zollen. 1923 publizierte er in zwei umfangreichen Bänden[2] eine detaillierte Beschreibung der Befunde und ein reiches Inventar der Funde. Sie sind heute zwischen dem Museum of Fine Arts Boston und dem Nationalmuseum in Khartum aufgeteilt, und stellen in ihrer Gesamtheit ein außergewöhnliches Kulturzeugnis dar, das von der Meisterschaft der nubischen Kunsthandwerker, allen voran der Töpfer, kündet.

Seit den neueren Forschungen im Rahmen der Nubian Campaign werden die Unabhängigkeit und die Originalität der Kerma-Kultur nicht mehr in Zweifel gezogen. Die ägyptischen Objekte, die in Kerma ausgegraben wurden, sind entweder als Geschenke oder Tauschware nach

Kerma gelangt oder wurden bei der Eroberung von ägyptischen Festungen als Trophäen mitgenommen.

Eine aktualisierte Chronologie der Kerma-Kulturen wurde 1978 von Brigitte Gratien auf der Grundlage einer Auswertung ihrer Grabungen auf der Insel Sai erarbeitet[3]. Auf das Frühe Kerma – 2500/2400–2050 v. Chr. – folgt das Mittlere Kerma – 2050–1750 v. Chr. – und schließlich das Klassische Kerma – 1750–1500 v. Chr. Die Entwicklung der Bestattungssitten und der Grabbeigaben konnte an anderen Friedhöfen überprüft werden, insbesondere im Ostfriedhof von Kerma. Die ältesten Gräber, die im Norden gelegen sind, zeigen an der Oberfläche runde, konzentrische Steinsetzungen von einem Meter Durchmesser. An der Ostseite dieser Steinkreise finden sich oft umgewendete Gefäße und Reste von Stroh und von Flüssigkei-

Abb. 14   Grab eines Bogenschützen im antiken Kerma (2200 v. Chr.). (Foto: Ch. Bonnet)

ten – offenbar Spuren eines Opfers, das im Rahmen der Beisetzung dargebracht wurde[4].

Die ovale oder runde Grabgrube ist relativ klein und erreicht eine Tiefe von 1 m bis 2 m. Der Verstorbene liegt zwischen Lederdecken in Hockerstellung auf seiner rechten Körperseite, den Kopf nach Osten gerichtet (Abb. 14). Diese Orientierung gilt für alle Kerma-Bestattungen bis ans Ende der Kerma-Kultur. Der Verstorbene trägt einen Schurz oder einen langen Rock, die am Bauch geknotet sind. Auch den Oberkörper bedeckt manchmal ein Leder- oder Leinengewand. Auf das fein zusammengenähte Leder waren oft geometrische Muster aus Fayence- oder Muschelperlen appliziert. Die Füße waren mit Sandalen bekleidet, die ein eingeschnittenes Streifenmuster tragen.

Der Körperschmuck ist recht bescheiden: Fingerringe aus Holz oder Knochen, Ohrringe aus Hartgestein oder Holz, Halsketten mit Perlen aus Fayence, Straußeneischalen, Bergkristall, Anhänger aus Kalzit. In einem Grab fand sich auf dem unteren Teil des Körpers des Verstorbenen ein Ledersäckchen mit einem Tonsiegel, einer Knochennadel und Feuersteinwerkzeugen. Fächer aus Straußenfedern sind recht häufig belegt.

Die Keramik (Kat. 110–112) besteht vor allem aus Näpfen und Schüsseln und zeigt oft eine kielartige Knickung der Umrißlinie; der Gefäßboden ist wie bei Prä-Kerma und A-Gruppe meist spitz. Die Außenpolitur ist rot, Rand und Inneres sind schwarz. Nur der Rand weist feine eingeschnittene oder gestempelte geometrische Muster auf, die manchmal rot eingelegt sind[5].

Im Frühen Kerma werden die Gräber schon bald größer und reicher. Manche von ihnen heben sich durch große Ausmaße – bis zu 8 m Durchmesser – als Bestattungen bedeutender Persönlichkeiten ab. Die Grabhügel, ebenfalls auffallend groß, werden von einem einzigen Ring aus kleinen schwarzen Steinen umzogen, der in ein Lehmbett gesetzt ist; das Innere des Tumulus besteht nur aus weißen Kieseln, die zu einem flachen Hügel angehäuft sind. Auf der Südseite liegen Tierschädel, deren Zuschnitt eine interessante Entwicklung erkennen läßt[6].

Im Mittleren Kerma treten neue Bestattungsbräuche auf. Ganze Herden von Widdern oder Ziegen werden mit dem Toten bestattet. Oft sind bei den Widdern die Hörnerspitzen durchbohrt, um Perlengehänge aufzunehmen; auch Kopfaufbauten aus Straußenfedern kommen vor. Man hat hierin Beziehungen zum Kult des Gottes Amun gese-

Abb. 15   Das Gebäude K XI, südlicher Raum. (Foto: Ch. Bonnet)

Abb. 16   Torpfosten am Eingangsportal von K XI. (Foto: Ch. Bonnet)

hen; die Fragwürdigkeit dieser These ergibt sich nicht zuletzt aus der Tatsache, daß zahlreiche Felsbilder in der Sahara kugelige Kopfaufbauten tragen. Die Widder sind jedenfalls keine Leithammel, da sie in der Regel Jungtiere
sind[7]. Neben diesen Herden wurden große Mengen Fleisch
mit ins Grab gegeben, dazu Schüsseln und Näpfe mit Nah-
rungsmitteln oder sonstigen Dingen, die für das jenseitige
Leben für nötig erachtet wurden. Bogenschützen tragen
noch ihre Köcher mit Pfeilen und ihre Dolche im Gürtel.
In den wenigen unberührt gebliebenen Bestattungen trugen
die Verstorbenen Schmuck (*Kat. 108–109*) aus Gold und
Silber. Die Grabräuber gruben übrigens ihre Löcher meist
genau an der Stelle von Kopf und Brust des Bestatteten.

Im Mittleren Kerma treten an der Westseite der Graboberbauten Kapellen oder kleine Gebetsnischen auf. Ein regel-
mäßiger Totenkult läßt sich aus Siegelabdrücken nahe dem
Eingang einer Kapelle erschließen[8].

Wenn auch in den älteren Gräbern Menschenopfer
seltener vorkommen als in neolithischer Zeit, so sind sie
doch mit Sicherheit nachzuweisen. Vor allem die Skelettlage
mit zum Boden gerichtetem Gesicht läßt auf ein Menschenopfer schließen. Alter und Geschlecht der Geopferten scheinen nicht von ausschlaggebender Bedeutung gewesen zu
sein, da in derselben Grabgrube sowohl zwei Frauen als auch
zwei Kinder aufgefunden wurden. Gegen Ende des Mittleren Kerma werden Menschenopfer zahlreicher, während

Tieropfer abnehmen. Ganze Familien, selbst mit Kleinkindern, sind um den Bestatteten versammelt, der auf einem hölzernen Bett mit als Rinder- oder Nilpferdfüße geformten Beinen (vgl. *Kat. 105–107*) liegt[9].

Im Klassischen Kerma erfährt das Reich eine territoriale Erweiterung und die Entfaltung eines hoch entwickelten politischen und religiösen Systems. Die Tumulusgräber der letzten Herrscher spiegeln mit Durchmessern von 80–90 m deren außerordentliche Macht. Unter einem Erdhügel, der von einem System von Stützmauern gegen Winderosion geschützt wird, liegt eine eingewölbte Grabkammer, zugänglich über einen axial angelegten Gang. In diesen Gängen fand Reisner mehrere hundert Skelette in Hockerstellung. All diese Menschen waren geopfert worden, um ihren König ins Jenseits zu begleiten und ihm dort in Ewigkeit zu Diensten zu sein. Reiche Beigaben an Grabmobiliar, Betten mit Einlagen in Elfenbein, Mica (*Kat. 104*) und Bronze, Kopfstützen, Bootsmodelle, verschiedene Gefäße aus Fayence, Stein und Keramik, füllten die Kammern.

Nahe den großen Tumuli befanden sich zwei große Kultgebäude aus Nilschlammziegeln, das Bauwerk K II oder die östliche Deffufa und das Gebäude K XI (*Abb. 15*), jedes von ihnen mit zwei langgestreckten schmalen Räumen, die durch einen kleinen Gang miteinander verbunden sind.

Ihren besonderen Charakter erhielten diese Gebäude durch ihre Ausstattung und eine ungewöhnliche Wandverkleidung aus Fayence (*Kat. 101*), von der Reste in Form von glasierten und teilweise vergoldeten Fliesen erhalten sind[10].

In beiden Gebäuden waren die Wände der Räume und des Ganges mit Malereien verziert, die Schiffe, Tiere und Szenen des täglichen Lebens zeigen. Eine neuerliche Freilegung von K XI (*Abb. 16*) erlaubte die Vervollständigung und Korrektur der bereits von Reisner erstellten Dokumentation dieser Malereien (*Abb. 17*). Auf der Ost- und Nordwand befindet sich eine Szenenfolge, die thematisch an manche Gräber des Mittleren Reiches erinnert: Fischfangszenen im Papyrusdickicht, Boote, kämpfende Stiere. Die Westwand ist nahezu völlig mit Darstellungen von Giraffen, Rindern und Nilpferden bedeckt, stilistisch ein wenig an die Dekoration prädynastischer Paletten erinnernd[11].

Der größte Teil der Funde aus Kerma kommt aus den Friedhöfen. Wie schon bei der C-Gruppe verdient die Keramik (*Kat. 96–99, 110–125*) besondere Aufmerksamkeit. Die oft ausgezeichnete Qualität zeigt sich in den häufigen Typen mit roter Politur und schwarzem Rand, mit ausschließlich schwarzer Politur und mit braun-roter oder beigefarbiger Oberfläche. Die eingeschnittene oder mit einem Kamm eingedrückte Ornamentierung bedient sich im

Gegenüberliegende Seite: Abb. 18   Die westliche Deffufa. (Foto: Ch. Bonnet)

Abb. 17   Wandmalereien im Gebäude K XI; dargestellt sind 2 Stiere, ein Brunnen und ein Boot

Abb. 19 Die große Hütte, Audienzsaal des Königs, und die westliche Deffufa. (Foto: Ch. Bonnet)

wesentlichen geometrischer Muster: Rauten, Dreiecke, Winkel, Zickzacklinien. Eine Besonderheit des Klassischen Kerma bezeugt die hohe Meisterschaft im Keramikbrennen; es handelt sich um ein metallisch irisierendes Band, das etwas unterhalb des schwarzen Gefäßrandes der in ihrer Feinheit und Härte des Brandes so bemerkenswerten Becher und Tulpengefäße verläuft. Die Entdeckung eines Bronze-Schmelzofens im Bezirk des Haupttempels zeigt, daß manche der Bronzeobjekte vor Ort hergestellt worden sein müssen. Dolche, Messer, Hacken, Rasiermesser, Pinzetten und Spiegel sind in größerer Anzahl gefunden worden. Das Bild einer überaus vielfältigen kunsthandwerklichen Produktion wird durch Werkzeuge aus Stein oder Knochen, durch Flechtwerk wie Einlagen aus Elfenbein und Mica (*Kat. 104*) und durch Lederverarbeitung vervollständigt.

Abb. 20 Rekonstruktionsmodell der Stadt Kerma. (Foto: Ch. Bonnet)

Eine kurze Beschreibung der Entwicklung der Stadt ist um so mehr angebracht, als eine systematische Erforschung des Areals eine überreiche Dokumentation geliefert hat. Rings um einen ursprünglichen Kultplatz entwickelte sich seit der Mitte des 3. Jahrtausends eine rings von Palisaden und Wällen geschützte Siedlung. Zunächst bestand die Siedlung aus Zelten und Rundhütten, doch schon bald setzte die Verwendung von ungebrannten Ziegeln ein. Die frühesten Häuser bestehen aus einem einzigen viereckigen Raum und einem geschlossenen Hof, in dem sich freistehende runde Silos befanden. Zuvor waren die Nahrungsreserven in unterirdischen Hohlräumen mit verputzten Wandungen aufbewahrt worden.

In der zweiten Hälfte des Frühen Kerma und zu Beginn des Mittleren Kerma erfährt die Stadt eine beträchtliche Ausdehnung. Stadtviertel mit ganz bestimmten Funktionen entwickeln sich. Der alte Stadtkern besteht nun aus einem Komplex von Sakralgebäuden, die in Struktur und Funktion an ägyptische Tempel erinnern. In der Mitte befindet sich der Haupttempel, d. i. die westliche Deffufa (*Abb. 18*), deren Baugeschichte so lang wie kompliziert ist. In ihrer endgültigen Form überragte sie die Häuser der Stadt ganz beträchtlich. Ringsum liegen Nebenkapellen, die oft umgebaut wurden, ferner Werkstätten und Magazine, in denen offenbar die Rohmaterialien für die Herstellung von Kultgerät aufbewahrt wurden wie wohl auch Waren aus dem Ausland oder auf dem Weg dorthin. Schließlich lag in diesem von einer 5 m hohen Mauer umschlossenen Bereich ein Residenzgebäude für die Priester oder die Könige. An die Ostseite der Stadtmauer waren große Bäckereien für die Fertigung der Opferbrote angebaut[12].

50 m weiter im Süden befand sich ein weiterer wichtiger Komplex. Im Mittelpunkt stand eine sehr große Hütte (*Abb. 19*), deren konisch zulaufendes Dach (vgl. *Kat. 95*) ähnlich wie die Deffufa die ganze Stadt überragte. Ihr sind eine Gruppe kleiner Hütten mit 4,30 m bis 4,50 m Durchmesser und eine Reihe von Magazinen zugeordnet. All diese Gebäude wurden zu wiederholten Malen an derselben Stelle erneuert. Der ganze Komplex dürfte wohl aufgrund seiner Nähe zum Tempel und seiner Anlage als königliche Residenz gedient haben (*Abb. 20*).

In den beiden letzten Jahrhunderten des Reiches von Kerma wurde, weiter nach Westen versetzt, ein neuer Palastbereich (*Abb. 21*) errichtet, der neben Wohngebäuden auch Magazine, Silos und eine große Empfangshalle besaß.

Abb. 21   Palastbereich der letzten Herrscher von Kerma (um 1600 v. Chr.). (Foto: Ch. Bonnet)

Sein Plan ist jedoch völlig andersartig: Um sich unter den Schutz des Haupttempels und einer wichtigen Kapelle zu stellen, hat der Baumeister das Residenzgebäude nach ganz genau festgelegten Sichtachsen ausgerichtet.

Die Wohnhäuser sind in einem unregelmäßigen Raster angelegt, das sich jedoch an die vier Hauptzugänge zur Stadt hält. Sie sind unterschiedlich groß, besitzen meist einen Innenhof und einen Garten. Die ganze Stadt war von Gräben umzogen, über denen sich Festungsmauern erhoben; davon ist nicht viel mehr erhalten geblieben als wenige Teile der Befestigungen sowie Reste der Grundmauern aus ungebrannten und gebrannten Ziegeln oder Stein.

Auch die Vorstadt, im Südwesten gegen den Nil zu gelegen, war befestigt. Ihre Gründung steht vielleicht in Zusammenhang mit dem Totenkult zu Ehren früherer Könige. Auffällig ist die große Zahl von Kapellen und Werk-

stätten. Weitere Sakral- und Profangebäude wurden nahe dem Nilufer ausgegraben und sind Anhaltspunkte für ein drittes Stadtgebiet, zu dem vielleicht auch ein Flußhafen gehörte.

Ohne Zweifel verstanden es die Könige von Kerma, die vorzügliche geographische Lage für sich zu nutzen. Zwischen Norden und Süden, aber auch zwischen Westen und Osten über die Routen aus Darfur und vom Roten Meer über Kassala hatte sich ein dichtes Verkehrs- und Handelsnetz gebildet. Die große Bedeutung und die Eigenständigkeit all dieser nubischen Kulturen ergeben sich aus diesem Spiel unterschiedlichster Einflüsse, die sich durch die laufenden archäologischen Arbeiten langsam zu erschließen beginnen.

95
Gefäß mit Deckel

Gebrannter Ton, bemalt; H. 10,6 cm, mit
Deckel 14,4 cm, Durchm. 13,7 cm, mit Deckel
14,4 cm
Aus Kerma, Tum. III, Grab K 315
Harvard University – MFA Boston-Expedition,
Dezember 1913, Fundnr. 13-12-898
Klassisches Kerma, 1650–1570 v. Chr.
Khartum, Nationalmuseum 1119

Zu den Charakteristika der Architektur
der Hauptstadt Kerma gehören Rund-
bauten. Das Stadtbild war neben den
beiden Deffufas beherrscht von einem
großen Rundbau, der wohl als Residenz
diente (vgl. *Abb. 19* auf S. 94). Er war von
kleineren Rundhütten umgeben. Das
Ensemble ähnelt sehr dem Erscheinungsbild afrikanischer Siedlungen und eröffnet im Vergleich zur ägyptischen Architektur völlig neue Perspektiven.
Das auf weißem Grund schwarz, rot und
gelb bemalte Gefäß mit Deckel dürfte ein
Modell einer derartigen Rundhütte darstellen. Dafür spricht insbesondere der
überstehende Deckel, der die typische
Dachkonstruktion dieser Hütten mit
ihrer Stroheindeckung aufgreift
Die übliche Deutung dieses Gefäßes
sieht in Form und Dekor die Nachahmung eines geflochtenen Korbes. Parallelen oder stützendes archäologisches
Material für diese Auffassung gibt es
nicht.

Lit.: G. A. Reisner, Kerma, I–III, 153, Nr. 6,
Tf. 9.2; IV–V, 471f. (1), 473, Abb. 340.1; We-
nig, in: AiA II, 40, 160f., Nr. 68; W. St. Smith –
W. K. Simpson, The art and architecture of
Ancient Egypt, Harmondsworth 1981, 213,
Abb. 210; vgl. Ch. Bonnet, in: Katalog Kerma.
Royaume de Nubie, Genf 1990, 211, Nr. 255

96
Figürliches Gefäß

Gebrannter Ton; H. 20,8 cm, Durchm.
18,8 cm
Aus Kerma, Tum. K III, Grab K 308
Harvard University – MFA Boston-Expedition,
Dezember 1913, Fundnr. 13-12-631
Klassisches Kerma, 1650–1570 v. Chr.
Khartum, Nationalmuseum 1123

Wie schon das nubisch-sudanesische
Neolithikum und auch die Kultur der
A-Gruppe, so definiert sich die Kultur
von Kerma vor allem durch ihre Keramik.
Der technische Standard in der Herstellung hart gebrannter, dünnwandiger Ton-
waren findet sein Äquivalent in der formalen Vollendung der Gefäße. Eine Son-
dergruppe bilden figürliche Töpfereien,
in der Regel Bügelkannen, deren Ausguß-
tüllen als Tierköpfe gestaltet sind.
Die rot polierte kugelige Kanne, deren
Bügel in seiner Musterung Schnüre nach-
ahmt, trägt an der Tülle den Kopf eines
gehörnten Tieres, nach Kopfform und
Ansatz des abgebrochenen Gehörns wohl
einen Ziegenkopf. Um den Hals ist in
Ritzung eine doppelte Schnur gelegt.
Auf der Rückseite befindet sich eine
sechsstrahlige Rosette, vielleicht als das
Hinterteil der Tiergestalt zu verstehen.
Rechts auf dem Gefäßkörper ist in kräftigem Relief eine Männerfigur modelliert, mit Schurz (und Phallustasche?)
bekleidet und vor sich einen langen Stab
haltend, ein Hirte, der hinter sich ein
Tier führt (durch Fehlstellen des gekleb-
ten Gefäßes schwer erkennbar). Unter
dem linken Gefäßrand sitzt die Relieffi-
gur eines sechsbeinigen Krokodils. Der
Lebensraum des Niltals ist mit diesen
Darstellungen anschaulich umrissen.

Lit.: G. A. Reisner, Kerma, I–III, 148; IV–V,
406f. (104), Abb. 285, Tf. 71.1; Wenig, in: AiA
II, 40, Abb. 16

97
Figürliches Gefäß

Gebrannter Ton; H. 9,6 cm, Durchm. 10 cm
Aus Kerma, Tum. K XIV, östl. Kapelle A, viel-
leicht zu K XV gehörig
Harvard University – MFA Boston-Expedition,
Januar 1914, Fundnr. 14-1-722
Klassisches Kerma, 1650–1570 v. Chr.
Khartum, Nationalmuseum 1135

Auf der zylindrischen Tülle der kugeligen Bügelkanne hockt eine Affenfigur
mit erhobenen Vorderbeinen. Auf beiden
Seiten des Gefäßkörpers, jeweils nach
rechts gewendet, ist in kräftigem Relief
ein Krokodil dargestellt.

Lit.: G. A. Reisner, Kerma, I–III, 481 (13); IV–
V, 406f. (103), Abb. 285, Tf. 71.1

95 ▷

96/97 ▷▷

◁◁   98/99

98
Figürliches Gefäß

Gebrannter Ton; H. 15,5 cm, L. 19 cm,
Br. 12,5 cm
Aus Kerma, Tum. K XIV, östl. Kapelle A, viel-
leicht zu K XV gehörig
Klassisches Kerma, 1650–1570 v. Chr.
Khartum, Nationalmuseum 1134

Auf drei Beine gesetzt, ist der kugelrun-
de Gefäßkörper durch wenige plastische
Zutaten als Vogelleib erkennbar: durch
die Flügelstummel an beiden Seiten und
den Schwanz an der Rückseite. Der lange, schräg aufwärts führende Hals definiert den Vogel als Strauß, obwohl der
Kopf nicht angegeben ist.

Lit.: G. A. Reisner, Kerma, I–III, 481 (12),
Tf. 30.2; IV–V, 374, Abb. 253, Tf. 71.1; Wenig, in: AiA II, 156, Nr. 63

99
Figürliches Gefäß

Gebrannter Ton; H. 18 cm, L. 21 cm,
Br. 18 cm
Aus Kerma, Tum. K XIV, im Schutt der
Kapelle A
Harvard University – MFA Boston-Expedition,
Januar 1914, Fundnr. 14-1-653
Klassisches Kerma, 1650–1570 v.Chr.
Khartum, Nationalmuseum 1122

Der kugelige Gefäßkörper der Bügelkanne mit Standfläche ist undekoriert. Die
Ausgußtülle hat die Gestalt eines Tier-
kopfes mit weit geöffnetem Maul, wahrscheinlich eines Nilpferds.

Lit.: G. A. Reisner, Kerma, I–III, 479; IV–V,
405f. (100), Abb. 284, Tf. 71.1; Eggebrecht, in:
Cl. Vandersleyen (Hrgb.), Das alte Ägypten (=
Propyläen Kunstgeschichte 15), Berlin 1975,
398f., Nr. 400c

100
Stele

Sandstein; H. 26 cm, Br. 19,5 cm, T. 5,4 cm
Aus Buhen, Straßenschutt westlich Block C,
Haus G
Grabungen der Egypt Exploration Society
1959–1960, Fundnr. H7-14
Zweite Zwischenzeit
Khartum, Nationalmuseum 62/8/17

In ihrem formalen Aufbau an ägyptischen Vorbildern orientiert, ist die Darstellung eines nach rechts schreitenden
Mannes in ihren Proportionnen zweifellos nicht das Werk eines ägyptischen
Künstlers.
Die Figur trägt in ihrer Linken Pfeile und
Bogen, in der Rechten eine Keule, auf
dem Kopf eine Krone mit Uräusschlange, der Weißen Krone Oberägyptens
nachempfunden. Krone und Keule sind
herrscherliche Embleme. Da die Stele aus
einem Teil von Buhen stammt, der in der
Zweiten Zwischenzeit vor allem von
Kerma-Leuten besiedelt war, kann man
vermuten, daß im Stelenbild der König
von Kerma dargestellt ist.

Lit.: H. Smith, The fortress of Buhen. The
inscriptions, London 1976, 11f., Nr. 691, 84,
246, Tf. III,2, LVIII,4

101
Wandeinlagen

Fayence; H. 55 cm, Br. 120 cm
Aus Kerma, Ostfriedhof, K II (Östliche
Deffuffa)
Harvard University – MFA Boston-Expedition,
Dezember 1913, Fundnr. 13-12-1029
Klassisches Kerma, 1650–1570 v. Chr.
Boston, Museum of Fine Arts 20.1224

Aus Resten von blau glasierten Fayencefliesen lassen sich zwei große Löwenfiguren rekonstruieren, die wohl an der Fassade der östlichen Deffufa beiderseits des
Eingangs in die Wand eingelassen waren.
Aus weiteren Fragmenten läßt sich auf
andere Relieffiguren, u. a. die eines Nilpferds, schließen. Die Negativformen für
die Herstellung der Fliesen scheinen aus
kaschiertem Stoff oder aus Flechtwerk
bestanden zu haben.
Die Bruchstücke von Hohlkehle, Rundstab und Pflanzenmotiven bildeten wohl
die Wandbekrönung.

Lit.: PM VII, 176; G. A. Reisner, Kerma, I–III,
129; IV–V, 152, Abb. 181; Katalog Kerma.
Royaume de Nubie, Genf 1990, 209, Nr. 251

102
Reliefplakette eines Skorpions

Fayence; L. 6,5 cm, Br. 5,4 cm, T. 1,7 cm
Aus Kerma, Tum. K X, Korridor B
Harvard University – MFA Boston-Expedition,
März 1914, Fundnr. 14-3-292
Klassisches Kerma, 1650–1570 v. Chr.
Khartum, Nationalmuseum 1036

Die in kräftigem Relief gearbeitete Skor-
pionfigur fand sich mit dem Schwanz in
Richtung des Kopfes auf dem Leichnam
eines im Zusammenhang mit einer Ge-
folgschaftsbestattung rituell Getöteten.
Sie war wahrscheinlich auf ein Gewand
aufgenäht.

Lit.: G. A. Reisner, Kerma, I–III, 289 (134),
Tf. 21.2; IV–V, 131, Tf. 44.2 (Nr. 19)

103
Figürliche Besatzstücke

Mica; H. der Einzelfiguren 2–10 cm, Br. 1,3–
9,7 cm
Aus Kerma, verschiedene Gräber
Harvard University – MFA Boston-Expedition
Kerma
Khartum, Nationalmuseum 1239

Eine vielfältige Tierwelt tut sich auf in
den kleinformatigen scherenschnittarti-
gen Figuren aus Elfenbein oder aus Mica,
einem silikatischen Mineral, das in blättrigen Strukturen in Gestein eingelagert
ist und sich u. a. im nubischen Wadi el-
Hudi findet.
Während die Elfenbeinfiguren als Einlagen von Möbelstücken, insbesondere von
Betten, dienten, wurden die aus Mica geschnittenen Figuren auf Kappen aufgenäht. Häufig sind sie im originalen Grab-
kontext von Gefolgschaftsbestattungen
im Bereich des Kopfes der Bestatteten zu
finden.
Die Auswahl der Mica-Figuren umfaßt
neben wirklich existierenden Tieren auch
mythologische Wesen wie die ägyptische
Göttin Thoeris als Frauenfigur mit Nil-
pferdkopf oder geflügelte Giraffen.
Die Nähe dieser Motive, die sich nahezu identisch auch bei den Elfenbeinein-
lagen finden, zu den sog. Zauberstäben in
Ägypten weist darauf hin, daß diese Figuren apotropäischen Charakter hatten,
also übelabwehrend wirken sollten.

Lit.: G. A. Reisner, Kerma, IV–V, 272–280,
Tf. 57–60; vgl. Wenig, in: AiA II, 150–152,
Nr. 53–57; Katalog Kerma. Royaume de Nubie,
Genf 1990, 218–223, Nr. 278, 282, 284, 294

104
Kopf einer Widderfigur

Glasierter Quarz; H. 9,4 cm, Br. 10,6 cm,
T. 8,3 cm
Aus Kerma, Tum. K III, Comp.17/3
Harvard University – MFA Boston-Expedition,
Dezember 1913, Fundnr. S 13-12-785
Klassisches Kerma, 1650–1570 v. Chr.
Boston, Museum of Fine Arts 20.1180

Tierfiguren aus blau glasiertem Quarz
sind typischfür die Kerma-Kunst. Der
Widderkopf, dessen blaue Glasur nahezu völlig verschwunden ist, zeigt an sei-

ner linken Seite noch die Spitze eines
Horns, das sich um das Ohr wand.
Diese Hornform ist kennzeichnend für
die seit dem Neuen Reich in Ägypten belegte Widdergestalt des Gottes Amun,
die er – zunächst nur menschengestaltig
dargestellt – wahrscheinlich aus dem
Reich von Kerma übernommen hat.
Angesichts der Schriftlosigkeit der Kerma-Kultur ist eine namentliche Benennung dieser Widdergottheit nicht möglich. Ihre große Bedeutung in der religiösen Vorstellungswelt von Kerma zeigt
sich eindrucksvoll in der Ausstattung von
Gräbern mit Widdergehörnen und in der
Beisetzung von Widdern, deren Hörner
aufwendig geschmückt sind.
Die Widdergestalt des Amun bleibt bis
in meroïtische Zeit die typische Erscheinungsform des nubisch-sudanesischen
Amun, dem der menschengestaltige Gott
mit der Doppelfederkrone als ägyptische
Form gegenübergestellt wird. Wenn sich
Amenophis III. in Soleb und Ramses II.
in Abusimbel und in seinen anderen nubischen Tempeln in vergöttlichter Gestalt
darstellen lassen, legen sie das Widderge-
hörn an ihre verschiedenen Kronen.
Die Modellierung des Kopfes gestaltet
mit sparsamsten Mitteln das Charakteristische des Tieres. Ob der Kopf zu einer
Widderfigur oder zu einem Widder-
sphinx gehörte, ist nicht feststellbar.

Lit.: G. A. Reisner, Kerma, I–III, 139 (f) XIII;
IV–V, 51, Tf. 37,4; Wenig, in: AiA II, 145,
Nr. 44; D. Wildung, Sesostris und Amenemhet,
München 1984, 181, 244, Abb. 158; Bonnet, in:
Katalog Kerma. Royaume de Nubie, Genf 1990,
212, Nr. 259

105
Fuß eines Bettes

Gold; H. 14,2 cm, Br. 5,1 cm, T. 9,7 cm
Aus Kerma, Tum. X, Grab K 1035
Harvard University – MFA Boston-Expedition,
1913/14, Fundnr. Su 739
Kerma
Khartum, Nationalmuseum 962

Die vier Goldbleche in Gestalt eines Rin-
derfußes waren mit Goldnägeln auf einen Möbelfuß aufgenagelt. Tierfüßige
Betten gehörten zum Standardmobiliar
von Kerma-Gräbern. Ein zweiter Fuß
vom gleichen Bett befindet sich in Boston
(MFA 13.3987).

Lit.: G. A. Reisner, Kerma, I–III, 327; IV–V,
225, 283, Tf. 69.2; Katalog Kerma. Royaume de
Nubie, Genf 1990, 219, Nr. 281

107
Fuß eines Bettes

Glasierter Quarz; H. 7 cm, Br. 13 cm
Aus Kerma, Tum. III, Grabkammern B und C
Harvard University – MFA Boston-Expedition,
Dezember 1913, Fundnr. 13-12-475
Kerma
Leipzig, Ägyptisches Museum 3932

Zu Rinderfüßen und Löwenfüßen treten
als drittes Motiv der Totenbetten auch
Nilpferdfüße. Alle drei Arten tiergestal-
tiger Bahren finden sich auch im Grabschatz des Tutanchamun bei den großen
Totenbetten mit Kuh-, Löwen- und Nil-
pferdkopf.

Lit.: G. A. Reisner, Kerma, I–III, 139; IV–V, 51

106
Fuß eines Bettes

Glasierter Quarz; H. 15,2 cm, Br. 6,3 cm,
T. 10,6 cm
Aus Kerma, Tum. III/3
Harvard University – MFA Boston-Expedition
März 1914, Fundnr. 14-3-1239
Kerma
Khartum, Nationalmuseum 1112

Neben den goldbeschlagenen Bettfüßen
sind in den Gräbern von Kerma auch
Totenbetten mit blau glasierten Steinfü-
ßen aus Quarz gefunden worden. Auch
sie haben Tiergestalt. Der Rinderfuß
dürfte auf eine kuhgestaltige Himmels-
gottheit hindeuten.

Lit.: G. A. Reisner, Kerma, I–III, 139; IV–V,
50f., Tf. 37.1 (re.)

110
Gefäß

Gebrannter Ton; H. 12,2 cm, Durchm.
18,1 cm
Aus Kerma, Friedhof N, Grab KN 131
Harvard University – MFA Boston-Expedition,
April 1916, Fundnr. 16-4-1375
Frühes Kerma, 2500–2200 v. Chr.
Boston, Museum of Fine Arts 21.11906

Der halbkugelige Napf mit leicht eingezogenem Rand weist die schwarze Politur der Innenwand und den schwarz geschmauchten Rand auf, die für die Kerma-Keramik typisch sind. Der Gefäßkörper ist außen rot poliert.

Lit.: D. Dunham, Excavations at Kerma, VI, Boston 1982, 130, Abb. 247, Tf. XLb (2. Reihe,
5. von links, oberes Gefäß)

108
Halskette

Gold, Karneol; L. 76 cm; Goldperlen L. 3,0–
3,2 cm, Karneolperlen Durchm. 0,8–1,1 cm
Aus Kerma, Tum. K XIX, ursprünglich in ei-
nem Korb
Harvard University – MFA Boston-Expedition,
Januar 1914, Fundnr. 14-1-613
Kerma
Khartum, Nationalmuseum 1139

Zwölf hohle rhombische Elemente aus
Goldblech und fünfzig runde Karneolperlen bilden eine Halskette, die in einem runden geflochtenen Korb als Bei-
gabe ins Grab gelegt wurde. Neben den
Goldbeschlägen von den Totenbetten
(Kat. 105) ist diese Kette eines der wenigen Fundstücke aus Gold, die in Kerma
den Grabräubern entgangen sind.

Lit.: G. A. Reisner, Kerma, I–III, 459f.; IV–V,
99 (10), 116, 120; Wenig, in: AiA II, 153,
Nr. 58

109
Halskette

Amethyst, Karneol, Fayence; L. 33 cm
Aus Kerma, Grab K 1061 (Nebengrab von
Tum. K X)
Harvard University – MFA Boston-Expedition,
Dezember 1913, Fundnr. Su 982
Klassisches Kerma, 1650–1570 v. Chr.
Boston, Museum of Fine Arts 13.4115

Die geriefelten runden Perlen sind auch
im ägyptischen Schmuck vom Zweiten
Katarakt belegt (Kat. 90). Grünblaue
Fayence, roter Karneol und violetter
Amethyst bilden eine ungewöhnlich leb-
hafte Farbzusammenstellung.
Die Kette wurde am Hals des Bestatteten
gefunden.

Lit.: G. A. Reisner, Kerma, I–III, 349 (15)

111
Gefäß

Gebrannter Ton; H. 10,8 cm, Durchm. 18 cm
Aus Kerma, Friedhof N, Grab KN 157
Harvard University – MFA Boston-Expedition,
April 1916, Fundnr. 16-4-1465
Frühes Kerma, 2500–2200 v. Chr.
Boston, Museum of Fine Arts 21.11908

Die rot polierte Außenseite trägt ein fei-
nes Punktmuster in steilen Zickzacklini-
en.

Lit.: Dunham, o. c., 141, Abb. 272, Tf. XLIa (3.
Reihe, 3. von links)

112

112
Gefäß

Gebrannter Ton; H. 14,8 cm, Durchm.
24,4 cm
Aus Kerma, Friedhof N, Grab KN 133
Harvard University – MFA Boston-Expedition,
April 1916, Fundnr. 16-4-1380
Frühes Kerma, 2500–2200 v. Chr.
Boston, Museum of Fine Arts 21.11907

Die rundbodige Schüssel ist am Rand
etwas eingezogen. Der schwarz geschmauchte Rand ist von einem fein
schraffierten Ritzband eingefaßt, über
das eine glatte Zickzacklinie läuft.

Lit.: Dunham, o. c., 131, Abb. 250, Tf. XLb (3.
Reihe, 3. von links)

Das kleine Gefäß neben *Kat.112* ist nicht Teil
der Ausstellung.

113
Dreibeiniges Gefäß

Gebrannter Ton; H. 11,1 cm, Durchm. 17,8–
18,5 cm
Aus Kerma, Grab K 330 (Nebengrab von Tum.
K III)
Harvard University – MFA Boston-Expedition,
Februar 1914, Fundnr. 14-2-1153
Klassisches Kerma
Boston, Museum of Fine Arts 20.2020

Durch ihre drei kurzen Beine rückt die
halbkugelige Schale mit plastischem
Randwulst in die Nähe der figürlichen
Kerma-Gefäße (*Kat. 98*).

Lit.: G. A. Reisner, Kerma, I–III, 167 (9); IV–
V, 358f., Abb. 239 (8)

114
Flasche

Gebrannter Ton; H. 13,8 cm, Durchm. 9,1 cm
Aus Kerma, Grab K 313(?)
Harvard University – MFA Boston-Expedition,
März 1914, Fundnr. S 14-3-1291
Klassisches Kerma, 1650–1570 v. Chr.
Boston, Museum of Fine Arts 21.3086

Die völlig schwarz polierte Keramik bildet gegenüber der rot polierten Ware mit
schwarzem Rand (*black topped*) eine kleine Gruppe mit unterschiedlichen Formen.

Lit.: Unveröffentlicht

115
Tüllengefäß

Gebrannter Ton; H. 8 cm,, Durchm. 10,9 cm,
Br. (mit Tülle) 14 cm
Aus Kerma, Fundnr. CET/128/5: 103
Kerma
Khartum, Nationalmuseum 25339

Aus dem halbkugeligen Napf ragt knapp
unter dem Rand eine leicht spitz zulaufende Ausgußtülle.

116
Gefäß

Gebrannter Ton; H. 7,8 cm, Durchm. 12,5 cm
Aus Kerma, Friedhof N, Grab 81, in Gefäß
KN 81/1 gefunden
Harvard University – MFA Boston-Expedition,
April 1916, Fundnr. 16-4-1139
Kerma
Khartum, Nationalmuseum 3927

Rundbodiger halbkugeliger Napf mit
einem schmalen schwarz geschmauchten
Rand.

Lit.: Unveröffentlicht

Lit.: D. Dunham, Excavations at Kerma, VI, Boston 1982, 103, Tf. XXXVb (3. Reihe rechts)

115/116

117
Gefäß

Gebrannter Ton; H. 17,7 cm, Durchm. 15,6 cm
Aus Ukma-West, Grab 110
Survey archéologique en Nubie 1968/69,
Fundnr. 21-H-4: 110/2
Kerma
Khartum, Nationalmuseum 19085

Den qualitativen Höhepunkt der Kerma-
Keramik bilden die extrem dünnwandigen, fast gewichtslosen Gefäße mit mes-
serscharfer Lippe und weit auf den Gefäßkörper herunter reichender schwarzer
Schmauchung. Deren metallischer Glanz
geht oft in einer irisierenden Zone in die
rote Politur des unteren Gefäßteils über.

Lit.: A. Vila, Le cimetière kermaique d'Ukma
ouest, Paris 1987, 103, 190, Abb. 214

118
Gefäß

Gebrannter Ton; H. 18 cm, Durchm. 18,6 cm
Aus Ukma-West, Grab 5
Survey archéologique en Nubie 1968/69,
Fundnr. 21-H-4: 5/3
Kerma
Khartum, Nationalmuseum 21905

Kugeliger Topf mit kurzem Hals und
weit ausladender Lippe.

Lit.: Vila, o. c., 43, Abb. 48.2

119
Tüllengefäß

Gebrannter Ton; H. 11,6 cm, Durchm.
11,9 cm, Br. (mit Tülle) 17,4 cm
Aus Kulb, Fundnr. 21-X-4-5/2
Kerma
Khartum, Nationalmuseum 19962

Die Finesse der Kerma-Keramik wird bei
dem kugeligen Topf mit weitem Hals
und leicht ausladender Lippe durch eine
lange, spitz zulaufende Ausgußtülle unterstrichen, die unter der durch einen
Grat markierten Schulter ansetzt.

117/118/119 ▷

120/121/122

123/124/125 ▷

120
Schüssel

Gebrannter Ton; H. 8,5 cm, Durchm. 18,7 cm
Aus Kerma, Tum. K III, Grab K 333
Harvard University – MFA Boston-Expedition,
Februar 1914, Fundnr. 14-2-56
Kerma
Berlin, Ägyptisches Museum und Papyrus-
sammlung 24172

Unter dem schwarz geschmauchten Rand
ein breites irisierendes Band .

121
Tüllengefäß

Gebrannter Ton; H. 18,2 cm, Durchm.
18,4 cm
Aus Kerma, Tum. K III, Grab K 333
Harvard University – MFA Boston-Expedition,

Februar 1914, Fundnr. 14-2-963
Kerma
Berlin, Ägyptisches Museum und Papyrus-
sammlung 8152

Die am kugeligen Gefäßkörper ansetzen-
de schlanke Tülle ist abgebrochen. Die
Schulter weist waagerechte Rippung auf.

Lit.: G. A. Reisner, Kerma, I–III, 170 (19); IV–
V, 361, 363, Abb. 243.4

122
Tulpenbecher

Gebrannter Ton; H. 9 cm, Durchm. 10,8 cm
Aus Kerma
Harvard University – MFA Boston-Expedition,
Januar 1914, Fundnr. S 14-1-116
Kerma

Berlin, Ägyptisches Museum und Papyrussammlung 8162

Rundbodige, steilwandige Form.

123
Tulpenbecher

Gebrannter Ton; H. 7,2 cm, Durchm. 8,8 cm
Aus Kerma, Tum. K III, Grab K 333
Harvard University – MFA Boston-Expedition,
Februar 1914, Fundnr. 14-2-947
Kerma
Berlin, Ägyptisches Museum und Papyrus-
sammlung 8088

Weit auf den Gefäßkörper herunterge-
zogene schwarze Schmauchung.

Lit.: G. A. Reisner, Kerma, I–III, 170 (3),
Tf. 10.4; IV–V, 330f., Abb. 226.2

124
Tulpenbecher

Gebrannter Ton; H. 13 cm, Durchm. 14,5 cm
Aus Kerma, Grab K 435, Nebenbestattung in
Tum. K IV
Harvard University – MFA Boston-Expedition,
Januar 1914, Fundnr. S 14-I-113
Kerma
Berlin, Ägyptisches Museum und Papyrus-
sammlung 8155

Schwach ausgeprägte Standfläche, steile
Wandung.

Lit.: G. A. Reisner, Kerma, I–III, 224 (9);
Scharff, in: Berichte aus den Preußischen Kunstsammlungen 46, 1925, 21, Abb. 3

125
Tulpenbecher

Gebrannter Ton; H. 10,3 cm, Durchm.
13,3 cm
Aus Kerma, Tum. K III, Grab K 333
Harvard University – MFA Boston-Expedition,
Januar 1914, Fundnr. 14-I-952
Kerma
Berlin, Ägyptisches Museum und Papyrus-
sammlung 36500

Weit ausladende Form, breiter irisieren-
der Streifen unter der Schmauchung des
Randes.

126
Sitzfigur

Schwarzer Granit; H. 65 cm, Br. 22 cm,
T. 28,5 cm
Aus Kerma, Tum. K III, Comp. 4/I (Statue
Nr. 49)
Harvard University – MFA Boston-Expedition,
Februar 1914, Fundnr. 14-2-I
Mittleres Reich, 13. Dynastie, um 1700 v. Chr.
Boston, Museum of Fine Arts 14.723

Noch nicht hinreichend erklärt ist ein
sehr eigenartiger Befund in einer ganzen
Reihe von Gräbern in Kerma. Unter den
Grabbeigaben finden sich Statuen, die

ohne jeden Zweifel nicht in und für Kerma geschaffen worden sind, sondern aus Ägypten stammen.

Sie sind meist aus harten Gesteinen wie Granit, Basalt und Grauwacke gehauen, und ihre Formate überschreiten bisweilen die Lebensgröße. Aus der Beschriftung dieser Statuen ergibt sich, daß sie von höchstgestellten Persönlichkeiten in verschiedenen Städten Ägyptens in Auftrag gegeben worden waren; zu ihnen gehören der Gaufürst Djefai-hapi und seine Gemahlin Senui, deren Grab bei Assiut in Mittelägypten zu den größten Grabanlagen des Mittleren Reiches zählt. Diese Statuen sind in einem Zeitraum von ca. 1900 bis 1650 v. Chr. hergestellt worden.

Die Identität des in der Sitzfigur Dargestellten bleibt unbekannt, da die an die Götter Re und Anubis gerichtete Opferformel vor der Nennung des Namens abbricht. Mit ihren übergroßen Ohren läßt sich die Figur stilistisch an ähnliche Statuen aus Elephantine anschließen.

Lit.: PM VII, 177; G. A. Reisner, Kerma, I–III, 138, Plan 15, Tf. 7.3; IV–V, 37 (49), 528f., Abb. 345 (62), Tf. 32.1; J. Vandier, Manuel d'archéologie égyptienne, III, Paris 1958, 230, 283, 583

127
Kopf einer Königsstatue

Grauwacke; H. 11 cm, Br. 8 cm, T. 13 cm
Aus Kerma, Oberflächenfund südlich K II (Östliche Deffufa)
Harvard University – MFA Boston-Expedition, Januar 1914, Fundnr. 14-1-1290
Mittleres Reich, 12. Dynastie, um 1800 v. Chr.

Nur wenig ist von dem unterlebensgroßen Kopf aus grünlichem Stein übriggeblieben, genug jedoch, um ihn aufgrund der Kopftuchreste an der linken Seite des Halses als Königsdarstellung zu erkennen und aus den Gesichtszügen die namentliche Benennung des Herrschers abzuleiten. Die nach unten gezogenen Mundwinkel und die schweren Tränensäcke unter den Augen sind hinreichende Kriterien für die Identifizierung des ägyptischen Königs als Amenemhet III. aus der späten 12. Dynastie.

Zeitpunkt und Motivation der Verbringung dieser Kunstwerke von ihren ursprünglichen Aufstellungsorten in Ägypten nach Kerma sind unbekannt. Es kann nicht völlig ausgeschlossen werden, daß sie Kriegsbeute von militärischen Vorstößen bis an die Grenze zu Ägypten am Ersten Katarakt waren, dies würde aber nicht die Präsenz der monumentalen Statuen aus Mittelägypten erklären. Wahrscheinlicher ist, daß die Könige und hohen Würdenträger von Kerma ihre Paläste und Villen mit Luxusgütern aus dem benachbarten Ägypten schmücken wollten und sich deshalb aus Gräbern und Tempeln, deren Kult nach Ende des Mittleren Reiches nicht mehr aufrecht erhalten wurde, Statuen besorgten oder besorgen ließen – wahrscheinlich durch die Vermittlung von Ägyptern, die sich als Urväter der Kunsthändler betätigten.

Lit.: G. A. Reisner, Kerma, IV–V, 32 (12), Tf. 34.2–3; Dunham, in: Bull. MFA XXVI/156, 1928, 62, Abb. 4, 64

128
Kniefigur des Königs Sebekhotep V.

Schwarzer Granit; H. 47 cm, Br. 17 cm
1889 in Luksor erworben
Mittleres Reich, 13. Dynastie, um 1680 v. Chr.
Berlin, Ägyptisches Museum und Papyrussammlung 10645

1889 wurde in Luksor die Kniefigur des
opfernden Königs für das Berliner Ägyptische Museum erworben, ohne daß ihre
Herkunft feststellbar gewesen wäre. Auch
die namentliche Benennung war nicht
möglich, da der vordere Teil der Basisplatte, wo die Inschrift zu erwarten gewesen wäre, abgebrochen war und fehlte.
Ein Jahrhundert später, 1990, entdeck-
te der junge dänische Ägyptologe Kim
Ryholt, daß zwei Statuenfragmente im
Magazin des Bostoner Museum of Fine
Arts zu der Berliner Statue gehören und
sich Bruch auf Bruch an sie anpassen lassen. Sie tragen eine hieroglyphische Inschrift: „Der Gute Gott Cha-hetep-Re,
geliebt von Satet, der Herrin von Elephantine". – Daraus ergibt sich, daß die
Statue von Sebekhotep V., einem König
der 13. Dynastie, für das Heiligtum der
Göttin Satet auf der Insel Elephantine
bei Assuan gestiftet wurde. Die beiden
Fragmente in Boston wurden jedoch von
George Reisner 1913/14 in Kerma ausgegraben, woraus sich ableiten läßt, daß
die Statue aus Kerma in den Kunsthan-
del nach Luksor kam.
Für Elephantine geschaffen, von dort
nach Kerma verschleppt oder verkauft,
von Kerma über Luksor nach Berlin gelangt, wird die Statue in der Ausstellung
erstmals wieder mit den ihre Identität
und Herkunft sichernden Fragmenten
vereinigt.

Lit.: Bothmer, in: Brooklyn Museum Annual 10,
1968/69, 82ff., Abb. 4; Priese, in: Katalog
Ägyptisches Museum Berlin, Mainz 1991, 52

ÄGYPTEN IN NUBIEN II

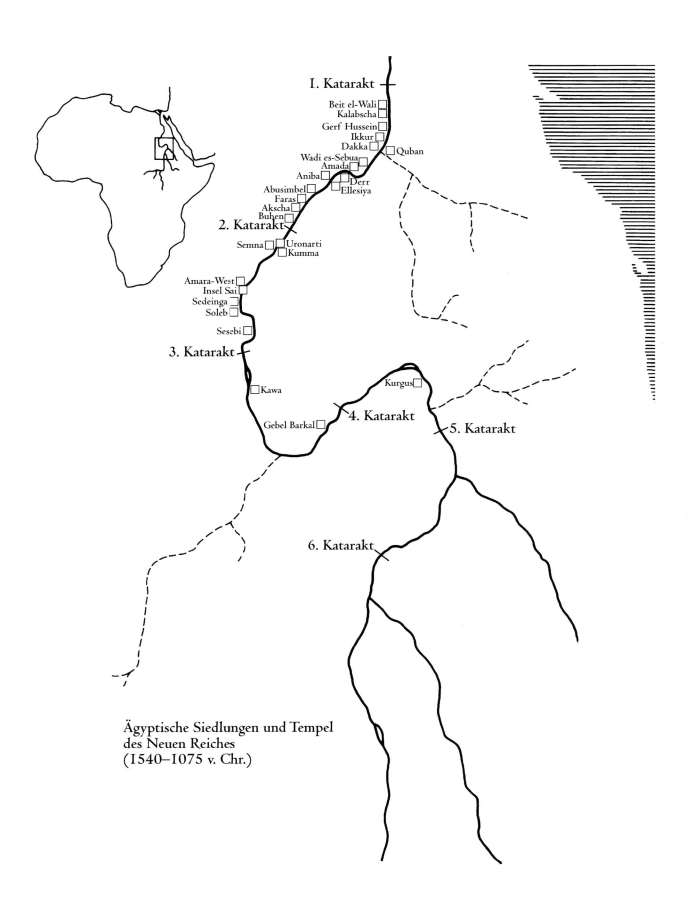

I. Katarakt

Beit el-Wali
Kalabscha
Gerf Hussein
Ikkur
Dakka
Quban
Wadi es-Sebua
Amada
Aniba
Derr
Abusimbel
Ellesiya
Faras
Akscha
Buhen
2. Katarakt

Semna
Uronarti
Kumma

Amara-West
Insel Sai
Sedeinga
Soleb

Sesebi

3. Katarakt

Kawa
Kurgus

Gebel Barkal
4. Katarakt

5. Katarakt

6. Katarakt

Ägyptische Siedlungen und Tempel
des Neuen Reiches
(1540–1075 v. Chr.)

Jean Leclant

Ägypten in Nubien

Das Neue Reich

Mit der Mitte des 16. Jahrhunderts v. Chr. beginnt für die Geschichte des Niltals ein neues Zeitalter. Die Gaufürsten von Theben, Seken-en-Re-Teo und Kamose, führen den Befreiungskampf gegen die Hyksos (1560–1550). Ein langer historischer Text, der 1954 auf einer Stele in Karnak gefunden wurde, berichtet im Detail über die Maßnahmen, die Kamose, der letzte König der 17. Dynastie, gegen die doppelte Bedrohung Ägyptens durch die Hyksos im Norden und durch das Reich Kusch im Süden in die Wege leitete. Ein Teil dieses Textes war in einer späteren Abschrift auf der „Carnarvon-Tafel" schon seit langer Zeit bekannt und findet nun seine historische Bestätigung.

Kamoses 'Geheimdienst' gelingt es, einen Boten des Hyksos-Königs auf der Oasenroute nach Kusch abzufangen. Da dessen Depesche niemals ihr Ziel am Königshof in Kerma erreicht, kann die drohende Umklammerung Ägyptens von Nord und Süd verhindert werden. Kamose eröffnet, unterstützt von nubischen Medjau-Beduinen, den Kampf gegen den Hyksos-König. Sein Nachfolger Amosis nimmt schließlich dessen Hauptstadt Auaris im Delta ein und vertreibt die Fremdherrscher nach Vorderasien.

Mit Amosis beginnt die 18. Dynastie und die glanzvolle Epoche des Neuen Reiches (1550–1070 v. Chr.). Nach der Vertreibung der Hyksos machen sich die Ägypter an die Wiedereroberung des Südens. Einen genauen Bericht über die nubischen Feldzüge des Amosis und seiner Nachfolger gibt die lange biographische Inschrift des Admirals Ahmose, Sohn der Ebana, in seinem Grab in El-kab. Ganz Unternubien geriet wieder unter ägyptische Kontrolle. Die Namen des Kamose und Amosis finden sich in Felsinschriften in Arminna. Amosis ließ nördlich der Festung von Buhen einen Tempel errichten. Die Aufstände des Aata und des Tetian zeigen jedoch, daß Nubien ein

Unruheherd blieb. Amenophis I. (1525–1504 v. Chr.), Sohn und Nachfolger des Amosis, ist in Semna belegt. Auf der Insel Sai wurden Statuen Amosis' und Amenophis' I. sowie ein Block mit dem Namen von Amosis' Gemahlin Ahmes-Nefertari gefunden; doch ist es ungewiß, ob man hierin einen Hinweis auf eine dauernde Besetzung dieser Insel südlich des Zweiten Katarakts sehen darf. Amenophis' I. Entschluß, ganz Nubien wieder unter ägyptische Oberherrschaft zu bringen, manifestiert sich in mehreren Feldzügen um sein Achtes Jahr, die jedoch die Barriere des Dritten Katarakts kaum überwunden haben dürften. An die Spitze der eroberten Territorien wurde nun ein Vizekönig gesetzt, der „Königssohn von Kusch" oder „Aufseher der Südländer"; einer der ersten Amtsinhaber ist ein gewisser Thuri.

Weiter nach Süden stieß Tuthmosis I. (1504–1492 v. Chr.) vor. In Tangur, in den Felsen des Batn el-Hagar, hat sich ein Schreiber verewigt, „der die Schiffe zählt", die in den Süden fuhren — mit Schiffbruch mußte ja stets gerechnet werden. Erst vor kurzem wurde eine ähnliche Inschrift in Akscha-West entdeckt. Tuthmosis I. überwand die Stromschnellen des Dritten Katarakts und stieß damit das Tor zum Dongola-Becken auf. Wenige Kilometer südlich von Tombos standen seine Truppen vor Kerma; mit einem Mal konnte der Widerstand des Königreiches von Kusch gebrochen werden, Obernubien war ägyptisch.

In riesigen Schriftzeichen wurden auf die Felsen von Tombos die Titel und Namen Tuthmosis' I. gemeißelt, dazu das Datum „Jahr 2, 15. Tag des 2. Monats der Achet-Jahreszeit", also nur eineinhalb Jahre nach Amtsantritt des Königs. Die Kämpfe müssen schrecklich gewesen sein: „Die Bogenschützen von Nubien, im Gemetzel gefallen, liegen in den Ebenen; ihre Eingeweide — der König hat mit ihnen ihre Täler gefüllt, ihr Blut strömt wie ein Platzregen; die Aasgeier sind über das Schlachtfeld gekommen, Raubvögel schleppen Leichenteile davon, und das Krokodil stürzt sich auf die Fliehenden, die sich vor dem wachsamen Horus verborgen hatten." Die Ägypter hatten gegenüber den schrecklichen Völkerscharen des Reiches von Kusch Mut gezeigt, gegenüber den „Zopfträgern, den Geopferten, die sich in Tierfelle kleiden, den Nehesiu mit Kraushaar und mit sonnenverbranntem Gesicht" (die also den „Äthiopiern" der griechischen Texte entsprechen, wie Cl. Vandersleyen festgestellt hat). Eine Festung, die Tuthmosis III. als Zeichen des Sieges über Nubien errichten ließ, trägt den programmatischen Namen: „Keiner der vereinigten Neunbogen wagt ihn anzusehen"; Neunbogen war die Bezeichnung für die – stets unterworfenen – Feinde Ägyptens.

In Hagar el-Merwa nahe Kurgus, etwa 50 km südlich von Abu Hamed, am Rande der Steppe, wurden unter Tuthmosis I. Inschriften angebracht. Auf direktem Weg waren die Randgebiete des eigentlichen Schwarzafrika erreicht worden – erstmals in der Geschichte Ägyptens. Die historische Bedeutung dieser Inschriften wird unterschiedlich beurteilt. Hat Ägypten wirklich in so kurzer Zeit eine so riesige Strecke des Niltals 'befriedet'? Handelte es sich nicht eher um einen einmaligen Vorstoß ägyptischer Truppen auf der Wüstenpiste, die von Korosko in Unternubien ausgeht und die große Nilschleife des Dongola-Beckens und das Gebiet des Vierten Katarakts abschneidet, durch das der Nil gegen seine sonstige Richtung von Nord nach Süd fließt? Eine Stelle des Hagar el-Merwa-Textes scheint auf das „verkehrte Wasser" hinzuweisen.

Entlang des Nils wurden in Unternubien die Festungen des Mittleren Reiches restauriert und vergrößert, Quban, Ikkur, Aniba, Buhen; von ihnen gingen die Wege zu den Goldminen aus. Die Festungen am Batn el-Hagar wurden dagegen aufgegeben oder nur noch sporadisch genutzt. Da mit der Verlegung der ägyptischen Grenze über den Dritten Katarakt hinaus das militärische Schwergewicht weit nach Süden verschoben worden war, hatte das Befestigungssystem an der ehemaligen Grenze des Mittleren Reiches seine Bedeutung verloren.

Die eroberten Gebiete fügten sich der ägyptischen Herrschaft nicht widerstandslos. Seit seinem ersten Regierungsjahr sah sich Tuthmosis II. nubischen Aufständen ausgesetzt. Eine Inschrift in Assuan berichtet vom Gemetzel unter den Aufständischen; nur der Sohn des Häuptlings wurde am Leben gelassen und als Gefangener an den Königshof gebracht. Man kann sich gut vorstellen, wie der

nubische Prinz in Ägypten erzogen wurde und – zu einem halben Ägypter geworden – später in seine Heimat zurückkehrte, um dort zu einer Stütze der ägyptischen Herrschaft zu werden. Diese Methode wurde von den Pharaonen des Neuen Reiches immer wieder angewandt, um sich der Loyalität der kuschitischen Häuptlinge zu versichern.

Aus dem Jahr 12 der gemeinsamen Herrschaft der Hatschepsut und Tuthmosis' III. ist ein Nubien-Feldzug durch eine Inschrift in Tangur-West belegt. Von Tuthmosis III. (1479–1425 v. Chr.), dem großen Kriegsherrn in Asien, ist nur eine Militäraktion „im Land Kusch" bekannt. Er konnte sich in dem nun von den Ägyptern verwalteten Nubien vor allem einer intensiven Bautätigkeit widmen. In seinem 47. Jahr ließ er in Napata Tempel errichten – im äußersten Süden seines Reiches, am Fuß des Gebel Barkal, des „Heiligen Berges", unmittelbar unterhalb des Vierten Katarakts. Auf einer Stele im Tempel spricht er voll Stolz von seiner Herrschaft in Asien und Afrika, wenn er sagt, er habe die Grenze bis an „das Horn der Erde" ausgedehnt.

Weiter im Süden gibt es mit Ausnahme der Inschriften von Hagar el-Merwa, die Tuthmosis III. ergänzen ließ, aus dem Neuen Reich keine sicheren Spuren ägyptischer Präsenz. Mit seiner Festung und seinen Tempeln war Napata nicht nur die südlichste Stadt des ägyptischen Reiches, sondern muß der Sammelpunkt, der zentrale Markt, für all die Waren gewesen sein, die über die Karawanenwege aus Afrika kamen und nach Ägypten weiterreisen sollten.

Die Herrschaft der ersten Könige der 18. Dynastie hat in Nubien zahlreiche Bauwerke hinterlassen. Tuthmosis II. scheint einen Tempel in Dakka und in Tabo auf der Insel Argo erbaut zu haben, wo sich sein Name (oder der Tuthmosis' I.?) auf wiederverbauten Blöcken findet. Ein Heiligtum für Hathor ist von Königin Hatschepsut in Faras errichtet worden, und sie hat auch in Buhen inmitten der Festung des Mittleren Reiches einen Tempel erbaut, dessen ausgezeichnete Reliefs bis heute ihre Farbigkeit bewahrt haben; während hier ihre Namen von Tuthmosis III. getilgt wurden, sind sie anderenorts erhalten geblieben – in Uronarti, auf einem Felsen von Tangur, auf der Insel Sai. Die Bauten Tuthmosis' III. und seines Vizekönigs Nehi in Nubien bilden eine ganze Liste. Direkt am Fluß liegen die Felsentempel, die eine typisch nubische Bauform darstellen. Vielleicht sind diese tief in die Uferfelsen hineingetriebenen Heiligtümer die geheimnisvollen Quellen des Nun, des Urwassers, und dienten den Zeremonien der Nilüberschwemmung, die das Gedeihen Ägyptens zu garantieren hatten. Zwischen Soleb und Sedeinga liegt auf einem Felsvorsprung über dem Nil das Felsenheiligtum von Gebel Doscha; nahebei befinden sich Felsinschriften mit Gebeten an Hathor von Ibschek; weiter im Norden zeigen die Reliefs im Felsentempel von Ellesiya Tuthmosis beim Gebet vor Horus, dem nubischen Gott Dedun und Sesostris III., der nicht nur hier, sondern auch neben Dedun und Chnum im Tempel von Semna-West als Eroberer und Beschützer Nubiens vergöttlicht wurde. Die Namen Tuthmosis' III. sind außerdem belegt in Kalabscha, Dakka, Kasr Ibrim, Semna-Ost, Sai und Tabo. Der von ihm begonnene Tempel von Amada, dem Horus von Miam geweiht, wurde von seinem Sohn Amenophis II. fertiggestellt, dessen Name sich auch auf vielen Blöcken auf der Insel Sai findet und der ein kleines Felsenheiligtum in Kasr Ibrim errichten ließ.

Aber noch unter Amenophis II. (1427–1401 v. Chr.) (vgl. *Kat. 139*) mußte Ägypten zu drastischen Mitteln greifen, um seine Macht in Nubien durchzusetzen. Eine Stele aus Amada berichtet, daß der König, nachdem er in Syrien mit eigener Hand sechs Häuptlinge aus der Gegend von Tachsi erschlagen hatte, einen siebten zur Abschreckung an der Stadtmauer von Napata aufhängen ließ. Für eine straffe Verwaltung sorgte in Nubien ein Freund des Königs, der Vizekönig Usersatet; in einer Felsenkapelle in Kasr Ibrim zählt er in einer Inschrift die Güter Nubiens auf, die er an den königlichen Hof lieferte. Tausend Träger waren für den Transport des Elfenbeins nötig; 500 Mann brachten Streitwagen aus nubischem Holz. Zum Motivbestand der Darstellungen unterworfener Völker gehört ein Relief, auf dem der nubische Gefangene an die Deichsel des königlichen Streitwagens gebunden ist, unter dem Schweif des Pferdes — in einer mehr als unangenehmen Lage. Amenophis III. sollte dieses Motiv wieder aufgreifen. Für Tuthmosis IV. sind kleinere Strafexpeditionen nach Nubien belegt; die Bautätigkeit wurde fortgesetzt.

Amenophis III. (1391–1353 v. Chr.) schickte zwar im Jahre Fünf und gegen Ende seiner Regierungszeit zwei 'Strafexpeditionen' nach Nubien, doch gewinnt man aus der bescheidenen Liste der getöteten oder gefangengenommenen Feinde den Eindruck, daß es sich dabei eher um Demonstrationen königlicher Macht handelte. Die umfangreiche Bautätigkeit Amenophis' III. kann sich in einem weitgehend befriedeten Nubien entfalten: neben den Tempeln von Wadi es-Sebua, Quban, Aniba, Sai und Tabo ist es vor

allem eines der großartigsten Bauwerke in Nubien, der Tempel von Soleb (*Abb. 22*), ein Meisterwerk altägyptischer Architektur. Südlich des Dritten Katarakts errichtete sich der König anläßlich seines 30. Regierungsjubiläums diesen Tempel, in dem der Reichsgott Amun-Re (vgl. *Kat. 141*), vor allem aber der König selbst als sein vergöttlichtes „lebendes Abbild" verehrt wurde. Er trägt auf seinem von Widderhörnern flankierten Kopf eine Art Helm mit Sonnenscheibe und Mondsichel, vielleicht eine Anspielung auf das Götterkind Chons. Hinter einem großen Pylon öffnen sich wie in den thebanischen Totentempeln zwei Höfe. Rings um den ersten Hof laufen in acht übereinander liegenden Reliefstreifen die Bilder des Jubiläumsfestes. Unten auf den Säulen des Hypostyls sind Namen und Figuren der unterworfenen Völker Asiens und Afrikas aufgezählt. Mehr als einhundert Namen sind im Zuge der Grabungen der Schiff Giorgini-Stiftung erfaßt und untersucht worden. In dieser außergewöhnlichen Völkerliste finden sich auch die „Schasu des Jahwe", ein Beduinenstamm des Sinai. Es ist die älteste Erwähnung des Tatragramms des Namens des Gottes des Alten Testaments. Mitten im eroberten Nubierland zeigte sich Pharao hier als Sonnengott und als Weltherrscher. In Sedeinga, 15 km nördlich von Soleb, steht ein Tempel, der der Gemahlin Amenophis' III., der Königin Teje, geweiht war. Ein Jahrhundert später nimmt Ramses II. mit den beiden Tempeln von Abusimbel das gleiche dogmatische und architektonische Konzept wieder auf: Ein Tempel für den vergöttlichten König im Süden, ein zweiter für die vergöttlichte Königin (*Abb. 23*) im Norden.

Das Tempelpaar von Soleb und Sedeinga steht am Höhepunkt der ägyptischen Kunst. Anmut und Monumentalität, Macht und Luxus gehen eine einzigartige Verbindung ein. Dahinter steht ein Reich, das einen Großteil des Niltals umfaßt und weit hineinreicht nach Asien. Auf den Hochzeitskarabäen aus dem Beginn der Regierung Amenophis' III. werden als Grenzpunkte Naharina in Mesopotamien und Karoi in der Gegend von Napata genannt.

Der Sohn Amenophis' III., Echnaton (1353–1335 v. Chr.), der religiöse Reformator, ist in Nubien kein Unbekannter. Seine Verfolgung des Götterkönigs Amun-Re äußert sich bis an die äußersten Grenzen des Reiches in der Tilgung des Götternamens. In alter Tradition wird im Jahr 12 vom Vizekönig Djehutimes eine Strafexpedition gegen Beduinenstämme im Wadi Allaki unternommen, die im Niltal Korn gestohlen hatten. Eine Reihe von Gefangenen

wurde gepfählt, andere wurden in die Gefangenschaft geführt. Auf der Vorderseite des Pylons des Soleb-Tempels usurpiert Echnaton die Kartuschen seines Vaters Amenophis' III. in Reliefbildern, die ihn in Anbetung seines vergöttlichten Selbst zeigen. Südlich von Soleb läßt er in Sesebi drei dicht nebeneinander liegende Tempel für die Götterdreiheit Amun, Mut und Chons errichten; nicht weit davon entsteht ein kleiner Sonnentempel. Der Tempel von Kawa läßt sich, obwohl sein Name Gem-pa-Aton auf den von Echnaton favorisierten Sonnengott Aton anspielt, nur bis in die Zeit des Tutanchamun (1333–1323 v. Chr.) zurückverfolgen, der auch in Faras belegt ist und in Sedeinga Restaurierungsarbeiten durchführen ließ. Nubien scheint eine friedliche Blütezeit erlebt zu haben. In seinem Grab in Gurnet Murai in Theben-West zeigt Tutanchamuns Vizekönig von Nubien, Hui, in bunten Wandbildern (Abb. 24)

den pittoresken Zug von Tributbringern aus Nubien. Neger mit schokoladenbrauner oder kupferfarbener Haut tragen Platten, auf denen schwere Goldringe aufgetürmt sind; hinter ihnen wird eine Giraffe an der Leine geführt. In einem von Rindern gezogenen zweirädrigen Karren hockt eine Prinzessin unter dem Sonnenschirm, der ein typisch afrikanisches Würdezeichen ist. Obwohl Kusch von nubischen Stämmen, nicht von wirklichen Schwarzafrikanern besiedelt war, wählten die ägyptischen Künstler in einer Art Exotismus für ihre Darstellungen der Bewohner Nubiens im Menschentypus wie in Kleidung und Schmuck (Kat. 149–159) rein afrikanische Bildmuster. Die gleiche 'afrikanisierende' Darstellungsweise begegnet im Grab des Generals Haremhab in Sakkara (Abb. 25); zum König erhoben, ließ er in Silsila einen kleinen Felsentempel errichten, in dem ein Nubien-Besuch dargestellt wird, wohl eher eine Inspek-

Vorhergehende Seite: Abb. 22   Der Tempel von Soleb. (Foto: I. Bufe)

Abb. 23   Abusimbel. Der Tempel der Nefertari. (Foto: S. Schoske)

Abb. 24 Wandmalerei im Grab des Hui, Vizekönigs von Nubien, in Gurnet Murrai. (Foto: D. Wildung)

Abb. 25 Wandrelief im Grab des Haremhab in Sakkara. (Foto: D. Wildung)

tionstour als ein Kriegszug. Das enge Nebeneinander zweier Völker über lange Zeiträume hinweg führte zwangsläufig zu einer Fülle von Problemfeldern. Ägypten genoß die Annehmlichkeiten einer hochentwickelten Zivilisation, Nubien blieb stets ein afrikanisch orientiertes Land. Doch muß man den Norden vom Ersten bis zum Dritten Katarakt vom Süden, dem alten Königreich von Kerma, unterscheiden.

Die Grabungen vom Anfang des 20. Jahrhunderts (teils – wie in Areika – durch neue Nachgrabungen aktualisiert) und in den sechziger Jahren im Rahmen der Nubian Campaign haben gezeigt, daß die C-Gruppe langsam ausstarb. Die lokal geprägten Bestattungsbräuche wurden aufgegeben, und die Ägyptisierung schritt in allen sozialen Schichten rasch voran. Die „Haremspagen" aus vornehmen Nubierfamilien bildeten in Ägypten eine Art Eliteschule; mit ägyptischen Namen versehen kehrten diese Prinzen in ihre Heimat zurück. Ihre Gräber folgen ganz ägyptischen Vorbildern; in Debeira-Ost zeigt das Grab des Djehuti-hetep, des Prinzen von Teh-chet, schöne Wandmalereien; auf dem anderen Ufer des Flusses ließ sich sein Bruder Amenemhet unter einer Pyramide bestatten, in die eine Stele aus grauem Granit mit ausgezeichnet geschnittenen Reliefs eingelassen war. Weiter nördlich ließ sich in Toschka ein gewisser Hekanefer, Prinz von Miam, ein ehemaliger „Haremspage", ein Grab mit sorgfältig gearbeiteten hieroglyphischen Inschriften erbauen.

Ob es im Gebiet des ehemaligen Reiches von Kusch ein Fortleben Keram-typischer Kulturformen gegeben hat, bleibt unklar; die laufenden Grabungen im Dongola-Becken werden hier nähere Auskunft geben. Am Gebel Barkal bauten die von den Ägyptern eingerichteten Kulte sicher-

lich auf älteren Kultstätten auf, und im 9. Jahrhundert wird hier in Napata eine nubische Dynastie wiedererstehen, die unter Piye um 730 v. Chr. ganz Ägypten erobert, unter Schabaqa das Niltal vereinigt und damit die 25. Dynastie (um 715–663 v. Chr.), die „Kuschitenzeit", begründet.

Hinter dieser Fassade, die sowohl in den sudanesischen als auch in den ägyptischen Quellen ganz vom ägyptischen Kolonialismus geprägt ist, lassen sich nur schwer Hinweise auf das Leben der Einheimischen in Nubien finden. Nach der schnellen Eroberung Kermas durch Tuthmosis I. und der Ausweitung des ägyptischen Herrschaftsgebietes über das ganze Dongola-Becken bis nach Napata scheint ganz Nubien völlig in der Hand der Eroberer gewesen zu sein. Nubien war ein riesiges Potential an Arbeitskräften; Sklaven, Arbeiter aller Sparten, Soldaten (*Kat. 146*), insbesondere Polizeitruppen, waren oft Nubier; manche von ihnen stiegen zu höheren Ämtern auf.

Die ägyptischen Siedler, Soldaten, Beamten, Händler und Priester waren nicht so zahlreich; sie konzentrierten sich auf kleine Ansiedlungen, deren Ruinen sich heute in regelmäßigen Abständen von etwa 30 km am Nil hinziehen. Festungsanlagen, die im Mittleren Reich die Präsenz Ägyptens in Nubien prägten, fehlen nun; an ihre Stelle traten im Neuen Reich Tempel – Festungen in übertragenem Sinn, Bastionen der Macht der ägyptischen Götter.

In der königlichen Ikonographie des Neuen Reiches begegnet häufig das Bild des Pharao, der sich anschickt, ein 'Bündel' von Feinden Ägyptens zu erschlagen (*Kat. 142*). Unter ihnen ist der Neger als Symbol des Südens leicht zu erkennen. Anschließend werden diese Feinde gefesselt der Göttertriade von Theben vorgeführt. Die Namen zahlreicher afrikanischer Stämme sind in den Listen unterworfener Völker in seltsamen Schreibungen erfaßt. Zur Feindikonographie gehören auch die Figuren von Gefangenen auf Statuenbasen von Königs- und Götterfiguren (*Kat. 161*), an königlichen Schiffen (*Kat. 151*) oder am Wagenkasten des königlichen Streitwagens. Zum Grabschatz des Tutanchamun zählen Stäbe, an deren unterem Ende die Köpfe von Schwarzen in den Staub gestoßen werden (vgl. *Kat. 150*). Diese traditionsbeladenen Themen sind voll magischer Kraft; sie sichern das Königtum durch den in alle Ewigkeit sich wiederholenden Sieg Pharaos über die Fremdvölker.

Die Organisation des ganzen Reichsgebietes erscheint in den ägyptischen Quellen als Kolonialherrschaft. In den Texten, die ausschließlich in ägyptischer Schrift und Sprache abgefaßt sind, werden nur ägyptische Verwaltungsstrukturen erkennbar; soziale Gliederung und Wirtschaftssystem entsprechen den Strukturen des Mutterlandes. Die Verwaltung des Vizekönigtums Nubien untersteht dem „Königssohn von Kusch", der wahrhaft königliche Privilegien besitzt. Er ist „der Große der Tribute aus Nubien", „der, der das Schatzhaus mit Elektrum füllt". Er kam aus dem Kreis der engsten Vertrauten des Königs, häufig aus den Reihen der Beamten, nicht des Militärs; ihm zur Seite standen der „Oberste der Bogenschützen von Kusch" und je ein Generalleutnant für die Nordprovinz Wawat und für die Südprovinz, das eigentliche Kusch.

Eine der wichtigsten Verwaltungseinheiten war für die Goldgewinnung zuständig. Das bedeutendste Abbaugebiet lag im Wadi Allaki; daß die Arbeitsbedingungen mörderisch waren, läßt das ägyptische Sprichwort erkennen: „Wenn ich lüge, soll man mir die Nase und die Ohren abschneiden – oder mich nach Kusch schicken." Nubien war für Ägypten an erster Stelle von wirtschaftlichem Interesse; in Tempel- und Grabbildern schildern die hohen Beamten des Neuen Reiches detailreich die Szene des „Tributs" von Kusch – eine Ausdrucksweise, die dem typisch ägyptischen Anspruch auf Weltherrschaft entspringt. Nubien „gibt" Ägypten Gold, Elfenbein, edle Hölzer und kostbare Öle, Pantherfelle, Straußenfedern und -eier; manche Straußeneier sind sogar bis in kretisch-mykenisches Gebiet gelangt, zum Beispiel in das Grab von Dendra. Zum ‚Tribut' gehörten auch exotische Tiere, Affen und Giraffen, aber auch ganz einfach Herden verschiedener Nutztiere. So kam ein Großteil des ‚nubischen' Tributs gar nicht aus Nubien selbst, sondern von weither aus dem tiefsten Afrika.

Mit dem Beginn der 19. Dynastie (1307–1196 v. Chr.) blieben die Beziehungen zwischen Ägypten und Nubien unverändert. Ramses I. erbaut in Buhen einen Tempel für Amun-Min und richtete für ihn einen regelmäßigen Opferdienst ein. Von wenigstens einer Nubien-Kampagne von Sethos I. (1306–1290 v. Chr.) berichten Stelen in Amara-West (*Kat. 142*) und Sai aus dem achten Regierungsjahr. Der Feldzug richtete sich gegen Aufständische in Irem, einer von Schwarzen bewohnten Region, vielleicht im Bereich des Fünften Katarakts. Das ägyptische Heer eroberte sechs Ortschaften, die namentlich genannt werden, aber nicht lokalisiert werden können. Sethos I. wird noch an anderen Orten Nubiens genannt. Ausgerechnet an einem gottverlassenen Ort nahe dem Dritten Katarakt, in Nauri, berichtet eine große Stele über die Stiftungen Sethos' I. für den Tempel in Abydos. Sethos I. baute einen Tempel in Akscha, und vielleicht ist er es auch gewesen, der mit dem Bau der Tempel von Abusimbel begonnen hat. An der Piste zu den Goldminen des Wadi Allaki ließ er einen Brunnen graben, ein erfolgloses Unterfangen, wie auf der berühmten Quban-Stele zu lesen steht. Erst unter seinem Nachfolger, Ramses II. (1290–1224 v. Chr.), erreichte man den Grundwasserspiegel. Dieser größte Bauherr der altägyptischen Geschichte hat auch in Nubien eine umfangreiche Bautätigkeit entfaltet. Nicht weniger als sieben große Tempel sind in seiner Regierungszeit an sechs Orten entstanden; nur ein einziger – Wadi es-Sebua – hat einen älteren Vorgängerbau. Mit Ausnahme von Derr lagen sie alle am Westufer. Unmittelbar südlich der Granitbarriere des Bab Kalabscha ließ er gleich nach Regierungantritt den Tempel von Beit el-Wali anlegen; auch in Akscha und Amara-West entstanden Tempelbauten. Seine besondere Vorliebe galt den Felsentempeln, die als Speos oder Hemispeos ganz oder teilweise unterirdisch als Höhlentempel angelegt wurden. Schon die Tuthmosiden hatten diesen Tempeltypus verwendet, der sicherlich mit Nun, dem Gott des Urozeans, und damit mit der alljährlichen Nilflut in Zusammenhang steht. Zu diesem Bautypus gehören die Tempel von Beit el-Wali, Gerf Hussein und Derr, vor allem aber die weltberühmten Tempel von Abusimbel (*Abb. 23*). Sie sind Manifestationen der unumschränkten Macht Ramses' II., der in diesen beiden Tempeln sich selbst und seine Lieblingsgemahlin Nefertari zu Göttern erhebt. Die Fassade des großen Tempels entspricht mit ihren 35 m Breite und 30 m Höhe dem Grundtypus eines Tempelpylons. Mit Ausnahme der vier je 20 m hohen

Kolossalstatuen an der Fassade ist der ganze Tempel unterirdisch angelegt. 63 m vom Eingang entfernt sitzen im Allerheiligsten nebeneinander die Götter Ptah, Amun-Re, Re-Harachte – und Ramses als Gott. Unmittelbar nördlich vom großen Tempel ließ Ramses II. einen kleineren Felsentempel für seine Lieblingsfrau Nefertari anlegen, die hier mit der Göttin Hathor identifiziert wird. Beiderseits des Eingangs flankieren Kolossalstatuen des vergöttlichten Königs die Statuen der Nefertari mit der Hathorkrone. Nicht nur die Kühnheit und Eigenart der Architektur und die Schönheit der Reliefs machen den einzigartigen Reiz von Abusimbel aus, sondern auch die Einbindung in die Landschaft des Niltals mit ihren roten Felsen und den riesigen goldgelben Sanddünen; sie ist für immer in den Fluten des Nasser-Stausees versunken. Die Tempel konnten jedoch mit modernster Technik gerettet werden; in Blöcke bis zu 30 Tonnen Gewicht zersägt, sind sie in fünfjähriger Arbeit auf der Höhe des Ufergebirges in einem künstlich angelegten Felshang wiedererrichtet worden. Gerade angesichts der modernen Wiedererrichtung kann die Leistung der antiken Bauleute erst richtig gewürdigt werden.

Die Namen Ramses' II. finden sich an vielen Orten bis hinauf zum Gebel Barkal, u. a. in Aniba, Faras, Buhen, Pnubs und Kawa. Einige Texte und Bilder scheinen zwar auf militärische Unternehmungen in Nubien hinzuweisen, sind aber doch wohl nur Äußerungen königlicher Propaganda, die den Siegen Ramses' II. in Asien ein nubisches Äquivalent entgegensetzen will. In Wirklichkeit war Nubien unter diesem großen Herrscher fest in ägyptischer Hand.

Die beiden Tempel von Abusimbel und die vielen Tempelbauten im nubischen Niltal schienen die endgültige, Stein gewordene Bestätigung der Unterwerfung Nubiens unter ägyptische Oberhoheit zu sein. Nach dem Tod des großen Eroberers begann jedoch der Niedergang. Von den Entwicklungen im Vorderen Orient, den Überfällen der Seevölker und den innenpolitischen Problemen völlig in Anspruch genommen, hatten die Nachfolger Ramses' II. wenig Zeit, sich den Südprovinzen zu widmen. Merenptah (1224–1214 v. Chr.), Ramses' Nachfolger, berühmt durch die Feldzüge, die er in Vorderasien und Libyen gegen die Seevölker führte, mußte auch einen Aufstand in Nubien niederschlagen. Eine Stele in Amada berichtet über eine grausame Strafexpedition. Gefangene wurden bei lebendigem Leib verbrannt, anderen wurden Hände und Ohren abgeschnitten. Es war wohl der letzte Aufstand in Nubien.

Eine Generation später verherrlichen die Reliefs und Inschriften im Tempel Ramses' III. (1194–1163 v. Chr.) in Medinet Habu die Siege dieses letzten großen Herrschers des Neuen Reiches in Nubien und nennen die Namen der besiegten Städte und Stämme; da es jedoch keinerlei sonstige Beweise für diese Nachrichten eher konventioneller Diktion gibt, muß man annehmen, daß die Kontrolle Ägyptens über den Süden nachließ. Im Tempel von Soleb gibt es jedoch Inschriften aus der Zeit Ramses' III., in denen auch der künftige Ramses IV. als „Oberbefehlshaber" genannt wird, der eine Inspektionstour durch Nubien unternimmt. Das letzte bedeutende Zeichen ägyptischer Präsenz ist das Grab des Pennut in Aniba. Er war Gouverneur von Wawat unter Ramses VI. (1151–1143 v. Chr.). Im ägyptischen Mutterland gewannen die zahlreichen kuschitischen Söldner zunehmend an Einfluß auf die Politik eines Staates, der von diversen Krisen geschüttelt wurde und dessen Autorität mehr und mehr an die Amunpriesterschaft in Karnak überging. So war der „Oberste der Bogenschützen von Kusch" zusammen mit anderen Würdenträgern in eine Haremsverschwörung unter Ramses III. verwickelt. Unter Ramses IX. konnte ein Aufstand in Mittelägypten vom Vizekönig Panehesi und seinen nubischen Truppen niedergeschlagen werden. Nach diesem Erfolg stieg er zur einflußreichsten Persönlichkeit im Reich auf. Alsbald wurde jedoch der neue Hohepriester des Amun, Herihor, Vizekönig von Nubien, Wesir und Armeegeneral. Er entmachtete Ramses XI., riß die Königsherrschaft an sich und beendete damit um 1080 das Neue Reich. In den folgenden Jahrzehnten blieb die Herrschaft der Priesterkönige auf Oberägypten beschränkt; die asiatischen Besitzungen gingen verloren, das ägyptische Reich hatte aufgehört zu existieren.

Für Kusch bedeutete dies die Wiedererlangung seiner Unabhängigkeit. Anknüpfend an die einstige Größe von Kerma im Dongola-Becken, begann sich um Napata im großen religiösen Zentrum unter dem Gebel Barkal ein neuer Staat zu formen. Im Norden dagegen verlor Unternubien jegliche Bedeutung. Schon während des Neuen Reiches war die Bevölkerung stetig zurückgegangen, wohl als Folge trockener werdenden Klimas und abnehmenden Wasserstandes des Nils. Während der Dritten Zwischenzeit schweigen in Ägypten die Quellen über Nubien nahezu völlig. Für drei Jahrhunderte ist die Verbindung zwischen Ostafrika und der Mittelmeerwelt abgebrochen, bis unter umgekehrtem Vorzeichen Kusch seinerseits Ägypten erobern wird.

129
Würfelfigur des Ruju

Kalkstein; H. 47,8 cm, Br. 30 cm, T. 39 cm
Aus Aniba, Grab S 66, Nebenschacht
Ernst von Sieglin-Expedition 1912
Neues Reich, 18. Dynastie, um 1400 v. Chr.
Leipzig, Ägyptisches Museum 6020

Die Verwaltung des zu Beginn des Neu-
en Reiches wiederum von Ägypten be-
setzten nubischen Niltals bis hinauf zum
Gebel Barkal wurde durch einen Vizekönig, den „Königssohn von Kusch", sichergestellt. Er hatte seine Residenz in
Aniba in Unternubien.
Die Würfelfigur aus Kalkstein zeigt nach
Aussage der hieroglyphischen Inschrift
den „Stellvertreter des Königssohnes"
namens Ruju. Die Statue wurde in seinem Grab in Aniba gefunden. Ruju war
also nicht auf Zeit nach Nubien entsandt, sondern lebte dort. Der Stil seiner
Statue ist unter diesen Voraussetzungen
zu interpretieren. Während sich der Typus der Würfelfigur an ägyptischen Pro-
totypen orientiert, hat die Proportionierung der Statue den Anschluß an die stilistischen Leitlinien der ägyptischen
Kunst verloren. Kopf und Füße sind im
Verhältnis zur Statue extrem klein. Eine
ganz ähnliche Sonderstellung nimmt eine
Sitzfigur des Ruju ein, die ebenfalls aus
seinem Grab in Aniba stammt. Fern vom
ägyptischen Mutterland verwildert der
Stil und geht eigene, provinzielle Wege.

Lit.: PM VII, 79; G. Steindorff, Aniba, II, Glückstadt – Hamburg – New York 1937, 70, 189,
Tf. 37c,d; Krauspe, in: Katalog Ägyptens Aufstieg zur Weltmacht, Hildesheim 1987, 208f.,
Nr. 131; R. Schulz, Die Entwicklung und Bedeutung des kuboiden Statuentypus, HÄB 33,
Hildesheim 1992, 357, 575, Nr. 205, Tf. 92c;
vgl. Säve-Söderbergh, in: Kush 8, 1960, 26f.

132

130
Schale

Bronze; H. 3,5 cm, Durchm. 16 cm
Aus Aniba, Grab S 91
Ernst von Sieglin-Expedition 1912
Neues Reich, 18. Dynastie, um 1450 v. Chr.
Leipzig, Ägyptisches Museum 4807

Die flache Schale aus Metall mit niederer Wandung und eingeschlagenem Rand trägt an einer Seite einen Henkelansatz. Sie bildet mit dem Untersatz *Kat. 131* ein Ensemble.

Lit.: Steindorff, o. c., 148, 199, Tf. 98,2.4; Krauspe, in: Katalog Ägyptens Aufstieg zur Weltmacht, Hildesheim 1987, 222f., Nr. 152; dies., Ägyptisches Museum Leipzig, Leipzig 1987, 45 (58/2)

131
Gefäßständer

Bronze; H. 16,5 cm
Aus Aniba, Grab S 91
Ernst von Sieglin-Expedition 1912
Neues Reich, 18. Dynastie, um 1450 v. Chr.
Leipzig, Ägyptisches Museum 4804

In seiner doppelten Trichterform greift der Untersatz den Grundtypus von Gefäßständern aus Keramik auf, wie er seit dem Alten Reich belegt ist. Er setzt ihn in ein leichtes, filigranes Gebilde um, dessen tragende Elemente mit Ausnahme der horizontalen Streifen nur aus Bildmotiven bestehen. In der untersten Zone sind drei Pferde dargestellt, von denen zwei von Männern am Zaumzeug geführt werden. Die Mittelzone wird von zwei Papyrusbüschen gebildet, in denen Vögel hocken. Das Motiv wird in der obersten Zone wiederholt und durch auffliegende Vögel variiert. Mit hoher Kunstfertigkeit sind Motive der Malerei des Neuen Reiches in die Technik des Metallgusses umgesetzt.

Ähnlich wie in der Würfelfigur des Ruju verbinden sich ägyptische Motive und lokal geprägter Stil zu Werken ausgeprägter Eigenständigkeit.

Lit.: PM VII, 80; Steindorff, o. c., 147, 199, Tf. 96b, 97b; Wenig, in: AiA I, 70, Abb. 45; Krauspe, o. c., 222f., Nr. 152; A. Radwan, Die Kupfer- und Bronzegefäße Ägyptens, München 1983, 165f., Nr. 467, Tf. 80; R. Krauspe, Ägyptisches Museum Leipzig, Leipzig 1987, 45 (58/1); C. Rommelaeare, Les chevaux du Nouvel Empire Egyptien, Brüssel 1991, 73, 158f., Nr. 18

132
Schale

Fayence; H. 4,3 cm, Durchm. 10,6 cm
Aus Debeira-Ost, Grab 176/39
Scandinavian Joint Expedition 1961/62,
Fundnr. 176/39: 1
Neues Reich, 18. Dynastie, um 1400 v. Chr.
Khartum, Nationalmuseum 63/12/35

Die geradwandige Schale trägt in ihrem Inneren eine braun auf die grüne Fayenceglasur gesetzte skizzenhafte Zeichnung des Gottes Bes in eiligem Laufschritt. Das Motiv scheint erstmals in der Zeit Amenophis' III. aufzutreten. Umso erstaunlicher ist, daß das Grab, in dem dieses aus Ägypten nach Nubien importierte Gefäß gefunden wurde, noch deutliche Züge der lokalen C-Gruppen-Kultur zeigt.

Lit.: Leclant, in: Orientalia 32, 1963, 193, Tf. XX, Abb. 18; Säve-Söderbergh, Middle Nubian sites, The Scandinavian Joint Expedition, 4,1, Uddevalla 1989, 205; 4,2, 10, Tf. 62

133/134

135

133
Flasche

Bronze; H. 21 cm, Durchm. oben 7,7 cm
Aus Semna, unter dem Taharqa-Tempel,
Raum bn
Harvard University – MFA Boston-Expedition,
Januar 1928, Fundnr. 28-1-367
Neues Reich, 18. Dynastie, um 1400 v. Chr.
Boston, Museum of Fine Arts 29.1204

Die kugelige Flasche mit ihrem hohen
Hals und der weit ausladenden Lippe
scheint aus einem einzigen Bronzeblech
getrieben zu sein. Die für das Neue Reich
typische Form wird auch für Ton-, Stein-
und Glasgefäße verwendet.

Lit.: Dunham – Janssen, o .c., 54, Tf. 130C;
Spalinger, in: Katalog Egypt's Golden Age, Boston
1982, 118f., Nr. 104; Radwan, o. c., 140, Nr. 397,
Tf. 70; Spalinger, in: Katalog Ägyptens Aufstieg
zur Weltmacht, Hildesheim 1987, 220f., Nr. 151

134
Gefäßständer

Bronze; H. 9 cm, Durchm. 13,4 cm
Aus Semna (wie *Kat. 133*)
Harvard University – MFA Boston-Museum,
Januar 1928, Fundnr. 28-1-364
Neues Reich, 18. Dynastie, um 1400 v. Chr.
Boston, Museum of Fine Arts 29.1201

In Material und Technik der Flasche
Kat. 133 sehr ähnlich, dürfte der Gefäßständer für ein größeres Gefäß hergestellt worden sein. Ob beide Stücke in
Ägypten oder in Nubien gefertigt wurden, kann nicht festgestellt werden.

Lit.: D. Dunham – J. Janssen, Second Cataract
forts, I, Semna, Kumma, Boston 1960, 54,
Tf. 130D; Spalinger, in: Katalog Egypt's Golden Age, Boston 1982, 119, Nr. 105; Radwan,
o. c., 165, Nr. 462A, Tf. 79; Spalinger, in: Katalog Ägyptens Aufstieg zur Weltmacht, Hildesheim 1987, 220f., Nr. 151

135
Spiegel

Bronze; H. 28 cm
Herkunft unbekannt
Seth K. Sweetser Fund
Neues Reich, 18. Dynastie, um 1400 v. Chr.
Boston, Museum of Fine Arts 41.263

Die leicht ovale Spiegelscheibe (ein Abbild der aufgehenden Sonne), einst hoch-
glanz-poliert, ist in einem rundplastischen Griff befestigt, der ein nacktes
Mädchen darstellt. Verbindendes Element ist eine Lilienblüte. Das Mädchen
hält in seiner vor die Brust erhobenen
Linken eine kleine Ente. Die kugelige
Perücke, der Gesichtsausdruck und die
füllige Gestaltung der Hüften und Oberschenkel charakterisieren es als Nubierin.

Lit.: W. St. Smith, Ancient Egypt as represented
in the Museum of Fine Arts, Boston 1961, 120–
121, Abb. 72; W. K. Simpson, The face of Egypt.
Permanence and change in Egyptian art, Katonah,
New York 1977, 41, 68, Nr. 35

136
Spiegel

Bronze, Elektrum, Reste von Vergoldung;
H. 27,7 cm, Br. 15,9 cm, T. 3,5 cm
Aus Buhen, Tempelbereich im Fort des
Mittleren Reiches
Neues Reich, 18. Dynastie, um 1400 v. Chr.
Khartum, Nationalmuseum 18595

Die kleine Mädchenfigur trägt auf ihrem
Scheitel einen konischen Aufsatz, in den
die kreisrunde Spiegelscheibe eingezapft
ist. In der nach vorne bis in Brusthöhe
erhobenen Linken hält das Mädchen eine
kleine Katze. Um die Hüften liegt ein
quer gestreifter Gürtel, beide Oberschenkel tragen an ihrer Vorderseite eingeritzte Tätowierungen, die mit Elektrum eingelegt sind. In den Bohrungen der Ohrläppchen waren – wohl goldene – Ohrringe befestigt.
Der Spiegel wurde wahrscheinlich (wie
Kat. 135) als Weihegabe in den Tempel
von Buhen gestiftet.

Lit.: Unveröffentlicht

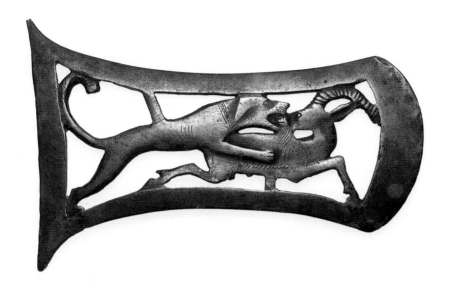

137
Beilklinge

Bronze; L. 11,9 cm, Br. 8,2 cm, T. 0,4 cm
Aus Semna, Friedhof, Grab S 537 (aus Grab
S 533?)
Harvard University – MFA Boston-Expedition,
April 1924, Fundnr. 24-4-2
Neues Reich, 18. Dynastie, um 1450 v. Chr.
Khartum, Nationalmuseum 2469

Das Motiv des Löwen, der ein Tier der
Wüste erlegt, ist eine beliebte Metapher
für den Sieg des ägyptischen Königs über
die Feinde des Reiches. Als Dekoration
einer Waffe, die im nubischen Semna als
Grabbeigabe gefunden worden ist, wird
man in dem Steinbock, den der königliche Löwe von hinten anspringt, ein Sym-
boltier des Nubiers sehen dürfen.
Sowohl die Bildkomposition als auch die
Details des Halsbandes des Löwen wie
die des Bartes und der Behaarung des
Steinbocks sind von hoher Qualität.

Lit.: PM VII, 150; Dunham – Janssen, o. c., 87,
Tf. 129F, *in situ* Tf. 106B

◁　138　▷

138
Dolch

Bronze, Holz; L. 41,2 cm, Br. 5,15 cm, T.
Schneide 0,9 cm
Aus Semna, Fort, Raum LVI
Harvard University – MFA Boston-Expedition,
April 1924, Fundnr. 24-4-1
Neues Reich, 18. Dynastie, um 1400 v. Chr.
Khartum, Nationalmuseum 2468

Der Dolchgriff ist mit zwei hölzernen
Griffschalen belegt. Der Klingenansatz
trägt auf beiden Seiten ein kleines Bildfeld. Die Mittelrippe der Klinge ist mit
einem Flechtbandmuster verziert.
Das Bildfeld zeigt auf der einen Seite
einen am Boden liegenden Nubier, über
den ein Löwe herfällt, um mit weit auf-
gerissenem Rachen seinen Kopf zu verschlingen. Der Nubier trägt die typische
kurze Kraushaarfrisur und einen reich
gemusterten knöchellangen Schurz. Der
Bildhintergrund ist mit Pflanzenorna-
menten gefüllt. Die Darstellung der Gegenseite zeigt symmetrisch gespiegelt das
gleiche Motiv; an die Stelle des Nubiers
tritt dort ein Asiate.
So beinhaltet diese Dekoration des Dol-
ches ein außenpolitisches Programm: den
Herrschaftsanspruch Ägyptens über die
Fremdländer.

Lit.: PM VII, 150; Dunham – Janssen, o. c., 28,
Tf. 129E; Vercoutter, in: The image of the black
in western art, New York 1976, 83f., Abb. 57, 58

139
Oberteil einer Statue des Königs Amenophis II.

Quarzit; H. 17,5 cm
Aus Wad Ban Naga, Isistempel
Preußische Ägypten-Expedition 1844
Neues Reich, 18. Dynastie, um 1420 v. Chr.
Berlin, Ägyptisches Museum und Papyrus-
sammlung 2057

Der königliche Statuentorso wurde 1844
von der preußischen Expedition in Wad
Ban Naga südlich von Meroë gefunden.
Die aus stilistischen Gründen gesicherte
Datierung des Königsbildnisses in die
Zeit Amenophis' II. in der Mitte der 18.
Dynastie steht im Widerspruch zu der
Feststellung, daß die Könige des Neuen
Reiches nicht über den Fünften Katarakt
hinaus nach Süden vorgestoßen sind. Der
Torso ist also offenbar erst sekundär
nach Wad Ban Naga verbracht worden,
das seine Blütezeit um die Zeitenwende
erlebt, als unter der Königin Amanishak-
heto ein Palast errichtet wird (vgl.
Kat. 323, 324).
Der Ursprungsort der Statue kann aus
anderen Statuenfunden Amenophis' II.
in Kumma, einem der Festungsorte am
Zweiten Katarakt, erschlossen werden.
Sicherlich ist das Königsbildnis die Arbeit eines ägyptischen, nicht eines lokalen Künstlers aus Kumma.

Lit.: PM VII, 263; Krauspe, in: Ägypten und
Kusch, Festschrift F. Hintze, Berlin 1977, 257–
262, Abb. 1a, 2a,c; Priese, in: Forschungen und
Berichte 24, 1984, 11, 28; ders., in: Katalog
Ägyptens Aufstieg zur Weltmacht, Hildesheim
1987, 242f., Nr. 174; Katalog Il senso dell'arte
nell'Antico Egitto, Bologna 1990, 93f., Nr. 41;
Sourouzian, in: JARCE 28, 1991, 70f., Abb. 24;
Seipel, in: Katalog Gott – Mensch – Pharao,
Wien 1992, 258f., Nr. 92; Finneiser, in: Kata-
log Ägyptisches Museum Berlin, Mainz 1991,
78f., Nr. 47

140
Fragment einer Schlangenstatue

Schwarzer Granit; H. 45 cm, L. 105 cm,
Br. 46 cm
Vom Gebel Barkal, äußerer Hof (B 501) des
Tempels B 500, Areal III-3 und III-6;
ursprünglich aus Soleb
Harvard University – MFA Boston-Expedition,
Januar – Februar 1920, Fundnr. 20-1-215a,b
und 20-1-216
Neues Reich, 18. Dynastie, um 1360 v. Chr.
Boston, Museum of Fine Arts 21.11699

Der ursprüngliche Aufstellungsort der
im Vorhof des Tempels B 500 am Gebel
Barkal gefundenen Statue ergibt sich aus
der Inschrift auf der Vorderseite der Basis: „Es lebe der Gute Gott Neb-Maat-
Re, geliebt von Selket, die inmitten der
Festung von 'Erscheinend in Wahrheit'
ist." Damit ist Soleb, die große Tempel-
anlage gemeint, die Amenophis III. anläßlich seines 30jährigen Regierungsjubiläums nördlich des Dritten Katarakts
in Nubien errichten ließ. Die sich hoch
aufbäumende Schlange wurde von einer
Rückenplatte gestützt, deren unterer
Ansatz erhalten ist. Der Schlangenleib
legt sich wie ein praller Schlauch in einer
großen Achterschleife auf den Basis-
block. Die Schwanzspitze läuft über der
Mitte der Rückseite der Basis aus, die aus
einem gesonderten Steinblock gearbeitet
ist und mit einem Schwalbenschwanz aus
Stein an die Statue angestückt wurde.
Die im Text genannte Göttin Selket wird
meist als Skorpion dargestellt. Die Gestalt der Schlange kann jedoch, da sie in
der Hieroglyphenschrift als Zeichen für
„Göttin" verwendet wird, von allen weiblichen Gottheiten angenommen werden.

Lit.: PM VII, 217; Reisner, in: ZÄS 66, 1931, 81
(Nr. 12), 84b; D. Dunham, The Barkal Temples,
Boston 1970, 28, Abb. 21, 49, Tf. XXVI. Vielleicht
zugehöriger Kopf, Louvre E 17392: J. Vandier, Manuel d'archéologie égyptienne, III, 387, Anm. 8

140

141
Widderstatue

Granit; H. 130 cm, Br. 87 cm, L. 207 cm
Vom Gebel Barkal, äußerer Hof (B 501) des
Tempels B 500; ursprünglich aus Soleb
Preußische Ägypten-Expedition 1844
Neues Reich, 18. Dynastie, um 1360 v. Chr.
Berlin, Ägyptisches Museum und Papyrus-
sammlung 7262

Die Mittelachse des großen Amun-Tempels am Gebel Barkal war vor dem ersten
und zweiten Pylon von monumentalen
Widderfiguren gesäumt. Dort zu Beginn
der kuschitischen Dynastie aufgestellt,
hatten sie bereits sieben Jahrhunderte zuvor im fernen Tempel von Soleb eine
analoge Funktion erfüllt.
Amenophis III. hatte sie aus Granit von
der Insel Argo für seinen Tempel herstellen lassen, den er anläßlich des Regie-

rungsjubiläums in seinem 30. Jahr erbaute, um sich dort als irdische Manifesta-
tion des Mondgottes feiern zu lassen.
Die Figur des Königs im Schutze des
göttlichen Tiers nimmt in ihrer Ikonographie das Bild des Mondgottes Chons
auf, des Sohnes des Amun.
Bei der Wiederverwendung dieser Statuen (vgl. *Kat. 140*) in der Kuschitenzeit
blieb die Inschrift auf der Basis unberührt: „Es lebt der Gute Gott Neb-Maat-
Re, der Sohn des Re Amenophis. Er
machte es als sein Denkmal für seine
Erscheinung als Neb-Maat-Re-Herr-
von-Nubien, großer Gott, Herr des
Himmels. Er baute für ihn die prachtvolle Festung, umzogen von großen Mauern, mit Türmen, die zum Himmel ragen
wie große Obelisken. Er baute es als sein
Denkmal für Vater Amun, indem er ihm

einen herrlichen Tempel errichtete, groß
und ausgedehnt, jenseits aller (sonstigen)
Schönheit. Sein Pylon erreichte den
Himmel, seine Flaggenmasten die Ster-
ne des Himmels."
Soleb war bis zur Ramessidenzeit das
prachtvollste Bauwerk, das ägyptische
Herrscher im nubisch-sudanesischen
Niltal errichten ließen. Architektur und
statuarische Ausstattung dienten als Pro-
totypen für spätere Jahrhunderte. Die
Widderstatuen des Reiches von Napata
und Meroë stehen in der Tradition der
Soleb-Widder der 18. Dynastie.

Lit.: PM VII, 219; R. Lepsius, Denkmäler aus
Aegypten und Aethiopien, III, 89a, 90 b,f; Mül-
ler, in: Katalog Ägyptisches Museum Berlin,
Mainz 1991, 93f., Nr. 58; Bryan, in: Katalog
Egypt's dazzling sun, Cleveland 1992, 221f.,
Nr. 31

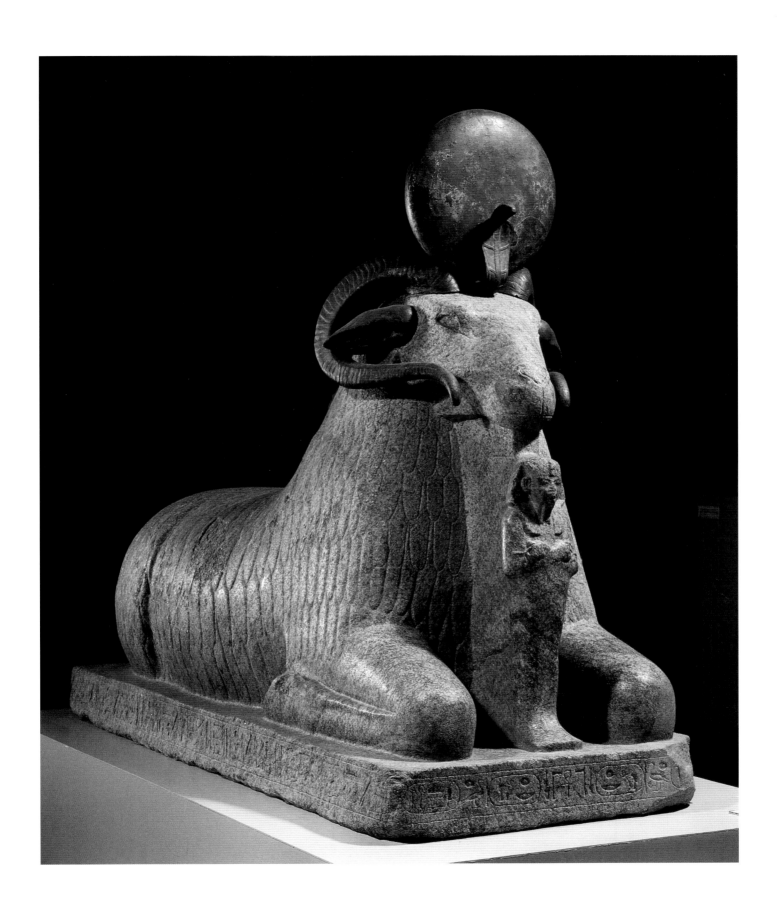

142
Tempelrelief

Sandstein; H. 59,7 cm, Br. 70,3 cm,
T. 14,6 cm
Aus Amara-West, Hypostyl des Tempels
Grabungen der Egypt Exploration Society
1938/39, Fundnr. CA 32-19
Neues Reich, 19. Dynastie, um 1300 v. Chr.
Khartum, Nationalmuseum 3063

Das Motiv Pharaos, wie er die Feinde
Ägyptens zu erschlagen droht, gehört als
programmatische Selbstdarstellung des
Königtums seit 3000 v. Chr. zum ständigen Repertoire der ägyptischen Ikonographie.

Das Relief Sethos' I. aus der Säulenhalle des Tempels von Amara-West zeigt
diesen König weit ausschreitend. Er hält
das Krummschwert in der hoch erhobenen Rechten, das das Bündel von Nubiern treffen soll, die der König mit seiner
Linken an den Schöpfen gepackt hat.
Zielfigur dieses außenpolitischen Ord-
nungsaktes ist der Gott Amun-Re, dessen Arm, von rechts ins Bild ragend, dem
König seine Waffe reicht. Die kausale
Abhängigkeit zwischen König und Gott
bleibt offen: Reicht Gott dem König die
Waffe, damit er kämpfe? Kämpft der
König, damit Gott ihn belohne? Beide
sind aufeinander angewiesen.

Lit.: PM VII, 161; Fairman, in: JEA 25, 1939,
142f. Zum Motiv vgl. S. Schoske, Das Erschlagen der Feinde. Ikonographie und Stilistik der
Feindvernichtung im alten Ägypten, Ann Arbor
1994

143
Oberteil einer Statue des Königs Ramses II.

Sandstein; H. 68 cm, Br. 48,2 cm, T. 37,8 cm
Herkunft unbekannt
Neues Reich, 19. Dynastie, um 1250 v. Chr.
München, Staatliche Sammlung Ägyptischer
Kunst GL 89

Kein anderer Herrscher hat die ägyptische Präsenz im nubischen Niltal so eindrucksvoll sichtbar werden lassen wie
Ramses II. Seine Tempelanlagen sind
nicht nur Machtdemonstration, sondern
auch Orte der Selbstvergöttlichung des
Herrschers, die schon bei Amenophis III.
(vgl. *Kat. 141*) in Soleb zu beobachten
war.
Die Statue aus Sandstein trug über dem
Kopftuch einen Kronenaufbau, wahrscheinlich die Sonnenscheibe, die dem
König göttliche Qualitäten verlieh.
Sowohl diese Ikonographie als auch der
grobe Stil der Gesichtsbildung legen eine
Herkunft der Statue aus einem der nubischen Tempel Ramses' II. nahe.

Lit.: Katalog Staatliche Sammlung Ägyptischer
Kunst München, München 1976, 146, Nr. 87;
S. Schoske – D. Wildung, Ägyptische Kunst
München, München 1984, 82f., Nr. 57

144

Kniefigur des Setau

Kalkstein; H. 78 cm, Br. 31,7 cm
Herkunft unbekannt
1843 aus der Sammlung Athanasi erworben
Neues Reich, 19. Dynastie, um 1250 v. Chr.
Berlin, Ägyptisches Museum und Papyrus-
sammlung 2287

Setau war vom 38. bis 44. Regierungsjahr Ramses' II. als Vizekönig von Nubien für die Nubien- und Sudanpolitik
zuständig. Er errichete für Ramses den
Tempel von Wadi es-Sebua und kümmer-
te sich um die Pflege anderer Heiligtümer. In seiner Stele aus Wadi es-Sebua
berichtet er: „Ich wurde zum Königssohn

in diesem Lande eingesetzt, zuverlässig
beim Berechnen des Goldes, ihm die
Nubier zuführend in Hunderttausenden
ohne Zahl. Ich brachte jede Abgabe dieses Landes Kusch doppelt ein und zog
die Lieferungen dieses Landes Kusch ein
wie Sand am Meer, indem das etwas war,
was kein Königssohn von Kusch seit der
Zeit des Gottes getan hatte.
Dann errichtete ich den Tempel des
Ramses im Amuntempel mit Material
aus dem Berg von Elephantine in ewiger
Arbeit... Ich baute alle Heiligtümer dieses Landes Kusch, die seit alters völlig
verfallen waren, neu errichtet auf den
Namen Seiner Majestät. Es lobte mich

mein Herr wegen dessen, was ich getan
hatte, und er veranlaßte meine Beförde-
rung." (Übersetzung nach Helck)
Die zahlreichen Inschriften des Setau in
den nubischen Tempeln sind Zeugnisse
seiner Aktivität.
Die Statue zeigt ihn hinter einem Schrein
kniend, in dem eine solche des Gottes
Osiris steht.

Lit.: Ägyptische Inschriften Berlin, II, 56f.; J.
Vandier, Manuel d'archéologie égyptienne, III,
Paris 1958, 464; K. A. Kitchen, Ramesside
inscriptions, III, Oxford 1980, 111 (63); vgl.
Helck, in: Studien zur altägyptischen Kultur 3,
1975, 85–112i

DAS BILD DES NUBIERS IN DER

ÄGYPTISCHEN KUNST

D as Verhältnis des Ägypters zu seiner Umwelt und damit auch zum
politischen Umfeld ist durch fest gefüg-
te Vorstellungen geprägt. Die geradezu
naturwissenschaftlich präzisen sprachli-
chen und bildlichen Schilderungen des
Jenseits und der Götterwelt erzeugen eine
eigene Realität, die sinnlich nicht zu ve-
rifizieren ist.
Die Schilderung des Fremden geht von
ähnlichen kodifizierten Vorstellungen,
nicht nur von der erlebbaren Wirklichkeit
aus. Das Bild des Nubiers, der seit alter
Zeit in engem Kontakt zu Ägypten steht,
wird in der Bildsprache der ägyptischen
Kunst überlagert von einem Gesichtstypus, der sich an Schwarzafrika orientiert
und die Tendenz zum Negativbild des
außerhalb des ägyptischen Ordnungsbe-
griffes Stehenden erkennen läßt.

145
Ostrakon: Königin von Punt

Kalkstein; H. 14 cm, Br. 8 cm
Aus Deir el-Medina, Areal D3
Grabungen der Deutschen Orient-Gesellschaft
1913, Fundnr. 189
Neues Reich, 20. Dynastie, um 1150 v. Chr.
Berlin, Ägyptisches Museum und Papyrus-
sammlung 21442

Zu den bemerkenswertesten Verbindungen, die Ägypten zu den südlichen Nachbarn geknüpft hat, gehört eine Expedition, die Königin Hatschepsut (vgl. *Kat.
146, 147*) in das Land Punt aussandte.
Ein ausführlicher Bericht findet sich in
Bild und Text auf den Wänden ihres To-
tentempels in Deir el-Bahari.
Die Lokalisierung dieses Weihrauchlan-
des wird kontrovers diskutiert. Neben
Somalia sind auch Erithrea und Südarabien vorgeschlagen worden. Die Schilderung der Bevölkerung von Punt und ihrer Lebensweise in den Tempelreliefs hat
nicht erst das Interesse der modernen
Wissenschaft gefunden, sondern erweck-
te auch die Aufmerksamkeit antiker Be-
sucher. Das Reliefbild der Königin von
Punt ist in der Ramessidenzeit als Künst-
lerskizze auf einem Ostrakon kopiert
worden. Dem Ethnologen drängt sich die
Ähnlichkeit mit dem Erscheinungsbild
der königlichen Frauen der Karagwe in
Nordwest-Tansania auf. Es bleibt jedoch
offen, ob ein realistisch wiedergegebener
Befund von Steatopygie oder eine sym-
bolisch zu verstehende Darstellung der
Königin als 'Große Mutter' vorliegt, wie
sie sich in meroïtischer Zeit zum Stan-
dardbild der königlichen Frau entwickelt.

Lit.: E. Brunner-Traut, Die altägyptischen
Scherbenbilder, Wiesbaden 1956, 75ff.,
Tf. XXVIII, Nr. 76; Katalog Ägyptisches Muse-
um Berlin, Berlin 1967, 64, Nr. 729; Wildung, in:
Katalog Africa. The art of a continent, London
1995, 93, Nr. I.57 (deutsche Ausgabe: Afrika. Die
Kunst eines Kontinents, Berlin 1996, 93, Nr. I.57)

146

Tempelrelief

Kalkstein, bemalt; H. 33 cm, Br. 39 cm
Aus Deir el-Bahari, Tempel der Hatschepsut
Erworben 1898
Neues Reich, 18. Dynastie, um 1480 v. Chr.
Berlin, Ägyptisches Museum und Papyrus-
sammlung 14141

In den Zusammenhang einer Festprozes-
sion, die auf den Wänden der obersten
Terrasse des Hatschepsut-Tempels dar-

gestellt war, gehört der Aufmarsch von
Elitetruppen. Die Soldaten sind mit Pfeil
und Bogen in der Rechten sowie einer
Streitaxt in der Linken bewaffnet. Sie
tragen eine kugelige, über dem Nacken
gebauschte Perücke. Ihre Hautfarbe erscheint als ein dunkles Graubraun. Daß
Frisur, Hautfarbe und Bewaffnung Kenn-
zeichen von Nubiern sind, bestätigt sich
in den Gesichtszügen; die untere Ge-
sichtshälfte springt weit nach vorn vor,

der Nasensattel ist tief eingedrückt, Falten sind am Nasenflügel eingeschnitten,
die Lippen sind voll.

Lit.: PM II/2, 375; Lipinska, in Festschrift zum
150jährigen Bestehen des Berliner Ägyptischen
Museums, Berlin 1974, 163, 166f., Tf. 20 a; Priese, in: Katalog Ägyptens Aufstieg zur Weltmacht,
Hildesheim 1987, 116f., Nr. 16; Katalog Il senso
dell'arte nell'Antico Egitto, Bologna 1990, 84ff.,
Nr. 33

147

Tempelrelief

Kalkstein, bemalt; H. 31 cm, Br. 42 cm
Aus Deir el-Bahari, Tempel der Hatschepsut
1907 von G. Steindorff erworben
Neues Reich, 18. Dynastie, um 1480 v. Chr.
Berlin, Ägyptisches Museum und Papyrus-
sammlung 18542

Aus demselben Kontext wie das Nubier-
Relief kommt der Reliefausschnitt, der
ägyptische Soldaten zeigt. Sie unterschieden sich von ihren nubischen Kameraden
durch die rotbraune Hautfarbe, die eng
anliegende, bis auf die Schulter reichen-
de Frisur, das Fehlen von Pfeil und Bogen und durch den Gesichtstypus, der
idealisiert wirkt.

Lit.: PM II/2, 375f.; Lipinska, o. c., 163–166,
Tf. 19a; Priese, o. c., 116f., Nr. 17; vgl. ders.,
in: Katalog Das Ägyptische Museum Berlin,
Mainz 1991, 76f., Nr. 46

148
Tempelrelief

Sandstein, bemalt; H. 21 cm, Br. 26,5 cm,
T. 4,3 cm
Aus Karnak, IX. Pylon
Ehemals Sammlung v. Bissing
Neues Reich, 18. Dynastie, um 1350 v. Chr.
München, Staatliche Sammlung Ägyptischer
Kunst GL 84

Das tief eingeschnittene und über einer
Stuckschicht mit kräftigen Farben bemalte Sandsteinrelief gehört zu den vielen Tausenden von Reliefblöcken, die die
Wände eines Tempels bedeckten, den
Amenophis IV. in Karnak für den Sonnengott Aton errichten ließ. Sie wurden
in sekundärer Verbauung im neunten
Pylon des Amuntempels von Karnak
wiedergefunden.
Anläßlich des Jubiläumsfestes huldigen
Soldaten dem König, unter ihnen eine
nubische Truppe. Sie „küssen den Boden", angeführt von einem Offizier in
größerem Maßstab (sein Rückenumriß
rechts oben). Die Darstellung des Gesichts nähert sich dem afrikanischen Typus späterer Bilder.

Lit.: Barta, in: Pantheon XXIV, 1966, 6ff.,
Abb. 9, 10; Katalog Staatliche Sammlung Ägyp-
tischer Kunst München, München 1976, 91f.,
Nr. 66; Müller, in: Katalog Nofretete –
Echnaton, München 1976, Nr. 79; vgl. zum
Kontext: Pillet, in: Revue de l'Egypte ancienne
2, 1929, 136ff., Tf. III–X, insbes. Tf. VIII,1;
D. Redford, The Akhenaten Temple Project 2,
Toronto 1988, 15f., Tf. 36 (TS 5504)

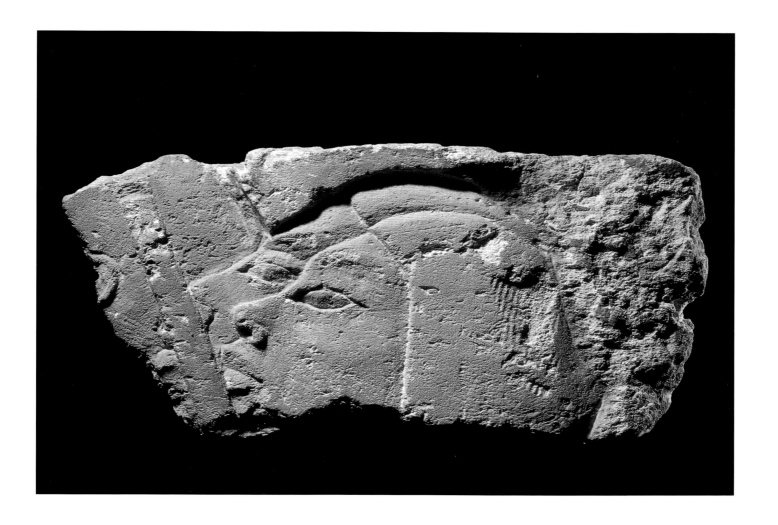

149
Tempelrelief

Kalkstein; H. 21,6 cm, Br. 46,7 cm
Aus Hermopolis; ursprünglich aus Amarna
Geschenk von Norbert Schimmel, 1985
Neues Reich, 18. Dynastie, um 1345 v. Chr.
New York, The Metropolitan Museum of Art
1985.328.19

Das wiederverbaut in Hermopolis gefundene Relief kommt aus einem der Tempel von Amarna. Zwei ausgeprägt negroide Gesichter sind hintereinander gestaffelt dargestellt. Links schließen sich in enger Staffelung die Hinterköpfe von zwei weiteren Figuren an. Ein kantiger Balken läuft schräg durch das Bild, vielleicht die Tragstange einer Standarte.

Die großformatige Szene zeigte wohl einen Truppenaufmarsch aus festlichem Anlaß. Die Typisierung der Gesichter in Richtung eines afrikanischen Aussehens schreitet weiter voran.

Lit.: J. D. Cooney, Amarna reliefs from Hermopolis in American collections, Brooklyn 1965, 41, Nr. 22. G. Roeder, Amarna-Reliefs aus Hermopolis, II (Hrgb. R. Hanke), Hildesheim 1969, 21, 197, 199, 312f. 404, Tf. 170 (P.C.4); Cooney, in: Katalog Ancient Art. The Norbert Schimmel Collection, Mainz 1974, Nr. 260; Settgast, in: Katalog Von Troja bis Amarna, Mainz 1978, Nr. 305

150
Figürlicher Griff: Kopf eines Nubiers

Holz; H. 5,5 cm
Herkunft unbekannt
1910 von G. Steindorff erworben
Neues Reich, um 1300–1200 v. Chr.
Berlin, Ägyptisches Museum und Papyrus-
sammlung 1956

Karikierende Züge nimmt die Darstellung des Südländers in diesem kleinen
Holzkopf an. Der Mund mit vollen,
schwellenden Lippen ist übergroß wiedergegeben, die aus schwarzem und weißem Glas eingelegten Augen sind zu einem Schielen verdreht, das wohl Furcht
ausdrücken soll. Über der niedrigen Stirn
sitzt eine flache Haarkappe. Die Ohrläppchen sind durchbohrt.
Der in die Länge gezogene Hals ist ausgehöhlt. Daraus läßt sich die Funktion
dieses Kopfes ableiten. Er war wohl auf
einen Stab aufgesteckt, dessen unteres
Ende er umschloß. Bei der Benützung
des Stabes wurde der Nubierkopf in den
Sand gestoßen – eine symbolische Vernichtung.
Mit Köpfen von Nichtägyptern verzierte Stäbe haben sich in größerer Zahl im
Grabschatz des Tutanchamun gefunden.

Lit.: H. Fechheimer, Kleinplastik der Ägypter,
Berlin 1922, Tf. 151; A. Hermann – W. Schwan,
Ägyptische Kleinkunst, Berlin 1940, 10, 72, 108

151
Protome: Löwenkopf

Ägyptisch Blau, Gold; H. 2,85 cm, Br. 2 cm,
L. 6 cm
Angeblich aus Kantir (Ostdelta)
Geschenk des Norbert Schimmel Trust, 1989
Neues Reich, 18. Dynastie, um 1380 v. Chr.
New York, The Metropolitan Museum of Art
1989.281.92

Der König, der als Löwe den Feind an-
fällt und zu verschlingen droht, ist ein
geläufiges Motiv programmatischer Ikonographie (vgl. *Kat. 138*). Die kleine
Skulptur aus Ägyptischblau, einem syn-
thetischen Material, ist zweifellos eine
der eindrucksvollsten Versionen dieses
Bildthemas.
Aus dem weit aufgerissenen Löwenmaul
ragt der Kopf eines Negers. Die einzeln
eingesetzten goldenen Zähne des Löwen,
nur teilweise erhalten, verbeißen sich im
krausen Haar des Opfers. Dessen Augen
sind angstvoll geweitet, der Mund ist wie
im Aufschrei leicht geöffnet. Der von der
Löwenmähne umschlossene Halsansatz
ist hohl. Der Löwenkopf war also auf
einen Stab oder Zapfen aufgesteckt.
Die von A. Kozloff vorgeschlagene Deutung als Bugzier eines Modellbootes verdient Beachtung, da sie sich auf eine
Darstellung in den Reliefs der Seevölker-
schlacht Ramses' III. in Medinet Habu
stützen kann. Wahrscheinlich entsprach
dem Nubierkopf ein Asiatenkopf beim
analogen Stück am Heck.

Lit.: Cooney, in: Katalog Ancient art: The Nor-
bert Schimmel Collection, Mainz 1974, Nr. 202;
Settgast, in: Katalog Von Troja bis Amarna,
Mainz 1978, Nr. 232; Kozloff, in: BES 5, 1983,
61–66, Abb.I; dies., in: Katalog Egypt's dazzling
sun, Cleveland 1992, 224, Nr. 33; Roerig, in:
Katalog Africa. The art of a continent, London
1995, 86f., Nr. I.48 (deutsche Ausgabe: Afrika.
Die Kunst eines Kontinents, Berlin 1996, 86f.,
Nr. I.48)

152
Statuette eines Nubiers

Holz; H. 8,3 cm
Aus Memphis
Ehemals Sammlung G. Passalacqua
Neues Reich, 1400–1200 v. Chr.
Berlin, Ägyptisches Museum und Papyrus-
sammlung 1878

Die Hände sind durch Handschellen vor
der Brust gefesselt. Ein Loch am Hals
diente zur Verdübelung der Figur, die
wohl als Fuß eines kleinen Möbelstücks
diente.

Lit.: Fechheimer, o. c., Abb. 151; U. Schweitzer,
Löwe und Sphinx im alten Ägypten, Ägyptologische Forschungen 15, Glückstadt 1948, 40

153
Statuette eines Nubiers

Holz; H. 9,2 cm
Aus Memphis
Ehemals Sammlung G. Passalacqua
Neues Reich, 1400–1200 v. Chr.
Berlin, Ägyptisches Museum und Papyrus-
sammlung 6787

Der bäuchlings am Boden liegenden Figur sind die Arme auf den Rücken gefesselt. Mit Zapflöchern am Hals und auf
dem Rücken wurde die Figur als Untersatz unter einem Möbelstück oder Gefäß
befestigt.

Lit.: Schweitzer, o. c., 40

151

154

Figürlicher Griff: Nubier

Bronze; H. 4,5 cm, Br. 4,4 cm, L. 5,5 cm
Herkunft unbekannt
Bequest of Walter C. Baker, 1972
New York, The Metropolitan Museum of Art
1972.118.31

Von der bäuchlings liegenden, sich auf
den Unterarmen abstützenden Figur ist
nur der Oberkörper ausgeführt; ein langer Zapfen diente zur Befestigung als
Griff an einem Gefäß oder Gerät. Die
Fäuste sind nach oben gedreht und hielten einen Metallbügel. Die sorgfältig
gearbeitete kugelige Löckchenperücke
und das fein geschnittene Gesicht stellen diese Darstellung in die Nähe des
Nubier-Typus ohne afrikanische Übersteigerung.

Lit.: Katalog Ancient art from New York private
collections, MMA New York 1961, Nr. 73

152/153

155
Messergriff

Bronze; H.10,2 cm
Herkunft unbekannt
Ehemals Sammlung Carnarvon; Edward S.
Harkness Gift, 1926
Neues Reich, 18. Dynastie, um 1380 v. Chr.
New York, The Metropolitan Museum of Art
26.7.836

Der untere scharfkantige Teil der Figur
diente als Rasiermesser. Auf ihm steht in
leicht bewegtem Tanzschritt ein Neger,
mit einem gemusterten Schurz bekleidet.
Er trägt eine gestufte kugelige Perücke, in
die eine Straußenfeder gesteckt ist, einen
Schulterkragen und Reifen an Knöcheln,
den Handgelenken und Oberarmen. Die
hoch erhobene Linke hält den Hals einer
Laute, dessen Wirbelkasten die Form eines zurückgewendeten Entenkopfes hat.
Die beidseitig gearbeitete Figur gewinnt
durch die freie Modellierung der Arme
und Beine große Leichtigkeit.

Lit.: Katalog Burlington Fine Arts Club, 1922,
110, Nr. 2; N. Scott, The home life of the
Ancient Egyptians, New York 1944, Abb. 26;
W. C. Hayes, The scepter of Egypt, II, New York
1959, 268f., Abb. 164

156
Ostrakon

Kalkstein, bemalt; H. 14 cm, Br. 21 cm
Herkunft unbekannt
Ehemals Sammlung v. Bissing, 1936 erworben
Neues Reich, 19.–20. Dynastie,
1300–1100 v. Chr.
München, Staatliche Sammlung Ägyptischer
Kunst ÄS 1540

Ein dunkelhäutiger Mann tanzt vor einem Doppeloboe spielenden, aufrecht
stehenden Affen mit Gürtel und Halsband. Er trägt Backen- und Kinnbart und
eine Kraushaarfrisur, in die eine Feder
gesteckt ist – ein Nubier also. Das spitze Mittelstück seines Schurzes weist ihn
als Angehörigen des Militärs aus.
Zwei Funktionsbereiche des Nubiers im
ägyptischen Leben überschneiden sich
hier. Er steht häufig im Militärdienst und
ist im ägyptischen Haus als Diener tätig,
bei der Körperpflege, als Musikant, als
Tänzer – in niedrigen Stellungen also.

Lit.: E. Brunner-Traut, Die altägyptischen Scherbenbilder, Wiesbaden 1956, 98f., Nr. 100, Tf. III; dies.,
Der Tanz im Alten Ägypten, Ägyptologische Forschungen 6, Glückstadt – Hamburg – New York
²1958, 33; Katalog Staatliche Sammlung Ägyptischer Kunst München, München 1976, 214

158
Figürliche Einlage

Fayence; H. 6,2 cm, T. 1,3 cm
Herkunft unbekannt
Ehemals Sammlung Gallatin; Fletcher Fund
and The Guide Foundation, Inc. Gift, 1966
Neues Reich, um 1300 v. Chr.
New York, The Metropolitan Museum of Art
66.99.51

Gegenüber der karikierenden Darstellung von *Kat. 157* ist dieser Fayencekopf in der ethnischen Charakterisierung zurückhaltender. Der Kopf gehörte wohl zu Wandeinlagen von Gefangenen, wie sie in den königlichen Palästen der Ramessidenzeit häufig anzutreffen sind.

Lit.: Cooney, in: JNES 12, 1953, 13, Nr. 60, Tf. XIIIA

157
Bildhauerstudie

Kalkstein; H. 9,5 cm, Br. 9,2 cm, T. 2,0 cm
Aus Amarna
Grabungen Petrie 1891/92(?); Rogers Fund, 1922
Neues Reich, 18. Dynastie, um 1345 v. Chr.
New York, The Metropolitan Museum of Art
22.2.10

Die karikaturhafte Übersteigerung der Darstellung des menschlichen Gesichts, die manche Skizzen des Echnaton kennzeichnet, ist ein typischer Zug der Kunst der Amarnazeit. Der Negerkopf, in versenktem Relief gearbeitet, sitzt auf dem für Echnaton charakteristischen, nach vorn gekrümmten Hals. Unter der knapp sitzenden Haarkappe schaut das Ohr-

läppchen heraus; in seine Bohrung ist ein Ohrring beachtlicher Größe gehängt. Unter der wulstartig vortretenden niedrigen Stirn ist die Nasenwurzel tief eingedrückt. Vom Nasenflügel ziehen sich tief eingeschnittene Falten zum Kinn. Der Mund ist weit geöffnet, so daß die Zähne sichtbar werden. Das Auge tritt weit aus seiner Höhle hervor.
An die Stelle einer dem Vorbild nahen Schilderung des fremdländischen Menschen ist eine tendenziöse Darstellung getreten, die den Nicht-Ägypter als verachtenswert zeigt.

Lit.: W. C. Hayes, The scepter of Egypt, II, New York 1959, 284, Abb. 172; Fischer, in: D. Sutton (Hrgb.), The Metropolitan Museum of Art and its treasures, New York 1965, 19, Abb. 9

159
Figürliche Einlage

Glas; H. 14 cm, Br. 6,4 cm, T. 1,1 cm
Herkunft unbekannt
Joseph Pulitzer Bequest, 1955
Neues Reich, um 1300 v. Chr.
New York, The Metropolitan Museum of Art
55.91.1 A,B

Die eigenartige Haltung des nackten
Nubiers erklärt sich aus der Fesselung,
die seine Arme und die Füße hinter dem
Rücken zusammenbindet. Einkerbungen
an den Unterschenkeln und Ellbogen
deuten auf Fesseln, die vielleicht in anderem Material eingelegt waren. Weitere
Figuren aus demselben Komplex zeigen
kniende und kauernde nubische Gefangene.
Das Motiv dieser Einlage findet sich bis
in römische Zeit auf den Sohlen von
Särgen, auf denen die Gefesselten das
Böse symbolisieren, das unter den Füßen
des Verstorbenen unschädlich gemacht
worden ist.
Die Glaseinlage dürfte von einem Möbelstück, wahrscheinlich einem Schemel,
stammen. Der Grabschatz des Tutanchamun bietet ikonographische Analogien.

Lit.: Scott, in: MMA Bull. Nov. 1956, 82; W. C.
Hayes, The scepter of Egypt, II, New York 1959,
316ff., Abb. 200; vgl. Lucas, in: ASAE 39, 1939,
227–235, Tf. XXXIII–XXXVI; Bianchi, in:
Journal of Glass Studies 25, 1983, 29–35

161
Statuenbasis

Bronze; H. 5,4 cm, L. 9,8 cm, Br. 5,4 cm
Herkunft unbekannt
Spätzeit, um 500 v. Chr.
München, Staatliche Sammlung Ägyptischer
Kunst 6786

Nebeneinander liegen auf der kastenför-
migen Basis bäuchlings zwei Figuren mit
auf dem Rücken gefesselten Armen. Die
rechte Figur trägt kurzes Haar und zeigt
negroide Züge, die linke ist durch Spitz-
bart und eine hohe konische Mütze gekennzeichnet.

Asiat und Nubier stehen repräsentativ
für die Feinde Ägyptens, über denen, in
zwei Zapflöchern fixiert, eine Götterfigur stand, laut Inschrift Sopdu, der Beschützer der Ostgrenze Ägyptens.

Lit.: Wildung, in: Münchner Jahrbuch der bil-
denden Kunst, Dritte Folge Band 34, 1983, 206,
Abb. 10; S. Schoske – D. Wildung, Ägyptische
Kunst in München, München 1984, 110f.,
Nr. 76

160
Statue eines Gefangenen

Bronze; H. 10,8 cm, Br. 5,4 cm, T. 6,8 cm
Herkunft unbekannt
Ehemals Sammlung v. Bissing (B 296)
Spätzeit
München, Staatliche Sammlung Ägyptischer
Kunst ÄS 1538

Schon in den Pyramidentempeln des
Alten Reiches gehören Statuen kniender
Gefangener mit auf den Rücken gefesselten Armen zum festen statuarischen Programm.
Das Gesicht ist zu stark beschädigt, um
eine Zuweisung zum nubischen oder
afrikanischen Typus zu gestatten.

Lit.: G. Roeder, Ägyptische Bronzefiguren, Berlin 1956, § 393a, Abb. 397; Katalog Staatliche
Sammlung Ägyptischer Kunst München, München 1976, 187

162

Kopf eines Nubiers

Bronze, Gold, Karneol, Obsidian; H. 4,0 cm,
Br. 2,7 cm, T. 3,0 cm
Angeblich aus dem Delta
Ehemals Daltari Collection; Carnarvon
Collection; Edward S. Harkness Gift, 1926
Hellenistisch, 3. – I. Jahrhundert v. Chr.
New York, The Metropolitan Museum of Art
26.7.1417

Der kleinformatige Kopf ist technologisch und künstlerisch ein Meisterwerk.
Das anatomisch fein durchgebildete glatte Gesicht steht im Kontrast zur flockig
wirkenden Oberfläche des Kraushaares.
Die unterschiedliche Farbe beider Oberflächen scheint auf eine moderne Über-
arbeitung zurückzuführen zu sein. Die
Einlagen der mit Gold gefaßten Augen
sind vielleicht eine moderne Ergänzung.
Auf dem Scheitel sitzt ein 5 mm tiefer
goldener Zapfen; am Hinterkopf sind

die abgearbeiteten Reste von zwei Ösen
erkennbar. Der Kopf gehörte also nicht
zu einer Figur, sondern war Teil eines
Gerätes.

Die Metallegierung (untersucht von D.
Schorsch) würde eine Datierung bis zurück ins Neue Reich erlauben. Aus stilistischen Erwägungen ist ein Entste-
hungszeitraum im ptolemäischen Ägypten vorzuziehen.

Lit.: Katalog Burlington Fine Arts Club, 1922,
108, Nr. 17, Tf. XX; N. Scott, Egyptian statuettes,
New York 1946, Abb. 33; G. Roeder, Ägyptische
Bronzefiguren, Berlin 1956, § 3992d

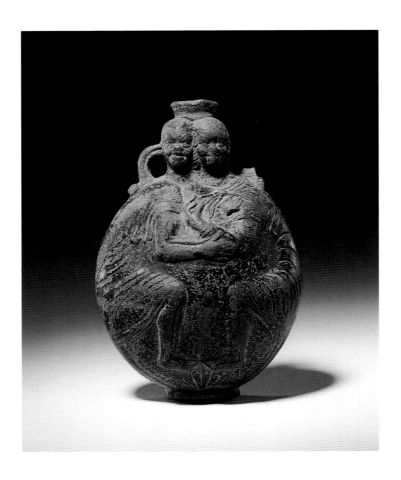

163

Pilgerflasche

Gebrannter Ton; H. 14,9 cm, Br. 10,2 cm,
T. 7,4 cm
Herkunft unbekannt
Um die Zeitenwende
München, Staatliche Sammlung Ägyptischer
Kunst ÄS 3991

Die in Modeln geformte, beidseitig relie-
fierte Flasche zeigt ein sich umarmendes
Paar. Die weibliche Figur rechts ist durch
Haartracht und Gewand als die Göttin
Isis zu identifizieren. Die männliche Figur links trägt kurzes Kraushaar und
zeigt negroide Züge. Aus dem Kontext
heraus kann sie nur als Osiris gedeutet
werden.

Als Arbeit aus einer Werkstatt in Alexandria dürfte diese Reliefflasche als Parodie
auf die altägyptischen Götter zu verstehen sein, indem das südlich von Alexandria gelegene eigentliche Ägypten als eine
ganz andere Welt Afrika zugeschlagen
wird.

Lit.: Katalog Staatliche Sammlung Ägyptischer
Kunst München, München 1976, 253f.; Kata-
log Meisterwerke altägyptischer Keramik, Höhr-
Grenzhausen 1978, 232, Nr. 422; Bianchi, in:
Katalog Cleopatra's Egypt, Brooklyn 1988,
208f., Nr. 103; ders., in: Katalog Kleopatra,
München – Mainz 1989, 250f., Nr. 99; vgl. Ber-
lin 20797: The image of the black in western
art, New York 1976, 186, 194, 248, 326,
Abb. 247

DAS KÖNIGREICH VON NAPATA

DIE KUSCHITISCHE DYNASTIE

Die kuschitische Dynastie

um 1000–900	Entstehung eines Fürstentums mit Zentrum in Napata
um 760	„Fürst" Alara
um 750	König Kaschta
	Erringung der Oberhoheit über Oberägypten
um 740–713	König Piye
	Kämpfe mit den Königen und Kleinfürsten Ägyptens
712–656	Die Könige von Napata als Könige Ägyptens
	(25. Dynastie)
713-702	König Schabaqa
702-690	König Schebitqu
690-664	König Taharqa
664-656	König Tanwetamani
	Aufgabe der Herrschaft über Ägypten

Timothy Kendall

Die Könige vom Heiligen Berg

Napata und die Kuschiten-Dynastie

Von den großen Staatswesen am mittleren Nil tritt keines so unerwartet in die Geschichte ein, keines hatte einen so blitzartigen Zugriff auf sein historisches und politisches Umfeld, eroberte ein so riesiges Gebiet und konnte so lange überleben wie das Königreich, das im 8. Jahrhundert v. Chr. in der Stadt Napata entstand, unmittelbar unterhalb des Vierten Katarakts im Schatten des einsam aufragenden Tafelbergs, der heute Gebel Barkal genannt wird. In ägyptischen, assyrischen und hebräischen Quellen wird dieses Reich „Kusch" genannt; schon das Reich von Kerma, von den Ägyptern vor acht Jahrhunderten erobert, wurde mit diesem Namen bezeichnet. Griechische und römische Historiker verwendeten den Ausdruck „Äthiopien", das Königreich der „Sonnenverbrannten Gesichter". Für Manetho und die späteren ägyptischen Geschichtsschreiber war es nur der fünf Jahrzehnte wegen erwähnenswert, die es über ganz Ägypten geherrscht hatte – und als 25. Dynastie in die Liste der Pharaonen aufgenommen wurde. Heute spricht man von den Königreichen von Napata und Meroë. Diese beiden Städte lösten sich als Metropolen ab und markieren die beiden großen historischen Phasen einer mehr als tausendjährigen Geschichte, das Reich von Napata (900–270 v. Chr.) und das von Meroë (270 v. Chr.–350 n. Chr.). Ursprung und Aufstieg dieser Reiche aus einem unbekannten nubischen Stammesverbund zu einem Staat nach ägyptischem Zuschnitt, der in seiner Blütezeit ein Reichsgebiet vom Zusammenfluß des Weißen und Blauen Nils bis zum Mittelmeer umfaßte, bleibt eines der geheimnisvollsten Phänomene in der Geschichte des Niltals. Im letzten Jahrzehnt hat jedoch die archäologisch-historische Forschung erhebliche Fortschritte erzielt, die Ursprünge dieses Reiches aufzudecken und seinen einzigartigen Aufstieg zu erklären. Manche dieser Forschungsergebnisse können hier zum ersten Mal der Öffentlichkeit vorgelegt werden.

Napata war ursprünglich ein Außenposten des Reichs von Kerma; erst um 1500 v. Chr. erlangte es historische Bedeutung, als die Pharaonen der frühen 18. Dynastie hier die südlichste feste Siedlung ihrer afrikanischen Herrschaft gründeten[1]. Ungefähr in der Mitte der großen Nilschleife gelegen, war die Gegend von Napata wohl schon seit jeher ein wichtiger Flußübergang gewesen, den der Fernhandelsweg von Kawa und Kerma im Norden in die Region Meroë im Süden benutzte[2]. Die außergewöhnliche Stellung der Stadt ist jedoch nicht auf ihre geopolitische Lage zurückzuführen, sondern auf die überragende religiöse Bedeutung des Gebel Barkal.

Diese weithin sichtbare Erhebung ist ein freistehender Tafelberg von 91 m relativer Höhe. Er ragt direkt hinter der antiken Stadt auf, etwa 1,5 km vom Nil entfernt, und liegt heute am Ortsrand des modernen Karima. Mit seinen senkrecht über den sandverwehten Ruinen von Tempeln und Palästen aufragenden Felswänden bietet der Gebel Barkal einen atemberaubenden Anblick.

Als Tuthmosis III. um 1460 v. Chr. hier seinen ersten Militärstützpunkt anlegte, bildete sich die Vorstellung heraus, daß eine urtümliche Form des ägyptischen Reichsgottes Amun in diesem „Heiligen Berg" wohne. An die Stelle der in Ägypten üblichen Menschengestalt des Amun trat hier schon bald ein widderköpfiger Mensch, bekrönt mit einer Sonnenscheibe[3]. Angesichts der Bedeutung von Widdern mit kugelförmigen Kopfaufbauten in Kerma wie in der C-Gruppe (Kat. 51) ist zu vermuten, daß die Ägypter in einer seit alters verehrten nubischen Gottheit (Kat. 103) eine lokale Ausprägung ihres eigenen höchsten Gottes erkannten[4]. Sie sahen diesen nubischen Amun als Ka, als Doppelgänger des thebanischen Amun, an, doch war „Amun von Napata, der im Heiligen Berg wohnt", für sie auch ein Gott, der dem ägyptischen König als seinem Sohn die Herrschaft

Abb. 26   Die königliche Nekropole von el-Kurru (nach R. Lepsius, Denkmäler I, 123). (Foto: M. Büsing)

über Ägypten und Kusch übertrug[5]. Der Gebel Barkal wurde so zu einem der wichtigsten religiösen Zentren Nubiens unter ägyptischer Herrschaft und verlor diese Stellung erst in der 20. Dynastie, als das Neue Reich zusammenbrach, Unternubien zum Niemandsland wurde und Obernubien unter bislang nicht bekannter Oberhoheit selbständig wurde[6]. Die Ironie der Geschichte will es, daß dreieinhalb Jahrhunderte später, nach einem unerklärlichen historischen Vakuum, der zum Erliegen gekommene Kult des Amun vom Gebel Barkal eine plötzliche Wiederbelebung durch eine lokale nubische Herrscherfamilie erfuhr, die auf ihn ihren Herrschaftsanspruch zurückführte – eine Umkehrung der Intentionen der Begründer seines Kults in der 18. Dynastie.

Soweit es die spärliche Quellenlage erkennen läßt, waren die neuen Herren des Landes nur wenig von ägyptischer Kultur und Zivilisation beeinflußt. Die alten Städte des Neuen Reiches waren kaum noch besiedelt, ihre Tempel verlassen[7]. In Unternubien scheint sich ein neues Machtzentrum in Kasr Ibrim gebildet zu haben; die ältesten Befestigungsmauern sind ins späte 10. Jahrhundert v. Chr. datiert[8]. Ein großer Friedhof dieser Zeit in Debeira-Ost, 90 km südlich von Kasr Ibrim, zeigt ausschließlich lokale nubische Bestattungssitten[9]. In Obernubien entspricht diesen Fundplätzen die noch nicht ausgegrabene, von Mauern umzogene Stadt von el-Kurru, 15 km stromabwärts vom Gebel Barkal, und der zugehörige Friedhof, dessen älteste Häuptlingsgräber, denen von Debeira engst verwandt, in rein nubischer Tradition stehen (vgl. Kat. 186)[10].

Erst in der 22. Dynastie erscheinen wieder Gaben aus Obernubien in den Opferlisten eines ägyptischen Königs für Amun von Karnak. Der Stifter Scheschonk I. (um 945–924 v. Chr.) und sein Nachfolger Osorkon I. (um 924–889 v. Chr.) setzten kuschitische Söldner und Offiziere in ihren Feldzügen gegen Juda ein[11]. Assyrische Texte des späten 9. Jahrhunderts berichten davon, daß die Pharaonen den assyrischen Königen Waren aus Obernubien schickten[12]. Daraus ergibt sich, daß wieder Handelsbeziehungen mit dem fernen Süden aufgenommen worden waren, wobei jedoch völlig unklar bleibt, wer die Handelspartner der Ägypter waren. Offenbar hatten sich seit dem 10. Jahrhundert in Nubien ein oder mehrere Stammesfürstentümer gebildet, die – wie schon vor vielen Jahrhunderten Kerma – durch ihre Handelsbeziehungen mit Ägypten einen Prozeß der materiellen, kulturellen und politischen Konsolidierung einleiteten. In Debeira-Ost und in el-Kurru finden sich in den Gräbern zahlreiche Hinweise auf diese Kontakte zu Ägypten: kostbare Fayencen, Steingefäße, Schmuckstücke, Tongefäße und sogar phönikische Vorratskrüge[13].

Die ältesten Gräber in el-Kurru (Abb. 26) sind einfache runde Steinhaufen, unter denen die Toten in rohen unterirdischen Felskammern bestattet waren, manchmal auf Betten liegend und damit an Kerma erinnernd. Schon bald wurden aus diesen Rundgräbern rechteckige Anlagen mit Opferkapellen; an die Stelle roher Feldsteine trat sorgfältig behauener Stein; die zylindrischen Oberbauten verwandelten sich in steilwandige Pyramiden, und statt enger Grabschächte wurden nun geräumige Grabkammern angelegt. Die mumifizierten Toten wurden in Särgen beigesetzt[14]. Weshalb die hier bestatteten Häuptlinge ihre traditionellen Bestattungssitten aufgaben und stattdessen ägyptische Grabformen – und den ägyptischen Amun-Kult – annahmen, bleibt unklar; die Umstellung wurde zielstrebig und zügig vorgenommen. Eine mögliche Erklärung wäre die Missionierung durch ausgewanderte Amun-Priester von Theben, Flüchtlinge vor dem Bürgerkrieg in der Regierungszeit des Königs Takelot II. (um 850–825 v. Chr.)[15].

Der erste namentlich bekannte Herrscher von el-Kurru ist Alara (um 785–760 v. Chr.). Offenbar haben ihn seine Nachkommen als Begründer eines neuen Zeitalters in Ehren gehalten. Sein Großneffe Taharqa nennt ihn einen „Häuptling" (wr) und weiß zu berichten, daß sich Alara gegen einen Mitbewerber um den Thron durchsetzen konnte und, nachdem er sein Vertrauen auf Amun gesetzt habe, von diesem als „König" (nsw) eingesetzt worden sei[16]. Standen bislang nur solche postumen Quellen über Alara zur Verfügung, so kann er nun mit Sicherheit als „Ala(r)a-geliebt-von-Amun" identifiziert werden, der eine Stele für Kawa stiftete (heute in Kopenhagen), die ihn beim Opfer vor Amun zeigt[17]. Obwohl er sich hier als Pharao gebärdet, wagt er noch nicht, die volle Königswürde zu beanspruchen. Er nennt sich „Sohn des Amun", legt sich einzelne königliche Epitheta zu, schreibt seine Namen in Kartuschen und gibt sich den Thronnamen seines älteren Zeitgenossen in Ägypten, des Königs Scheschonk III. (um 825–773 v. Chr.), nennt sich jedoch selbst nie nsw und trägt auch keinen Uräus. Auf einem Relieffragment aus dem vermutlich ihm zuzuschreibenden Grab Ku 9 in el-Kurru erscheint allerdings ein Königskopf mit einer Art Uräus[18]. Obwohl seine Bestattung nur aus einem traditionellen Bett bestand, war offenbar der pyramidenförmige Oberbau von einer grob aus Bronze gegossenen Ba-Statue (Kat. 200) bekrönt, einem aus Ägypten entlehnten Bildtypus. Alara ist es wohl gewesen, der als erster den nubischen Amun-Kult wiederbelebte; die ältesten Tempel in Nubien nach dem Neuen Reich, die archaischen Schlammziegel-Schichten der Tempel B in Kawa und B 800 am Gebel Barkal, sind höchstwahrscheinlich von ihm gebaut worden[19]. Daß Alara als erster ganz Obernubien von Meroë bis zum Dritten Katarakt zur politischen Einheit führte, kann nur vermutet werden.

Alaras Zurückhaltung bei der Verwendung der vollen Königstitulatur ist bei seinem Nachfolger Kaschta (um 760–747 v. Chr.), seinem Bruder oder Neffen, nicht mehr anzutreffen; er nimmt bei seiner Thronbesteigung den Titel nsw, „König", an[20]. Alara hatte ein obernubisches Reich geschaffen; Kaschta dehnte es auf Unternubien aus. Auf einer kleinen Stele, die er an der Grenze zu Ägypten auf der Insel Elephantine errichtete, läßt er alle Ängstlichkeit hinter sich und nennt sich nsw-bjtj, „König von Ober- und Unterägypten", und stellt sich damit gleichrangig neben die ägyptischen Könige der 22. und 23. Dynastie[21].

Unter Kaschta begann eine lebhafte Bautätigkeit am Gebel Barkal. Er ließ den aus Lehmziegeln errichteten Tempel des Alara (B 800) in Stein erweitern und vor dem neuen Pylon eine Allee von Widdersphingen anlegen; es sind die ältesten erhalten gebliebenen Statuen dieser Dynastie[22]. Er ist wahrscheinlich auch der Bauherr des ersten Lehmziegel-Palastes (B 1200) am Gebel Barkal, der sich eng an ägyptische Vorbilder anlehnt[23]. Napata dürfte also unter ihm zum mehr oder weniger dauernden Regierungssitz der Dynastie geworden sein. Seine Grabpyramide in el-Kurru (Ku 8) war 3 m größer als alle früheren Gräber an diesem Ort, und die Reste seiner Grabausstattung lassen erkennen, daß er stärker als seine Vorgänger ägyptische Bestattungssitten nachahmte[24].

Nach dem Tod Kaschtas bestieg eine der bemerkenswertesten Persönlichkeiten in der Geschichte des Niltals den Thron, Piye (früher fälschlich Pianchi gelesen), sein Sohn, der nach dem offiziellen Dogma der leibliche Sohn des Gottes Amun war. Seine Regierungszeit (um 747–716 v. Chr.) läßt sich vor allem anhand der Texte auf zwei Stelen nachzeichnen, die im großen Amun-Tempel am Gebel Barkal (B 500) aufgestellt wurden[25]. Dieser größte und bedeutendste Tempel in Napata, in der 18. Dynastie begonnen und unter Ramses II. fertiggestellt, lag zu Beginn der Regierung Piyes in Ruinen. Sein ganzes Leben hindurch bemühte sich dieser um die Erneuerung des Heiligtums; die alten, verwitterten Mauern wurden mit neuen Steinen verkleidet, die Pylone, Säulen und Holzdächer renoviert, die Wände mit Reliefs versehen. Aus dem fernen Soleb wurden riesige Statuen (Kat. 140, 141) herbeigeholt und im Tempel aufgestellt. Schließlich legte Piye einen großen neuen Hof vor das Heiligtum[26]. Hier errichtete er auch seine Stelen und stellte neben ihnen die Barkal-Stele Tuthmosis' III. wieder auf – als geschichtsträchtigen Vorläufer[27].

Piyes erste Stele ist in sein Achtes Jahr datiert[28]. Im Stelentext proklamiert sich Piye selbst zum König Ägyp-

Abb. 27 Erste Stele des Piye aus dem Großen Amun-Tempel am Gebel Barkal. Gebel Barkal Museum, Karima. (Foto: Harvard University – MFA Boston-Expedition, 1916)

Abb. 28 Relief im ersten Hof (B 501) des Großen Amun-Tempels am Gebel Barkal. König Piye nimmt den Tribut der Herrscher Ägyptens entgegen. Um 726 v. Chr. (Rekonstruktionszeichnung: T. Kendall)

tens und „aller Länder" und führt seine Berufung sowohl auf Amun von Theben als auch auf Amun von Napata zurück – ein direkter Rückgriff auf Tuthmosis III., der 700 Jahre zuvor die gleichen beiden Aspekte des Amun auf seiner Barkal-Stele als Legitimation für das Königsamt bemüht hatte[29]. Im Bildfeld im oberen Stelenhalbrund ist es jedoch allein der widderköpfige Amun von Napata, der Piye die Kronen von Ägypten und Kusch überreicht (*Abb. 27*). Der Begleittext teilt mit, daß Piye zwar andere Könige in Unterägypten dulde, aber seine vom Gott des Gebel Barkal verliehene Königsherrschaft als ihnen allen übergeordnet ansieht. Obwohl der Haupttext zerstört ist, kann vermutet werden, daß er von einem außergewöhnlichen geschichtlichen Ereignis berichtet haben muß, das dem kuschitischen König den Vorwand oder den Anlaß gab, Oberägypten seinem Reich einzuverleiben. Vielleicht war es ein als fromme Wallfahrt nach Theben getarnter militärischer Vorstoß nach Oberägypten, bei dem er sich vom thebanischen Gott Amun als König ausrufen ließ und die regierende „Gottesgemahlin", Schepenupet I., dazu zwang, seine Schwester Amenirdis als ihre Nachfolgerin zu „adoptieren"[30].

Schon während der Dritten Zwischenzeit hatte die hohe priesterliche Stellung der „Gottesgemahlin des Amun" große Bedeutung erlangt. Da kein König dieser Zeit unmittelbare Macht über Oberägypten ausüben konnte, wurden auserwählte Prinzessinnen als solche „Gottesgemahlinnen" nach Theben entsandt, um dort lebenslänglich zu bleiben. Politisch übten sie die Funktion von Vermittlerinnen im gespannten Verhältnis zwischen der Priesterschaft des Amun und den Königen in Unterägypten aus, deren Inter-

essen sie wahrzunehmen hatten. Gegen Ende der 22. Dynastie hatten diese Gottesgemahlinnen bereits die wichtigste religiöse Stellung in Theben erlangt, die sogar dem Hohenpriester des Amun übergeordnet war. Praktisch als Königinnen regierend, wohnten sie in Palästen, errichteten zusammen mit den Königen Bauwerke und schrieben ihre Namen in Kartuschen, die eigentlich Königsnamen vorbehalten waren. Da sie im Zölibat leben mußten, konnten sie ihr Amt nur durch Adoption einer Nachfolgerin weitergeben[31]. Piye hatte sichergestellt, daß beim Tod Schepenupets, einer Tochter des Königs Osorkon III. (um 777–749 v. Chr.), die Macht in Oberägypten auf seine eigene Familie übergehen würde, als diese seine Schwester Amenirdis adoptierte; dieser Fall trat in seinem 12. Regierungsjahr ein[32].

Die kuschitische Herrschaft über Oberägypten wurde von den herrschenden Kreisen in Unterägypten nicht lange geduldet. In Piyes 20. Regierungsjahr formierte sich unter Führung von Tefnachte aus Saïs ein Angriffspakt. Piyes berühmte zweite Stele aus seinem 21. Regierungsjahr, heute in Kairo, beschreibt in vollmundigen Formulierungen seinen Feldzug nach Norden, der der „Rebellion" ein Ende setzen sollte, und berichtet von den Erfolgen, die weit über dieses Ziel hinausgingen[33]. Hermopolis in Mittelägypten ergab sich, Memphis wurde im Sturm genommen, und alle seine gedemütigten Gegner schworen Gefolgschaftstreue und brachten Tribute dar (*Abb. 28*). Durch den ganzen Bericht zieht sich ein Bild Piyes, das von Rechtgläubigkeit, strenger Befolgung der religiösen Pflichten und erfolgreicher Kriegführung geprägt ist, wobei er seine Leitlinien aus seinem Vertrauen in Gott bezieht. Er vermied unnötiges Blutvergießen, war milde zu seinen Feinden und erwies den Göttern der eroberten Städte besondere Verehrung. Der „Äthiopier ohne Fehl und Tadel", den die spätere klassisch-antike Tradition kennt[34], ist hier vorgeprägt.

Trotz seines siegreichen Feldzugs lag Piye offensichtlich nicht daran, seine Herrschaft über den Norden zu vertiefen; er beschränkte sich auf die Thebais und die Oasen der Westwüste[35]. Nach Napata zurückgekehrt, verkündete er seinen Triumph, indem er seine Siege auf den Wänden seines neuen Tempels verewigen ließ[36].

Das Dogma vom immer siegreichen Pharao ist in Piyes Texten und Bildern auf den Kopf gestellt. Ein nubischer Fürst, dessen Vorfahren einst unter den Sandalen des ägyptischen Königs lagen, ist nun selbst Pharao geworden, den großen Eroberern Tuthmosis III. und Ramses II. im Königsamt brüderlich vereint, deren Thronnamen er annimmt und während seiner ganzen Regierung verwendet[37]. Ägyptische Bildhauer stellten seine Eroberung Unterägyptens in den gleichen Bildtraditionen dar, mit denen frühere Pharaonen ihre Siege über Asiaten, Libyer, Hethiter, Seevölker – und über Kuschiten abgebildet hatten. Die Städte, die Pharao Piye eroberte, liegen nicht in Palästina oder Syrien, sondern in Ägypten. Die Könige, die vor ihm die Erde küßten, sind Ägypter, und die Schätze, die er erbeutete, stammen aus den Schatzkammern Ägyptens. Piye tritt jedoch als die Reinkarnation der großen Pharaonen und als der ergebene Diener des Amun und aller ägyptischen Götter auf.

Auf einer der Wände im Tempel B 500 am Gebel Barkal ist Piyes Heb-sed dargestellt, das Jubiläumsfest nach 30 Regierungsjahren, bei dem der König seine Herrschafts-

fähigkeit unter Beweis stellt und seine Kräfte erneuert[38]. Es bleibt unsicher, ob er wirklich 30 Jahre regierte oder das Jubiläum im Vorgriff feierte[39]. Nach seinem Tod wurde er in el-Kurru neben seinen Ahnen unter einer bescheidenen Pyramide (Ku 17) in einer unterirdischen Felsenkammer mit Treppenabgang beigesetzt. Dieser Grabtypus sollte in seinen Grundzügen für die nächsten zehn Jahrhunderte gültig bleiben[40]. Außer den Gräbern für seine Haupt- und Nebenfrauen ließ er auch welche für vier seiner Pferde anlegen, die nebeneinander stehend mit Blick nach Osten beigesetzt wurden[41]. Pferdebestattungen – bis zu acht Tiere in eigenen Gräbern – sind für alle Nachfolger Piyes in el-Kurru belegt.

Über die innere Struktur des frühen napatanischen Staates ist wenig bekannt. Wahrscheinlich orientierte sie sich wie das Königtum am Vorbild Ägyptens. Obernubien war offenbar in 'Gaue' eingeteilt, über die Gaufürsten herrschten, die wie die Heerführer und hohen priesterlichen Ränge alle aus der Königsfamilie stammten[42]. Schon unter Piye hatten sich in Obernubien die alten Städte wiederbelebt – Pnubs, Kawa, Sanam, Napata und Meroë; jede von ihnen hatte ihr kleines Heiligtum für Amun und die anderen ägyptischen Götter in ihren nubischen Ausprägungen[43]. Die Bevölkerung jedoch, seßhafte Ackerbauern und nomadisierende Viehzüchter, waren kaum von Ägypten beeinflußt. Die wenigen bislang ausgegrabenen Friedhöfe dieser Zeit lassen auf eine Bevölkerung schließen, die ägyptische und nubische Bestattungssitten nebeneinander anwandte[44]. Die bemalten Felsgräber in Hillet el-Arab nahe dem Gebel Barkal zeigen, daß wohlhabende Leute königliche Bestattungsformen nachahmten und ihre Pferde begruben[45].

Nach Piyes Tod versuchten seine unterägyptischen 'Vasallen' erneut einen Aufstand. Piyes Nachfolger, sein Bruder Schabaqa, zog nach Norden und stellte die Ordnung wieder her[46]. Von den klassischen Historiographen wird Schabaqa anstelle Piyes als der Begründer der 25. Dynastie angesehen, da er als erster Kuschite die Residenz nach Ägypten verlegte. Hier wird kuschitische Geschichte zur Geschichte Ägyptens. Die Könige residierten in Memphis, gaben sich völlig ägyptisiert und weltläufig und kehrten erst nach ihrem Tod nach Nubien zurück, um in heimatlicher Erde begraben zu werden. Wenn moderne Historiker sie gemeinhin als „Fremdlinge" in Ägypten bezeichnen, so verstanden sich diese Könige selbst sicherlich nicht als Ausländer, obwohl sie ethnisch, kulturell und sprachlich

andere Wurzeln hatten. Nach ihrer Vorstellung waren Ägypten und Kusch die beiden Hälften eines alten Amun-Reiches, die nach ihrem Glauben in mythischer Vorzeit vereint wurden; nachdem sie sich später getrennt hatten, waren sie in historischer Zeit nur von den größten Pharaonen wieder zusammengeführt worden. Die napatanischen Könige sahen sich als „Söhne" des Amun im Erbe dieser Pharaonen, die somit zu ihren „Vorfahren" wurden[47]. Gleich jenen hatten sie ihr Herrscheramt vom großen Gott in seiner nördlichen und südlichen Gestalt erhalten. Ihre Herrschaft war eine Rückkehr in die „Zeit des Re", und dieses Königtum wurde im Doppeluräus an ihrer Krone symbolisiert[48]. Schabaqa (um 716–702 v. Chr.) und seine Nachfolger Schebitqu (um 702–690 v. Chr.) und Taharqa (690–664 v. Chr.) hielten sich für irdische Repräsentanten Gottes, dazu auserwählt, sein altes Reich zu einen und zu schützen und im ganzen Land Maat wiederherzustellen, den ägyptischen Inbegriff von Wahrheit, Ordnung und Recht[49].

In Religion und Kultur zeigten die napatanischen Könige großes Interesse an altägyptischen Vorstellungen, Ritualen und Traditionen; sie versuchten, vergessenes Gedankengut wiederzubeleben oder gar noch einmal zu entwickeln[50]. So bemühten sie sich, die geschriebene, vielleicht sogar die gesprochene Sprache zu archaisieren[51]. Die für den Hof tätigen Künstler wurden ermutigt, ihre Vorbilder in den Meisterwerken des Alten und Mittleren Reiches zu suchen[52]. Sie wählten sich Thronnamen von Königen des Alten Reiches, als wären sie deren Reinkarnation[53]. In allen Teilen ihres Reiches veranlaßten sie umfangreiche Erneuerungsarbeiten und Reparaturen an alten Tempeln und verwendeten große Anstrengung darauf, Ägyptens heruntergekommener Gegenwart etwas vom Glanz seiner Vergangenheit zurückzugeben[54].

Angesichts all dieser Ägyptizismen erscheint es seltsam, daß die Kuschiten keine Anstalten machten, ihr nubisches Aussehen in Relief und Skulptur zu korrigieren oder ihre nubischen Namen zu ändern[55]. Ebenso unägyptisch ist das Königsornat. Die beliebteste Krone ist eine Art eng anliegende Kappe, an der zwei Uräusschlangen befestigt sind, während ägyptische Könige nur einen Uräus zu tragen pflegen. Oft ist um den Hals eine Kordel gewunden, deren Enden auf die Schultern fallen; an diesen Enden und vorne am Hals hängen Widderköpfe (*Kat. 223, 224*), die auch als Ohrringe getragen werden[56]. Anders als in Ägypten verlief auch die Regelung der Nachfolge im Pharaonen-

amt. In Ägypten folgte in der Regel der erstgeborene Sohn seinem Vater auf dem Thron. In Kusch wurde er aus den Brüdern, Söhnen oder Neffen des verstorbenen Königs gewählt – dem Dogma nach durch ein Gottesorakel[57].

Zum Verständnis einiger der so ungewöhnlichen Äußerungsformen des kuschitischen Königtums ist ein Blick auf die Besonderheiten des Kults am Gebel Barkal hilfreich. Der am stärksten ins Auge fallende Teil des Tafelberges ist eine 74 m hohe freistehende Felsnadel an seinem Südabhang (*Abb. 29*). Der riesige Felspfeiler hat offenbar schon im Neuen Reich im Mittelpunkt des kultischen Geschehens gestanden, da alle Tempel sich um ihn scharen (*Abb. 30, 31*). Mehrere altägyptische Darstellungen des Berges lassen erkennen, daß diese natürlich entstandene Felsnadel als ein riesiger sich aufbäumender Uräus verstanden wurde, der je nach Standort des Betrachters verschiedene Arten von Kronen zu tragen schien[58]. Von Osten bietet sich noch heute der Eindruck eines Uräus mit Weißer Krone (*Abb. 32, 33*), von Westen der eines Uräus mit Sonnenscheibe oder Roter Krone (*Abb. 34, 35*). Die thronende Gottheit wohnte hinter dem Uräus im Berg (vgl. *Kat. 287, 288*). Als Teil des Berges übertrug der Uräus seine vielschichtige Bedeutung auf diesen selbst.

Der Uräus ist ein Symbol des Königtums. In seiner apotropäischen Schlangengestalt manifestieren sich verschiedene große Göttinnen, die entweder göttliche Mütter des Königs sind oder Töchter und Beschützerinnen des göttlichen Vaters des Königs[59]. Mit der Weißen und Roten Krone verkörperte der Uräus die beiden Landeshälften, den Norden und Süden, und der Gebel Barkal mit seinem monumentalen Uräus wurde so zum Ursprungsort königlicher Autorität. Mit der Sonnenscheibe wurde der Uräus zu einer der Göttinnen an der Stirn des Sonnengottes, zum „Auge des Re". Für den antiken Betrachter drängten sich unmittelbar die Sagen um das Sonnenauge auf, das, mit den Göttinnen Tefnut, Hathor, Mut gleichgesetzt, vom Gott Schu aus Nubien geholt worden war, um in Ägypten Re zu beschützen[60]. Der Gebel Barkal galt also nicht nur als Kraftquell des Königtums, sondern auch als mythische nubische Heimat des Sonnenauges (*Kat. 181*) und damit aller großen Göttinnen.

Wenn in alten Zeiten der Felspfeiler sowohl als königliche als auch göttliche Stirnschlange gesehen wurde, lag es auf der Hand, die gerundete Silhouette des Gebel Barkal über der Wüstenebene als Haupt eines Königs oder Gottes aufzufassen, an dem diese Uräen saßen. Von Osten erschien dann der Gebel Barkal als Königskopf im Profil, der die „Kappenkrone" trug (*Abb. 35*), von Westen als Götterkopf – dem Gottesfürchtigen ein Beweis für den Sitz Gottes im Heiligen Berg. In ein eindrucksvolles Naturbild umgesetzt bestätigte sich hier auch die Grundvorstellung der wechselseitigen Bedingtheit von Gott und König (vgl. *Kat. 169*).

Vorhergehende Seite: Abb. 29   Luftbild vom Gebel Barkal.
(Foto: Courtesy of Enrico Ferorelli)

Abb. 30   Tempelareal am Gebel Barkal, CAD-Simulation

Abb. 31   Tempelareal am Gebel Barkal.
(Foto: Courtesy of Enrico Ferorelli)

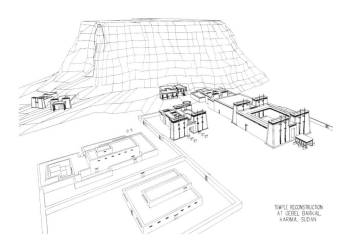

Trotz seines primär weiblichen Charakters hat der Uräus auch einen männlichen, phallischen Aspekt (*Kat. 225*), der sich auch im Felspfeiler des Gebel Barkal wiederfindet[61]. Der Betrachter erkannte in der Felsnadel als Phallus ein Zeichen der Präsenz Amuns, des Schöpfergottes in seinen vielen Namen und Gestalten: Re-Atum und Kamutef als Urgott und Sonnengott, Min und Osiris als Fruchtbarkeitsgott, Amen-em-ipet als göttlicher Vater des Königs. Der Gebel Barkal wurde somit zu einem südlichen Heliopolis, zu einem Urhügel, über dem das allererste Mal die Sonne aufgegangen war und auf dem der aus sich selbst entstandene Weltschöpfer durch Masturbation seine ersten Kinder, Schu und Tefnut, geschaffen hatte[62]. Als Stätte des Osiris war der Gebel Barkal ein Ort der Erneuerung allen Lebens und Geburtsstätte des ersten irdischen Königs und des Königtums an sich. Als Stätte des Schöpfers Amun wurde der Heilige Berg zum Geburtsort des regierenden Königshauses. Durch ein Wortspiel zwischen *i'rt*, „der Erhobene" als Bezeichnung des Uräus, und *irt*, „Auge", flossen all diese Vorstellungen in eins zusammen. Rückwärts gelesen waren diese Wörter magische Verschlüsselungen des Namens des Sonnengottes Re[63]. Der Gebel Barkal war durch all diese Vorstellungen eingesponnen in ein Gewebe vielschichtiger Bedeutungen.

Vor dem Hintergrund dieser machtvollen Theologie und der altehrwürdigen königlichen Inschriften des Neuen Reiches am Gebel Barkal konnten sich die napatanischen Könige rühmen, Garanten des uranfänglichen, lange verlorenen Königtums zu sein, das keinem anderen Herrscherhaus ihrer Zeit zustand. Ihre Zeit war somit eine Wiederholung des Ersten Males, der Uranfänge, und alles, was mit dieser Tradition zu tun hatte, war verehrungswürdig und mußte wiederbelebt werden[64].

Historische Ereignisse wurden im ägyptischen Königsdogma oft mit mythologischen Begebenheiten verknüpft. So war für das kuschitische Königshaus seine nubische Herkunft eine besondere Auszeichnung; denn die nubischen Könige und Königinnen konnten sich in Ägypten in überzeugender Weise als lebende Manifestationen der ersten Kinder des Urgottes, als Schu und Tefnut, ausgeben, die im Mythos vom Sonnenauge eng mit Nubien verbunden waren[65]. Wie einst in mythischer Vorzeit der Gott Schu nach Nubien ausgesandt worden war, um seine Schwester Tefnut nach Ägypten zurückzuführen, wo sie der Uräus des Sonnengottes wurde, so sandten nun die kuschitischen

Abb. 32   Relief im Tempel von Abusimbel: Amun im Heiligen Berg. (Zeichnung: Peter D. Manuelian)

Abb. 33   Felspfeiler am Südabhang des Gebel Barkal von Osten. (Foto: T. Kendall)

Abb. 34   Relief im Tempel B 300 am Gebel Barkal. Taharqa und Königin opfern vor Amun und Mut im Gebel Barkal

Könige ihre Schwestern als „Gottesgemahlinnen des Amun" vom Gebel Barkal nach Theben, um dort den Götterkönig zu heiraten und seine lebenden Uräen zu werden. Der Schu-Tefnut-Mythos ist in den Tempeln am Gebel Barkal besonders häufig erwähnt (vgl. *Kat. 287*). Die Gottesgemahlinnen des Amun werden häufig mit Tefnut und dem Sonnenauge in Verbindung gebracht[66], und die kuschitischen Könige lassen sich seit Taharqa am Gebel Barkal in Statuen darstellen, die die vierfache Federkrone des Schu tragen[67]. Zur Zeit des Taharqa müssen diese und andere Mythen bis ins Detail ausformuliert gewesen sein, um der Nubien-orientierten Propaganda des Königshauses zu Diensten zu sein und in jährlichen Weihespielen aktualisiert zu werden, in denen der König und die königliche Familie die Darsteller waren.

Abb. 35   Silhouette des Gebel Barkal – einem Kopfumriß mit Uräusschlange ähnlich. (Foto: T. Kendall)

Taharqas 26 Regierungjahre waren die Blütezeit der kuschitischen Dynastie. Als Sohn des Piye von einer Nebenfrau kam er in jungen Jahren nach Ägypten. Nach einer glänzenden Militärlaufbahn folgte er als Zweiunddreißigjähriger im Jahr 690 v. Chr. dem König Schebitqu auf dem Thron. Im ersten Jahrzehnt seiner Regierung errang er große Siege über Libyer und vorderasiatische Völker, hielt die Oasen der Westwüste unter seiner Kontrolle und verstärkte den ägyptischen Einfluß auf die Häfen an der phönikischen Küste[68].

Von Tanis im Norden bis nach Meroë im Süden hat er Bauten errichtet, die nicht nur durch ihre Schönheit und Originalität, sondern vor allem durch die Kühnheit ihres Plans auffallen. Sein Kiosk im ersten Hof des Karnak-Tempels mit den 20 m hohe Säulen stellt Taharqa in die große Tradition der Weltherrscher des Neuen Reiches[69]. Sein Tempel am Heiligen See in Karnak läßt Taharqas Interesse an theologischen Fragen und an den Geheimnissen des Wesens des Amun erkennen[70]. Sein spezielles Anliegen war die Stiftung neuer Tempel für Amun in seiner nubischen Heimat, und durch seine Bautätigkeit gewannen die Provinzstädte Obernubiens erheblich an Bedeutung, unter ihnen Kasr Ibrim, Buhen, Semna, Sedeinga, Pnubs (Tabo), Gem-Aten (Kawa), Sanam, Napata (Gebel Barkal) und Meroë[71]. Der Erfindungsreichtum seiner Architekten zeigt sich besonders eindrucksvoll im Tempel B 300 am Gebel Barkal mit seinen 4 m hohen Bes-Pfeilern[72]. Als Symbol des Mutterleibes unmittelbar hinter dem Phallussymbol der Felsnadel bildete dieser Tempel direkt am Fuß dieses monumentalen Uräus einen Schrein für die Göttin des Auges des Re. Seine kühnsten Pläne jedoch verwirklichte Taharqa mit einer Inschrift, die er mit Goldblech verkleidet an der unzugänglichen Spitze der Felsnadel 74 m über dem Tempelniveau anbringen ließ; direkt unter der Inschrift ließ er eine heute verlorene kleine Statue aufstellen[73]. Ohne Zweifel wollte er damit sich und sein Königshaus auf immer und ewig mit diesem zentralen Symbol königlicher Macht im Niltal gleichsetzen.

Die zweite Hälfte der Regierung des Taharqa sieht weniger glückliche Tage. Seine beiden Vorgänger hatten die assyrischen Könige herausgefordert, indem sie sich mit den Kleinkönigen in Palästina, Phönikien und Juda verbündeten, um die Ostgrenze zu sichern. Der Erfolg blieb aus. 674 v. Chr. hatten die Assyrer alle Vasallen Taharqas unterworfen und konzentrierten nun ihre Angriffslust auf Ägypten selbst. Fast alljährlich fielen sie in Ägypten ein, und im Jahr 669 zwangen sie Taharqa zu einem schimpflichen Rückzug nach Napata, das er wohl seit seiner Jugend nicht mehr gesehen hatte. Sein Heer, seine ägyptische Hauptstadt, seine Hauptgemahlin und seine Söhne verlor er an den Feind[74]. Fünf Jahre später starb er.

In keinem seiner Bauwerke hat Taharqa die Grenzen von Mythos und Wirklichkeit stärker ineinander fließen lassen als in seiner Pyramide, die er nicht mehr in el-Kurru, sondern an dem von ihm begründeten neuen Königsfriedhof 10 km im ONO des Gebel Barkal auf dem anderen Nilufer errichten ließ[75]. Es war mit 50–60 m Höhe die größte Pyramide, die jemals im Sudan errichtet worden war; trotz ihres steilen Neigungswinkels hatte sie in ihrer gewaltigen Baumasse ihr Vorbild in den Pyramiden des Alten Reiches. Der Plan der unterirdischen Räume unterscheidet sich von allen Vorgänger- und Nachfolgebauten. Er stellt ein nahezu exaktes Duplikat des Osireions, des symbolischen Osirisgrabes dar, das Sethos I. in Abydos errichtet hatte[76]. Nach ägyptischem Glauben wurden alle verstorbenen Könige zu Osiris, dem mythischen König der Vorzeit, der von seinem Bruder Seth ermordet worden war; in Taharqas Grabplan drücken sich jedoch ganz besondere Bestrebungen aus, mit dem tragisch geendeten Gott identisch zu werden.

Die entsetzliche Niederlage Taharqas und die Verwüstung Ägyptens durch die Assyrer waren traumatische Erlebnisse, wie sie Ägypten nie zuvor gesehen hatte. Für die Unterlegenen ließ sich diese Katastrophe nicht anders erklären als durch die Wiederholung mythischer Ereignisse längst vergangener Zeiten; die Kräfte des Chaos schienen in den Beiden Länder wieder zum Leben erwacht zu sein, und der Tod Taharqas wurde zum Jüngsten Tag der Ermordung des Osiris. In der Bestattung Taharqas in seinem Osirisgrab unter der Pyramide drückte sich jedoch auch die Gewißheit aus, daß sein Tod nicht das Ende, sondern ein Neubeginn war; wie einstmals Osiris, so würde auch Taharqa von einem Sohn oder Nachfolger gerächt werden, von einem Lebenden Horus, der die Bösewichter vertreiben und Maat im ganzen Land wiederherstellen würde[77].

Taharqas Pyramide in Nuri wurde auf dem linken, also theoretisch auf dem Westufer des Nils errichtet, der Seite des Sonnenunterganges und des Todes; bedingt durch die große Nilschleife liegt dieses Ufer hier jedoch im Osten, der Seite des Sonnenaufgangs und der Wiedergeburt. Vom Gipfel des Gebel Barkal aus gesehen liegt die Pyramide des Taharqa an der Stelle des Sonnenaufgangs zur Zeit der Sommersonnenwende, wenn der Nil alljährlich beginnt, anzuschwellen und das Land zu überschwemmen[78]. Von Nuri aus gesehen ging die Sonne zur Zeit der Wintersonnenwende über dem Gebel Barkal unter. Diese kosmischen Achsenbeziehungen schufen ein bedeutungsvolles Gefüge, in dem für den toten König und das Herrscherhaus aus Tod, Finsternis und Niederlage neues Leben, Licht, Sieg und Dauer entstehen konnten.

Die einstige Größe ließ sich jedoch nicht wiedergewinnen. Taharqas Nachfolger, Tanwetamani (um 664–656 v. Chr.), ein Sohn des Schabaqa, konnte zwar im Jahr 663 v. Chr. noch einmal wie sein Vater und sein Onkel Ägypten zurückgewinnen[79], doch kamen die Assyrer ein Jahr später zurück und vertrieben ihn und das Königshaus endgültig aus Ägypten. Die Verwüstung Thebens durch die Assyrer war ein Schock, von dem sich der Amun-Kult nie mehr erholte. Oberägypten wurde mit Hilfe und Billigung der Assyrer von den Saïten besetzt; die Gottesgemahlin Schepenupet II., die Schwester Taharqas, mußte die Tochter des saïtischen Königs Psametich adoptieren – überraschend für die kuschitischen Theologen und schmerzlich für das Königshaus, das nun im fernen Napata lebte[80]. Wie war das alles zu verstehen? Wollte Amun seine Welt neu geordnet wissen, mit Napata als nördlicher und Meroë als südlicher Hauptstadt, mit dem von ihm gestifteten Königtum, das sein Reich künftig am mittleren und oberen Nil haben sollte?

Für Generationen sollte dieses Herrscherhaus noch Bestand haben, weitab von der Welt des Mittelmeers. Die ehrwürdigen Traditionen Altägyptens wurden vom Königshaus bewahrt und gepflegt – aus dem Glauben heraus, daß sie, die kuschitischen Könige, die einzigen legitimen Hüter und wirklichen Söhne des Gottes vom Heiligen Berg waren, des Schöpfers allen Königtums auf Erden. Für die Griechen, die nun nach Ägypten strömten, war Nubien nur noch die Legende von einem fernen „Äthiopien", von einem Volk „untadeliger Männer", die Ägyptens Kultur geboren hatten. Osiris war ein „Äthiopier", der Ägypten kolonisiert hatte, und „Äthiopien" wurde zum Gottesland schlechthin. Von ferneher klingen hier die großen religiösen Traditionen von Napata und vom Gebel Barkal nach[81].

164
Tempelrelief

Sandstein; H. 33,9 cm, Br. 55 cm, T. 13,5 cm
Aus Karnak, Kapelle T südöstlich des Heiligen
Sees
Preußische Ägypten-Expedition, 1843
25. Dynastie, 698–690 v. Chr.
Berlin, Ägyptisches Museum und Papyrus-
sammlung 1480/8

Während des Neuen Reiches geht die
kulturelle Autonomie Nubiens und des
Sudan unter starkem ägyptischen Einfluß unter. Mit dem Erstarken der kuschitischen Dynastie verkehrt sich dieses
Verhältnis, und die Präsenz eines neuen
Königshauses vom Gebel Barkal hinter-
läßt nachhaltige Spuren auch in Ägypten.
Die Menschendarstellung in der Kunst
dieser Zeit ist vom ethnischen Typus der
Herrscher von Napata geprägt. Die Reliefs zeigen Figuren mit stämmigen Proportionen, gedrungenen Hälsen, kräftigem Kinn, vollen Lippen, stumpfer Nase
und niederer Stirn.
In den Reliefs aus der Amun-Kapelle
beim Heiligen See in Karnak, unter König Schebitqu entstanden, entwickelt sich
ein Dialog zwischen einer archaisieren-
den Strenge in der Komposition und in-
novativen Entwicklungen im stilistischen
Bereich.

Lit.: PM II/2, 223; R. Lepsius, Denkmäler aus
Aegypten und Aethiopien, V,4(c); J. Leclant,
Recherches sur les monuments thébains de la
XXVe dynastie dite éthiopienne, Kairo, 1965,
XXI, 59–61, § 16, Tf. XXXVI

165
Tempelrelief

Sandstein; H. 33,2 cm, Br. 54,5 cm, T. 16,1 cm
Aus Karnak, wie *Kat. 164*
25. Dynastie, 698–690 v. Chr.
Berlin, Ägyptisches Museum und Papyrussammlung 1480/9

Den Reliefblock *Kat. 164* mit der Darstellung der Göttin Mut und (rechts an-
geschnitten) des Gottes Amun ergänzt
die des Königs Schebitqu. Sie zeigt mehrere für die Kuschiten typische Neuerun-
gen im Königsornat. An der eng anliegenden 'Kuschitenkappe' sitzen über der
Stirn zwei Uräusschlangen, deren Leiber
über den Scheitel zum Hinterkopf laufen. Ein großer Ohrring hat die Form
eines Widderkopfes. Einer der beiden
Uräen ist nach Ende der Kuschitenzeit
abgearbeitet worden, um die Darstellung
wieder mit der traditionellen ägyptischen
Königstracht in Einklang zu bringen.
Der kuschitische Stil des Gesichts blieb
von dieser Korrektur unberührt.

Lit.: PM II/2, 223; Lepsius, o. c., V,2(b), 4(c);
Leclant,o. c.; ders., in: LÄV, 1984, 517, Anm. 19

166
Inschriftfragment

Kalkstein; H. 46 cm, Br. 22 cm, T. 8 cm
Aus Mitrahina, Kapelle Sethos' I. (Anbau)
25. Dynastie, 713/12–698 v. Chr.
Berlin, Ägyptisches Museum und Papyrussammlung 31235

„Der Sohn des Re Schabaqa, geliebt von
Ptah", lautet der nur teilweise erhaltene
Text auf dem Inschriftfragment, das im
Bereich des Ptahtempels von Memphis
gefunden wurde. Er ist eines der seltenen
Zeugnisse für die Präsenz der kuschiti-
schen Könige im Norden Ägyptens.

Lit.: PM III/2, 843; Leclant, in: Orientalia 20,
1951, 136; Katalog Ägyptisches Museum Berlin,, 1967, 96, Nr. 957; Habachi, in: Göttinger
Miszellen 31, 1979, 49f., 55, Tf. I; Leclant, in:
MDAIK 37, 1981, 298f., Tf. 44a,b

167
Tempelrelief

Sandstein; H. 67,4 cm, Br. 67,8 cm, T. 9 cm
Aus Karnak, Ptahtempel, Südwand des 2. Tores
25. Dynastie, 713/12–698 v. Chr.
Berlin, Ägyptisches Museum und Papyrussammlung 2103

Von einem Torbau, den König Schabaqa
vor den Tempel des Ptah in Karnak baute, kommt dieses Relief, das den König
beim Opfer zeigt. In traditioneller Haltung und Gewandung hebt er die kugeligen Weingefäße hoch. Die Beischriften
sind in klassischen Hieroglyphenformen
sorgfältig gemeißelt. Nur die Kopfbedek-
kung des Schabaqa, die Kuschitenkappe
mit doppeltem Uräus, und der Stil von
Körper- und Gesichtsbildung verraten
die kuschitische Identität des Pharao.

Lit.: PM II/2, 197; Leclant, Recherches (vgl. *Kat.
164*), 38 (E), 40, Tf. XV.B; Wenig, in: AiA II,
162, Nr. 70; Priese, in: Katalog Das Ägyptische
Museum Berlin, Mainz 1991, 257, Nr. 156

168
Sphinxfigur der Schepenupet II.

Schwarzer Granit; H. 46,5 cm, L. 82 cm
Aus Karnak; in Bruchstücken im Heiligen See
gefunden
1879 erworben
25. Dynastie, 670–660 v. Chr.
Berlin, Ägyptisches Museum und Papyrussammlung 7972

Als Repräsentantinnen des kuschitischen
Königshauses nahmen die Gottesgemah-
linnen des Amun nicht allein kultische
Funktionen wahr. Schepenupet II., Toch-
ter des Königs Piye und Schwester des
Königs Taharqa, spielte auch politisch
eine bedeutende Rolle.
In ihrer Sphinxfigur präsentiert sie eine
Vase mit dem Widderkopf des Amun.
Die menschlichen Hände und Arme am
Löwenleib sind eine seit dem späten Al-
ten Reich belegte seltene Variante des
Sphinxtypus. Die Frisur mit den einge-
rollten Zöpfen ist eine archaisierende
Wiederaufnahme einer Perückenform

des Mittleren und frühen Neuen Reiches. Die rauh belassenen Partien der
Perücke haben die Form eines Geierbal-
ges und waren ursprünglich vergoldet.
In dieses Geflecht aus Rückgriffen auf
alte Traditionen ist ein Gesicht gesetzt,
das die kuschitische Heimat der Schepenupet nicht verleugnet.

Lit.: PM II/2, 280; Leclant, o. c., 129f., § 36
(O), 248, 362, 376, 382; Wenig, in:
Cl. Vandersleyen (Hrsg.), Das alte Ägypten (=
Propyläen Kunstgeschichte 15), Berlin 1975,
410, Tf. 412; Leclant, in: The image of the black
in western art, New York 1976, 111, 115,
Abb. 112; Priese, in: Katalog Das Ägyptische
Museum Berlin, Mainz 1991, 170, Nr. 101; D.
Wildung, Ägyptische Kunst in Berlin, Berlin
1993, 44f., Abb. 35

169
Kopf einer Statue des Schabaqa

Quarzit; H. 46cm
Angeblich aus Memphis
Geschenk von Wilhelm Esch
25. Dynastie, 713/12–698 v. Chr.
München, Staatliche Sammlung Ägyptischer
Kunst ÄS 4859

Das offenkundige Bemühen der Könige
der Kuschitenzeit, an die Traditionen der
großen Vergangenheit Ägyptens anzuknüpfen, die sie als ihre eigene Geschichte interpretierten, erschwert bisweilen die
Unterscheidung zwischen archaisierender Nachschöpfung und altem Vorbild
(vgl. *Kat. 40*).
Dieser lebensgroße Quarzitkopf wurde
zunächst als ein Werk des Alten Reiches
angesehen, zumal der Inschriftrest „Ne-
fer ... Re" auf dem Rückenpfeiler die
Ergänzung des Königsnamens zu Nefer-
ir-ka-Re oder zu Nefer-ef-Re, Herrscher
der 5. Dynastie (um 2450 v. Chr.), ermöglicht.
Doch sind die stilistischen Einzelheiten
des Gesichts, der vorspringende Mund,

die stark ausgeprägten Backenknochen
und die niedere Stirn, klare Indizien für
eine Datierung in die kuschitische Dynastie. Zudem ist über der Stirn deutlich
der Doppeluräus zu erkennen – ein sicheres Indiz für die Kuschitenzeit. Das
Problem der Inschriftreste ist leicht zu
lösen: König Schabaqa trägt – in archai-
sierendem Rückgriff auf den Namen des
Königs Pepi II. aus der 6. Dynastie – den
Thronnamen Nefer-ka-Re.
Die Sonnenscheibe über dem Königskopftuch identifiziert den König mit
dem Sonnengott; hierfür hat Ramses II.
(vgl. *Kat. 143*) das Vorbild geliefert.

Lit.: Müller, in: Pantheon XVIII, 1960, 109–
113; E. Russman, in: Brooklyn Museum Annual,
X, 1968/69, 90f., Abb. 1–3; dies., The
representation of the king in the XXVth dynasty,
Brüssel 1974, 13, 34, 45f., Abb. 2; Leclant, in:
The image of the black in western art, New York
1976, 92, Abb. 69; Katalog Staatliche Sammlung
Ägyptischer Kunst München, München 1976,
42, Nr. 23; S. Schoske (Hrgb.), Staatliche Sammlung Ägyptischer Kunst München, Mainz 1995,
36, Abb. 33

170
Kniefigur eines Königs

Bronze; H. 15,5 cm (ohne Zapfen)
Herkunft unbekannt
25. Dynastie, 690–664 v. Chr.
Berlin, Ägyptisches Museum und Papyrussammlung 34393

Der kniende Beter oder Opfernde ist ein
altes Motiv der ägyptischen Kunst. Auch
der König unterstellt sich in dieser Haltung demütig der Übermacht Gottes. In
den vor dem Körper erhobenen Händen
hielt die Figur ein kleines Götterbild,
eine Opfergabe oder eine Opferplatte.
Während sich die Gesichtsbildung kaum
vom konventionellen ägyptischen Stil
entfernt, sind die Proportionen des Körpers mit seinen breiten Schultern typisch
kuschitisch. Bei genauem Hinsehen lassen sich in schwachen Spuren die sorgfältig entfernten Embleme des kuschitischen Königs erkennen, der Doppeluräus, zum Einzeluräus umgearbeitet, die
Kordel um den Hals, an der drei Widderköpfe hingen, die Kronenbänder auf dem
Rücken.
Die auf die Kuschiten folgende Dynastie
ägyptischer Herrscher aus Saïs bemühte
sich um die Auslöschung aller Spuren
dieser aus ägyptischer Sicht fremden
Herrscher aus dem Süden.

Lit.: Settgast, in: H.-G. Wormit (Hrgb.), Neuerwerbungen für die Sammlungen der Stiftung
Preußischer Kulturbesitz in Berlin, Berlin 1976,
4, Nr. 9: Katalog Ägyptisches Museum Berlin,
Berlin 1989, 118f., Nr. 61

171
Kniefigur des Königs Taharqa

Bronze; H. 15,5 cm (ohne Zapfen)
Herkunft unbekannt
25. Dynastie, 690–664 v. Chr.
Berlin, Ägyptisches Museum und Papyrussammlung 34397

Bei der Tilgung der typisch kuschitischen
Einzelformen der Kniefigur *Kat. 170*
wurde auch der Königsname auf der
Gürtelschließe ausgekratzt. Obwohl auch
die zweite Figur einer radikalen Entfernung des Halsschmucks und des Doppeluräus unterzogen wurde, blieb der
Name des Königs Taharqa auf dem Gürtel erhalten.
Stärker als bei der Kniefigur mit der hohen oberägyptischen Krone kommt bei
der Figur mit der eng anliegenden Kuschitenkappe der südländische Charakter
des Gesichtes wie des gedrungenen Halses zum Ausdruck. Auf den Knien hielt
die Königsfigur wohl ein Opfergefäß.

Lit.: Settgast, o. c., 4, Nr. 8; D. Wildung, Ägyptische Kunst in Berlin, Berlin 1993, 45, Abb. 36

172
Amulett

Elektrum, grüner Stein; H. 7,2 cm, Br. 1,8 cm, T. 1,0 cm
Aus el-Kurru, Grab Ku 55 einer Nebenfrau des Königs Piye
Harvard University – MFA Boston-Expedition, März 1919, Fundnr. 19-3-1434d
25. Dynastie, 740–713 v. Chr.
Boston, Museum of Fine Arts 24.974

Ein Löwenleib mit Widderkopf und Flügeln, also ein 'Widdergreif', hockt auf einem Pfeiler mit ovalem Querschnitt und mit Palmblattbekrönung. Die eigenwillige Komposition stellt sicherlich eine Erscheinungsform des Gottes Amun dar, für den König Piye zu Beginn der Kuschitenzeit den großen Tempel am Gebel Barkal reaktivierte.
Das Amulett war Eigentum einer der Nebenfrauen des Königs.

Lit.: RCK I, 94, 97 mit Abb. 31f, 140, 144, Tf. LXI.A–C (Mitte); A. Wilkinson, Ancient Egyptian jewellery, 187, Abb. 71

173
Stele der Königin Tabiry

Granit; H. 30 cm, Br. 20 cm, T. 8 cm
Aus el-Kurru, Grab Ku 53 der Königin Tabiry, Kammer B
Harvard University – MFA Boston-Expedition, März 1919, Fundnr. 19-3-1366
25. Dynastie, 740–713 v. Chr.
Khartum, Nationalmuseum 1901

Grabstelen gehören – nach ägyptischem Vorbild – zur Grundausstattung kuschitischer Bestattungen. Sie standen entweder vor der westlichen Rückwand der Opferkapellen oder wurden der Bestattung beigegeben.
Die Stele der Königin Tabiry, einer Gemahlin des Piye und Tochter des Alara, des ersten Herrschers von Napata, bildet den Auftakt. Unter dem Bildfeld, in dem

Tabiry vor Osiris und Isis betend dargestellt ist, steht in neun Zeilen ein Opfergebet in altägyptischer Schrift und Sprache, in dem Tabiry neben dem Titel „große erste Königsgemahlin der Majestät des Piye" das eigenartige Beiwort „die Große der Fremdländischen" trägt.

K.-H. P.

Lit.: RCK I, 86f., 90 mit Abb. 29f., 144, Tf. XXX.A; Eide – Hägg – Pierce – Török, Fontes historiae Nubiorum, I, Bergen 1994, 119f.

174
Alabastron des Königs Aspelta

Kalzit-Alabaster; H. 14 cm, Durchm. 9,7 cm
Aus Meroë, Grab Beg. S 44
Harvard University – MFA Boston-Expedition, Februar 1921, Fundnr. 21-2-396
Napatanisch, 593–568 v. Chr.
Boston, Museum of Fine Arts 24.886

Die Gräber der königlichen Familienmitglieder der Begründer der Kuschitendynastie fanden noch nach zwei Jahrhunderten die Aufmerksamkeit und Fürsorge ihrer Nachfahren. Ein Alabastron des Königs Aspelta fand sich in einer frühen kuschitischen Pyramide im Südfriedhof von Meroë. Sie ist vielleicht Khaliut, einem Sohn Piyes, zuzuweisen. In einem Stelentext vom Gebel Barkal berichtet Aspelta, er habe für Khaliut eine Pyramide erbaut und mit Beigaben ausgestattet. Der hieroglyphische Text auf dem Horizontalband des Alabastrons beschreibt das Parfum, das in dem Gefäß aufbewahrt wurde: „Nimm dir den Schweiß des Re, damit dein Duft süß werde und dein Fleisch stark durch das, was aus Re kommt."

Lit.: PM VII, 259; RCK V, 374f, Abb. 202E; T. Kendall, Kush. Lost kingdom of the Nile, Brockton/Mass. 1981, 41, Nr. 50, Abb. 45; vgl. Mary, in: ZÄS 70, 1934, 36f.; vgl. Gänsicke, in: Journal MFA 6, 1994, 14–40

174/175/176

175
Alabastron

Kalzit-Alabaster; H. 17,7 cm
Aus el-Kurru, Grab Ku 52
Harvard University – MFA Boston-Expedition,
März 1919, Fundnr. 19-3-1055
25. Dynastie, 740–713 v. Chr.
Boston, Museum of Fine Arts 21.2613

Das Parfumgefäß wurde im Grab der Königin Nefru-ka-kaschta, einer Nebenfrau
von König Piye, gefunden. Seine Größe
und die sehr feine Bearbeitung der durchbohrten Schnurösen, an denen ein Ver-

schluß verschnürt werden konnte, heben
das Alabastron aus der Menge der Paral-
lelstücke heraus.

Lit.: Reisner, in: Bull. MFA XIX/112–113,
1921, 30; RCK I, 81, 82f., Abb. 28b,
Tf. XXXVIII.C (rechts)

176
Alabastron

Kalzit-Alabaster; H. 19 cm, Durchm. 9,4 cm
Aus el-Kurru, Grab Ku 55
Harvard University – MFA Boston-Expedition,
März 1919, Fundnr. 19-3-1447
25. Dynastie, 740–713 v. Chr.
Boston, Museum of Fine Arts 21.2612

Die Eigentümerin dieses schlanken Alabastrons war eine weitere Nebenfrau des
Königs Piye.

Lit.: Reisner, o. c.; RCK I, 93, 94f., Abb. 31d,
Tf. XXXVII.C (2. von rechts)

178
Amulett

Fayence; H. 6,6 cm, Br. 3,9 cm, T. 1,2 cm
Aus el-Kurru, Grab Ku 53, Grabschacht A
Harvard University – MFA Boston-Expedition,
März 1919, Fundnr. 19-3-1276
25. Dynastie, 740–713 v. Chr.
Boston, Museum of Fine Arts 24.698

Aus dem Grab der Königin Tabiry, Gemahlin des Piye (vgl. *Kat. 173*), stammt das Amulett einer nackten Göttin mit Flügelarmen. Sie sind in für diese Amulette typischer Weise nach unten abgeknickt. Auf die Arme sind Uräusschlangen aufgesetzt, deren Leiber sich auf der Rückseite der Flügel als Ritzzeichnung fortsetzen. Die Krone der Göttin besteht aus Kuhgehörn, Sonnenscheibe und Doppelfeder; sie ist für zu viele Göttinnen belegt, um aus ihr auf die Benennung dieser Gottheit schließen zu können.

Lit.: RCK I, 86, 87, 140, 144, Tf. L.A,B

177
Amulett

Fayence; H. 8,8 cm, Br. 5,7 cm, T. 2,9 cm
Aus Meroë
Oxford Excavations (Garstang) 1913
Napatanisch oder meroïtisch
Khartum, Nationalmuseum 690

In überaus großer Zahl wurden den Bestattungen im Königsfriedhof von el-Kurru Fayenceamulette von blaugrüner Farbe und außergewöhnlicher Größe beigegeben, wie sie auch von anderen Fundstätten her in Einzelexemplaren bekannt sind.
Das Amulett eines Widderkopfes mit Sonnenscheibe, um die ein Uräenband gelegt ist, wurde in Meroë gefunden.

Lit.: Wenig, in: AiA II, 184, Nr. 100

179
Amulett

Fayence; H. 7,1 cm, Br. 4 cm, T. 2 cm
Aus el-Kurru, Grab Ku 52, im Grabschutt
Harvard University – MFA Boston-Expedition,
März 1919, Fundnr. 19-3-1105
25. Dynastie, 740–713 v.Chr.
Boston, Museum of Fine Arts 24.676

Mit gutem Grund werden derartige Figuren als „pantheistisch" bezeichnet, da sie in sich viele verschiedene Formen des Göttlichen vereinen. Die nackte Zwergenfigur hält Messer in ihren Händen und steht auf einem Krokodil. Beiderseits der Unterschenkel hocken Löwen, auf den Schultern Paviane mit Mondsichel und Mondscheibe als Kopfputz. Auf dem Kopf sitzt ein Skarabäus. Auf der stelenförmigen Rückenplatte eingeritzt findet sich die Kniefigur einer Gottheit, die die Sonnenscheibe über sich hält.
Aus dem Grab der Nefru-ka-kaschta (vgl. *Kat. 175*).

Lit.: RCK I, 81, 139, 143, Tf. LIV.A,B (obere Reihe)

180
Amulett

Fayence; H. 9,4 cm, Br. 5,6 cm, T. 1,3 cm
Aus el-Kurru, Grab Ku 51, im Schutt des Schachtes
Harvard University – MFA Boston-Expedition,
März 1919, Fundnr. 19-3-1005
25. Dynastie, 740–713 v. Chr.
Boston, Museum of Fine Arts 24.706

Der falkengestaltigen Gottheit mit einem nach unten geöffnetem Flügelpaar ist eine Sonnenscheibe auf den Kopf gesetzt. Die Klauen halten Schen-Ringe, ein Ewigkeitssymbol.
Aus dem Grab einer Nebenfrau des Piye.

Lit.: RCK I, 78, 139, 144, Tf. LV.A (untere Reihe)

181
Amulett

Fayence; H. 7,8 cm, Br. 8,5 cm, T. 0,6 cm
Aus el-Kurru, Grab Ku 52, Boden oder Sargbank
Harvard University – MFA Boston-Expedition,
März 1919, Fundnr. 19-3-1061
25. Dynastie, 740–713 v. Chr.
Boston, Museum of Fine Arts 24.679

Auch dieses Amulett, das aus demselben Grab wie *Kat. 175* und *180* stammt, verdient das Attribut „pantheistisch". Im Udjatauge vereint es einen Skarabäus, zwei geflügelte Schangen, einen hockenden Gott mit Mondsichel und -scheibe und auf der Rückseite zwei Schlangen, eine Katze und einen Uräus.

Lit.: RCK I, 81f., Tf. LIII.A,B

178
180

179
181

182
Fuß eines Totenbettes

Bronze; H. 55 cm, Br. 14 cm, T. 30,5 cm
Aus el-Kurru, Grab Ku 72
Harvard University – MFA Boston-Expedition,
März 1919, Fundnr. 19-3-1544
25. Dynastie, 698–690 v. Chr.
Khartum, Nationalmuseum 1900

In der Grabkammer einer der Nebenfrauen des Königs Schebitqu fanden sich
in den dafür vorbereiteten Vertiefungen
einer Steinbank, auf der die Tote bestattet wurde, zwei bronzene Füße des Totenbettes.
Den unteren Teil der Bettfüße bildet ein
Kasten auf quadratischem Grundriß und
mit leicht geböschten Wandungen. Auf
allen vier Seiten ist eine breite Rahmen-
leiste um ein Büschel Papyruspflanzen als
zentrales Motiv gelegt. Das Pflanzenmo-
tiv folgt exakt der klassischen Hierogly-
phenform. Auf allen vier Seiten sind die
Wände dieses Kastens an mehreren Stellen rostig korrodiert. Hier sind Stifte aus
anderem Metall, vielleicht Nägel, durch
die Wandung getrieben gewesen.
Den oberen Abschluß des vierkantigen,
hohl gearbeiteten und nach oben an Breite zunehmenden Fußes bildet ein Halbrund. Der Bettfuß ist hier auf allen vier
Seiten von quadratischen Öffnungen
durchbrochen, durch die die Balken des
Bettgestells geführt wurden.

Lit.: Reisner, in: Bull. MFA XIX/112–113,
1921, 21–38; RCK I, 103f., 107, Abb. 35 a,f;
141f., Tf. LVIII.B; Wenig, in: AiA II, 179
(Nr. 91)

183
Fuß eines Totenbettes

Bronze; H. 56,1 cm, Br. 13 cm, T. 30,5 cm
Aus el-Kurru, Grab Ku 72
Harvard University – MFA Boston-Expedition,
März 1919, Fundnr. 19-3-1544
25. Dynastie, 698–690 v. Chr.
Boston, Museum of Fine Arts 21.2815

Der obere Teil des Bettfußes wächst aus
dem Rücken der rundplastisch geformten Figur einer Gans. Sie hockt geduckt
auf dem Basiskasten. Ihr Gefieder ist
nach dem Guß fein ziseliert worden. Der
Kopf mit dem spitzen Schnabel stellt
eine außergewöhnlich feine künstlerische
und technische Arbeit dar.
Die inhaltliche Deutung des Motivs
kann sich auf die seit dem Neuen Reich
in Ägypten belegte Erscheinungsform
des Gottes Amun als Gans beziehen.
Außerdem äußert bereits in den Pyrami-
dentexten des Alten Reiches der Tote den
Wunsch, als Gans zum Himmel aufzu-
steigen, und in den Königsgräbern des
Neuen Reiches sind hölzerne Figuren
von Gänsen im Kontext der Götterfiguren gefunden worden, die in Schreinen
dem Toten mit auf die Jenseitsreise gegeben wurden.

Lit.: Reisner, o. c.; RCK I, o. c.; D. Dunham, The
Egyptian Department and its excavations, Bo-
ston 1958, 107, 110, Abb. 79; W. St. Smith,
Ancient Egypt as represented in the Museum of
Fine Arts, Boston 1960, 171, Abb. 108; Wenig,
in: AiA II, 46, 179, Nr. 91

184
Ohrring

Gold; H. 5,4 cm, Br. 3,1 cm, T. 2,05 cm
Aus el-Kurru, Tumulus 2
Harvard University – MFA Boston-Expedition,
März 1919, unreg. Nr. 4
900–850 v. Chr. („Generation A")
Khartum, Nationalmuseum 15171a

Aus einem der frühesten Gräber der später zum Königsfriedhof aufsteigenden Nekropole von el-Kurru fanden sich in ihrem Gewicht eindrucksvolle, in ihrer Ausführung jedoch primitive Schmuckstücke. Der Ohrring besteht aus einem massiven Goldklumpen, an den eine Öse angearbeitet ist.

185

Lit.: Reisner, o. c., 29; RCK, o. c. 15f., Abb. 2c, Tf. LVII.B 3,4; A. Wilkinson, Ancient Egyptian jewellery, London 1971, 190, Abb. 75

185
Fingerring

Gold; Durchm. 2,9 cm
Aus el-Kurru, Tumulus 2
Harvard University – MFA Boston-Expedition,
März 1919, unreg. Nr. 3
900–850 v. Chr.
Khartum, Nationalmuseum 15171b

Der Ring wurde zusammen mit dem gewichtigen Ohrring Kat. 184 gefunden.

Lit.: Reisner, o. c.; RCK, o. c.

186
Räuchergefäß

Gebrannter Ton; H. 11,4 cm, Durchm. 16,5 cm
Aus Sanam, Grab 1120
900–800 v. Chr.
Berlin, Ägyptisches Museum und Papyrussammlung 7870

Der Gefäßtyp hat Parallelen in den frühesten Gräbern des königlichen Friedhofs von el-Kurru (Tumulus 5).

Lit.: Griffith, in: LAAA 10, 166, Tf. XVI. Vgl. Boston MFA 21.11912 aus el-Kurru, Tum. 5, Fundnr. 19-3-601; Heidorn, in: Journal of the American Research Center in Egypt 31, 1994, 118, 120

186

187
Udjat-Augen

Gold; H. 1,0 cm, Br. 1,4 cm, T. 0,4 cm
Aus el-Kurru, Grab Ku 15, im Raubschutt der Kammern A und B
Harvard University – MFA Boston-Expedition,
März 1919, Fundnr. 19-3-166
25. Dynastie, 713/12–698 v. Chr.
Boston, Museum of Fine Arts 21.357 a–e

Die längs durchbohrten goldenen Udjataugen aus dem Grab des Königs Schabaqa sind Elemente einer Halskette; zwei silberne Udjataugen gehören wohl zu demselben Ensemble.

Lit.: RCK I, 56, 137, 142, Tf. LVI.A (obere Reihe)

188
Amulett

Gold; H. 1,5 cm, Br. 0,3 cm, T. 0,9 cm
Aus Meroë, Westfriedhof, Grab Beg. W 832
Harvard University – MFA Boston-Expedition,
1923, Fundnr. 23-M-626
25. Dynastie, 700–650 v. Chr.
Khartum, Nationalmuseum 2227

Aus einem der ältesten Gräber in der
später königlichen Nekropole von Meroë
stammt das winzige Figürchen der sitzenden Göttin Isis, die auf ihrem Schoß
das Horuskind hält. In dem Grab war ein
kleines Kind bestattet.

Lit.: RCK V, 25f., Abb. 18

Trotz seines kleinen Formats ist diese
Figur der Isis mit dem Horuskind überaus detailreich gearbeitet. Die Thronsei-
ten zeigen Flechtmuster und das traditionelle Motiv der Vereinigung der Beiden
Länder; die Göttin trägt zu ihrem engen
Kleid Fuß- und Armreifen, auf ihrem
Kopf einen Uräenkranz. Die kleine Horusfigur trägt die Doppelkrone. Selbst
typisch kuschitische Stilkriterien sind zu
erkennen: die breiten Schultern und der
gedrungene Hals.

Lit.: RCK V, 50f., Abb. 36d

188

189
Amulett

Gold; H. 3,2 cm, Br. 1,15 cm, T. 1,9 cm
Aus Meroë, Westfriedhof, Grab Beg. W 846
Harvard University – MFA Boston-Expedition,
1923, Fundnr. 23-M-656
25. Dynastie, 700–625 v. Chr.
Khartum, Nationalmuseum 2235

190
Amulett in Gestalt eines Schweines

Gold; H. 0,9 cm, Br. 1,2 cm, T. 0,35 cm
Aus Meroë, Westfriedhof, Grab Beg. W 506
Harvard University – MFA Boston-Expedition,
März 1923, Fundnr. 23-3-222
25. Dynastie, 700–625 v. Chr.
Khartum, Nationalmuseum 2220a

In der religiösen Ikonographie Ägyptens
ist das Schwein als Tier des Götterfein-
des Seth negativ besetzt. Sein gelegentli-
ches Vorkommen im Reich von Napata
(vgl. *Kat. 384*) läßt auf größere Wertschätzung als in Ägypten schließen.

Lit.: RCK V, 284. 287, Abb. 15.3

187

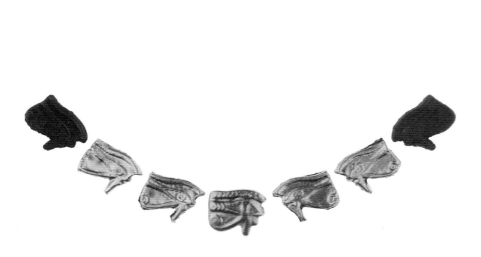

189

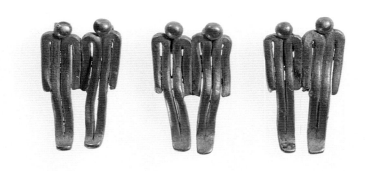

oben 190/191   unten 192

193

191
Goldklümpchen

Gold; H. 0,35 cm, Br. 0,65 cm, T. 0,95 cm
Aus Meroë, Westfriedhof, Grab Beg. W 506
Harvard University – MFA Boston-Expedition,
März 1923, Fundnr. 23-3-223
25. Dynastie, 700–625 v. Chr.
Khartum, Nationalmuseum 2220b

Mit dem Schweineamulett *Kat. 190* gehört das Goldklümpchen zu den Beigaben eines der ältesten Gräber im Friedhof von Meroë.

Lit.: wie *Kat. 190*

192
Drei Amulette

Gold; H. 1,2 cm, Br. 0,7 cm, T. 0,3 cm
Aus Meroë, Westfriedhof, Grab Beg. W 832
Harvard University – MFA Boston-Expedition
1923, Fundnr. 23-M-629
25. Dynastie, 700–650 v. Chr.
Khartum, Nationalmuseum 2229

Diese aus einem Golddraht gebogenen
Doppelfigürchen entsprechen in ihrer
Machart der Horusfigur von *Kat. 188.*

Lit.: RCK V, 25f., Abb. 18h

193

Zwei Amulette

Gold; H. 1,3 cm
Aus Meroë, Westfriedhof, Grab Beg. W 643
Harvard University – MFA Boston-Expedition,
März 1923, Fundnr. 23-M-314
25. Dynastie, um 650 v. Chr.
Boston, Museum of Fine Arts 23.368, 23.369

Differenzierter als bei *Kat. 192* zeigen
die massiven Goldfigürchen viele Details,
u. a. die geflochtene Kinderlocke und ein
Amulett auf der Brust.

194

Spielstein

Elektrum; H. 1,4 cm, Durchm. 1,0 cm
Aus el-Kurru, Grab Ku 13
Harvard University – MFA Boston-Expedition,
März 1919, Fundnr. 19-3-128
820–780 v. Chr.
Boston, Museum of Fine Arts 21.11910

Zahlreiche Parallelen aus Ägypten und
anderen Gräbern in el-Kurru und Meroë
legen es nahe, den aus einem Blech aus
Gold-Silber-Legierung (Elektrum) her-
gestellten Kopf einer jungen Gazelle als
Aufsatz eines Spielsteins aus Holz oder
Elfenbein in Stäbchenform anzusehen.
Die 'Köpfe' dieser Spielstäbchen aus
Edelmetall sind meist das Opfer von
Grabräubern geworden.

T. K.

194

Lit.: RCK V, 41,42, Abb. 28 (2. Reihe)

Lit.: RCK I, 51, Abb. 18f

195

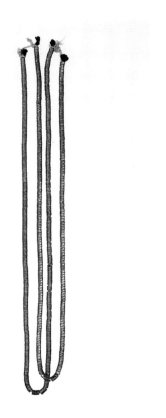

196/197

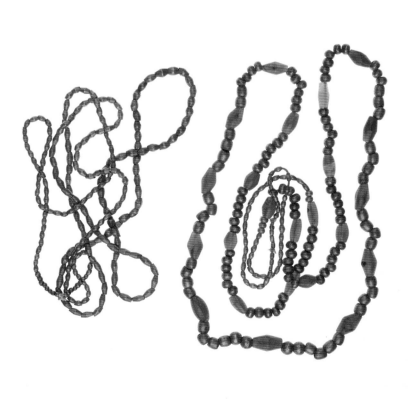

198

195
Halskette

Gold; L. 35,9 cm und 34,2 cm
Aus Meroë, Westfriedhof, Grab Beg. W 609
Harvard University – MFA Boston-Expedition,
1923, Fundnr. 23-M-151-4 und 23-M-157–8
25. Dynastie, 700–660 v. Chr.
Khartum Nationalmuseum 2241

Aus etwa 750 winzigen Goldperlen bestehen die beiden Stränge dieser Halskette, die im Grab einer Frau nahe deren
Gesicht gefunden wurde.

196
Halskette

Gold; L. 94 cm
Aus el-Kurru, Tumulus 4
Harvard University – MFA Boston-Expedition,
März 1919, Fundnr. 19-3-425/33
um 800 v. Chr.
Boston, Museum of Fine Arts 21.312

Die Elemente dieser Halskette wurden
im Schutt außerhalb eines geplünderten
Grabes gefunden, das zu den allerältesten
im Friedhof von el-Kurru gehört und
vielleicht bis ins 11. Jahrhundert v. Chr.
zurückreicht. Unter einem runden Oberbau aus Steinen liegt ein Schacht mit einer kleinen Felsenkammer.

T. K.

197
Halskette

Gold, Karneol; L. 95 cm
Aus el-Kurru, Tumulus 4
Harvard University – MFA Boston-Expedition,
März 1919, Fundnr. 19-3-425/426
um 800 v. Chr.
Boston, Museum of Fine Arts 21.310

Aus demselben Grab wie *Kat. 196* stam-
mend, gibt diese Kette einen Eindruck
vom Reichtum der weitgehend geraubten
Grabausstattung.

Lit.: RCK V, 38

Lit.: RCK I, 17f., 137, Abb. 3b

Lit.: wie *Kat. 196*

198
Gefäß

Bronze; H. 11,2 cm, Durchm. 12,4 cm
Aus Meroë, Südfriedhof, Grab Beg. S 155
Harvard University – MFA Boston-Expedition,
Februar 1921, Fundnr. 21-2-605
25. Dynastie, 745–655 v. Chr.
Boston, Museum of Fine Arts 24.900

Die fein eingeritzte Dekoration auf der
Außenseite des steilwandigen Bronze-
napfes erinnert in Thematik und Stil an
Darstellungen des ägyptischen Neuen
Reiches. Rings um eine vielblättrige Blüte, die den Gefäßboden bedeckt, zieht
sich ein Bildstreifen. Inmitten eines Pa-
pyrusdickichts hockt ein Horusfalke mit
einer Doppelkrone. Rechts schließt eine
Dumpalme an, an der ein Affe hochklet-
tert. Von rechts geht ein Pavian auf sie

zu. Unter hängenden Lotosblüten und
zwei Udjataugen folgt rechts eine Jagd-
szene: Ein Hund mit Halsband fällt eine
Antilope an; eine zweite Antilope setzt
über einen Dornbusch.
Die lebhafte Bewegung der Tierfiguren,
die genrehafte Szene der Affen an der
Palme lassen an Motive in thebanischen
Gräbern der 18. Dynastie denken. Die
Form des Gefäßes paßt jedoch weder in
diese Zeit noch nach Ägypten, sondern
ist kuschitisch und fügt sich in die Datierung des Grabes, aus dem das Metall-
gefäß stammt.
Auch der Text, der über einem breiten
Schuppenfries den Gefäßrand umzieht,
ist mit dem Neuen Reich nicht in Einklang zu bringen; es ist eine Beschwörung
gegen den bösen Blick.

Offenbar haben dem Entwerfer der Dekoration des Gefäßes Vorlagen älterer
Zeit zur Verfügung gestanden. Die Wege
ihrer Übermittlung bleiben unklar.

Lit.: RCK V. 358ff., Abb. 190d, 191; Hofmann
– Tomandl, in: Beitrag zur Sudanforschung, Beiheft 2, 1987, 34f., Abb. 2

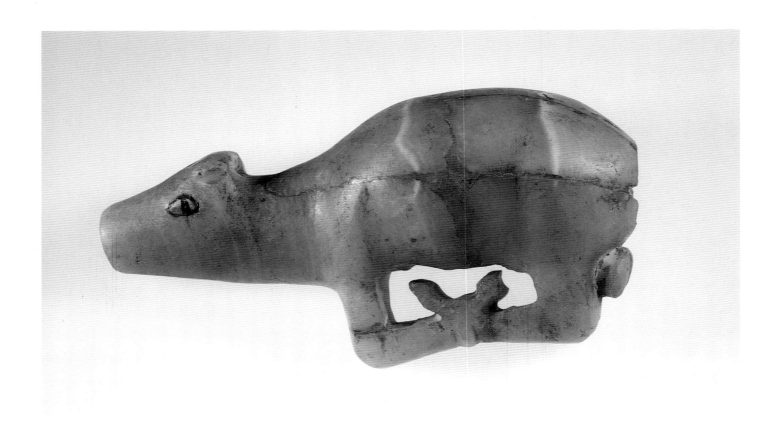

199
Figürliches Gefäß

Kalzit-Alabaster; H. 7 cm, Br. 5,5 cm, L. 14 cm
Angeblich aus Mitrahina (Memphis)
25. Dynastie, um 700 v. Chr.
München, Staatliche Sammlung Ägyptischer
Kunst ÄS 5331

Kalzit-Gefäße in Gestalt gefesselter Antilopen sind in der Kuschitenzeit mehrfach belegt. Mit der Darbringung von
Salbölen als Opfer wurde durch die Gestalt des Gefäßes gleichzeitig das in dem
Tier symbolisierte Böse vernichtet. Wie
die eingelegten Augen, so waren auch die
Hörner aus anderem Stein, z. B. Schiefer,
gearbeitet.

Lit.: Katalog Staatliche Sammlung Ägyptischer
Kunst München, München 1976, 198; S.
Schoske (Hrgb.), Katalog Schönheit, Abglanz der

Göttlichkeit. Kosmetik im alten Ägypten, München 1990, 95, Nr. 53. Vgl. Boston MFA
24.879: Wenig, in: AiA I, 83, Abb. 55; II, 186,
Nr. 102; T. Kendall, Kush. Lost kingdom of the
Nile, Brockton/Mass. 1981, 43, Nr. 54.

200
Bein einer Vogelfigur

Bronze; H. 25,5 cm, Br. 7,5 cm, T. 15,5 cm
Aus el-Kurru, Oberflächenfund zwischen Ku 9
und Ku 23
Harvard University – MFA Boston-Expedition,
März 1919, Fundnr. 19-3-554
Um 760 v. Chr.
Boston, Museum of Fine Arts 21.11911

Von den drei nach vorne weisenden und
der nach hinten gerichteten Kralle sind
die Spitzen abgebrochen; dennoch ist die
Form eines Vogelbeins eindeutig erkenn

bar. Das Bein war mit einem massiven
Metallzapfen auf einer Basis befestigt.
Aus der Größe des Fragments läßt sich
eine Vogelstatue von 50 bis 60 cm Höhe
erschließen.

Wahrscheinlich saß die Vogelfigur auf
einem der bei der Fundstelle gelegenen
frühen Pyramidengräber, die Alara und
seiner Gemahlin Kasaqa zugewiesen werden können. Von den späteren napatanischen und meroïtischen Pyramiden sind
Schlußsteine mit Lochpaaren zur Fixierung der Beine kleiner Statuen bekannt.
Man wird Ba-Statuen (vgl. *Kat. 306,
307*) annehmen dürfen, deren frühester
Beleg wohl in diesem Vogelbein vorliegt.
T. K.

Lit.: RCK I, 138

201–220
Uschebtis des Königs Taharqa

Serpentin, Granit, Kalzit-Alabaster, Kalkstein
H. 19,5–34,5 cm, Br. 7,5–12,5 cm;
T. 4,5–7,0 cm
Aus Nuri, Pyramide Nu 1
Harvard University – MFA Boston-Expedition,
Februar–März 1917
25. Dynastie, 690–664 v. Chr.
Boston, Museum of Fine Arts 20.225, 20.237,
20.242, 20 244, 21.2907, 21.2938, 21.2943,
21.2944, 21.2958, 21.2962, 21.2966,
21.2976, 21.2977, 21.2988, 21.2989,
21.3001, 21.3004, 21.3019, 21.3048,
21.3052

In ihren Bestattungsbräuchen orientieren
sich die kuschitischen Könige am Vorbild
Ägyptens. Sie übernehmen die Grabform
der Pyramide, der mumifizierte Leichnam wird in kostbaren Särgen beigesetzt,
zahlreiche Gefäße aus Ton, Stein und
Edelmetall gehören zur Grabausstattung.
Auch die Bereithaltung einer zahlreichen
Dienerschar für das Jenseits in Gestalt
von Uschebtis, seit dem Mittleren Reich
in Ägypten üblich, wird in den Königsgräbern von el-Kurru und Nuri prakti-
ziert.

König Taharqa hat entlang der Wände
der Grabräume unter seiner Pyramide in
Nuri in mehreren Reihen hintereinander
1070 Uschebtis aus Stein aufstellen lassen, viele von ihnen bis zu 60 cm hoch.
Dieses für Uschebtis ungewöhnlich große Format und die hohe künstlerische
Qualität der individuell gestalteten Gesichter machen Taharqas Uschebtis zu
wahrhaften Statuen, hochrangigen Werken der Bildhauerkunst.

Lit.: Dunham, in: Bull. MFA 49, 1951, 40–48;
RCK II, 1955, Abb. 197–208, Tf. CXL–CXLI;
T. Kendall, Kush. Lost kingdom of the Nile,
Brockton/Mass. 1981, 33–36

221

Menit des Königs Taharqa

Fayence; H. 9,7 cm, Br. 4,5 cm, T. 0,8 cm
Herkunft unbekannt
Bequest of B. Gedney Beatty, 1941
25. Dynastie, 690–664 v. Chr.
New York, The Metropolitan Museum of Art
41.160.104

Der altägyptische Ausdruck Menit bezeichnet den Teil eines Halsschmucks,
der als Gegengewicht zur eigentlichen
Halskette auf dem Rücken getragen wurde. Im oberen Bildfeld steht links die
Figur der löwenköpfigen Göttin Bastet,
die ein vor ihr stehendes nacktes Kind
umarmt und ihm die Brust reicht. Es ist,
wie die Doppelkrone auf seinem Kopf
zeigt und der Text auf der Rückseite er-
läutert, der König Taharqa, „geliebt von
Bastet".
Im unteren Bildfeld erscheint der König
– mit der gleichen Krone – als Falke,
beschützt von den Landesgöttinnen von
Ober- und Unterägypten, der geierge-
staltigen Nechbet und der schlangenge-
staltigen Uto. Von Bastet aufgezogen,
von den Landesgöttinnen behütet, ist der
kuschitische König ganz ins ägyptische
Königsdogma integriert.

Lit.: Leclant, in: Mélanges Mariette, BdE 32,
Kairo 1961, 251ff., Tf. Ia,b; Russmann, in:
Brooklyn Museum Annual, XI.2, 1969/70,
148f., Abb. 2–3; Fazzini, in: Iconography of
Religions, XVI/10, Egypt. Dynasty XXII–XXV,
1988, Tf. VI.3

222

Statue des Königs Tanwetamani

Granit, H. 205,5 cm, Br. Basis 46 cm, Br.
Schultern 59 cm, T. 83,7 cm
Vom Gebel Barkal, nördlich des I. Pylons von
B 500, teils wohl auch in B 905
Harvard University – MFA Boston-Expedition,
April 1916, Fundnr. 16-4-31
25. Dynastie, 664–655 v. Chr.
Khartum, Nationalmuseum 1846

Nördlich des ersten Pylons des großen
Amuntempels am Gebel Berkal wurde
ein Statuendepot ausgegraben, in dem
zahlreiche Statuen, die zur Ausstattung
des Tempels gehört hatten, abgelegt worden waren.

Die überaus dynamisch wirkende Statue
des Königs Tanwetamani, in mehrere
Stücke zerbrochen und heute kopflos,
folgt in ihrem formalen Aufbau dem traditionellen altägyptischen Schema der
Stand-Schreit-Figur, das Ruhe und Bewegung verbindet, „im Gehen stehend
und gehend im Stehen", wie es Thomas
Mann so meisterlich formuliert hat.

Stilistisch ist die Statue mit ihren breiten
Schultern und den langen, in ihrer Muskulatur kräftig durchmodellierten Beinen
ein ebenso repräsentatives Werk kuschitischer Künster wie in ihrer Ikonographie: Um den Hals ist eine Kordel ge-
schlungen, an der drei (später abgearbei-
tete) Widderköpfe hingen; die Handge-
lenkreifen und Sandalen waren über ihrer rauh belassenen Steinoberfläche vergoldet.

Die ägyptischen Inschriften auf Basis
und Rückenpfeiler nennen Tanwetamani,
den letzten über Ägypten herrschenden
kuschitischen König, „geliebt von Amun
von Napata".

Lit.: PM VII, 221; Reisner, in: JEA 6, 1920, 151,
253; ders., in: ZÄS 66, 1931, 82, Nr. 32–33;
Dunham – Macadam, in: JEA 35, 1949, 147,
Tf. XVI,76c; D. Dunham, The Barkal Temples,
Boston 1970, 17, 21, Abb. 8, Tf. XI

223

224

223
Widderkopf-Amulett

Gold; H. 4,2 cm, Br. 3,6 cm, Gewicht 65 g
Herkunft unbekannt; ehemals Sammlung
Tigrane Pascha
Geschenk des Norbert Schimmel Trust, 1989
25. Dynastie, um 650 v. Chr.
New York, The Metropolitan Museum of Art
1989.281.98

Die Ikonographie der kuschitischen Königsstatuen liefert den Kontext, in den
diese typisch kuschitische Amulettform
gehört. Der Widderkopf wurde als königlicher Schmuck an einem Halsband
auf der Brust getragen. Es verdient Beachtung, daß die Sonne auf dem Uräus
nicht als Scheibe, sondern als Kugel gestaltet ist.

Lit.: Daninos Pacha, Collection d'antiquités
égyptiennes de Tigrane Pacha d'Abro, Paris 1911,
18, Nr. 454, Tf. XLIX; Settgast, in: Katalog Von
Troja bis Amarna. The Norbert Schimmel
Collection, Mainz 1978, Nr. 252. Zum Schmuck-
motiv: E. Russmann, The representation of the king
in the XXVth dynasty, Brüssel 1974, 25–27

224
Widderkopf-Amulett

Gold; H. 1,7 cm, Br. 1,45 cm, T. 0,6 cm
Aus Meroë, Westfriedhof, Grab Beg. W 486
Harvard University – MFA Boston-Expedition,
März 1923, Fundnr. 23-3-117
25. Dynastie, 700–650 v. Chr.
Khartum, Nationalmuseum 2247

Aus gesichertem Grabungskontext stam-
mend, liefert das Amulett auch die Datierung für den stilistisch engst verwandten goldenen Widderkopf *Kat. 223*.

Lit.: RCK V, 14f., Abb. 11k,l

225

225
Schlangenfigur

Bronze; H. 7 cm
Vom Gebel Barkal, Tempel B 700
Harvard University – MFA Boston-Expedition,
März 1916, Fundnr. 16-3-225
25. Dynastie oder napatanisch,
600–400 v. Chr.
Boston, Museum of Fine Arts 24.960

Die asymmetrische Form und die horizontale Ausrichtung des Schlangenleibes schließen eine Deutung dieser Figur als Stirnschlange einer Königsfigur aus; vielmehr handelt es sich um eine in sich eigenständige kleine Statue.

Die Verbindung von Schlangenleib und Widderkopf ist ungewöhnlich, obwohl nicht nur der Widder, sondern auch die Schlange als Erscheinungsform Amuns gut belegt ist. Eine monumentale Schlangenfigur aus der neu entdeckten Statuengrube im Luksor-Tempel ist inschriftlich bezeichnet als „Amun, Herr der Throne der Beiden Länder" und „Amun-Kamutef" und nimmt damit wohl auf den Gebel Barkal und auf Theben Bezug. Im Gebel Barkal, ihrem Fundort, gewinnt diese Figur aber eine besondere Beziehung durch ein Graffito hoch oben an der Westseite des Berges unter einem Überhang; es zeigt den widderköpfigen Amun im Berg thronend, vor dem sich ein ebenfalls widderköpfiger Uräus erhebt, der – wie oftmals für Amun-Kamutef belegt – einen menschlichen Arm erhebt und einen Wedel hält.

Dieses Motiv ist nichts anderes als die theologische Ausdeutung des Felspfeilers, der sich vor dem Gebel Barkal erhebt.

T. K.

Lit.: D. Dunham, The Barkal Temples, Boston 1970, 69, 71, Abb. 46

226
Oberteil einer Statue des Anch-em-tjenenet

Quarzit; H. 25 cm, Br. 29 cm, T. 18,2 cm
Aus Mitrahina
Rogers Fund, 1907
25. Dynastie, 700–660 v. Chr.
New York, The Metropolitan Museum of Art
07.228.47

Das halbe Jahrhundert, in dem die Kuschiten über Ägypten geherrscht haben, übte erheblichen Einfluß auf das künstlerische Schaffen aus. Ohne die formalen Grundlagen der ägyptischen Kunst zu verändern, haben die Künstler dieser Zeit den ethnischen Typus der neuen Landesherrn zum neuen Leitbild der Darstellung des Menschen erhoben.

Die athletische Körperbildung mit breiten Schultern, muskulösen Armen und Beinen und einem gedrungenen Hals, vor allem aber der Gesichtstypus mit niederer Stirn, weit auseinanderliegenden Augen, stumpfer Nase, markanten Backenknochen, energischem Mund und einem zum Viereck tendierenden Gesichtsumriß sind neue Gestaltungsmerkmale, die unter dem Einfluß der südländischen Landesherren entstanden sind. Das Gesicht des Anch-em-tjenenet zeigt all diese Stilmerkmale in einer durchaus klassizistischen Verpackung. Das 'Afrikanische' dieses Gesichtes steht in deutlichem Gegensatz zur traditionalistischen Haltung und Kleidung der Figur. Die Sitzfigur war in einen eng anliegenden glatten Mantel gehüllt, aus dessen V-Ausschnitt die linke Hand herausschaut, die flach vor die rechte Schulter gelegt ist. Haltung und Gewand sind typisch für die Kunst des Mittleren Reiches. Die Perücke dagegen ist der Mode des Neuen Reiches entlehnt.

So verbinden sich traditionelle Ikonographie und innovativer Stil zu etwas Neuem; auch erfährt die in der Dritten Zwischenzeit von Erstarrung bedrohte ägyptische Kunst durch diesen Impuls einen neuen Aufschwung, der über die Kuschitenzeit hinaus in die gesamte Spätzeit hineinwirkt.

Die Opferformel auf dem Rücken ist an die memphitischen Götter Ptah und Sokaris gerichtet; auf der linken Schulter nennt der Inschriftrest den Ptah-Tempel in Memphis.

Lit.: PM III/2, 866; B. Bothmer, Egyptian sculpture of the Late Period, Brooklyn 1960, 2, 11f. (Nr. 10), 15, 22, 25, 26, Tf. 10, Abb. 23–25

227
Statue des Gottes Amun

Bronze; H. 44,4 cm, Br. 8 cm, T. 13 cm
Herkunft unbekannt
26. Dynastie, 610–595 v. Chr.
München, Staatliche Sammlung Ägyptischer
Kunst ÄS 6978

Durch den Königsnamen Necho in der
Inschrift auf der Basis ist die Götterfigur
in die 26. Dynastie datiert, in die Zeit
also,in der die Kuschiten sich bereits aus
Ägypten zurückgezogen hatten.
Ihre Herrschaft über Ägypten wirkt jedoch nach. Die Figur ist in all ihren Stil-
merkmalen ein unmittelbarer Reflex kuschitischer Kunst. Stiernackiger Hals,
athletische Schultern, weit ausschreiten-
de Beine, markante Armmuskulatur geben der Götterfigur gebündelte Energie.
Die offensichtliche Dynamik des nach
vorn drängenden Schrittes wird durch
die leichte Linkswendung von Schultern
und Kopf verstärkt.

Lit.: Schoske, in: Münchner Jahrbuch der bildenden Kunst, Dritte Folge, Band XXXVIII, 1987,
219f., Abb. 5, 6; S. Schoske (Hrgb.), Staatliche
Sammlung Ägyptischer Kunst, Mainz 1995, 62,
Abb. 64

228
Statue des Chonsu-ir-aa

Schwarzer Diorit; H. 43,5 cm, Br. 12,6 cm,
T. 13,5 cm
Vermutlich aus Karnak
Erworben 1907, James Fund and contribution
Späte 25. Dynastie, 670–660 v. Chr.
Boston, Museum of Fine Arts 07.494

Da Perücke oder Kopfputz fehlen, tritt in
der Statue des Chonsu-ir-aa ein weiteres
Spezifikum der kuschitischen Kunst besonders deutlich in Erscheinung: die im
Verhältnis zum Körper extrem kleine
Proportionierung des Kopfes. Die Politur des dunklen Gesteins läßt die plastische Struktur des Oberkörpers deutlich
sichtbar werden. Sie ist von einer erkennbar eingetieften Mittellinie und der Dreiteilung in Brust, Rippenbogen und Taille geprägt.

Eine identische Gliederung des Körpers
findet sich in der kolossalen Statue des
Königs Tanwetamani (*Kat. 222*); Chonsu-ir-aa erhält dadurch seinen zeitlichen
Ansatz am Ende der Herrschaft der Kuschiten über Ägypten.

Durch seinen Titel „Priester des Amun"
ist Chonsu-ir-aa dem Bereich von Theben zuzuordnen.

Lit.: J. Leclant, Enquêtes sur les sacerdoces et les
sanctuaires égyptiens à l'époque dite 'éthiopienne',
BdE 17, Kairo 1954, 25 (t); B. Bothmer, Egyptian
sculpture of the Late Period, Brooklyn 1960, 10f.
(Nr. 9), Tf. 9; Seipel, in: Katalog Gott – Mensch –
Pharao, Wien 1992, 390f., Nr. 156

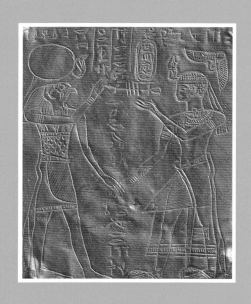

Das Königreich von Napata

Die napatanische Dynastie

Die napatanische Dynastie

um 650–575 Könige Tanwetamani
Atlanersa
Senkamanisken
Anlamani
Königsmutter Nasalsa
Aspelta
um 425–400 König Irike-Amanote
um 400–365 König Harsiyotf
um 320–310 König Nastasen

Die meroïtische Dynastie

um 275–250 König Arkamani I.
Verlegung des Königsfriedhofes von Nuri nach Meroë
um 225–175 Könige Arnekhamani
Adikhalamani
Arkamani II.
um 170–150 Kandake Shanakdakheto
um 100–75 König Taneyidamani
um 50–0 König Teriteqas
Kandake Amanitore
Kandake Amanishakheto
24 Angriff der Meroïten auf Philae, Syene und Elephantine
Feldzug des römischen Präfekten nach Napata
um 0–50 König Natakamani
Kandake Amanitore
König Sarakaror
nach 300 Feldzüge des Reiches von Axum nach Meroë
Ende des Reiches von Kusch
in Unternubien Reich der Nobaden
in Obernubien Reich von Makuria
um Meroë Reich von Alwa
540–580 Christianisierung der nubischen Reiche
642 erste Feldzüge islamischer Heere nach Nubien

Karl-Heinz Priese

Das Reich von Napata und Meroë

Nach dem Verlust der Herrschaft über Ägypten hat das Reich von Kusch, geprägt durch die Ägyptisierung seiner Herrscherelite, für gut eintausend Jahre, bis zum 4. Jahrhundert n. Chr., im Niltal vom Ersten bzw. Zweiten Katarakt bis zum Zusammenfluß von Weißem und Blauem Nil Bestand gehabt. 'Ägyptisch' bleibt die Kultur des Reiches, wenn man sie nach der offiziellen Ideologie und Religion und den damit zusammenhängenden Kulturäußerungen beurteilt, nach den Tempelbauten, nach den Grabanlagen der Königsfamilie und der höheren Schichten und nach der künstlerischen Gestaltung von Flach- und Rundbild. Aber schon in diesem Rahmen ist eine deutliche eigenständige Entwicklung zu beobachten, in der die ältere Forschung des 19. und 20. Jahrhunderts freilich nur Züge zunehmender Isolierung und Verfremdung und allmählichen Verfalls erblicken mochte. In Wirklichkeit hat zum einen die Kultur des Reiches von Kusch nur zeitweise den Kontakt zum zeitgenössischen Ägypten verloren und von ihm immer wieder neue Impulse empfangen – bis hin zu den Einflüssen des hellenistisch-römischen Kulturkreises. Zum anderen aber sind nach und nach, teils ägyptisch eingekleidet, viele Züge der jahrtausendealten Kulturtraditionen des mittleren Nilraumes wieder zu ihrem Recht gekommen, die wir erst heute aufgrund der intensiveren Forschung zu würdigen wissen. Die Kultur des Reiches von Kusch steht der des zeitgenössischen Ägyptens gleichwertig zur Seite.

Die Forschung teilt die Geschichte des Reiches in zwei Phasen, die des „Reiches von Napata" bis um etwa 300 v. Chr. und die des „Reiches von Meroë". Die Berechtigung hierfür liegt zunächst nur in äußerlichen Kriterien, hinter denen sich aber ein bislang nur unzureichend erkennbarer und deutbarer Wandel verbirgt, ein Wandel, der sich im deutlicheren Hervortreten 'einheimischer' Kulturelemente äußert. Unzureichend deutbar aber ist dieser Wandel, weil

wir für die Zeit des Reiches von Napata bislang fast ausschließlich auf eine Quellenschicht angewiesen sind, die allein der offiziellen Sphäre des Königtums angehört: Es sind vereinzelte Reste von Tempeln, die Grabanlagen der Herrscherfamilie auf dem Friedhof von Nuri (*Abb. 36*) und am Anfang des 3. Jahrhunderts v. Chr. für kurze Zeit in Napata, am Fuß des Gebel Barkal. Die wichtigsten historischen Quellen sind die königlichen Inschriften aus den Tempeln von Napata und Kawa; in ägyptischer Sprache abgefaßt, sind sie Zeugen für das ideologische Selbstverständnis der Herrscherfamilie, für ihre Stellung und Funktion in der Gesellschaft, für das offizielle Glaubensdenken und seine kultischen Ausdrucksformen sowie in sehr unzureichender Weise für die ethnische und sozialökonomische Gesamtstruktur der Gesellschaft und für die 'politische' Geschichte des Reiches.

Fünf Texte schildern die Umstände der Thronbesteigung eines Herrschers und die damit zusammenhängenden kultischen Begehungen, berichten von Tempelbauten, Geschenken an die Götter und von Feldzügen. Drei von ihnen sind alsbald nach dem Regierungsantritt verfaßt worden (Stele des Anlamani, Kawa VIII; 'Wahlstele' des Aspelta aus Napata, Inschrift des Irike-Amanote, Kawa IX), die beiden jüngsten sind so etwas wie Rechenschaftsberichte nach 35 bzw. 9 Regierungsjahren (Stelen des Harsiyotf und des Nastasen aus Napata). Zwei weitere beinhalten Willenskundgebungen des Königs (Bestrafung ungesetzlichen Verhaltens von Priestern in Napata, sog. Bannstele, ohne Grund dem Aspelta zugeschrieben, aber älter; Regelung der Besetzung einer Priesterinnenstelle, Stele des Aspelta aus Sanam). An letzter Stelle sei die Stele des Aspelta aus Napata genannt, deren Text u. a. einen Sohn des Königs Piye von der Fürsorge des Aspelta für sein Grab berichten läßt.

Für unser Bild von der 'napatanischen' Zeit des Reiches ist es ein empfindlicher Mangel, daß es so einseitig nach Quellen gezeichnet werden muß, die im Bereich der ehemaligen ägyptischen Herrschaft entstanden, während Zeugnisse aus dem Raum zwischen der Mündung des Atbara und dem Zusammenfluß der beiden Nilströme, der „Insel Meroë" der Griechen, fehlen. Meroë, etwa 100 km oberhalb der Atbaramündung am rechten Nilufer, war bereits während der 25. Dynastie Sitz der Königsfamilie; aus dieser Zeit stammen die ältesten Gräber für Personen königlichen Geblüts in der meroïtischen Nekropole (*Abb. 37*). Seit dem 5. Jahrhundert v. Chr. ist Meroë ständiger Wohnsitz des Königs.

Es ist gewiß nicht richtig, daß der Raum der „Insel Meroë" erst am Ende der 25. Dynastie – nach dem Verlust der Herrschaft über Ägypten und durch ihn veranlaßt – höhere Bedeutung für das Reich erlangte oder gar erst zu diesem Zeitpunkt erobert wurde. Ich bin im Gegenteil davon überzeugt, daß dieses Gebiet die Heimat der meroïtisch sprechenden Volksgruppe war, der nach Ausweis ihrer Namen die Fürsten von Napata angehörten. Wenn es richtig ist, daß für das nubische Niltal nach dem ägyptischen Neuen Reich mit einer Bevölkerung gerechnet werden darf, die weitgehend frei von ägyptisierenden Einflüssen war, dann gehört, gemessen an ihrer späteren Rolle, die Insel Meroë in besonderem Maße zu den Gebieten, in denen die 'Urheimat' der meroïtischen Kultur lag. Da es für die Vorgeschichte des Reiches von Meroë von so besonderer Bedeutung ist, hierfür jedem Hinweis nachzugehen, sei auf eine Stelle des Thronbesteigungsberichtes des Irike-Amanote verwiesen: Nach der Abwehr des Angriffes eines feindlichen Stammes auf die Umgebung von Meroë ist die Kriegsbeute nicht in der freien Verfügung des Kö-

Abb. 36   Grabanlagen in Nuri. (Foto: S. Schoske)

Abb. 37   Die ältesten Gräber der Königsfamilie in der meroïtischen Nekropole. (Foto: D. Wildung)

nigs und Gegenstand von Geschenken an die Götter. Sie gehört der Bevölkerung – ein deutliches Zeichen dafür, daß in Meroë auch damals der König noch als Stammesfürst traditionellen Bindungen unterworfen war. Die Hinwendung des Fürsten zum Kult des Amun und die Übernahme der ägyptischen Königsideologie waren zweifellos Mittel zum Aufbau einer festen Machtstruktur nicht nur nach außen, sondern auch gegenüber den Restriktionen überkommener Stammestraditionen. Es gibt noch keine Antwort auf die Frage, ob angesichts der allzuwenigen Relikte aus napatanischer Zeit die nichtägyptischen Kulturelemente, die in der meroïtischen Phase des Reiches hervortreten, nicht schon lange vorher eine Rolle spielten.

In meroïtischer Zeit ist gerade die Insel Meroë das Gebiet der meisten uns erhaltenen Denkmäler des Königtums. Nach 300 v. Chr. wird der Königsfriedhof nach Meroë verlegt (*Abb. 38*) und ist bis auf eine kurze Zeitspanne (jüngere Pyramidengruppe am Gebel Barkal) für ein halbes Jahrtausend dort verblieben. Napata und die anderen alten obernubischen Zentren behalten einen gewissen Rang, aber es sind die auf der Insel Meroë am Nil und in den großen Wadis des Hinterlandes gelegenen zahlreichen Siedlungen, die sich ebenso der besonderen Fürsorge der Könige erfreuten wie die hier seit alters verehrten Gottheiten, die dem ägyptischen Pantheon fremd waren. Eine in ihrem

Wahrheitsgehalt umstrittene Nachricht der griechischen Literatur (erhalten bei Diodor), die sich auf die napatanische Zeit beziehen dürfte, erzählt von einer Dominanz der Priesterschaft, die dem König als Willen der Gottheit die Beendigung seines Lebens befehlen konnte. Erst zur Zeit Ptolemaios' II. (285–246 v. Chr.) habe ein König Ergamenes die Priesterherrschaft gewaltsam gebrochen. In der Tat ist das Grab des Königs Arkamani (I.) das älteste der Königsgräber von Meroë.

Der Durchbruch eines neuen Selbstverständnisses etwa zu dieser Zeit bekundet sich am deutlichsten in der Abkehr vom Ägyptischen als alleiniger Schriftsprache. Für die Beischriften zu den Szenen in den Pyramidenkapellen der Königsfriedhöfe noch einige Zeit benutzt und zweimal auch noch für Tempelinschriften belegt, wird das Ägyptische als Schriftsprache durch das Meroïtische abgelöst. Es muß dies ein Akt bewußter Abkehr vom Ägyptischen gewesen sein.

An der Spitze des Reiches von Kusch steht ein Herrscher, dem die Inschriften und Darstellungen die Titel, Insignien und Funktionen der ägyptischen Pharaonen zuschreiben. In der meroïtischen Sprache wird er als *qore*, „Oberhaupt", bezeichnet, ein Titel, den bereits die Ägypter zur Zeit des Neuen Reiches als Bezeichnung von Fürsten des von ihnen eroberten Gebietes kennenlernten. Der Herrscher trägt in bestimmten Kultszenen der Tempelreliefs und Stelen die altägyptischen Gewänder und Insignien der Pharaonen, meistens aber einen bis ins Detail festgelegten 'Staatsornat', zu dessen auffälligsten Bestandteilen ein Mantel, eine breite Schärpe, dicht an dicht auf die volle Länge mit Troddeln besetzt, und ein langer, auf den Boden gesetzter Stab gehören.

Wie die Pharaonen seit dem Neuen Reich galt der meroïtische König als Sohn des Amun, und auch alle anderen Aussagen der ägyptischen Theologie über das Verhältnis des Herrschers zu den Göttern werden auf ihn angewandt. Im Gegensatz zur ägyptischen Tradition wird aber in offiziellen Texten und Bildern explizit auch auf seine Herkunft aus der Herrscherdynastie eingegangen. So heißt es, wenn Amun selbst den Aspelta als neuen König bestätigt: „Er ist euer König ... Sein Vater ist mein Sohn, der Sohn der Sonne ..., der Selige, seine Mutter ist die Königsschwester und Königsmutter, Herrin von Kusch, Tochter der Sonne, Nasalsa, ewig lebend. Ihre Mutter ist ... (es folgt die Aufzählung von 6 weiteren weiblichen Ahnen, jede die Mutter der vorauf genannten). Er ist euer Herr." Diese

Abb. 39 'Wahlstele' des Aspelta. (Zeichnung: K.-H. Priese)

Vorhergehende Seiten: Abb. 38   Königsfriedhof von Meroë.
(Foto: D. Wildung)

Aussage ist nur eine von zahlreichen anderen, die auf offenkundige Besonderheiten der Stellung des Herrschers in der Königsfamilie und die damit zusammenhängenden Bedingungen seines Thronrechtes aufmerksam machen. Deutlich ist zunächst eine herausgehobene Stellung der Königsmutter. Es kann fast als Regel bezeichnet werden, daß der Herrscher in den Kultszenen nicht nur – wie bisweilen auch in Ägypten – von seiner Gemahlin, sondern ebenso von seiner Mutter begleitet wird. Auf der 'Wahlstele' des Aspelta steht sie vor Amun und bittet um die Herrschaft für ihren Sohn (*Abb. 39*). Beachtenswert ist ferner die ständige Betonung, daß die Gemahlin und die Mutter „Königsschwestern" sind, ebenso die mehrfach auftretende Bitte eines Königs an Amun, den Nachkommen der Schwestern oder der Mutter die Herrscherwürde zu verleihen. Deutlich ist aber auch, daß der König Sohn eines Vorgängers und „Königsbruder" ist. Es ist deshalb eine in der wissenschaftlichen Diskussion heftig umstrittene Frage, welche generellen Nachfolgeregelungen im Reich von Kusch Gültigkeit hatten. Jeder Vorschlag im Sinne einer patrilinearen, matrilinearen oder kollateralen (Bruder – Bruder) Nachfolge kann auf entsprechende Quellen verweisen. Die immer nur für kurze Abschnitte rekonstruierbaren tatsächlichen genealogischen Verhältnisse innerhalb der Königsfamilie liefern jedoch kein ausreichendes Material für eine allgemeingültige Antwort. Eines aber wird in den Inschriften insgesamt deutlich: Die Legitimation der Thronrechte im napatanisch-meroïtischen Königshaus ist nicht aus der ägyptischen Königsideologie abgeleitet.

In meroïtischer Zeit treten in den Szenen der Tempel und in den Inschriften drei Personen auf, die einander fast gleichrangig den Göttern gegenüberstehen: der *qore*, eine füllige Matrone mit dem Titel *kdke* und ein Mann mit dem Titel *pqr*. Einige Male fehlt die Person des Königs, und die *kdke* trägt vor dem ihren auch seinen Titel *qore*. Die Überlieferung der griechisch-römischen Literatur kennt denn auch als Gegnerin des Kaisers Augustus eine „Kandake", und ganz allgemein scheint die Meinung verbreitet gewesen zu sein, Meroë werde „seit alters" von Frauen dieses „Namens" regiert. Ein erhaltenes Zitat aus der Schrift des Bion besagt, Kandake sei die Bezeichnung der Mutter des Königs gewesen, womit nicht im Widerspruch steht, daß eine andere Nachricht zu berichten weiß, die Herrschaft gehe in der Regel an die Söhne der Schwestern des Herrschers über. Einer dieser präsumtiven Nachfolger dürfte denn auch der *pqr* sein, dem nach den meroïtischen Quellen eine herausragende Rolle neben dem König zukam. Wie ranggleich jedenfalls die Mutter eines Königs behandelt wurde, ergibt sich aus der Datierung einer demotischen Inschrift in Unternubien aus dem Dritten Jahr eines meroïtischen „Pharao Aqrakamani und der Pharaonin Nayatal, seiner Mutter".

Zwei der napatanischen Königsinschriften schildern uns ausführlich den Vorgang einer Thronbesteigung. Nach dem Bericht der 'Wahlstele' des Aspelta versammelt sich nach dem Tode des Vorgängers das Heer. Ein „Komitee" aus Offizieren und Hofbeamten beschließt, das Orakel des Amun von Napata anzurufen. Der Gott verweigert zunächst die Auswahl eines neuen Herrschers aus dem Kreis der ihm vorgeführten „Königsbrüder"; erst als ihm in einem zweiten Wahlakt Aspelta allein vorgestellt wird, bezeichnet er ihn als König. Obwohl es eine entsprechende Überlieferung der griechischen Literatur gibt, ist zu bezweifeln, daß die Königswahl durch das Gottesorakel als entscheidender oder auch nur formeller Akt die Regel war. Dem widerspricht schon die eindeutige Erzählung der Inschrift des Irike-Amanote. Auch hier versammelt sich das Heer, aber es benennt sogleich die gewünschte Person des Nachfolgers, die Offiziere und Hofbeamten stimmen dem zu, und Irike-Amanote wird in den Königspalast geführt.

In napatanischer Zeit schließt sich an die Thronbesteigung ein Besuch der wichtigsten Kultzentren an, deren Götter den neuen König durch die Übergabe von Insignien bestätigen. Ein Besuch in Napata war wohl auf jeden Fall verpflichtend; an ihn schloß sich eine Fahrt nach Kawa und nach Pnubs (auf der Insel Argo) an. Am Ende der Rundreise stand ein Besuch bei der Göttin Bastet in ihrem Kultort in der Nähe von Napata und ein zweiter Aufenthalt am Gebel Barkal.

Das napatanisch-meroïtische Reichsgebiet ist sicherlich nicht von einer ethnisch einheitlichen Bevölkerung bewohnt gewesen. Als Gebiet der Meroïten, denen die Königsfamilie selbst angehörte, ist zunächst die „Insel Meroë" in Anspruch zu nehmen, vom Nil und Atbara begrenzt. Im übrigen Land stellten die Meroïten lediglich die Oberschicht, in deren Händen die wichtigsten Machtpositionen lagen. So stellt es sich jedenfalls für Unternubien während der letzten drei Jahrhunderte des Reiches dar, in denen wir aufgrund der zahlreichen Totentexte aus den Verwaltungszentren auf die Herrschaft einiger weniger Führungsclans schließen können, die zudem verwandtschaftliche Beziehungen bis nach Napata und Meroë aufweisen konnten. Aber dieses Gebiet sieht spätestens am Ende des 4. Jahrhunderts die Entstehung eines nubischen Reiches, ohne daß es irgendwelche Indizien gibt, die auf die Zuwanderung neuer Bevölkerungsgruppen aus einem andersartigen Kulturbereich schließen ließen. Einzelne Sprachrelikte aus der Zeit des Neuen Reiches und der napatanischen Zeit machen es wahrscheinlich, daß ethnische Gruppen, die eine dem Nubischen nahestehende Sprache benutzten, im nubischen Niltal schon lange Zeit ansässig waren.

Die Grundlage der wirtschaftlichen Existenz der Bevölkerung dürfte sich kaum von der früherer Zeiten unterschieden haben. Zu den herkömmlichen Getreidearten trat die Durrah, zunächst nur als Wildform; bezeugt ist der Anbau von Sesam, und eine bedeutende Rolle muß insbesondere als Exportartikel nach Ägypten die Baumwolle gespielt haben. Im Gegensatz zur Neuzeit scheint die Kultur der Dattelpalme noch keine Bedeutung gehabt zu haben. Die griechischen Berichte nennen sie für königliche Gärten, und damit übereinstimmend hält es Harsiyotf in seinem Regierungsbericht für erwähnenswert, daß er Amun in Napata und Meroë je 6 Palmen geschenkt habe. Für den Anbau von Wein holt Taharqa Spezialisten nach Kawa, einen Weinstock schenkt Harsiyotf dem Amun von Napata. Daß die in Unternubien gefundenen Weinpressen der spätmeroïtischen Zeit einen ständigen umfangreichen Weinanbau bezeugen können, wird bezweifelt.

Die Verbesserung der Bewässerungsmöglichkeiten durch die Saqia fällt in größerem Maßstab wohl erst in die nachmeroïtische Zeit. Das Gebiet der Insel Meroë lag bereits im Bereich der jährlichen Sommerregen, und dies ermöglichte wie noch heutzutage die Nutzung der großen Wadisysteme für die Landwirtschaft und damit die Anlage von festen Siedlungen weit in das Inland hinein. Kennzeichnend für dieses Gebiet sind die Hafire, große, runde, hochaufgeschüttete Wallanlagen, zur Speicherung größerer Wassermengen während der Regenzeiten. Sie liegen alle direkt bei den Siedlungen und sollten, kaum ausreichend für Bewässerungszwecke, den Bedarf der Bevölkerung an Brauchwasser sicherstellen.

Die herkömmliche Zucht von Rindern, Schafen und Ziegen wurde schon früh durch die des Pferdes ergänzt. Sie wird vorwiegend in der Regie des Königtums gestanden haben, da das Pferd vornehmlich für die ständig neben den Fußtruppen genannte Kavallerie benötigt wurde, aber auch ein wichtiger Exportartikel nach Vorderasien war. Kennzeichnend für seine Wertschätzung ist, daß auf dem Friedhof von el-Kurru die Pferde des Königs, nach seinem Tode geopfert, auf einem abgesonderten Teil des Friedhofes ihr Grab erhielten. Kaum eine Rolle scheint bis zum Ende des Reiches das Kamel gehabt zu haben.

Wir wissen bisher noch außerordentlich wenig über die sozialökonomische Struktur des Reiches. Gar nicht bekannt ist, ob der König über ein direktes Eigentum an Land und Leuten verfügte. Die Tempel hatten solchen Besitz, wobei möglicherweise die Bindung bestimmter „Familien", „Clans" oder gar „Stämme" (das ägyptische Wort für sie läßt keine nähere Bestimmung zu) an die Tempel, auch als Kultpersonal, im Vordergrund stand. Der einzige Text, der in diesem Zusammenhang herangezogen werden kann, erzählt interessanterweise davon, daß Irike-Amanote den Tempeln von Kawa und Pnubs auf Verlangen neben „Äckern" auch solche „Familien" zurückerstattet. Den Tempeln fiel nach den napatanischen Inschriften die Beute der Kriegszüge an Menschen wie an Vieh zu, gelegentlich behält sie der König sich selbst vor, und nur durch die Tradition bedingt ist der Sonderfall, daß sich die Bevölkerung des Gebietes von Meroë in den Besitz der Beute setzen kann. Wohl nicht verallgemeinern darf man die Verhältnisse in Unternubien in den ersten nachchristlichen Jahrhunderten. Die Titel der Oberschicht als Repräsentanten des Königtums und Inhaber der lokalen Schlüsselpositionen deuten an, daß einer vorwiegend auf traditioneller Stammesbasis beruhenden Struktur, wie ich sie im ganzen für das Reich vermute, ein stärker an das römerzeitliche Ägypten angelehntes System gegenüberstand.

Die Texte der napatanischen Zeit sind voll von Berichten über Auseinandersetzungen mit „Feinden", die den Volksgruppen zuzurechnen sind, die die griechische Überlieferung in der Umgebung der Insel Meroë wohnen läßt. Eratosthenes (bei Strabo) nennt als Bewohner des Raumes südlich Ägyptens neben den „Äthiopen, die das lange, schmale und gekrümmte Niltal innehaben", als nomadische Gruppen Nubai, Troglodytai, Blemmyer und Megabaroi. An anderer Stelle gruppieren sich um die Insel Meroë nach Süden die Sembriten, „beherrscht von einer Frau, untertan denen in Meroë", östlich bis zum Roten Meer die Blemmyer und Megabaroi, untertan den Äthiopen, am Meer die Troglodyten, westlich der Insel Meroë bis zu den Nilwindungen die Nubai, „ein großes Volk, den Äthiopen nicht unterworfen, sondern selbständig in zahlreiche Königreiche geteilt".

Bedauerlicherweise lassen sich im einzelnen die in den Inschriften genannten Feindvölker nur sehr schwer jenen Volksgruppen zuordnen. Die Sembriten dürften dem Raum der Gezira und des Flußsystems von Blauem Nil, Dinder und Rahad zuzuweisen sein, wohl bis in die Gegend von Roseires. Meroïtisches Fundgut hat sich hier an mehreren Plätzen gefunden (Sennar, Abu Qeili, Gebel Moya, el-Kawa, Kosti). Eine Ortsliste des Bion (überliefert bei Plinius) beginnt 20 Tagesreisen oberhalb von Meroë und führt den Blauen Nil abwärts bis in die Gegend von Khartum etwa 15 Orte auf, durchaus im Einklang mit der Vermutung, daß man für den Raum oberhalb der Insel Meroë mit einer ansässigen Ackerbaubevölkerung rechnen darf, über die Meroë vielleicht tatsächlich zeitweise eine Art Oberherrschaft innehatte.

Die Nubai werden in weiterem Sinne als 'Verwandte' derjenigen Nubier zu betrachten sein, denen oben ein Platz unter der Bevölkerung des Reiches zugestanden wurde. Die Texte lassen keine Auseinandersetzungen mit ihnen erkennen, aber der wichtige Überlandweg von Meroë nach Napata dürfte ihr Gebiet berührt haben. Einzig zwei in Meroë gefundene Bronzefigürchen von Gefangenen können in diesem Zusammenhang genannt werden, wenn es richtig ist, daß die meroïtischen Aufschriften sie tatsächlich als Nubier bezeichnen (nobo).

Besser bestellt ist es um die Kenntnis der Beziehungen zu Völkern, die den Blemmyern und Megabaroi zuzu-

rechnen sind. Erstere gehören zu den Völkern der Gebiete zwischen dem Nil und dem Roten Meer, die die älteren ägyptischen Quellen als Medjau kannten und die seit dem 3. Jahrhundert n. Chr. Unternubien und Oberägypten bedrängten. Ebendiese Rolle als räuberische Nomaden spielen sie in den Texten der napatanischen Könige. Die in Kawa aufgestellte Stele des Königs Anlamani berichtet um 600 v. Chr. von einem Feldzug gegen sie, die Beute ist typisch für einen nomadischen Gegner, dessen Krieger sich durch Flucht in Sicherheit bringen können; nur vier Männer werden gefangen, so daß die Beute aus „allen ihren Frauen, allen ihren Kindern, allem ihrem Kleinvieh und aller ihrer Habe" besteht. Gute einhundert Jahre später, im Ersten Jahr des Irike-Amanote, erscheinen sie im Niltal unterhalb von Napata, werden aber durch die Anwesenheit des Königs auf seiner Investiturreise zur Flucht veranlaßt. König Harsiyotf, um 400–350 v. Chr., nennt für sein Drittes, Fünftes und Sechstes Jahr Kämpfe mit ihnen, die sich möglicherweise in der Umgebung von Kasr Ibrim abspielten und mit einer förmlichen Unterwerfung endeten: „Es sandte zu mir der Fürst der *Md* und ließ sagen: 'Du bist mein Gott. Ich bin dein Sklave. Ich bin ein Weib. Komme nicht gegen mich.' Und er ließ mir bringen Erde (als Symbol der Unterwerfung, so wie die Perser Erde und Wasser forderten) in den Händen eines Mannes". Die Inschrift des Nastasen endlich berichtet von Überfällen auf Kawa und den Kultort der Bastet bei Napata.

Gefährlicher noch waren die Angriffe eines Volkes unter dem Namen *(a)r(h)r(h)s*, das mehrmals in das Gebiet von Meroë vorrückte: zur Zeit der Thronbesteigung des Irike-Amanote und dann im 18. und 23. Jahr des Harsiyotf. Schon für das Zweite Jahr dieses Königs wird ein Krieg mit ihnen genannt. Sie werden als im Norden von Meroë befindlich geschildert, wobei nicht ganz klar ist, ob damit die ständigen Wohnsitze gemeint sind. Bemerkenswert ist in dieser Hinsicht der Bericht des Nastasen über einen Feldzug gegen sie. Als Gefangener wird der Fürst einer Ortschaft *Ms* genannt, mit Namen *abso*. Der Name der Siedlung aber wird durch die Determinierung als Ort nicht eines feindlichen Territoriums, sondern des Reiches von Kusch ausgewiesen, und so erscheint er auch in einer Kultortliste des Harsiyotf als Kultort des Sonnengottes Re. Der Name des Fürsten aber gehört möglicherweise der Bedja-Sprache an („Fuchs"). Vielleicht sind diese Feinde mit den Megabaroi zusammenzubringen, die nach Plinius auch Adiabaroi genannt wurden. Sie wohnen „seitwärts/auf der Breite (con-tra) von Meroë und haben eine Stadt des Apollo".

Auseinandersetzungen mit einer feindlichen Umwelt haben sicherlich immer eine bedeutende Rolle in der Geschichte des Reiches gespielt, und so verwundert es nicht, wenn die Darstellungen besiegter Feinde zum ständigen Bildinventar der Tempelreliefs, auf den Thronsockeln (*Kat. 274–276*) usw. gehören. Erwähnt sei hier nur die große Ritzzeichnung am Gebel Geili (etwa 150 km östlich von

Abb. 40   Ritzzeichnung am Gebel Geili mit der Darstellung des Königs Sarakaror. (Zeichnung: K.-H. Priese)

Khartum gelegen) mit der Darstellung des Königs Sarakaror (1. Jahrhundert n. Chr.) als Triumphator vor einem Sonnengott (*Abb. 40*).

Den Grabanlagen der Herrscher verdanken wir nicht nur die Hauptmasse der Belege ihrer Namen; die Veränderungen der baulichen Elemente und der Dekoration der Pyramidenkapellen sowie das Inventar der Grabbeigaben erlauben auch die Erstellung einer Abfolge der Herrscher, eine freilich immer wieder korrigierte relative Chronologie. Sie mit dem Lauf der Geschichte der Alten Welt zu verknüpfen und damit zu einer absoluten Chronologie zu gelangen, setzt die Möglichkeit voraus, das Verhältnis des Reiches von Kusch zu seinem nördlichen Nachbarn und zu anderen Staaten der Mittelmeerwelt oder des Vorderen Orients aufgrund ausreichender Quellen darzustellen. Von Seiten des Reiches von Kusch fehlt es daran völlig, und die Quellenlage in den genannten Regionen ist nicht viel ergiebiger.

Im Jahre 591 v. Chr. erschien ein Heer des ägyptischen Königs Psametichs II. in Unternubien und drang bis nach Pnubs in Obernubien, möglicherweise bis nach Napata vor. Der Name des kuschitischen Gegners wird nicht genannt; es ist eine nicht ganz unbegründete Annahme, es sei Aspelta gewesen. Nach wie vor umstritten ist, ob der von Herodot berichtete „äthiopische" Feldzug des Kambyses Legende oder Tatsache ist. Zur Zeit des Harsiyotf war Unternubien (wie in meroïtischer Zeit Akina genannt) im Besitz des Reiches von Napata. Hierher mußten Truppen entsandt werden, um zwei „aufständische Diener" zu bestrafen. In dem Bericht heißt es lakonisch: „Elephantine wurde erreicht". Nastasen ist offenbar in Unternubien in Kämpfe mit einem Gegner verwickelt, in dem ein ägyptischer König vermutet wurde, der kurz vor der Eroberung Ägptens durch Alexander von Makedonien angesetzt wird. In die Zeit Ptolemaios' II. fällt dann die Angliederung Nubiens bis zum Zweiten Katarakt an Ägypten. Gleichzeitig beginnt die Zeit der Elephantenjagdexpeditionen auch das Niltal aufwärts, und in diese Zeit setzt die griechische Überlieferung den meroïtischen König Ergamenes/Arkamani I.

Im Jahr 204 v. Chr. ist Oberägypten vom Ptolemäerreich abgefallen und erst 185 v. Chr. zurückerobert worden. Unternubien aber kam in die Hand des Reiches von Kusch, dessen Könige Arkamani II. und Adikhalamani in Dakka, Debod und Philae als Bauherren auftraten. 204 v.

215

Chr. aber hat König Arnekhamani regiert, der durch die Annahme des Namenszusatzes „geliebt von Isis" (an Stelle von „geliebt von Amun") seinen Anspruch auf die Oberhoheit über die Hauptkultstätte der Göttin in Philae bekundete. Die Herrschaft über Unternubien blieb weiterhin umstritten. Nach der Eroberung Ägyptens durch Kaiser Augustus kam es zu einer Regelung, die anhand der einzigen Quelle nicht völlig durchschaubar ist. Im Jahr 24 v. Chr. überfiel ein „äthiopisches" Heer die Grenzorte Philae, Elephantine und Assuan. Auf dem Straffeldzug des römischen Präfekten G. Petronius wurden die „Äthiopen" bei Pselkis besiegt, die Festung Kasr Ibrim wurde erobert, und das Heer rückte wahrscheinlich bis nach Napata vor. Das Reich von Kusch wird zu dieser Zeit von einer Kandake regiert, deren Name in den erhaltenen Berichten von römischer Seite nicht genannt wird. Als eine Darstellung des Krieges von meroïtischer Seite ist der Text einer Stele vermutet worden, die von einer regierenden Kandake Amanirenas und dem *pqr* Akinidad errichtet wurde. Diese Vermutung ist aber heute allgemein aufgegeben worden. Es ist ebenfalls nur eine Vermutung, daß die Nachfolgerin der Amanirenas, Kandake Amanishakheto, in deren Pyramide ihr jetzt in Berlin und München aufbewahrter Goldschatz gefunden wurde, die Gegnerin der Römer war.

21 v. Chr. wurde Frieden geschlossen und für Unternubien offenbar ein Interessenausgleich gefunden, der das Gebiet des Dodekaschoinos bis nach Maharraka römischer Oberhoheit unterstellte und die Gebiete nilaufwärts den Meroïten überließ. Beide Teile erfreuten sich fortan eines lange nicht gesehenen Aufstiegs, der meroïtische Teil unter „Vizekönigen" und, wie schon erwähnt, einer meroïtischen Nobilität mit starken Bindungen zum königlichen Hofe. Wie intensiv die Beziehungen dieser Nobilität andererseits auch zu Rom waren, zeigt vielleicht ein Titel, „Beauftragter Roms", der für nicht wenige der meroïtischen Machtträger so etwas wie eine (ehrenamtliche) Tätigkeit für das Imperium bezeugen könnte. Der erst vor kurzem veröffentlichte Grabtext eines oder einer Angehörigen der führenden meroïtischen Familien zählt Ehrengeschenke des Caesars Maximinus Daia auf (Caesar des Orients 305–313 n. Chr.). Gefördert wurden diese engen Beziehungen durch die Teilhabe der Meroïten am Isiskult in Philae. 291 n. Chr. hatte Diokletian den militärischen Schutz der Südgrenze Ägyptens jenseits des Ersten Katarakts aufgegeben, einer der letzten durch ein Grab in Meroë bekannten Kö-

nige ist durch seinen Namen auch auf Philae in einer Weise bezeugt, die an eine meroïtische Oberhoheit denken läßt. Spätere römische Geschichtsschreibung besagt, Diokletian habe das Gebiet des Dodekaschoinos den Nubaden überlassen. Das ist richtig aus dem Blickwinkel einer Zeit, in der in Nubien die Herrschaft an Könige „der Nubaden und aller Äthiopen" übergegangen war, die in ständigen Kämpfen mit den Blemmyern um die Herrschaft im nördlichen Unternubien rangen und um 550 zum Christentum übertraten.

Außerordentlich schlecht sind wir für die ersten Jahrhunderte n. Chr. über die Situation in Nubien oberhalb des Dritten Katarakts unterrichtet. Kurz zuvor war der Königsfriedhof für drei Herrscher noch einmal an den Gebel Barkal zurückgekehrt, König Natakamani baute in der ersten Hälfte des I. Jahrhunderts n. Chr. im Gebiet zwischen dem Zweiten und Dritten Katarakt und errichtete einen Palast in Napata. Über die folgende Zeit läßt sich aufgrund der allzu lückenhaften Forschungssituation so gut wie gar nichts sagen. Etwa zeitgleich mit den Friedhöfen der Nubadenfürsten in Unternubien (Ballana und Qustul) finden sich im Süden große Friedhöfe der sog. Tanqasi-Kultur, die derjenigen nubischen Volksgruppe zugerechnet werden, auf die das mittelalterliche Reich von Makuria mit der Hauptstadt (Alt-)Dongola zurückgeht und das um 570 christlich wird.

Nach wie vor unklar bleibt, wann und wie das meroïtische Königtum sein Ende fand. Um 300 n. Chr. ist es noch im Vollbesitz seiner Macht auch über Unternubien; die jüngsten Königsgräber von Meroë werden um 350 angesetzt, und ein Grab auf dem Friedhof der königlichen Angehörigen datiert in die zweite Hälfte des 4. Jahrhunderts. Eine der ungelösten Fragen ist, ob und inwieweit Angriffe des Reiches von Axum entscheidend am Untergang von Meroë beteiligt waren. Die Einnahme der Stadt Meroë durch einen unbekannten axumitischen Herrscher ist durch zwei Inschriftfragmente aus der Stadt sicher. Eine der großen Inschriften des Königs Ezana (um 350?) berichtet von einem Feldzug gegen die Noba; eine Heeresabteilung rückt dabei zur Atbaramündung vor und kommt in feindlichen Kontakt mit den Kasu, erobert zwei Städte, die zwischen Atbaramündung und Meroë lagen, sowie nilabwärts „Städte der Noba aus Stroh und Orte der Kasu aus Mauerwerk, die von den Noba eingenommen worden sind". Die Regierungszeit des Ezana ist immer noch umstritten, und es bleibt unklar, ob das Reich der Kuschiten (Kasu) damals noch existierte. Daß Ezana sich selbst als König der Kasu bezeichnet, ist dafür belanglos. Deutlich ist aber, daß das eigentlich aktive Element auch auf der Insel Meroë die Gruppe der Noba gewesen sein dürfte, auf die das dritte nubische Reich des Mittelalters zurückgeht – benannt nach einem der von Ezana eroberten Orte nördlich von Meroë:

Aloa, mit der Hauptstadt Soba in der Nähe von Khartum, um 580 christianisiert. Zugewiesen werden ihnen Friedhöfe mit deutlich nachmeroïtischem Inventar u. a. im Bereich alter meroïtischer Zentren (Meroë, Musawwarat es-Sufra, Naga). Ein Fürstenfriedhof oberhalb von Meroë am linken Nilufer in el-Hobagi ist noch nicht endgültig als spät- oder erst nachmeroïtisch bestimmt.

229
Statue des Königs Senkamanisken

Granit; H. 147,8 cm, Br. 50,1 cm
Vom Gebel Barkal, Kopf aus Tempel B 500,
Körper B 904
Harvard University – MFA Boston-Expedition,
April 1916, Fundnr. 16-4-32
Napatanisch, 643–623 v. Chr.
Boston, Museum of Fine Arts 23.731

Mit dem Rückzug der kuschitischen Könige aus Ägypten gewinnt die Kunst des napatanischen Reiches eine neue Dimension. Ihre Spezifika in der Darstellung des menschlichen Körpers und Gesichts waren bereits in den Werken der 25. Dynastie klar erkennbar. Sie waren jedoch diszipliniert durch die unmittelbare Begegnung mit der traditionsschweren Kunst Ägyptens, kamen nicht voll zur Entfaltung.

Losgelöst von der Einbindung in das pharaonische Erbe entwickelt sich in der napatanischen Dynastie ein Stil, der die 'afrikanische' Komponente in den Vordergrund rückt.

Von der statuarischen Ausstattung des großen Amuntempels am Gebel Barkal haben sich mehrere großformatige Königsstatuen in einer Abraumgrube nördlich des ersten Pylons gefunden (vgl. *Kat. 222*). Zu ihnen gehört die Statue des Senkamanisken.

Alle in den Werken der vorangehenden Zeit angelegten stilistischen Tendenzen treten nun verstärkt und unverhüllt an den Tag. Die weit ausschreitenden Beine sind noch massiger, die Füße noch größer geworden. Die Arme mit den geschlossenen Fäusten sind geballte Kraft; ihre Muskulatur ist stark ausgebildet. Wuchtig sitzt der Kopf auf dem gedrungenen Hals, stiernackig in der Profilansicht. Der südländische Gesichtstyp ist durch die vollen Lippen, die stumpfe Nase, die weit auseinanderstehenden, etwas vorquellenden Augen und die niedrige Stirn geprägt. Der Doppeluräus über der Stirn ist vollständig erhalten – im napatanischen Mutterland blieben die Statuen von der Verfolgung der nachfolgenden Dynastie verschont. Die Kuschitenkappe umschließt eng den kugeligen Schädel. Um den Hals ist das Band mit den drei Widderköpfen gelegt. Schmuckreifen an Oberarmen, Handgelenken und Knöcheln, die Sandalenriemen und der dreiteilige Königsschurz waren über der zur Aufnahme einer Grundierung rauh belassenen Steinoberfläche mit Gold oder Silber belegt, ebenso die Kappe.

Lit.: PM VII, 221; Reisner, in: JEA 6, 1920, 251f., Tf. 33 (6); ders., in: ZÄS 66, 1931, 82 (38–40); W. St. Smith, Ancient Egypt as represented in the Museum of Fine Arts, Boston 1960, 165; D. Dunham, The Barkal Temples, Boston 1970, 21, Nr. 6, Tf. XII; Leclant, in: The image of the black in western art, New York 1976, 116, Abb. 116, 119; Wenig, in: AiA II, 174, Nr. 85

230
Sphinx des Königs Senkamanisken

Grauer Granit; H. 53,9 cm, Br. 25,5 cm,
L. 88,3 cm
Vom Gebel Barkal, Tempel B 500 (I. Hof
B 501)
Harvard University – MFA Boston-Expedition,
Januar 1920, Fundnr. 20-1-274
Napatanisch, 643–623 v. Chr.
Khartum, Nationalmuseum 1852

Die klassische Sphinxgestalt, bestehend
aus Löwenleib mit menschlichem Kopf,
der das Königskopftuch trägt, ist der
Kunst von Napata fremd. Sie benutzt die
Variante Mähnensphinx (mehrfach bei
Taharqa) oder Sphinx mit menschlichen
Armen und Händen – wie schon bei der
Sphinxfigur der Schepenupet (*Kat. 168*).
Der Sphinx des Königs Senkamanisken,
im Statuendepot des großen Amuntempels gefunden, trägt das Königskopftuch
mit Doppeluräus, darüber die Doppelkrone, die ihre ursprüngliche Bedeutung
als Krone des Königs von Ober- und Unterägypten verloren hat und ein Abzei-
chen königlicher Würde geworden ist.
Der Übergang von den Vordertatzen des
Löwen in die menschlichen Arme scheint
sich am Ellbogen zu vollziehen. Die stark
stilisierte Muskulatur der Oberarme ist
offenbar noch Teil des Löwen. An den
Hinterkeulen finden sich ähnlich tiefe
Kerben zur Angabe der Muskeln.
Der Sphinx hält mit seinen menschlichen
Händen ein konisches Gefäß, auf dem,
in Kartuschen geschrieben, die Namen
des Herrschers stehen. Wie in der Stand-
Schreit-Figur des Königs Senkamanisken
(*Kat. 229*) ist auch hier das Gesicht kom-
promißlos 'afrikanisch'.

Lit.: PM VII, 216; Reisner, in: ZÄS 66, 1931, 82,
Nr. 41; Dunham, o. c., 33, Nr. 18, Abb. 28, Tf. IV,
XXXII.A–C; Wenig, in: AiA II, 175, Nr. 86

231
Statue der Königin Amanimalel

Granit; H. 141 cm, Br. 50 cm, T. 48 cm
Vom Gebel Barkal, Tempel B 500, Trench A
Harvard University – MFA Boston-Expedition,
April 1916, Fundnr. 16-4-26
Napatanisch, 643–623 v. Chr.

Die knapp unterlebensgroße Statue der
Gemahlin des Königs Senkamanisken ist
eines der großen Meisterwerke der Kunst
des Reiches von Napata. Sie vereinnahmt
einen altägyptischen Statuentypus und
integriert ihn so vollkommen in ein eigenständiges stilistisches Konzept, daß
man als Analogie an das Verhältnis eines
griechischen Kuros zu seinem formalen
Vorbild, wie es die altägyptische Stand-
Schreit-Figur ist, denken möchte.
Das leichte Ausschreiten des linken Fußes, die mit abgespreiztem Ellbogen vor
die Brust erhobene linke Hand und der
eng an den Körper gelegte rechte Arm
sind formale Elemente der grazilen Frauenfiguren des Neuen Reiches. Sie werden
aufgenommen und fortentwickelt in den
Statuen der Gottesgemahlinnen der 25.
Dynastie. In Amanimalels Statue liefert
dieser Typus das Gerüst, um das sich in
praller Körperlichkeit das Volumen der
Figur entwickelt. Die vollen Schenkel
und Hüften, die straffen Brüste über der
sehr hoch sitzenden Taille und der durch
zwei angedeutete Falten zart modellier-
te Bauch erscheinen nackt, sind aber von
einem eng anliegenden Kleid umhüllt,
dessen teils rot vorgezeichneter Saum,
die rechte Brust frei lassend, von der linken Schulter unter die rechte Achsel läuft
und auch über den Füßen und an den
Handgelenken sichtbar ist. Eine senkrechte Linie vom linken Fuß über das
Bein zur linken Brust deutet den Über-
schlag des Kleides an.
Die rauh belassene Oberfläche ist nicht
als unfertiger Zustand der Statue zu ver-

stehen, sondern diente als Haftgrund für
eine Grundierung, auf der ein farbiger
Überzug, wohl aus Silber, lag. Das läßt
sich daran erkennen, daß die nicht von
Kleidung bedeckten Körperteile: Hände
und Füße, eine fein polierte Steinoberfläche zeigen. Die Sandalenriemen waren
wohl vergoldet.
Amanimalel hält in der Linken eine kleine sitzende Kinderfigur mit Doppelkrone und Kinderzopf, wohl Harpokrates,
den jugendlichen Horus, darstellend. Die
Rechte hält eine Ägis mit Menit.
Auf dem Rückenpfeiler bezeichnet sich
die Königin als „geliebt von Amun von
Napata, der im Heiligen Berg wohnt".
Eine künstlerische Vision des Weiblichen, die bei den Idolen des Neolithikums ansetzt und in den Tonfiguren der
A-Gruppe und der C-Gruppe ihre Wei-
terentwicklung erfährt, vollendet sich in
der Statue der Amanimalel zu höchster
Reife.

Lit.: PM VII, 221; Reisner, in: JEA 6, 1920, 253,
Tf. XXXIII; ders., in: ZÄS 66, 1931, 82, Nr. 46;
Dunham – Macadam, in: JEA 35, 1949, 142,
Tf. XV,8; Dunham, o. c., 21f., Abb. 12, Tf. I,
XVII, XVIII

232–241
10 Uschebtis des Königs Senkamanisken

Fayence; H. 17,7–19,7 cm, Br. 5.3–6,0 cm,
T. 3,0–4,3 cm
Aus Nuri, Pyramide Nu 3
Harvard University – MFA Boston-Expedition,
Februar 1917
Napatanisch, 643–623 v. Chr.
Boston, Museum of Fine Arts 21.2713-
21.2722

Mit 1277 Uschebtis übertraf der König
Senkamanisken die Anzahl der Usche-
tis im nahe bei seiner Pyramide gelegenen
Grab seines Großvaters Taharqa (*Kat.
200–219*) noch einmal erheblich. In
Größe und Qualität bleiben jedoch seine Uschebtis hinter den großformatigen,
aus verschiedenen Gesteinen gefertigten
des Taharqa zurück.
Eine der fünf in Material und in Ikonographie unterschiedlichen Gruppen der
Uschebtis des Senkamanisken ist aus
blaßgrüner Fayence und zeigt keine königlichen Attribute. Die Zopfperücke ist
die Standardfrisur nicht nur der Usche-
tis, sondern der Verstorbenen ganz allgemein.

231 ▷

232–241 ▷▷

Lit.: Reisner, in: Bull. MFA XVI/97, 1918, 73;
ders., in: Harvard African Studies II. Varia
Africana II, Cambridge/Mass. 1918, 48ff.,
Tf. I,3; RCK II, 1955, 43, Abb. 29, Tf. CXL;
T. Kendall, Kush. Lost kingdom of the Nile,
Brockton/Mass. 1981, 33–36

242–251
10 Uschebtis des Königs Senkamanisken

Serpentinit; H. 15,3–20 cm, Br. 5,0–7,90 cm,
T. 3,6–5,1 cm
Aus Nuri, Pyramide Nu 3
Harvard University – MFA Boston-Expedition,
Februar 1917
Napatanisch, 643–623 v. Chr.
Boston, Museum of Fine Arts 21.3029,
21.3032, 21.3034, 21.3035, 21.3037,
21.3038, 21.3039, 21.3043, 21.11751,
21.11752

Die zweite Gruppe der Uschebtis des
Senkamanisken zeigt ihn in königlichem
Kopfputz. Über der Stirn sitzt am Kö-
nigskopftuch der Doppeluräus. Auch das
Material der Figuren dieser Gruppe ist
einem König angemessen; sie sind aus
Stein, aus Serpentinit.
Während in Ägypten Uschebtis nur sehr
selten individuelle Züge zeigen, sind die
Gesichter der Uschebtis von Taharqa und
Senkamanisken deutlich individuell ge-
prägt.

Lit.: wie *Kat. 232–241*

◁◁   242–251

252
Messer

Gold; L. 18,5 cm, Br. 2,6 cm, D. 0,05 cm
Aus Nuri, Pyramide Nu 21, Treppe zur Grab-
kammer
Harvard University – MFA Boston-Expedition,
Januar 1917, Fundnr. 17-1-556
Napatanisch, um 600 v. Chr.
Khartum, Nationalmuseum 1351

Aus dem Grab einer Königin der Zeit des
Senkamanisken stammt das aus massi-
vem Gold gefertigte Messer, das vielleicht bei der Bestattung für das Mund-
öffnungsritual benutzt worden war.

Lit.: RCK II, 64f.,279, Tf. CXVIII.D

Zylinderhülsen

In neun Königsgräbern in Nuri sind zylindrische Hülsen aus Edelmetall ausgegraben worden, deren Funktion unbekannt ist. Alleine im Grab des Aspelta
fanden sich 15 Exemplare. Eine Hülse
wurde in Meroë gefunden (Beg. S 85).
Die Hülsen sind aus zwei Teilen zusammengesetzt, die innen durch ein kurzes
Rohrstück verbunden sind: aus einem
schlanken Zylinder, der unten mit einer
runden Scheibe verschlossen ist, und einem daraufgesetzten niedrigeren offenen
Zylinder. Auf das vergoldete Silberblech
sind ab und zu Ornamente aus Silber,
Golddrähte und granulierte Goldbänder
aufgesetzt; Einlagen in Halbedelsteinen
lassen sich einmal nachweisen (*Kat. 258*).
Erhebliche Qualitätsunterschiede weisen
darauf hin, daß verschiedene – sicher lokale – Goldschmiede am Werk waren.
Die ikonographisch variantenreiche Dekoration ist teils getrieben, teils ziseliert.

S. Gänsicke – T. K.

Lit.: Gänsicke, in: Journal MFA 6, 1994, 14–40;
dies. – Newman, in: T. Drayman-Weisser (Hrgb.),
Gilded metal surfaces (im Druck)

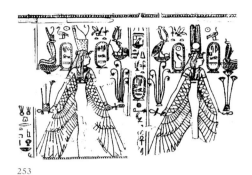

253

254

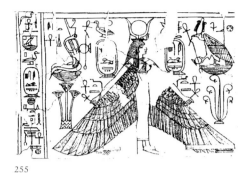

255

253
Zylinderhülse des Königs Aspelta

Gold; H. 12,4 cm, Durchm. 3,0 cm
Aus Nuri, Pyramide Nu 8, Kammer A
Harvard University – MFA Boston-Expedition,
April 1916, Fundnr. 16-4-70a
Napatanisch, 593–568 v. Chr.
Boston, Museum of Fine Arts 21.11731

Auf dem Boden ein Kranz von Lotosblüten; auf dem unteren Zylinder zwei geflügelte Göttinnen, Hathor und Mut (?),
zwischen Geier und Schlange auf den
Wappenpflanzen von Ober- und Unterägypten; dazwischen die Namen des Aspelta; auf dem oberen Zylinder übereinander Papyrusdolden, Widderköpfe mit
Sonnenscheiben und ein Uräenfries.

Lit.: RCK II, 78f., 277, Tf. XCIII.A, XCVI.A,B;
vgl. Wenig, in: AiA II, 194, Nr. 114; Kendall,
Kush. Lost kingdom of the Nile, Brockton/
Mass. 1982, 40, Nr. 47, Abb. 45

254
Zylinderhülse des Königs Aspelta

Gold; H. 12,2 cm, Durchm. 3,0 cm
Aus Nuri, Pyramide Nu 8, Kammer A
Harvard University – MFA Boston-Expedition,
April 1916, Fundnr. 16-4-70b
Napatanisch, 593–568 v. Chr.
Boston, Museum of Fine Arts 21.11732

256

Auf dem Boden Rosette; auf dem unteren Zylinder die Göttin Isis mit Flügelarmen zwischen den Hockfiguren der
Götter Month von Theben (falkenköpfig) und Chnum-Re von Elephantine
(widderköpfig); auf dem oberen Zylinder Widderköpfe mit Sonnenscheibe im
Wechsel mit einer Hockfigur des Gottes
Chons (falkenköpfig mit Mondsichel
und -scheibe), darüber Uräenfries.

Lit.: RCK II, 78f., 277, Tf. XCIII.A, XCVII.A,B

255
Zylinderhülse des Königs Aspelta

Gold; H. 11,4 cm, Durchm. 3,2 cm
Aus Nuri, Pyramide Nu 8, Kammer A
Harvard University – MFA Boston-Expedition,
April 1916, Fundnr. 16-4-70e
Napatanisch, 593–568 v. Chr.
Boston, Museum of Fine Arts 21.11734

Auf dem unteren Zylinder die Göttin
Hathor zwischen Geier und Schlange auf
den Wappenpflanzen von Ober- und
Unterägypten; auf dem oberen Zylinder
Lotosblüten, Widderköpfe mit Sonnen-
scheibe und Uräenfries.

Lit.: RCK II, 78f., 277, Tf. XCIII.A, Tf. C.A,C

256

257

256
Zylinderhülse des Königs Aspelta

Gold; H. 7,5 cm, Durchm. 2,9 cm
Aus Nuri, Pyramide Nu 8, Kammer A
Harvard University – MFA Boston-Expedition,
April 1916, Fundnr 16-4-70i
Napatanisch, 593–568 v. Chr.
Khartum, Nationalmuseum 1372/1373

Nur der untere Zylinder ist ausgestellt.
Die Göttin Hathor mit ihren Flügelarmen zwischen Geier und Schlange auf
den Wappenpflanzen von Ober- und
Unterägypten.

257

257

257
Zylinderhülse des Königs Amani-asti-barka

Gold; H. 4,2 cm, Durchm. 3 cm
Aus Nuri, Pyramide Nu 2, Kammer B
Harvard University – MFA Boston-Expedition,
Februar 1917, Fundnr. 17-22-258
Napatanisch, 510–487 v. Chr.
Khartum, Nationalmuseum 1360a,b und 6 F 3

Auf dem Boden Rosette und Lotos-
kranz; auf dem unteren Zylinder die
Göttin Hathor mit Flügelarmen zwischen Amun von Napata (widderköpfig)
und Amun (von Theben?) (menschengestaltig). Verbindungsring mit granuliertem Zickzackband (wie auch an der Basis des unteren Zylinders). Auf dem oberen Zylinder im Wechsel Königskartu-
sche und hockender Chons (falkenköpfig mit Mondsichel und -scheibe), darüber Hieroglyphenband mit Königstitulatur und Uräenfries.

Lit.: Reisner, in: Bull. MFA XV/89, 1917, 32f.,
Abb. 13; RCK II, 78f., 277, Tf. XCIII.A, CII.A

Lit.: PM VII, 225; RCK II, 168f., 280,
Tf. XCIV.B–C, CXI.A

258
Zylinderhülse des Königs Amani-na-take-lebte

Silber, vergoldet; H. 12 cm, Durchm. 3,1 cm
Aus Nuri, Pyramide Nu 10, Kammer C
Harvard University – MFA Boston-Expedition,
April 1916, Fundnr. 17-1-10
Napatanisch, 538–519 v. Chr.
Boston, Museum of Fine Arts 20.275

Besonders sorgfältig getriebenes Relief;
Granulation und Einlagen. Auf dem
Boden Rosette, auf dem unteren Zylin-
der geflügelte Göttin zwischen einem
widderköpfigen und menschengestalti-
gen Amun; auf dem oberen Zylinder
Widderköpfe mit Sonnenscheibe und
Uräenfries.

Lit.: PM VII, 227; RCK II 154f., 278,
Tf. XLV.H, XCIV.A,H, CX.A,B

259
Zwei Pinzetten des Königs Aspelta

Gold; L. 16,3/15,5 cm, Br. 3,5/3,2 cm
Aus Nuri, Pyramide Nu 8, Kammer B
Harvard University – MFA Boston-Expedition,
März 1918, Fundnr. 18-3-303
Napatanisch, 593–568 v. Chr.
Khartum, Nationalmuseum 1867

Die Schäftung der beiden Lamellen der
Pinzetten ist als Papyrusdolde ausgebildet.

Lit.: Reisner, in: Bull. MFA XVI/97, 1918, 79;
RCKII, 78, 80, 84, Abb. 55, Tf. CXVIII.C;
Vercoutter, in: Kush 7, 1959, Tf. XXXIIIa

260
Glieder einer Halskette

Gold, Amethyst; H. 4,5 cm, Br. 2,7 cm, T. 0,9 cm
Aus Meroë, Palastbereich, Gebäude 294
Oxford Excavations (Garstang), 1911
Napatanisch, 568–542 v. Chr.
Khartum, Nationalmuseum 511

Durch die hohlen trapezoiden Kästen
sind horizontal je sieben Löcher gebohrt.
Durch sie liefen die Stränge einer sieben-
reihigen Halskette. Auf dem Mittelstück
eine hieroglyphische Inschrift mit dem
Namen des Königs Aramatelqo, auf dem
linken Glied eine mit dem Namen seines
Nachfolgers Malonaqen, beide „geliebt
von Hathor, der Herrin von Dendera".
Das rechte Stück ist eine Replik nach
dem Original in Brooklyn. Der Ausgräber Garstang ließ aus einem Teil des
Goldes, das mit den Kettengliedern im
Stadtgebiet von Meroë in einem Hort-
fund unter einem Gebäudefundament
gefunden wurde, zahlreiche Repliken
herstellen, die sich heute u. a. in Brooklyn und Liverpool befinden.

Lit.: PM VI, 240; Garstang, in: LAAA 4, 1912, 49f.;
Sayce, in: LAAA 4, 1912, 59; Keimer, in: JNES 10,
1951, 227, Tf. IX.c; P. Shinnie, Meroë, Washington
1967, 123, Abb. 43. Zum Parallelstück Brooklyn
49.29: Wenig, in: AiA II, 185, Nr. 101. Zu den
Repliken: Cooney, in: Expedition 6/1, 1963, 26 f.

261
Reliefiertes Goldblech

Gold; H. 5,2 cm, Br. 4,4 cm, T. 0,05–0,3 cm
Aus Nuri, Pyramide Nu 2, Kammer B
Harvard University – MFA Boston-Expedition,
Februar 1917, Fundnr. 17-2-237
Napatanisch. 510–487 v. Chr.
Khartum, Nationalmuseum 1359

Das fein ziselierte Goldblech zeigt unter
dem gestirnten Himmelszeichen links
den falkenköpfigen Gott Re mit Sonnenscheibe, der mit erhobener rechter Hand
dem rechts stehenden König die Hieroglyphen für „Leben" und „Dauer" reicht.
Der König trägt die 'Kuschitenkappe' mit
Doppeluräus und Diademband, außerdem ein Halsband mit Widderkopf (?),
einen Schulterkragen, Ober- und Unter-
armreifen sowie Kreuzbänder an den Unterarmen. Unter dem spitzen Vorbau-
schurz wird ein wadenlanges Gewand mit
Fransensaum sichtbar, durch das die Beine durchscheinen. Die Sandalen des Königs haben hohe Zehenbügel. Über dem
König schwebt die Sonnenscheibe mit
Uräus und im rechten Winkel geöffnetem Flügelpaar. Die Kartusche nennt den
Namen des Herrschers Amaniastabarqa.
König und Gott reichen sich die Hand;
die linke Hand des Königs ist im Rezi-
tationsgestus zur Gottheit hin erhoben.
Das reziproke Abhängigkeitsverhältnis
zwischen Gott und König und deren en-
ges Zusammenwirken sind die Grundlage der Weltordnung.

Lit.: PM VII, 225; RCK II, 168f., 171, Abb. 128,
280, Tf. CXVII.D; Dunham, in: JNES 11, 1952,
111f., Tf. XIII.A

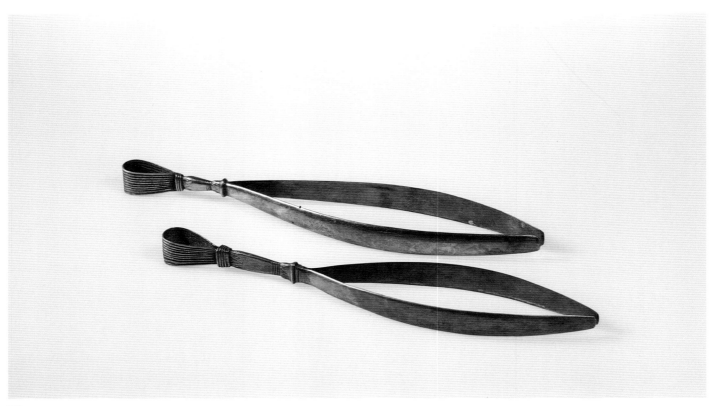

259
260

261 ▷

262

263

262
Glieder einer Halskette

Gold; H. 1,35–1,5 cm, Durchm. 2,5–2,6 cm
Aus Nuri, Pyramide Nu 16, Kammer A
Harvard University – MFA Boston-Expedition,
Dezember 1916, Fundnr. 16-12-299
Napatanisch, 435–431 v. Chr.
Khartum, Nationalmuseum 1362

Die Kettenglieder stammen von einer
Halskette, die in der Grabkammer unter
der Pyramide des Königs Talakhamani in
Nuri gefunden wurde. Bei der Fundteilung gelangte ein Teil der Kette nach
Boston, der andere verblieb in Khartum.
Die sieben oder acht Blütenblätter legen
sich glockenförmig um den halbkugeligen Blütenboden, an dessen Außenseite
eine röhrenförmige Öse zum Auffädeln
der Kettenglieder angearbeitet ist.

Lit.: RCK II, 20f., 278, Tf. CXIII.A; Vercoutter,
in: Kush 7, 1959, Tf. XXXIIId

263
Glieder einer Halskette

Gold; H. 1,5 cm, Durchm. 2,6 cm
Aus Nuri, Pyramide Nu 16, Kammer A
Harvard University – MFA Boston-Expedition,
Dezember 1916, Fundnr. 16-12-298/299
Napatanisch, 435–431 v. Chr.
Boston, Museum of Fine Arts 20.310-18

Zu den Blüten *Kat. 262* gehörig, teilt
dieses Stück der Halskette das Schicksal
vieler Grabungsfunde und Fundkomplexe G. Reisners, die bei der Fundteilung
in zwei Teile zerlegt worden sind. Auf
Zeit sind sie in der Ausstellung wieder-
vereinigt.
Eine ähnliche Blütenkette wurde in Kawa
gefunden.

Lit.: RCK II, 207f., Abb. 160 (298), Tf. CXIII.A.
Zur Kette in Kawa: Salah Ahmed, in: La Nubie.
Les Dossiers d'Archéologie 196, 1994, 45CXIII.A

264
Finger- und Zehenhülsen

Gold; H. 3,4–4,1 cm, Durchm. 1,8–3,05 cm
Aus Nuri, Grab. Nu 42, Kammer B
Harvard University – MFA Boston-Expedition,
Januar – Februar 1918, Fundnr. 18-1-230/
239, 18-2-178/179
Napatanisch, 593–568 v. Chr.
Khartum, Nationalmuseum 1497

Der Brauch, die Finger und Zehen des
mumifizierten Verstorbenen mit Gold-
hülsen zu umkleiden, ist in Ägypten gut
belegt. Im Grabschatz des Tutanchamun
und in den Königsgräbern von Tanis haben sich ähnliche Hülsen gefunden.
Die Finger- und Zehenhülsen kommen
aus dem Grab der Königin Asata, einer
Gemahlin des Königs Aspelta. Sie sind
jeweils aus einem Stück Goldblech geformt. Die Vertiefungen der Nägel waren
mit Farbpaste gefüllt.

Lit.: RCK II, 116f., 290f., Tf. CXXI.D

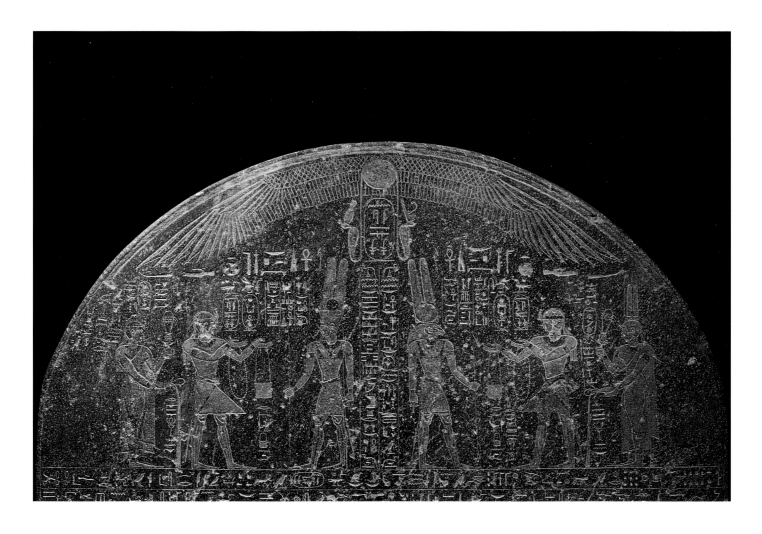

265
Stele des Königs Nastasen

Granit; H. 163 cm, Br. 127 cm, T. 16,5 cm
Aus Neu-Dongola; ursprünglich wohl Gebel
Barkal
1853 von Graf W. von Schlieffen gefunden;
Geschenk von Abbas Pascha an
König Friedrich Wilhelm IV.
Napatanisch, 335–315 v. Chr.
Berlin, Ägyptisches Museum und Papyrus-
sammlung 2268

Die beidseitig beschriftete monumentale Stele Nastasens ist die letzte der großen napatanischen Königsstelen, auf denen die Herrscher in ägyptischer Sprache
ihre Tätigkeitsberichte aufschreiben ließen. Das Stelenbild der Vorderseite zeigt

in scharf geschnittenem, stilistisch aus-
geprägtem versenkten Relief unter der
geflügelten Sonnenscheibe, zwischen
deren Uräen der Königsname wie eine
zweite Sonne steht, Rücken an Rücken
Amun von Theben in Menschengestalt
und Amun von Napata mit Widderkopf.
Vor jedem von ihnen bringt Nastasen
eine Halskette und ein Pektoral dar.
In der linken Bildhälfte begleitet den
König seine Mutter, „die Königsschwester und Königsmutter, die Herrscherin
von Kusch, Pelcha". Sie trägt wie ihr
Sohn die 'Kuschitenkappe' mit Diadem.
Mit der Linken hält sie ein Sistrum, mit
der Rechten gießt sie Wasser aus einem

Bügeleimer. Ein Zusatz zu ihrem Namen
ist vielleicht erst nachträglich angefügt
worden: „Ihr ist die Krone von Napata
gegeben, weil ihr Vater die Kapelle der
Königskappe des Re-Harachte 'befestigte'." In der rechten Bildhälfte begleitet
den König seine Gemahlin Sachmach.
Die mit großer Detailgenauigkeit ausgeführte hieroglyphische Inschrift läßt jedoch mangelnde Vertrautheit mit den
altägyptischen Formen erkennen. Noch
schlimmer ist es um die Sprachkenntnis
der Verfasser des Textes bestellt. Sie bemühen sich um die schriftliche Fixierung
eines zeitgenössischen Ägyptisch, doch
kann man angesichts der vielen Fehler in

Orthographie und Grammatik und einer sichtlichen Unbeholfenheit im Ausdruck streckenweise nur vermuten, was eigentlich gemeint ist.

Nach der Datierung in das achte Regierungsjahr des Nastasen beginnt der Text mit der Schilderung von dessen Berufung zur Herrschaft. „Als ich der gute Sohn in Meroë war, da rief mich Amun von Napata, mein guter Vater: Komm!" Nastasen folgt dem Ruf Amuns nach Napata, wo ihn die Stadtbewohner empfingen: „Er hat dir die Herrschaft von Nubien zu Füßen gelegt, Amun von Napata, dein guter Vater." Beim „Gespräch" mit dem Gott im Tempel erhält Nastasen aus dessen Hand das „Königtum von Nubien, die Königskappe des Königs Harsiyotf und die Macht des Königs Piye-Alara". Eine Krönungsreise nach Kawa und nach Pnubs schließt sich an. Nach der Aufzählung von Gaben für Amun fährt der Text fort mit einem Bericht über mehrere Feldzüge, wobei die Identität der Gegner und der Gegenden, in denen sich die Kämpfe abspielten, zumeist unbekannt bleiben.

Den Schluß des Textes bildet ein Bekenntnis des Königs zu Amun: „O Amun von Napata, mein guter Vater! Eine Angelegenheit, der du deine Zustimmung verweigerst, nicht hat sie ihre rechte Zeit (*kairos*). Und wenn dein Ausspruch ausbleibt, dann kann man nicht mit seiner Hilfe (?) die Leute unter dem Himmel ernähren."

Sprachgeschichtlich ist die Stele des Nastasen der letzte längere Text in ägyptischer Schrift und Sprache im napatanischen Reich, bevor das Meroïtische zur Schriftsprache wurde.

K.-H. P.

Lit.: PM VII, 193; Richard Lepsius, Denkmäler aus Aegypten und Aethiopien, V, 16 a,b; H. Schäfer, Die äthiopische Königsinschrift des Berliner Museums. Regierungsbericht des Königs Nastasen, Gegners des Kambyses, Leipzig 1901; H. Schäfer, Urkunden, III, Leipzig 1905, 137–152; E. A. W. Budge, Annals of Nubian kings, London 1912, CXXVII–CXXXII, 140ff., Tf. XI; F. Kienitz, Die politische Geschichte Ägyptens vom 7. bis zum 4. Jahrhundert, Berlin 1953, 49, 130, 132ff.; F. Hintze, Studien zur meroïtischen Chronologie, Berlin 1959, 17–20; F. Hintze – U. Hintze, Alte Kulturen im Sudan, Leipzig 1966, 22, Tf. 76–77; Wenig, in: Cl. Vandersleyen (Hrsg.), Das alte Ägypten (= Propyläen Kunstgeschichte 15), Berlin 1975, 407f., Tf. 405; ders., in: AiA II, 163, Nr. 72; Priese, in: Katalog Das Ägyptische Museum Berlin, Mainz 1991, 258, Nr. 157

266
Spiegel des Königs Nastasen

Silber, Bronze; H. 34,7 cm, Br. 22,2 cm, T. 4,8 cm
Aus Nuri, Pyramide Nu 15, Kammer A
Harvard University – MFA Boston-Expedition, Februar 1917, Fundnr. 17-2-1992
Napatanisch, 335–315 v. Chr.
Khartum, Nationalmuseum 1374

Spiegel mit figürlich verziertem Griff finden sich bereits bei Schabaqa und Amani-natake-lebte; Nastasens Spiegel bildet den Höhepunkt dieser Gruppe von Goldschmiedearbeiten.

Die leicht querovale Spiegelplatte aus Bronze war beidseitig poliert. In eine sichelförmige Fassung aus Silber gesetzt, die die Mondsichel darstellt, wurde die Scheibe zum Abbild des Mondes.

Der Spiegelgriff ist als Säule mit Papyruskapitell gestaltet. Mit dem Rücken zum Säulenschaft stehen vier rundplastisch ausgearbeitete Götterfiguren. In der Achse der Vorder- und Rückseite sind es Amun in Menschengestalt mit Doppelfederkrone und der falkenköpfi-

ge Chons mit Mondsichel; auf den Seiten unter der sichelförmigen Spiegelhalterung stehen die Göttinnen Mut mit Doppelkrone und Hathor mit Kuhgehörn und Sonnenscheibe. Zwischen das Kapitell und die Spiegelscheibe ist ein Abakus gesetzt, auf dessen vier Seiten der Name des Nastasen steht. Er vermittelt zwischen dem Irdischen, für das die Papyrussäule steht, und dem Himmlischen, das sich im Mondmotiv der Spiegelscheibe ausdrückt.

Die Umkleidung einer Säule mit plastischen Figuren ist der ägyptischen Kunst fremd, findet sich aber in der meroïtischen Architektur zum Beispiel in der Großen Anlage von Musawwarat es-Sufra wieder.

Lit.: PM VII, 228; Reisner, in: Bull. MFA XVI/97, 1918, 78; RCK II, 246f., Abb. 192, 249, 285, Tf. XCII.B-F

267
Figürliches Goldblech

Gold; H. 6,7 cm, Br. 6,2 cm
Aus Nuri, Pyramide Nu 15, Kammer A
Harvard University – MFA Boston-Expedition,
Februar 1917, Fundnr. 17-2-1978
Napatanisch, 335–315 v. Chr.
Khartum, Nationalmuseum 1365

Vom kostbaren Grabschatz des Nastasen
ist wie bei den meisten anderen Pyrami-
dengräbern von Nuri der größte Teil den
Grabräubern in die Hände gefallen. Im
Schutt, den sie aufgehäuft haben, fand
sich die aus Goldblech geschnittene Figur eines Widders mit hochgereckten
Flügeln auf seinem Rücken – zweifellos
eine Erscheinungsform des Amun.

Lit.: RCK II, 246, 249, 285, Tf. CXX.A

268
Stele der Königin Sachmach

Granit; H. 60,1 cm, Br. 37,9 cm, T. 9,0 cm
Vom Gebel Barkal, Tempel B 500, vor dem
I. Pylon (B 551)
Harvard University – MFA Boston-Expedition,
1920
Napatanisch, 335–315 v. Chr.
Khartum, Nationalmuseum 1853

Die Stifterin der Stele, die Königin Sachmach, begleitet auf der Nastasen-Stele
ihren Gemahl (*Kat. 265*). Zusammen
bilden die beiden Stelen den Schlußpunkt der ägyptischen Schrifttradition
im Reich von Napata.
Das Bildfeld ist von einem architektura-
len Rahmen umgeben, der mit Uräenfries, Rundstab und doppeltem Türsturz
mit Sonnenscheibe das Portal eines Tempels darstellt. Sachmach ist in dünn ein-
geritzter Zeichnung wie auf der Nastasen-Stele mit Sistrum und Kulteimer
beim Opfer dargestellt. Dieses gilt dem
thronenden Osiris, dem Isis, hinter ihm
stehend, schützend die Rechte auf die

Schulter legt. In der orthographisch feh-
lerhaften Inschrift, einem Gebet an Osiris, ist zweimal „König Sachmach" zu
lesen. Alleine aufgrund dieses Stelentex-
tes würde man Sachmach den Kandakes
zur Seite stellen, die mit dem Titel *qore*
(„Herrscher") selbständig regierten. Daß
die Bezeichnung „König Sachmach" keineswegs eine nachlässige Schreibung ist,
ergibt sich aus den schwer lesbaren Inschriften auf der seitlichen Stelenrah-
mung, in denen Sachmach sogar einen
Horusnamen erhält: „Horus, stark ...

großer, siegreicher (?) Gott...Osiris Sachmach." War Sachmach vielleicht doch
eine 'regierende Kandake' und gehört ihr
eines der Gräber, die unmittelbar im
Anschluß an die Nuri-Pyramide des
Nastasen von ca. 315–275 v. Chr. nahe
dem Gebel Barkal angelegt wurden?

K.-H. P.

Lit.: PM VII, 216; Reisner, in: ZÄS 66, 1931, 83,
Nr. 59; D. Dunham, The Barkal Temples, Boston
1970, 34, Tf. XXXIV; Dunham – Macadam, in:
JEA 35, 1949, 146, Tf. XVI, 65a; Wenig, in: MIO
13, 1967, 13; ders., in: AiA II, 164, Nr. 73

269
Amulett

Grünes Hartgestein; H. 8,4 cm, Br. 3,9 cm,
T. 0,9 cm
Herkunft unbekannt
Napatanisch
München, Staatliche Sammlung Ägyptischer
Kunst ÄS 6293

Vielfältig, fast unerschöpflich sind die
Erscheinungsformen Amuns, des Götterkönigs, in dem alle anderen Götter enthalten sind. In der Ikonographie des napatanischen Reiches dominiert die Widdergestalt des Gottes, letztlich wohl fu-
ßend auf der Widdergottheit, die bereits
in Kerma dominant in Erscheinung getreten ist.

Daß auch dieses Amulett, das Amun
menschengestaltig zeigt, dem Reich von
Napata zuzuweisen ist, zeigen die typischen Gesichtszüge. Die grüne Farbe

spricht ebenso wie die Wasserhierogly-
phe, auf der Amun hockt, die Funktion
des Gottes als Bringer des Nils an.

Lit.: Wildung, in: Münchner Jahrbuch der bildenden Kunst, Dritte Folge, Band 39, 1979, 206,
Abb. 7; Wildung, Fünf Jahre. Neuerwerbungen
der Staatlichen Sammlung Ägyptischer Kunst
München 1976–1980, Mainz 1980, 24; vgl.
Macadam, Kawa II, 216, Tf. XXXV, li. oben, Nr.
2085

Das Königreich von Meroë

270
Statue eines Königs

Bronze, stuckiert und vergoldet; H. 50 cm,
Br. 17,6 cm, T. 16,7 cm
Aus Tabo, Insel Argo; Hof des großen Tempels
Grabung Fondation Blackmer – Universität
Genf, 1973–1974
Meroïtisch, um 200 v. Chr.
Khartum , Nationalmuseum 24705

Eine der bedeutendsten Entdeckungen in
den letzten Jahrzehnten zur Kunstgeschichte des Sudan gelang der Schweizer
Expedition in Tabo auf der Insel Argo
unter Leitung von Charles Maystre. Im
Januar 1974 kam im Hof des großen
Tempels in einer kleinen Grube, die offenbar als Versteck angelegt worden war,
eine vergoldete Bronzestatue zutage, die
nicht nur die größte Metallskulptur des
Sudan ist, sondern auch durch ihren außergewöhnlich lebendigen Ausdruck, der
wesentlich durch die eingelegten Augen
bestimmt wird, und ihre lebhafte Bewegung eine bislang unbekannte Dimension der Kunst des napatanischen und
meroïtischen Reiches eröffnet.
Die männliche Figur ist in weiter Schritt-
stellung dargestellt. Der linke Arm ist
leicht angewinkelt vor den Körper genommen, so daß die Hand vor dem Un-
terleib liegt. Der rechte Unterarm ist frei
nach vorn ausgestreckt. Da das Gestalten
in Metall es erlaubt, Arme und Beine
ohne Verbindungsstege und Stützen frei
zu arbeiten, gewinnt die Statue Bewe-
gungsfreiheit und Dynamik. Ein kleines
ikonographisches Detail liefert die Erklärung für die Haltung des linken Armes. Am rechten Daumen sitzt ein Dau-
menring (vgl. *Kat. 271*), wie er von Bogenschützen getragen wurde. Daraus ist
abzuleiten, daß die Linke einen Bogen
hielt. Auch der Unterarmschutz am linken Arm gehört zur Ausrüstung des Bogenschützen.

Der Bogenschütze ist ein König. Die
Kuschitenkappe mit Doppeluräus und
mit Diadem, das Halsband mit den drei
Widderkopf-Amuletten und die Schurztracht sind königliche Attribute. Schulterkragen, Ohrringe und Oberarmreifen
vervollständigen den Schmuck. Die Füße
tragen Sandalen.
Auf die durch gepunzte Punkte aufge-
rauhte metallene Oberfläche wurde eine
Gipsschicht aufgebracht; sie diente mit
ihrer differenzierten Modellierung der
Oberfläche als Untergrund für die die
ganze Figur überziehende Vergoldung, so
daß der Eindruck entstand, die Statue sei
aus purem Gold gefertigt.
Die Figur wurde wohl um die Zeitenwende vergraben, vielleicht um sie vor
einem feindlichen Angriff zu schützen.
Zu diesem Zeitpunkt hatte sie offenbar
schon einen großen Teil ihrer Vergoldung
verloren, denn ihr Entstehungsdatum lag
erheblich früher. Stilistisch ist die Figur
um 200 v. Chr. anzusetzen. Sie schließt
in ihren stämmigen, überaus kraftvollen
Proportionen unmittelbar an den Stil der
napatanischen Skulptur an. Die Züge des
Gesichts, vor allem der kleine Schmoll-
mund, finden engste Entsprechungen in
den Reliefs des exakt datierten Löwentempels von Musawwarat es-Sufra.
Es ist legitim, von der Statue aus Tabo,
das weitab vom religiösen Zentrum Napata und von der neuen Hauptstadt Meroë liegt, auf eine nicht weniger kostbare statuarische Ausstattung der dortigen
Tempel zu schließen. Als bevorzugtes
Raubgut der Tempelräuber haben sie die
Jahrtausende nicht überlebt.

Lit.: Leclant, in: Orientalia 44, 1975, 234,
Tf. XXV, Abb. 24; Ch. Maystre, Tabo I. Statue
en bronze d'un roi méroitique, Genf 1986; Wenig, in: AiA II, 84f., Abb. 63

271
Daumenring

Chalzedon; H. 2,5 cm, Durchm. 4 cm
Aus Meroë, Nordfriedhof
Aus der Sammlung G. Ferlini
Meroïtisch
Berlin, Ägyptisches Museum und Papyrus-
sammlung 20900

Daumenringe werden nicht nur in Reliefdarstellungen und Statuen (*Kat. 270*)
dargestellt, sondern finden sich nicht
selten als Grabbeigaben. Da sie charakteristisch für die meroïtische Bewaffnung
sind, sind ihre Fundorte ein wichtiges
Indiz für die geographische Ausdehnung
der meroïtischen Kultur.

Lit.: Schäfer, Goldschmiedearbeiten, 219, 236
Zu den Daumenringen: Kronenburg, in: Kush 10,
1962, 36–37; Hayes, in: Meroïtica 1, 1973,
113–122

272
Kopf der Statue einer Königin

Granit; H. 29 cm, Br. 24 cm, T. 32 cm
Aus Meroë, Stadt; Gebäude KC 104
Grabungen Universität Calgary und Universität
Khartum (P. Shinnie) 1976, Fundnr. 6682
Meroïtisch
Khartum, Nationalmuseum 24556

Wegen seiner Haartracht wird der Statuenkopf als Darstellung einer Frau anzusprechen sein, die – angesichts des
überlebensgroßen Formats – in königlichem Rang gestanden haben dürfte. Der
Bartansatz am Kinn steht dazu nicht im
Widerspruch, da meroïtische Königinnen den Zeremonialbart als Abzeichen
königlicher Würde zu tragen pflegten.
Stilistisch gehört der Kopf mit seinen
Brillenaugen und den wulstigen Lippen
wohl ins 1.–2. Jahrhundert n. Chr. Wei

tere Aufschlüsse mag der noch ausstehende Grabungsbericht geben.

Lit.: P. Shinnie, Meroë, Warschau 1986, Abb. 37

273
Kopf einer königlichen Statue

Sandstein, Reste von Vergoldung und Ägyptischblau; H. 19 cm, Br. 8,5 cm, T. 13 cm
Gebel Barkal, Tempel B 500, Raum B 514
Harvard University – MFA Boston-Expedition,
April 1916, Fundnr. 16-4-286
Meroïtisch, um die Zeitenwende
Boston, Museum of Fine Arts 24.1797

Bereits 1916 ausgegraben, aber erst 1989
im Magazin des Museum of Fine Arts in
Boston wiederentdeckt, ist dieser Statuenkopf aufgrund seiner künstlerischen
Qualität ein bedeutender Zugewinn für
die meroïtische Kunstgeschichte. An den
ehemals eingelegten Augen sind Spuren

von Ägyptischblau erhalten; das Gesicht
scheint vergoldet gewesen zu sein. Über
der Stirn ist die Vertiefung zur Aufnahme eine Uräus zu erkennen. Die ausgeprägten Backenknochen und wulstigen
Lippen verleihen dem Gesicht seinen
'afrikanischen' Ausdruck. Der Fundort
direkt vor den Sanktuarien des großen
Amuntempels am Gebel Barkal spricht
für eine Aufstellung der Statue im innersten Tempelbereich. Dieser Teil des Tempels ist von Natakamani und Amanitore
um die Zeitenwende restauriert worden;
stilistische Vergleiche sprechen für eine
Datierung des Kopfes in diese Zeit. So
ist anzunehmen, daß König Natakamani oder Königin Amanitore, die großen
Bauherren in vielen Städten des Reiches
von Meroë, in diesem außergewöhnlichen Porträt dargestellt sind.

T. K.

Lit.: Kendall, in: Hommages à Jean Leclant, II,
BdE 106/2, Kairo 1994, 235–243, Abb. I

274
Statue eines Gefangenen

Sandstein; H. 43,9 cm, Br. 20,3 cm, T. 42 cm
Aus Tabo, Insel Argo
Grabung Fondation Blackmer – Universität
Genf, 1965–1967
Meroïtisch, um die Zeitenwende
Khartum, Nationalmuseum 24397

Eine ziemlich differenzierte Bildsymbolik der Feindvernichtung ist seit dem Beginn der ägyptischen Geschichte der sichtbare Ausdruck des herrscherlichen Selbstverständnisses des Königs. Die Gegner Pharaos werden in drei Gruppen geteilt, die Asiaten, die Libyer und die Nubier. Mit der Übernahme zahlreicher Motive der ägyptischen Kunst in die Ikonographie des Reiches von Napata und Meroë findet auch diese Bildsymbolik Eingang in die königlichen Darstellungen der napatanischen und meroïtischen Kunst. Aus dem Feind des stets siegreichen Pharao ist nun der selbst siegreiche König geworden. In den Tempelreliefs sind die langen Reihen der vom König überwundenen Feinde teilweise direkt aus den Vorlagen in den ägyptischen Reliefs des Neuen Reiches übernommen. Der Tempel Amenophis' III. in Soleb bietet ein gutes Beispiel, und zahlreiche weitere Vorlagen werden an den Wänden der Tempel des Neuen Reiches am Gebel Barkal zu finden gewesen sein. Durch diese Kopistentätigkeit gelangen Anachronismen ins Bildprogramm, Darstellungen von Völkern, die längst von der Bühne der Geschichte abgetreten sind. In vielen Darstellungen wird jedoch eine Aktualisierung des Feindbildes vorgenommen, und zwei Gruppen von Feinden treten in den Vordergrund: ein afrikanischer Typus und eine ethnische Gruppe, die durch ihre Haartracht charakterisiert ist – starr nach oben abstehendes mittellanges Haar; mit diesem Darstellungsmuster scheinen die Beduinen der Ostwüste, die Bedja, gemeint zu sein, die wohl eine ständige reale Bedrohung bildeten.

Die Gefangenenfigur aus Tabo ist aufgrund ihrer Haartracht diesem Bildtypus zuzuweisen. Sie ist kniend dargestellt. Die Ellbogen sind hinter dem Rücken gefesselt. Die Fesseln laufen schräg über das Gesäß zu den Knöcheln, so daß der Körper wie zu einem Paket verschnürt wirkt. Die Füße sind unter die Unterschenkel gequetscht. Der Kopf ist weit nach hinten in den Nacken genommen; ein tiefes rundes Loch ist zwischen den Schlüsselbeinen in den Halsansatz gebohrt.

Zwei Reliefs an der Rückseite des Pylons des Löwentempels in Naga liefern die Erklärung für dieses Detail. In den Leib eines Gefesselten, der in der gleichen Haltung wie die Statue dargestellt ist, ist ein langer spitzer Pfahl gebohrt, auf dem der löwengestaltige Gott Apedemak sitzt. Die Statue liefert den Beweis, daß dieses Motiv nicht nur für Reliefdarstellungen erfunden wurde, sondern, in geradezu brutalem Realismus rundplastisch ausgeführt, zum Ausstattungsprogramm der Tempel gehörte.

Lit.: Maystre, in: Kush 15, 1973, 197, Tf. XXXVII, Wenig, in: AiA II, 219, Nr. 140

Der Gefangene ist ein Beduine der Ostwüste, ein Bedja.
Beiderseits ist am Rand des Fragments je eine Hand erhalten, um die wie bei der Mittelfigur ein breites Band gelegt ist – Reste von zwei weiteren Figuren.

Lit.: Unveröffentlicht. Zur Feindsymbolik: S. Schoske, Das Erschlagen der Feinde. Ikonographie und Stilistik der Feindvernichtung im alten Ägypten, Ann Arbor 1994

275
Fragment eines Thronpodests

Sandstein; H. 16,5 cm, Br. 38,6 cm,
T. 47,6 cm
Aus Meroë
Grabungen der Universität Calgary und
Universität Khartum (P. Shinnie), 1976
Meroïtisch
Khartum, Nationalmuseum 24554

In flachem Relief ist die Frontalansicht eines Gefesselten in die geglättete Steinfläche geschnitten. Die Ellbogen sind hinter dem Rücken gefesselt, die Unterarme seitlich abgespreizt. Um die Finger der rechten Hand ist ein Band gelegt; ein Kreuzband liegt über Schultern und Brust. Die Haare stehen starr nach oben ab und sind von einem Band umzogen. Die Reste der Schurztracht entsprechen wie die anderen Trachtdetails der Darstellung der Gefangenenfigur *Kat. 274.*

276
Fragment eines Thronpodests

Sandstein; H. 15,9 cm, Br. 34,5 cm,
T. 25,3 cm
Aus Meroë
Grabungen der Universität Calgary und Universität Khartum (P. Shinnie), 1976, Fundnr.
6162
Meroïtisch
Khartum, Nationalmuseum 24557

Gleiche Blockstärke und gleiches Material weisen dieses Fragment als zu jenem von *Kat. 274* zugehörig aus. Auf der Oberseite sind neun Bogen, in zwei Teile zerbrochen, eingeritzt – Symbole der unterworfenen Völker. Auf der gerundeten Außenseite erscheinen die Köpfe von zwei Gefangenen, mit einem Seil um den Hals gefesselt: rechts ein kraushaariger Neger im Profil, links in Frontalansicht der Typus der Darstellung der Blockoberseite, also ein Bedja.

Die Rundung der Außenseite des Blokkes findet ihre Entsprechung in vorne gerundeten, mehrstufigen Thronpodesten, die in mehreren meroïtischen Tempeln gefunden wurden, u. a. in Meroë, am Gebel Barkal und im Amuntempel in Naga. Die Podeste scheinen in den Tempeln aufgestellt gewesen zu sein, die der König auf seiner Krönungsreise besuchte (vgl. *Kat. 265*), und sie waren wohl der programmatisch geschmückte Ort, an dem sich der neue Herrscher der Gottheit wie auch seinen Untergebenen präsentierte.

Lit.: Unveröffentlicht. Zu Thronpodesten: Tomandl, n: Beiträge zur Sudanforschung I, 1986, 149–156; ders., o. c., 97–113

277
Figürliche Lampe

Bronze; H. 7,2 cm, Br. 18,6 cm
Aus Meroë, Westfriedhof, Grab Beg. W 102,
Grabkammer
Harvard University – MFA Boston-Expedition,
Januar 1922, Fundnr. 22-1-517
Meroïtisch, 2. Jahrhundert n. Chr.
Khartum, Nationalmuseum 1947

Die Herrschaftssymbolik der meroïtischen Könige bedient sich neben dem
häufigen Rückgriff auf altägyptische
Vorbilder auch neuer Motive. Zu ihnen
zählt der Elefant als Königstier. Dem
Löwen in der ägyptischen Herrscherikonographie verleichbar, dient der Elefant
nicht nur zur Dekoration des Königsthrones, sondern wird auch in einem Relief am Löwentempel von Musawwarat
es-Sufra dargestellt, wie er dem Herrscher und den Göttern die gefesselten
Feinde zuführt. Die Elefantenlampe ist
in diesem Bedeutungskontext zu sehen.

Lit.: RCK V, 192f., Abb. 138a–d; Wenig, in: AiA
II, 94, Abb. 77; Török, in: Meroïtica 10, 1989,
145, Nr. 201, 183; P. Shinnie, Meroë. A civilization of the Sudan, London 1967, 223, Tf. 71

278
Figur eines Kamels

Bronze; H. 5,2 cm, L. 7,2 cm, Br. 2,3 cm
Aus Meroë, Nordfriedhof, Pyramide N 5,
Kammer A
Harvard University – MFA Boston-Expedition,
Dezember 1921, Fundnr. 21-12-63
Meroïtisch
Khartum, Nationalmuseum 1950

Neu gegenüber der ägyptischen Bilderwelt ist in der meroïtischen Kunst die
Darstellung des Kamels in Reliefdarstellungen oder in rundplastischen Figuren.
Der Sattel, der dem liegenden Kamel
aufgelegt ist, weist es als Reittier aus.

Lit.: RCK IV, Boston 1957, 124f., Abb. 82, 127,
212, Tf. XLIX.F; Lenoble, in: Archéologie du
Nil Moyen 6, 1994, 113

MEROÏTISCHE SCHRIFT UND SPRACHE

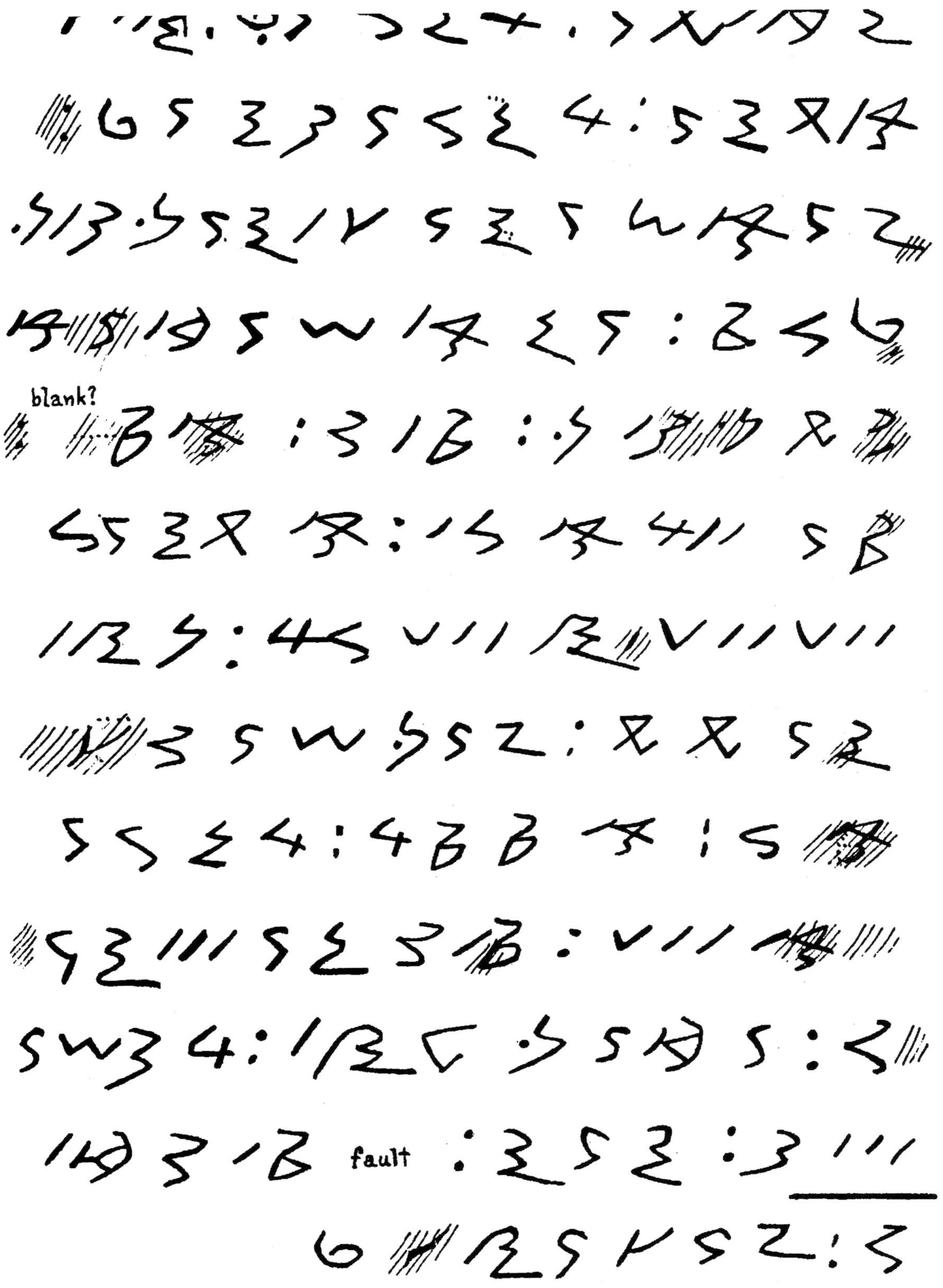

Abb. 41   Kursiv-meroïtische Inschrift auf dem Rückenpfeiler der Statue der Isis mit Horuskind, Berlin 2258 (nach F. Ll. Griffith, Meroïtic Inscriptions)

Karl-Heinz Priese

Meroïtische Schrift und Sprache

Über Jahrtausende haben die Hochkulturen Nubiens darauf verzichtet, für ihre Sprachen eigene Schriften zu entwickeln, obwohl ihnen durch den engen Kontakt zu Ägypten die vielfältigen Möglichkeiten des Schriftgebrauches wohl vertraut waren. Abgesehen von Personen- und Ortsnamen sind auch keine Versuche bekannt, die Sprachen Nubiens mit ägyptischen Hieroglyphen zu schreiben. Erst im 2. Jahrhundert v. Chr. treten im meroïtischen Bereich Schriftdenkmäler auf, die die Sprache der Einheimischen mit einer eigenen Schrift aufzeichnen.

Das Meroïtische wird mit Hilfe einer 'Hieroglyphenschrift' und einer 'Kursivschrift' geschrieben; beide stellen in ihren Zeichenformen eine Auswahl aus ägyptischen hieroglyphischen bzw. demotischen Zeichen dar. Auch das Schriftsystem geht auf eines der Systeme zurück, die schon in den ägyptischen Texten des Reiches von Napata für die Schreibung nichtägyptischer Wörter in Gebrauch waren. Dafür, daß ein solches System auch für die Abfassung ganzer Texte genutzt werden konnte, gibt es aus Ägypten das Beispiel eines Papyrus der Perserzeit mit aramäischen Texten in demotischer Schrift. Nach Abstreifung überflüssiger Elemente wie Zeichendubletten und Determinativen im Rahmen einer offenbar wohldurchdachten 'Reform' kennt das meroïtische Schriftsystem (*Abb. 42*) 15 Konsonantenzeichen, vier Silbenzeichen (für *ne, se, te* und *to*) und vier Vokalzeichen, von denen zwei die Vokale *i* bzw. *o/u*, eines einen *e*-Laut oder die Vokallosigkeit und eines ein anlautendes *a* bezeichnen. Im Inlaut wird *a* nicht durch ein gesondertes Zeichen ausgedrückt, wobei aber offen bleibt, ob ein Konsonantenzeichen ohne ein folgendes Vokalzeichen immer als Konsonant + *a* gelesen werden muß. Bemerkenswert ist die Parallelität zum altpersischen Schriftsystem, ohne daß eine gegenseitige Abhängigkeit der 'Erfindung' vorliegen muß. Zwischen den Wörtern, mitunter auch

zwischen grammatischen Elementen steht ein Worttrenner, der ebenso wie die Zahlzeichen ägyptischer Herkunft ist. Die meroïtischen Schriftdenkmäler umfassen eine Anzahl von Texten der Könige (der älteste auf einer Stele des Königs Taneyitamani um 100 v. Chr.), Beischriften zu Personen und Göttern in den Wandbildern der Pyramidenkapellen und Tempel, insbesondere aber die große Zahl der Totentexte auf Stelen und Opferplatten. Hinzu kommen 'Pilgerinschriften' an Tempelwänden. Auch für die in Stein gehauenen Inschriften wird meistens die Kursivschrift verwendet (*Kat. 284*); aber ihre Zeichenformen und ihre Entwicklung zeigen deutlich, daß diese Schrift vornehmlich für Texte auf Papyrus und Krugscherben benutzt wurde, von denen bislang nur einige Beispiele bekannt sind. Das Meroïtische ist neben seiner Verwendung in religiösem Kontext mit Sicherheit auch die Schriftsprache der Verwaltung und des täglichen Lebens gewesen. Die Vielfalt der erhaltenen Schriftdenkmäler ist so groß, daß Schriftkenntnis und Schriftgebrauch für einen erheblichen Teil der Bevölkerung angenommen werden müssen. Seit der Entzifferung des Schriftsystems durch F. Ll. Griffith am Anfang des 20. Jahrhunderts steht für die meroïtische Zeit des Reiches ein umfangreiches Quellenmaterial zur Verfügung, dessen Wert jedoch dadurch ganz erheblich gemindert wird, daß die Texte zwar gelesen, nicht jedoch übersetzt werden können. Einige Grundregeln der Sprachstruktur sind erkennbar, wonach das Meroïtische zu einer Gruppe nordsudanischer Sprachen gehören könnte, der auch das Nubische zugezählt wird, aber der zeitliche und auch genetische Abstand zu diesen Sprachen ist so groß, daß von einem Vergleich keine allzu große Hilfe zu erwarten ist. Götter- und Personennamen, Ortsnamen, einzelne Titel lassen sich in ihrer Bedeutung erfassen, insbesondere solche, die dem Ägyptischen entstammen wie *annata*, „Priester", *plamusa*,

253

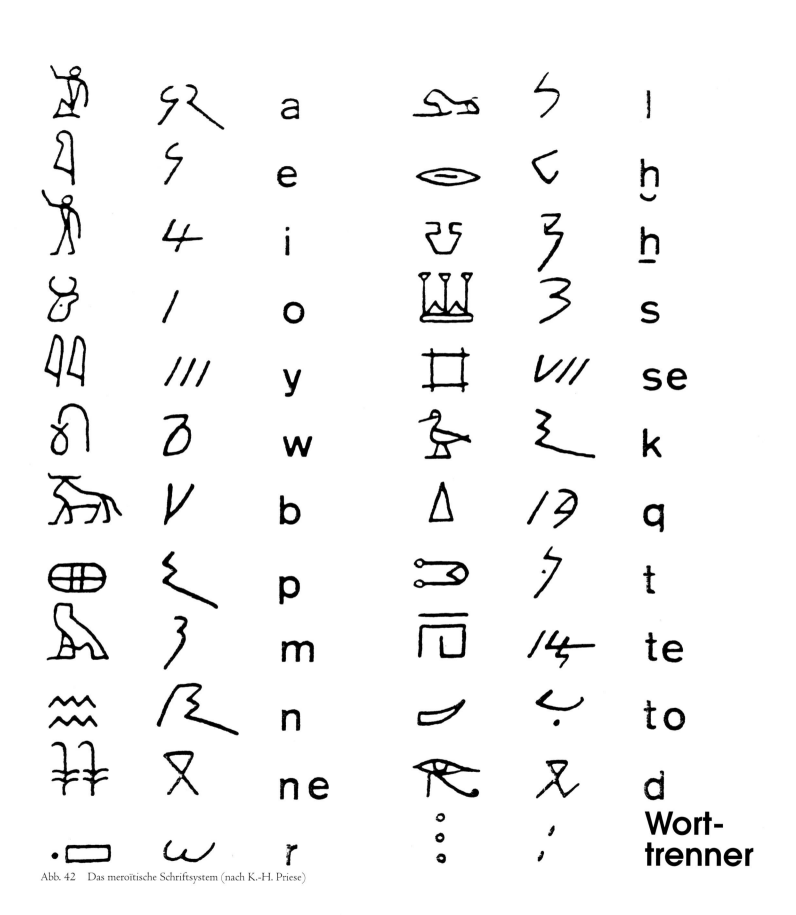

Abb. 42   Das meroïtische Schriftsystem (nach K.-H. Priese)

„Anführer", „General", ferner ganz wenige Sachbezeichnungen wie *ato*, „Wasser", *at*, „Brot", und bestimmte Verwandtschaftsbezeichnungen wie *wil*, „Bruder jem. sein". Am zugänglichsten sind die Totentexte mit ihrer festen Abfolge der Formeln und ihren Titelreihen; gerade die langen Inschriften der Könige, von denen Berichte über historische Ereignisse zu erwarten sind, entziehen sich jedoch noch jedem Verständnis. Als Schriftsprache hat das Meroïtische das Ende des Staates überlebt. Die jüngste 'historische' Inschrift ist die eines der nachmeroïtischen Nubaden-Könige des 4./5. Jahrhunderts n. Chr. (Inschrift des Kharamadoye in Kalabscha). Zwei meroïtische Schriftzeichen sind in die ansonsten griechische Schrift des Altnubischen übernommen worden.

Eine Ergänzung des Quellenmaterials aus dem Reich von Kusch durch Nachrichten aus dem zeitgenössischen Ägypten zu erwarten, erweist sich als Fehlschlag. Hier sind nur die Berichte des Königs Psametich II. aus der 26. Dynastie über seinen Nubien-Feldzug im Jahr 591 v. Chr. zu nennen. Dazu kommen im 2.–4. Jahrhundert n. Chr. die demotischen Graffiti an den Wänden unternubischer Tempel, die interessante Einblicke in die Beziehungen der in Unternubien wirkenden meroïtischen Führungsschicht und des Hofes von Meroë zum Isiskult in Philae gewähren.

Ein bedeutender Beitrag zum Bild von „Äthiopien" wäre von den griechischen und römischen Schriftstellern zu erwarten. Fragmente eines solchen Bildes hat zuerst Herodot geliefert; seit der Zeit Ptolemaios' II. hat es nicht an Schriften über „Äthiopien" gefehlt, in denen Teilnehmer an Expeditionen nach dem Süden ihre Beobachtungen mitteilten. Diese Schriften sind freilich bis auf vereinzelte Zitate etwa aus dem Werk des Bion von Soloi (3. Jahrhundert v. Chr.) alle verloren gegangen, und nicht anders erging es den Werken der griechischen Geographen, die als erste die Spezialwerke für ihre Erdbeschreibungen auswerteten. Zu nennen ist hier nur Eratosthenes. Auch die Schriftsteller der römischen Kaiserzeit wie Strabo und Plinius sind für uns kaum mehr als Bewahrer alten Zitatengutes.

279
Barkensockel des Königs Natakamani

Sandstein; H. 116 cm, Br. 84 cm, T. 84 cm
Aus Wad Ban Naga
Preußische Ägypten-Expedition, 1844
Meroïtisch, 0–20 n. Chr.
Berlin, Ägyptisches Museum und Papyrus-
sammlung 7261

König Natakamani und Kandake Amanitore gehören zu den Herrschern, die
überall in ihrem Reich bedeutende Tempelbauten hinterlassen haben. Einen in
seinen Ausmaßen und in der Grundriß-
gestaltung dem Amuntempel in Naga
vergleichbaren Tempel errichteten sie in
einem der größten städtischen Zentren
der „Insel" Meroë beim heutigen Wad
Ban Naga. In den Ruinen fand die preußische Expedition im Jahre 1844 drei
Untersätze für Götterbarken oder Göt-
terschreine, von denen der größte dank
der Generalvollmacht von Mohammed
Ali nach Berlin mitgenommen werden
konnte, während die beiden anderen seit
langem verschollen sind. Die Dekoration
und die nach langer Zeit zum letzten Mal

noch einmal ägyptischen Inschriften der
beiden größeren Sockel zeigen engste Beziehungen zu vergleichbaren Stücken aus
dem zeitgenössischen Ägypten, also der
frühen Kaiserzeit, insbesondere zu solchen aus Philae.
Der ägyptische Tempel ist ein Abbild des
Kosmos, in dessen Himmelsregionen die
Gottheit wohnt. Das Götterbild ruht in
einem Naos oder in der Götterbarke auf
dem Sockel, der deshalb die Form eines
Tempels erhält. Unter Rundstab und
Hohlkehle, auf dessen einer Seite durch
die geflügelte Sonnenscheibe ein Portal
angedeutet wird, ist auf allen vier Seitenflächen als oberer Abschluß der gestirn-
te Himmel dargestellt, der von vier Personen „hochgehoben" wird. Auf zwei
einander gegenüberliegenden Seiten sind
es zwei der vier den Himmelsrichtungen
zugeordneten Göttinnen, die nach dem
mythischen Weltbild den Himmel tragen, *twejt*, „die Trägerin" für den Norden,
und *'ḥ'jt* „die Mittägliche" für den Süden. Die senkrechten Schriftzeilen beschreiben das Bild: „Von mir ist der
Himmel hochgehoben für die Herrin der
Erde. Von mir ist ihr Sitz in größere
(himmlische) Ferne gerückt als (der) ihrer Gebärerin: Sie erstrahle in ihm in ihrer Barke wie der Mond, der in seiner
Barke umherwandelt." „Von mir ist der
Himmel hochgehoben für Isis, die Leben
spendet. Von mir ist ihr Sitz in größere
Ferne gerückt als (der) ihres Erzeugers.
Sie erstrahle in ihm in ihrer Kapelle wie
die Sonne in der Nachtbarke." An die
Stelle der beiden anderen Göttinnen treten König Natakamani und Kandake
Amanitore. Zu den dogmatisch festgelegten Funktionen des Königs gehört die
Fürsorge für die Tempel als Sicherung
der kosmischen Ordnung. Das „Hochhe-
ben" des Himmels meint dies und zugleich den Wunsch, die Gottheit möge

sich in ihrem Kultbild im Tempel nieder-
lassen. Dementsprechend lassen die Beischriften zu König und Kandake sie sagen: „Bleibe du, bleibe du, auf dem Großen Thron, Isis, Herrin der Unterwelt,
wie die lebende Sonnenscheibe im Horizont, auf daß du deinen Sohn Natakamani auf seinem Thron dauern läßt."
„Bleibe du, bleibe du, auf dem Großen
Thron, Isis, Herrin der Unterwelt, so wie
bleibt der Mond, der als Ei wächst beim
Durchwandeln des Himmels. Möge sie
Leben geben deiner Tochter Amanitore."
Der Barkenuntersatz hat für die Entzifferung der meroïtischen Schrift Bedeutung erlangt. Neben den Köpfen der beiden königlichen Personen stehen ihre
Thronnamen nach ägyptischem Vorbild
und ihre Geburtsnamen in meroïtischen
Hieroglyphen, die in den Texten der Beischriften dagegen mit ägyptischen Hieroglyphen geschrieben sind, so daß sich
eine echte Bilingue ergibt.

K.-H. P.

Lit.: PM VII, 263; Richard Lepsius, Denkmäler
aus Aegypten und Aethiopien, III, 304 (97,98);
V,55a; F. Ll. Griffith, Meroïtic inscriptions, I,
London 1911, 67f., Nr.41, Tf. XXIV, XXV;
Priese, in: Forschungen und Berichte 24, 1984,
11–28; ders., in: Katalog Das Ägyptische Museum Berlin, Mainz 1991, 262f., Nr. 160; REM
0041 (MNL 19, 1978, 19)

mit Osiris. Dem entspricht es auch, daß in mehreren königlichen Opferkapellen der meroïtischen Zeit an der Stelle, die früher die Grabstele einnahm, der Tote zwischen den libierenden Gottheiten als Osiris dargestellt wird. Die Opfertafel für einen König Takideamani stammt vermutlich aus der Grabanlage Beg. N 29 im Nordfriedhof von Meroë. Ihr Text ist engegen der sonst üblichen Beschriftung der Opfertafeln mit kursiven meroïtischen Schriftzeichen ausnahmsweise in meroïtischen Hieroglyphen geschrieben. Aufgrund der starken Formalisierung der Opfertafel-Inschriften kann einiges von dem Text verstanden werden: „ O Isis, o Osiris, dem Takideamani, den Napatadakheto geboren, den Adeqetali erzeugt hat, ... möge ... ein guter Nil möge ... werden ... möge ...“.

K.-H. P.

280
Opfertafel

Sandstein; Br. 47 cm, T. 63 cm
Aus Meroë, Nordfriedhof, Pyramide Beg N 30
(Dunham: N 29)
Preußische Ägypten-Expedition, 1844
Meroïtisch, 140–155 n. Chr.
Berlin Ägyptisches Museum und Papyrussammlung 2255

Zur Grundausstattung der Opferkapelle an der Ostseite der meroïtischen Pyramiden gehört die Opfertafel. Sie hat die aus Ägypten bekannte Form mit einer vorspringenden Abflußrinne, ur-

sprünglich zurückgehend auf die Form des Hieroglyphenzeichens *hetep* „Opfer“. Auf königlichen Opfertafeln – selten auf denen nichtköniglicher Personen – findet sich häufig die Darstellung einer Szene, für die es in der ägyptischen Ikonographie kein Vorbild gibt: Die Göttin Nephthys und der Gott Anubis gießen Wasser oder Milch auf einen Opferaltar. Der Grundgedanke ist gut ägyptisch. Anubis versorgt den Toten, und Nephthys hilft ihrer Schwester Isis, die den toten Osiris beklagt und beschützt. So verweist die Szene auf die Identifizierung des Toten

Lit.: PM VII, 254; Griffith, o. c., 81–83, Nr.60, Tf. XXXI, XXXII; ders., in: ZÄS 48, 1910, 67–68; Hintze, Studien zur meroïtischen Chronologie und zu den Opfertafeln aus den Pyramiden von Meroë, Berlin 1959, 5, 34ff., 57 (Nr. 14), 66, Tf. XI, Abb. 52; Hofmann, in: Beiträge zur Sudanforschung, Beiheft 6, 1991, 48; REM 0060 (MNL 19, 1978,19) 280

281
Opfertafel

Sandstein; Br. 44 cm, T. 49,8 cm
Aus Meroë, Nordfriedhof, Pyramide Beg N 28
oder Beg N 29, nach Hintze aus Beg N 27
Preußische Ägypten-Expedition, 1844
Meroïtisch, um 250 n. Chr.
Berlin, Ägyptisches Museum und Papyrus-
sammlung 2254

Aus der Mitte des 3. nachchristlichen
Jahrhunderts stammt die Opfertafel für
den König Tamelordeamani, dessen Grab
bislang noch nicht mit Sicherheit identifiziert werden konnte. Der kursiv ge-

schriebene Text läßt folgenden Wortlaut
erkennen: „ O Isis, o Osiris, dem Tamelordeamani, den Araqatanmakasa gebar,
den Teritanide erzeugte, ein reichliches
(?) ... möge ... werden. Ein guter Nil
möge ... werden ... möge ...".
Die Darstellung zeigt links Isis, rechts
Anubis beim Trankopfer an einem Altar,
auf dem vier kugelige Gefäße aufgestellt
sind. Besondere Beachtung verdient hier
ein stilistisches Detail. Der zurückgesetzte Fuß ist bei beiden Gottheiten an der
Ferse angehoben, so daß der Eindruck
einer latenten Bewegung entsteht. Die

meroïtische Kunst hat mit dieser Darstel-
lungweise ein eigenständiges Äquivalent
zu der typisch ägyptischen Darstellung
der bewegten – oder bewegungsbereiten
– Figur gefunden, zum Vorsetzen eines
Beines bei gleichzeitiger Beibehaltung der
senkrechten Körperachse.

K.-H. P.

Lit.: PM VII, 253f.; Lepsius, o. c., VI, 9 (44);
Griffith, o. c., 81, Nr. 59, Tf. XXX, XXXI;
Hintze, o. c., 5, 60ff. (Nr. 17), Abb. 27, 66,
Tf. XI, Abb. 53; Hofmann, o. c., 48; REM 0059
(MNL 19, 1978, 19)

282
Opfertafel

Eisenhaltiger Sandstein; H. 7,6 cm, Br. 50 cm,
T. 54,5 cm
Aus Meroë, Nordfriedhof, Pyramide Beg. N 16
(Dunham: Beg. N 36)
Harvard University – MFA Boston-Expedition,
März 1921, Fundnr. 21-3-574
Meroïtisch, um die Zeitenwende (Dunham:
175–190 n. Chr.)
Khartum, Nationalmuseum 2333

Abgesehen von der Vertauschung der
beiden Gottheiten zwischen rechts und
links ist das Motiv dieser Opfertafel eng
mit *Kat. 281* verwandt. Der kursiv geschriebene meroïtische Text entspricht
dem vertrauten Schema: „O Isis, o Osiris, dem Aryesbokhe, den gebar die
Wekeamani ... gebar, den Teritedakhatey
erzeugte, gutes ... möge ... werden ... möge
... werden." Auf dem Opfertisch, der
über der Abflußtülle im Relief dargestellt ist, liegen sieben runde Opferbrote, über die die beiden Gottheiten aus
Bügeleimern eine Wasser- oder Milch-
spende ausgießen. Das Bewegungsmotiv
der angehobenen Ferse wird durch die
gebeugten Knie verstärkt.

K.-H. P.

Lit.: RCK IV, 137, 140, Abb. 91, 211, Tf. XL.D;
Hintze, o. c., 5, 34ff., 49f., Nr.9, Abb. 17, Tf. X,
Abb. 51; REM 0816 (MNL 19, 1978, 20)

283

Opfertafel

Sandstein; H. 6,5 cm, Br. 55,5 cm, T. 56 cm
Aus Meroë, Westfriedhof, Grab Beg. W 342
Harvard University – MFA Boston-Expedition,
Februar 1923, Fundnr. 23-2-62
Meroïtisch, 40 v. Chr. – 90 n. Chr.
Khartum, Nationalmuseum 2331

Die Dekoration der Opfertafel folgt thematisch ägyptischen Vorbildern und entfernt sich auch stilistisch mit der Kombination von Seitenansicht und Draufsicht nicht weit von zeitgleichen, also spätptolemäischen Reliefs in Ägypten. Flankiert von zwei Lotos-Sträußen und zwei schlanken Wasserkrügen sind auf einem niedrigen Opfertisch symmetrisch zur Mittelachse je zwei Trauben, Bratenstücke und Gänse und, beiderseits eines kartuschenförmigen Beckens, je sechs runde Brote aufgetürmt. Der auf dem Rand umlaufende Text lautet, soweit er übersetzbar ist: „O Isis, o Osiris, dem/der Atedokeya, den/die (A)manimanali gebar, den Matetenete erzeugte. Gutes Brot möge ... werden ..., gutes Wasser möge ... werden."

K.-H. P.

Lit.: RCK V, 263f., Abb. 170,1; Hofmann, o. c., 54, 101, 171, 185f.; REM 0849 (MNL 19, 1978, 20)

284
Türschwelle

Sandstein; H. 28 cm, Br. 64 cm, T. 14 cm
Aus Sedeinga, nördlich Pyramide W T2
Universität Pisa – Mission Schiff Giorgini
1964/65, Fundnr. W 7
Meroïtisch
Khartum, Nationalmuseum 23059

Opfertafel und Grabstele sind notwendige Bestandteile nicht nur einer königlichen Bestattung im Residenzfriedhof von Meroë, sondern auch der Ausstattung der Gräber der Vornehmen und ihrer Familienangehörigen überall im Lan-de. Eine Besonderheit des Friedhofs von Sedeinga ist die Wiederholung des Totentextes auf den Türbekrönungen der Eingänge zu den Opferkapellen.

Der Text für einen Matemakher hat in seiner ausführlichen Fassung auf der Stele nicht vollständig Platz gefunden. Die letzten Passagen sind deshalb in sieben Zeilen auf einem Architekturteil niedergeschrieben worden, dessen Anbringungsort und bauliche Funktion nicht bekannt sind.

Der Text nennt u. a. das Verhältnis des Toten zu „Beamten" in drei verschiede-nen Orten, in unverständlichem Zusammenhang die Göttin Isis und in mehreren parallelen Wendungen eine ehrenhafte Stellung „vor" (?) dem König, „dem Gott", und „in Atiye", dem Amtssitz und Bestattungsort.

K.-H. P.

Lit.: Leclant, in: Orientalia 35, 1966, 162; 38, 1969, 288; 41, 1972, 275f.; Schiff Giorgini, in: Kush 14, 1966, 246, 255f., Tf. XXXII; Leclant, in: CRAIBL 1970, 257, 276, Abb. 6; REM 1116 (MNL 10, 1972, 3)

285

Stelenfragment

Sandstein, H. 11,2 cm, Br. 10,4 cm, T. 1,6 cm
Aus Naga, Löwentempel, Innenraum
Berliner Naga-Projekt 1996, Fundnr. Naga
301-4
Meroïtisch, um die Zeitenwende
Khartum, Nationalmuseum 27499

Der Bestand an meroïtischen Inschriften erweitert sich ständig. Bei den laufenden Ausgrabungen an verschiedenen Fundplätzen im Sudan kommen bislang unbekannte Texte zutage, die jedoch angesichts ihres meist fragmentarischen Zustands zu einer Lösung des meroïtischen Sprachproblems nur wenig beitragen. Das Stelenfragment ist im Januar 1996 im Inneren des Löwentempels von Naga gefunden worden, den um die Zeitenwende König Natakamani und Kandake Amanitore erbauen ließen. Es gehört zur offenbar beliebten Gattung kleinformatiger Stelen, die auf beiden Seiten dekoriert und beschriftet wurden. Auf der Vorderseite sind rechts in versenktem Relief Kopf und rechte Schulter einer Göttinnenfigur erhalten geblieben. Sie trägt eine Kappe mit Diadem, an dem zwei Uräen mit den Kronen von Ober- und Unterägypten sitzen. Von dem auf ihrem Scheitel stehenden Falken ist nur der winzige Rest einer Kralle erhalten. Halskette, Schulterkragen, Unterarmreif und der Ärmel des Fransenmantels vervollständigen die Ausstattung.

Die Göttin ist aufgrund ihrer Ikonographie die Gefährtin des Löwengottes Apedemak; ihr sicherlich meroïtischer Name ist noch unbekannt. Sie hält in ihrer erhobenen Linken ein Lebenszeichen, das die betend ausgestreckte Hand einer vor ihr stehenden Person berührt. Von links oben ragt ein weiteres Lebenszeichen in den Bildausschnitt. Auffallend sind bei beiden Händen die extrem langen Fingernägel, die bei den Reliefbildern der Kandake Amanitore auf den Tempelwänden des Löwentempels begegnen.

Vielleicht ist das Fragment zu einer symmetrischen Doppelszene zu ergänzen, in der links Amanitore vor der Göttin und rechts Natakamani vor Apedemak betend dargestellt waren. Die Rückseite des Fragments trug eine offenbar längere Inschrift. In den kurzen Zeilenresten steht der Name des Gottes Amun, wahrscheinlich als erster Bestandteil des Namens der Amanitore, und die Wortverbindung *aritene mlo* „der/die gute am Himmel befindliche".

K.-H. P.

Lit.: Unveröffentlicht

285

Hülse eines Stabes

Bronze; H. 4,7 cm, Durchm. 3,75 cm
Gebel Barkal, Tempel B 500, Nordtür in B 502
Harvard University – MFA Boston-Expedition,
April 1919, Fundnr. 19-4-254
Meroïtisch, 110–90 v. Chr.
Boston, Museum of Fine Arts 24.856

In der Nähe des nördlichen Nebeneingangs, der in die Säulenhalle des großen
Amuntempels am Gebel Barkal führt,
wurde der Bronzezylinder gefunden, der
auf einen stabförmigen Gegenstand aufgeschoben und mit einem durchgehenden
Splint befestigt war.
Der Zylinder trägt die Darstellung der
„Vereinigung der Beiden Länder": zwei

Nilgötter binden die Wappenpflanzen
von Ober- und Unterägypten zusammen.
Auf der Gegenseite stehen die Königstitel „König von Ober- und Unterägypten" und „Sohn der Sonne" mit je einer
Namenskartusche. Trotz unterschiedlicher Schreibung ist es wohl derselbe
Name Try-kmn; die eine Kartusche setzt
für den zweiten Namensbestandteil das
Zeichen des schreitenden Löwen.

Beiderseits steht je eine kursive meroïtische Inschriftzeile, vier weitere Zeilen
sind um die Nilgötter gruppiert; sie enthalten u. a. den Namen Amuns. Am Anfang des kursiven Textes steht jener König Taneyidamanis, der vor dem ersten
Pylon des Amuntempels eine vierzeilig

beschriftete Stele aufrichten ließ. Auch
die Schriftzeichen in den Kartuschen
werden seinen Namen beinhalten; die
verwendeten Zeichen sind aber offenbar
nicht in das endgültige, das standardisierte Alphabet der meroïtischen Hieroglyphenschrift aufgenommen worden.

K.-H. P.

Lit.: RCK IV, 17, Abb. E (42c), 19; Hintze, in:
Kush 8, 1960, 127, 141; D. Dunham, The Barkal
Temples, Boston 1970, 50, Abb. 39, Tf. LIII; REM
1140 (MNL 16, 1975, 30)

Die Götterwelt von Meroë

Abb. 43 Der Löwengott Apedemak in zwei Erscheinungsformen.
Naga, Löwentempel (nach R. Lepsius, Denkmäler V, 60)

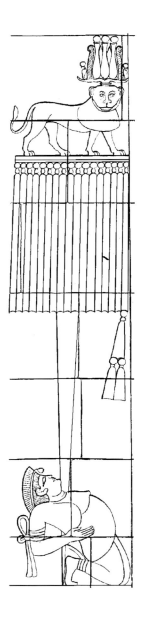

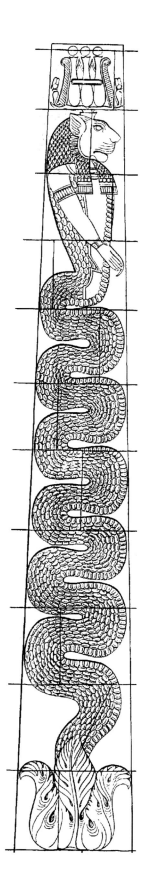

Karl-Heinz Priese

Die Götterwelt von Meroë

Die ägyptische Herrschaft über Nubien während des Neuen Reiches machte den Reichsgott Amun von Theben zum Herrn der meisten Tempel, die allenthalben in Nubien entstanden. Mit dem Königtum von Napata finden wir aber nicht ihn als den Herrn der alten Zentren, sondern Lokalgötter unter dem Namen des Amun, die aber widdergestaltig dargestellt sind. Die in Ägypten seit dem Neuen Reich zu beobachtende Widdergestalt des Amun geht wohl ihrerseits auf sehr alte Widderkulte in Nubien zurück. Es verwundert deshalb nicht, daß schon zur Zeit Tuthmosis' III. eine (Privat?)-Stele vom Gebel Barkal den König vor einem widderköpfigen Amun zeigt und daß der Amun von Kawa schon zur Zeit des Tutanchamun als Widder dargestellt werden kann. Es liegt nahe, die Kultzentren als alte Kultstätten nichtägyptischer Götter zu betrachten, die unter ägyptischer Herrschaft als Formen des Amun aufgefaßt wurden. Dabei handelte es sich nicht nur um alte Widdergottheiten. So ist der Amun in Kawa vermutlich ein alter Löwengott gewesen, der schon im Neuen Reich als widdergestaltiger Amun den Beinamen „Löwe über dem Süden" trägt und in meroïtischer Zeit in Löwengestalt auftreten kann. Die einzelnen Lokalformen des Amun werden bis in die meroïtische Zeit durch unterschiedliche Kronen (*Abb. 44*) deutlich voneinander unterschieden (vgl. *Kat. 329–332*), und gleiche Kronen deuten auf sekundäre Kulte, so wenn der Amun von Naga in meroïtischer Zeit die Krone des Amun von Napata trägt.

An erster Stelle steht in napatanischer Zeit immer der Gott des Gebel Barkal; große Bedeutung darf für den Amun von Meroë erwartet werden, der aber in den napatanischen Inschriften niemals genannt wird und nach seiner bislang nur sehr schlecht bezeugten Ikonographie ein alter Mondgott gewesen sein dürfte. Amun von Theben ist den lokalen Amunformen zwar immer zugesellt, doch ist zu be-

zweifeln, daß er – außer in Napata – über eigene Kultstätten verfügte. Neben Amun haben in Napata Mut (*Kat. 333*) und Chons (*Kat. 349–350*) als Amuns heilige Familie ihren Platz, in Kawa scheint Anukis eine Rolle zu spielen, einen offensichtlich bedeutenden Platz nahm in napatanischer Zeit Bastet ein. Auffällig sind im Gegensatz zu Ägypten die zahlreichen Kultstätten des Osiris, die wir freilich nur indirekt durch die Inschrift auf einem Sphinx des Aspelta und eine Kultortliste des Harsiyotf kennen, die daneben Kultorte für Isis, Re und Onuris nennt. Die besondere Rolle des Osiris (nicht als Totengott) ist schon dem Gewährsmann Herodots aufgefallen, nach dem in Meroë nur Zeus (d. i. Amun) und Dionysos (d. i. Osiris) verehrt wurden.

Erst in meroïtischer Zeit entstanden die Tempel für den Gott Apedemak, einen kriegerischen Löwengott mit einer bis jetzt namenlosen Gefährtin. Der älteste dieser Tempel, erbaut von König Arnekhamani in Musawwarat es-Sufra kurz vor 200 v. Chr., zeigt enge Beziehungen zu Philae, und es ist deshalb wohl kein Zufall, wenn die Inschriften dieses Tempels einen Königssohn als Priester der Isis in Musawwarat und in Wad Ban Naga bezeichnen. Wad Ban Naga hat dann in späterer Zeit einen großen Isistempel erhalten, und von hier kommt der Barkenuntersatz des Natakamani (*Kat. 279*), der für den Beginn des 1. Jahrhunderts n. Chr. mit seinen Inschriften engste Beziehungen zu Philae bekundet.

Ebenfalls durch die Darstellungen und Inschriften des Apedemak-Tempels in Musawwarat tritt ein Gott mit dem meroïtischen Namen Sebiumeker (*Kat. 298, 300*) in Erscheinung, der zusammen mit dem zu dieser Zeit auch in Ägypten verehrten und zu Unrecht meroïtischen Ursprungs verdächtigten Arensnuphis in Form von Statuen und Reliefs zu seiten der Tempelportale auftritt. Sebiumeker heißt

Herr von Musawwarat, doch konnte eine eigene Kultstätte für ihn bisher nicht nachgewiesen werden. Er trägt Züge eines Schöpfergottes.

Der Tempel des Apedemak, den Natakamani in Naga errichtet, macht wie auch andere Zeugnisse dieser Zeit mit einer wohl nicht nur ikonographischen Angleichung des Apedemak an Sarapis bekannt, jener künstlichen Schöpfung der Ptolemäer, die im ägyptischen Glaubensleben nie recht Eingang fand, für die hellenistische Welt aber die Züge eines Allgottes annahm, in dem Hades, Zeus, Helios und Poseidon, Asklepios und besonders Osiris zusammenflossen. Wie eben dieser Gott erscheint Apedemak mit dem Antlitz des bärtigen Zeus in Vorderansicht. Für Amun von Meroë als Zeus-Sarapis-Amun bietet ein bemerkenswertes Zeugnis die Darstellung auf einem der Siegelringe der Amanishakheto. Auf eine ähnliche synkretistische Identifizierung eines leider nicht genannten meroïtischen Gottes mit Helios oder Mithras verweist die Gottesgestalt des oben erwähnten Felsbildes des Sarakaror (*Abb. 40*). Ein Sonnen-

gott ist wahrscheinlich ein nur aus Inschriften bekannter Gott Mas, solare Züge trägt auch der nicht aus dem ägyptischen Pantheon kommende Mandulis in Unternubien, dessen bekanntestes Heiligtum der unter Augustus erbaute Tempel in Kalabscha war. Er ist zu Unrecht als Gott der Blemmyer bezeichnet worden. Nach einer griechischen Inschrift des Tempels von Kalabscha sind Mandulis und Breith ein göttliches Brüderpaar, auch in menschenköpfiger Falkengestalt gedacht. Dieses Paar haben wir vielleicht in dem Bild eines anderen Siegelringes der Amanishakheto vor uns, dem Bild eines vierflügeligen Vogels mit zwei Menschenköpfen und der dem Mandulis zukommenden Krone (*Kat. 338*).

Ein ägyptischer Gott ist dagegen wohl wieder ein aus einem Totentext aus Kasr Ibrim bekannter *Khaskhas*, wenn meine Vermutung zutreffen sollte, daß der Name (äg. „Tänzer") den allbekannten ägyptischen Bes bezeichnet. Er müßte nach der Inschrift in Kasr Ibrim Kultpersonal und einen Tempel gehabt haben.

Abb. 44   Götterprozession auf der südlichen Außenwand des Löwentempels von Naga
(nach R. Lepsius, Denkmäler V, 61–62). (Foto: M. Büsing)

287
Einlage

Basalt; H. 4,4 cm, Br. 3,1 cm, T. 0.6 cm
Gebel Barkal
Harvard University – MFA Boston-Expedition
Frühnapatanisch, 750–650 v. Chr.
Boston, Museum of Fine Arts 24.1818

Die kleine Plakette trägt in versenktem Relief die Darstellung des Götterpaares Schu und Tefnut. Der Gott thront in seinem knöchellangen Mantel und der Federkrone und hält vor sich das Was-Szepter. Hinter ihm steht die löwenköpfige Göttin mit der Sonnenscheibe und legt ihre Rechte auf die Schulter des Gottes. Aufgrund seiner formalen Ähnlichkeit mit den „Omphalos" von Napata (*Kat. 288*) und der hieroglyphischen Schreibung des Gebel Barkal auf der Nastasen-Stele (*Kat. 265*) sowie anderer Darstellungen des Berges als Schrein, in dem Amun sitzt oder steht, ist auch das kleine Täfelchen als stilisierte Darstellung des Heiligen Berges anzusehen.

Der Gebel Barkal als Sitz von Schu und Tefnut ist nichts anderes als eine Ausweitung seiner Funktion als Ort des Amun in seinen Myriaden verschiedener Formen einschließlich der Gottheiten, die mit den königlichen und göttlichen Uräen und dem Mythos vom Sonnenauge in Verbindung stehen. Texte im Gebäude des Taharqa in Karnak benennen Schu und Tefnut als „Ba" des Amun. Der Heilige Berg wurde als Wohnstätte der Göttinnen angesehen, die im Mythos vom Sonnenauge auftreten – Tefnut, Hathor und Mut. Ihnen errichtet Taharqa die Tempel B 200 und B 300 am Fuße des Felspfeilers an der Westseite des Berges. In ihren Reliefs erscheint Taharqa mit der Krone des Schu.

T. K.

288
Götterschrein

Sandstein, stuckiert und bemalt; H. 62,5cm, Durchm. 59,2 cm
Gebel Barkal, Tempel B 500, im Schutt der Halle B 503
Harvard University – MFA Boston-Expedition, April 1916, Fundnr. 16-4-543
Meroïtisch, 2. Jahrhundert v. Chr. oder später
Boston, Museum of Fine Arts 21.3234

Lange Zeit wurde der Schrein als Nachbildung einer afrikanischen Rundhütte angesehen. Neuere Forschungen lassen keinen Zweifel daran, daß er ein Modell des Gebel Barkal ist, des Heiligen Berges von Napata, des wichtigsten Kultzentrums, der Krönungsstätte von Kusch, des Ortes, wo Amun durch Orakelspruch jeden neuen König bestimmte. Die Form des Schreins ist vorgeprägt durch die napatanische Hieroglyphe, die auf der Nastasenstele (*Kat. 265*) mehrmals zur Schreibung des Gebel Barkal dient und den Berg als Halbrund zeigt, aus dem ein Uräus aufragt.

Seit dem Neuen Reich galt der Gebel Barkal als die Heimat der südlichen – und ursprünglichen – Form des thebanischen Gottes Amun, des „Amun von Napata, der im Heiligen Berg wohnt". Der Berg mit seinem Felsenpfeiler war den Kuschiten ein Abbild des Uräus an der Stirn des Königs und galt deshalb als der Ursprungsort des Königtums im Niltal überhaupt. Von hier leiteten die 25. Dynastie und die napatanischen Herrscher ihre Legitimation her. Die Reliefdarstellungen des Berges, in dem Amun hinter dem hoch aufragenden Uräus thront, lassen daran denken, daß die verlorene Türkonstruktion des Götterschreins einen großen Uräus trug.

Im ausgehöhlten Inneren des Schreins ist eine rechteckige Vertiefung aus dem Boden gehauen, in der eine heute verlorene kleine Sitzfigur befestigt war, verborgen hinter einer versiegelten verschlossenen Tür. Beschädigungen am Türrahmen zeigen, daß die Tür gewaltsam aufgebrochen wurde, als die Statue geraubt wurde. Drei Reliefregister bedecken die Außenseite. Über einem stilisierten Papyrusdickicht stehen beiderseits der Türöffnung je vier Figuren, der Tür zugewandt, zwei Paare eines betenden Königs und einer menschengestaltigen bzw. löwenköpfigen geflügelten Göttin. Beide Figurenreihen treffen sich auf der Rückseite bei zwei Kartuschen mit einem meroïtischen Königsnamen und dem ägyptischen Namen Neb-Maat-Re. Den oberen Abschluß bildet eine Art Schmuckkragen, der sich um ein Mittelstück legt, von dem nur noch die Bruchfläche erhalten ist. Wahrscheinlich war der Schrein von einem Widderkopf bekrönt. Die ursprünglich stuckierte Oberfläche war bemalt.

T. K.

Lit.: PM VII, 222f.; Griffith, in: JEA 3, 1916, 255; Reisner, in: ZÄS 66, 1931, 83, Nr. 60; Wainwright, in: JEA 20, 1934, 147, Abb. 7; Steindorff, in: JEA 24, 1938, 147–150, Tf. VII; D. Dunham, The Barkal Temples, Boston 1970, 34, Nr. 24, 57, Tf. XXXV, XXXVI; Hofmann, in: JEA 56, 1970, 187–192, Tf. LXVI; Wenig, in: AiA II, 209f., Nr. 131; Kendall, Kush. Lost kingdom of the Nile, Brockton/Mass. 1982, 58f., Nr. 84, Abb. 76; ders., in: Katalog Africa. The art of a continent, London 1995, 109, Nr. 1.81 (deutsche Ausgabe: Afrika. Die Kunst eines Kontinents, Berlin 1996, 109, Nr. 1.81), REM 1004 (MNL I, 1968, 15). Vgl. Priese, in: Ägypten und Kusch, Berlin 1977, 359 ff. Zum Königsnamen: Wenig, in: Meroïtica 15 (im Druck)

289
Statue des Gottes Amun

Granit; H. 60 cm, Br. 15,7 cm, T. 20,5 cm
Gebel Barkal, Tempel B 700, Raum B 704
Harvard University – MFA Boston-Expedition,
März 1916, Fundnr. 16-3-203
Meroïtisch, 3.–1. Jahrhundert v. Chr.
Khartum, Nationalmuseum 1844

Die bis in die Kerma-Kultur zurückzu-
verfolgende Widdergestalt der wichtigsten Gottheit des nubisch-sudanesischen
Niltals (vgl. *Kat. 103*) bleibt die dominierende Darstellungsweise des Amun
auch in meroïtischer Zeit, differenziert je
nach Kultort durch verschiedene Kronen.
Die Granitfigur trug auf dem niedrigen
zylindrischen Kopfaufsatz eine gesondert eingesetzte Krone. Den Übergang
vom menschlichen Körper zum Widderkopf verbirgt eine dreiteilige Perücke.
Beiderseits des Kopfes liegen die typischen Amun-Hörner halbkreisförmig
um die Ohren; die Augen waren eingelegt. Die wenig differenzierte Modellierung des Körpers macht die bislang vorgeschlagene Datierung in napatanische
Zeit unglaubwürdig. Ihr ist ein Entstehungsdatum in meroïtischer Zeit vorzu-
zuziehen.

Lit.: Reisner, in: JEA 5, 1918, 101; D. Dunham, The Barkal Temples, Boston 1970, 69, Tf. LVI; Wenig, in: AiA II, 177, Nr. 89

290
Stele des Königs Amanikhabale

Steatit; H. 20,3 cm, Br. 18,9 cm, T. 3,1 cm
Aus Meroë, Amun-Tempel
Oxford Excavations (Garstang), 1911
Meroïtisch, 50–40 v. Chr.
Khartum, Nationalmuseum 522

Rücken an Rücken sitzen im Halbrund
des oberen Stelenteils unter der geflügelten Sonnenscheibe links der widderköpfige Amun und rechts die menschengestaltige Göttin Mut. Amun trägt einen
gefiederten Schurz und ein Leibchen, auf
dem Kopf die Doppelfederkrone. Mut
trägt ein Flügelgewand und über der Geierhaube die Doppelkrone. Während der
Thron Amuns ein Sternenmuster trägt,
ist auf dem von Mut ein hockender ge-
flügelter Sphinx dargestellt, dem griechischen Nemesis-Motiv nahestehend. Vor
beiden Göttern steht ein opfernder König, der einen dreireihigen Schulterkragen darbringt. Die rechte vollständig erhaltene Figur trägt auf ihrem knöchellangen Schurz einen Vogel mit ausgebreiteten Schwingen in Draufsicht. Zwischen
Amun und Mut steht ein eng zusammen-
geschnürtes Pflanzenbündel, das an seinem oberen Ende an Muts Krone befestigt zu sein scheint. Die Anfänge der
ersten zwei erhaltenen, kursiv geschriebenen Inschriftzeilen lauten: „[Für seine]
Frau Kaditede hat König [Amanikha-]
bale ...“. Der fehlende Teil der Stele ist
wahrscheinlich identisch mit einem
Bruchstück in der Eremitage in St. Pe-
tersburg (so K.-H. Priese).
Durch ihren Detailreichtum und die
kräftige Modellierung gehört die Stele
zu den besten meroïtischen Reliefs.

Lit.: PM VII, 236; Garstang, in: LAAA 4, 1912, 47; Monneret de Villard, in: Kush 7, 1959, 102f., Tf. XXV; Hintze, in: Kush 9, 1961, 278f.; F. Hintze – U. Hintze, Alte Kulturen im Sudan, Leipzig 1966, 29, Tf. 125; P. Shinnie, Meroë.

291
Statue des Gottes Amun

Steatit; H. 15,2 cm, Br. 5,6 cm, T. 4,1 cm
Aus Meroë, Tempel des Apedemak
Oxford Excavations (Garstang), 1909–1910
Meroïtisch, 3.–2. Jahrhundert v. Chr.
Khartum, Nationalmuseum 517

Dargestellt ist die männliche Figur in Stand-Schreit-Haltung, wobei das zurückgesetzte rechte Bein tief in den Rückenpfeiler eingreift. Der hoch erhobene Kopf wird bis zum Nacken von dem pyramidenförmigen oberen Abschluß des unbeschrifteten Rückenpfeilers gestützt. Unter dem gestreiften Schurz mit breitem am unteren Rand gezackten Gürtel scheint ein Rock mit Federmuster getragen zu werden. Über den Schultern liegt ein breiter Schmuckkragen mit Streifen- und Dreiecksmusterung, darüber eine Halskette mit großen Kugelperlen. Auf der Brust trägt die Figur ein Pektoral, das eine Sonnenscheibe einschließt. Oberarmreifen ergänzen den Schmuck. Die konische Kappe, typisch für Amun, zeigt einen quer laufenden tiefen Einschnitt zur Aufnahme der Doppelfederkrone. Das weiche, rundliche Gesicht und die üppigen Körperformen legen eine Datierung in die ersten Jahrhunderte der meroïtischen Dynastie nahe.

292
Standfigur des Gottes Amun

Steatit; H. 20,3 cm, Br. 8,6 cm, T. 5,4 cm
Herkunft unbekannt
Meroïtisch, um die Zeitenwende
München, Staatliche Sammlung Ägyptischer Kunst ÄS 6065

Während sich bei der Statue *Kat. 291* die Benennung als Amun aus der Krone ergab, wird sie bei dieser Figur durch die Körperhaltung bestimmt. Die unbekleidete Figur erhob den rechten Arm seitlich hoch über die Schulter. Der linke Ellbogen ist vom Körper abgespreizt; die linke Faust hielt den gesondert eingesetzten erigierten Phallus. Das Pektoral, dessen Trageband unter dem breiten Schulterkragen verdeckt liegt, ähnelt dem der Statue *Kat. 291.*

Die ithyphallische Darstellung, in der ägyptischen Ikonographie seit frühester Zeit (zunächst für Min, seit dem Mittleren Reich für Amun-Re) belegt, ist in der Götterikonographie von Meroë nur selten anzutreffen.

A civilization of the Sudan, New York – Washington 1967, 220, Tf. 32; Wenig, in: MIO 13, 1967, 17; I. Hofmann, Studien zum meroïtischen Königtum, Brüssel 1971, 58, Tf. 8c; Wenig, in: Cl. Vandersleyen, Das Alte Ägypten (= Propyläen Kunstgeschichte 15), Berlin 1975, 423, Tf. 427b; ders., in: AiA II, 201, Nr. 122; REM 1038 (MNL 3, 1969, 4)

Lit.: J. Garstang, Meroë. The city of the Ethiopians, Oxford 1911, 22, Tf. XXII.3; Wenig, in: AiA II, 215, Nr. 136

Lit.: Wildung, in: Münchner Jahrbuch der bildenden Kunst, Dritte Folge, Band 27, 1976, 234f., Abb. 12; ders., Fünf Jahre. Neuerwerbungen der Staatlichen Sammlung Ägyptischer Kunst München 1976–1980, Mainz 1980, 25. Vgl. Kairo CG 38070: Daressy, Statues de divinités, Tf. VI; Christie's, London July 1992, 106, Nr. 278

275

293
Kopf einer Statue des Gottes Amun

Granit; H. 48 cm, Br. 25,3 cm, T. 27,5 cm
Herkunft unbekannt; in Luksor erworben
Geschenk F. W. v. Bissing 1907
Meroïtisch, 3.–1. Jahrhundert v. Chr.
München, Staatliche Sammlung Ägyptischer
Kunst GL 68

Zwei ikonographische Details erlauben
die Benennung der dargestellten Gottheit. Um beide Ohren legt sich das Horn
des Amun-Widders. Auf der konischen

Kappe sitzt, im oberen Teil abgebrochen,
die Doppelfederkrone mit Sonnenscheibe, gestützt von einem Rückenpfeiler.
Eigenartig ist die Bildung der Augen; nur
die Iris ist für die Aufnahme von Einlagen aus anderem Material ausgehöhlt; die
Pupille dagegen ist plastisch geformt.
Das für das meroïtische Reich ungewöhnliche Material Rosengranit (wahrscheinlich aus Assuan) läßt vermuten,
daß die Statue nicht aus dem meroïtischen Stammland, der „Insel" Meroe

kommt, sondern aus einem der meroïti-
schen Tempel in Unternubien stammt.
Hierfür spricht auch der Erwerbungsort
Luksor.

Lit.: Katalog Staatliche Sammlung Ägyptischer
Kunst München, München 1976, 229, Nr. 143

294
Statue eines Widders

Sandstein, H. 110 cm, L. 141,5 cm, Br. 61 cm
Aus Naga, Widderallee vor dem Amun-Tempel
(100)
Meroïtisch, um die Zeitenwende
Khartum, Nationalmuseum 27498

Nur durch einen Zufall hat die monumentale Widderfigur ihren Weg in die
Ausstellung SUDAN gefunden. Sie gehört
zu einem Ensemble von insgesamt zwölf
gleichartigen Widderstatuen, die die Zu-
gangsallee zum Amuntempel in Naga
bilden: sechs vor dem Kiosk am oberen
Ende der Rampe, sechs zwischen Kiosk
und Eingangsportal zum Tempel. 1992
war eine der Statuen von ihrem Standort
gestohlen worden, konnte aber alsbald
südlich von Atbara in der Wüste wiedergefunden werden. Nach Khartum ins
Museum gebracht, wurde sie restauriert,
da sie an ihrer rechten Flanke absichtlich
beschädigt worden war. Vor ihrer Rückkehr an ihren Standort in Naga, wo sie
im Zuge der Restaurierung des Amuntempels durch die Berliner Naga-Expedi-
tion wieder aufgestellt werden wird,
konnte sie den Khartum-Leihgaben für
die Ausstellung zugefügt werden.
Die Musterung des Widderfells mit spiralig gedrehten Locken findet sich auch
bei den gröber gearbeiteten meroïtischen
Widderfiguren am Zugang zum Amun-
tempel in Meroë. Die Widder des Neu-
en Reiches aus Soleb (Kat. 141) und die
Widderfiguren des Taharqa aus Kawa

276

295

geben das Fell als tropfenförmige Zotteln wieder. Unter des Widders Schnauze stand – wie in Soleb (*Kat. 141*) – im Schutz der Gottheit eine Königsfigur, sicherlich Natakamani, der Bauherr des Amuntempels.

Lit.: PM VII, 270; Lepsius, Denkmäler V,71 (a–c); vgl. Hofmann – Tomandl, in: Beiträge zur Sudanforschung I, 1986, 58–78

295
Figürlicher Türsturz

Sandstein; H. 64,3 cm, Br. 88,3 cm,
T. 36,6 cm
Aus Musawwarat es-Sufra, Löwentempel
Grabungen der Humboldt-Universität Berlin,
1960, Fundnr. II C/24
Meroïtisch, um 200 v. Chr.
Berlin, Ägyptisches Museum und Papyrus-
sammlung 24300 (Leihgabe der Humboldt-
Universität)

Architekturplastik läßt sich in Ägypten bereits im frühen 3. Jahrtausend v. Chr.

nachweisen und bleibt bis in die Ptolemäer- und Römerzeit ein wichtiger Teil des Erscheinungsbildes der Architektur. An den aus der Wand ragenden Löwenköpfen der Wasserspeier an diesen späten Tempeln Ägyptens mag sich dieser figürliche Türsturz orientieren, der wohl über dem Eingang des Löwentempels von Musawwarat es-Sufra saß. Nebeneinander sind drei Tierköpfe dargestellt, unter ihnen die Vorderbeine. Der Widderkopf in der Mitte kombiniert die Hörner, die sich um die Ohren winden, mit einem waagerecht gedrehten Hörnerpaar, also zwei verschiedene Widderrassen, die beide Erscheingsformen des Amun sind. Die Krone besteht aus zwei Uräen mit Sonnenscheibe und Kuhgehörn, einer großen Sonnenscheibe mit Uräenband und zwei Falkenfedern, die von zwei weiteren Uräen flankiert werden. Zwischen den Vorderbeinen sitzt eine Papyrusdolde. Die beiden Löwenköpfe tragen über

den waagerechten Widderhörnern die Hemhem-Krone aus stilisierten Schildbündeln und Sonnenscheiben, flankiert von je zwei Straußenfedern und Uräen. Der rechte Löwenkopf trägt zudem eine Mondsichel.

Angesichts der engen Verbindung von Schu und Tefnut mit dem Gebel Barkal, der Heimat des Amun, wird man diese beiden Götter in den beiden Löwen erkennen (vgl. *Kat. 287*).

Lit.: Hintze, in: Kush 10, 1962, 185, Tf. LVIIb; F. Hintze – U. Hintze, Alte Kulturen im Sudan, Leipzig 1966, 25, Tf. 102–103; Wenig, in: ZÄS 101, 1974, 134f., Tf. VIIa; ders., in: Cl. Vandersleyen, Das Alte Ägypten (= Propyläen Kunstgeschichte 15), Berlin 1975, 425, Tf. 435; ders., in: AiA I, 92, Abb. 65; II, 222f., Nr. 145; Priese, in: Katalog Das Ägyptische Museum Berlin, Mainz 1991, 260f., Nr. 159; D. Wildung, Ägyptische Kunst in Berlin, Berlin 1993, 57f., Abb. 46; ders., in: Katalog Africa. The art of a continent, London 1995, 108, Nr. 1.80 (deutsche Ausgabe: Afrika. Die Kunst eines Kontinents, Berlin 1996, 108, Nr. 1.80)

296

297

296
Statue eines Löwen

Gebrannter Ton; H. 18 cm, Br. 11,5 cm,
T. 17,9 cm
Aus Wad Ban Naga, Palast, Raum E
Grabungen H. Thabit – J. Vercoutter
1959/60
Meroïtisch, um die Zeitenwende
Khartum, Nationalmuseum 62/10/23

In einem Nebenraum des Palastes von
Wad Ban Naga aufgefunden, war die
Löwenfigur, die zu einer Gruppe von
insgesamt vier gleichen Figuren gehört,
sicher Teil der Ausstattung des Palastes.
Die zu einem Latz stilisierte Brustmäh-
ne findet sich auch bei anderen meroïtischen Löwenfiguren. Im Löwentempel in
Naga hockt der löwengestaltige Gott
Apedemak in der gleichen Haltung auf
einer Standarte.

297
Statue eines Affen

Sandstein; H. 22,6 cm, Br. 11,6 cm,
T. 17,8 cm
Aus Meroë, Tempel M 720, Raum A, Level 2
Grabungen P. Shinnie, 1974/75, Fundnr.
5661
Meroïtisch, um die Zeitenwende
Khartum, Nationalmuseum 24569

In der religiösen Ikonographie Ägyptens
ist der Affe als Erscheinungsform des
Gottes Thoth eine vertraute Gestalt.
Thoth tritt zwar in den Reliefs der Pyramidenkapellen im Zusammenhang des
Totengerichts auf (meist ibisköpfig), ist
aber sonst in der meroïtischen Ikonographie nicht häufig belegt. Eine Benennung
der rundplastischen Affenfigur als Thoth
ist umso zurückhaltender zu beurteilen,
als der Affe offenbar mit erhobenen Vordertatzen dargestellt ist – eine Haltung,
die Affen als Tiere im Gefolge des Sonnengottes in Anbetung der Sonne ein-
nehmen.

298
Kopf einer Statue des Gottes Sebiumeker

Sandstein, bemalt; H. 62 cm, Br. 27,1 cm,
T. 30,4 cm
Aus Meroë, Tempel KC 102
Grabungen P. Shinnie, 1976, Fundnr. 6420
Meroïtisch, um die Zeitenwende
Khartum, Nationalmuseum 24564

Beiderseits des Portals meroïtischer Tempel stehen oft monumentale Götterfiguren. Der großformatige Sandsteinkopf
mit Resten gelber Bemalung und roter
Vorzeichnungen dürfte zu einer solchen
Götterstatue gehört haben. Alleine schon
der im Querschnitt ovale, sich nach unten verjüngende Bart ist ein klares Indiz
für eine Götter- und gegen eine Königsdarstellung. Die Doppelkrone mit Uräus
und mit einem charakteristischen Wulst
in ihrer Mitte wird von dem Gott Sebiumeker getragen, einer rein meroïtischen
Gottheit, die in Ägypten nicht belegt ist.

Lit.: Vercoutter, in: Syria 39, 1962, 285f.,
Abb. 15, 16; Wenig, in: AiA II, 223, Nr. 146;
Hofmann – Tomandl, in: Beiträge zur Sudan-
forschung, Beiheft 1, 1986, 76, Abb. 91. Vgl.
Katalog Nubie, Lille 1994, 221, Nr. 309 (Pa-
rallelstück IPEL, Lille)

Lit.: Wenig, in: AiA II, 90f., 225, Abb. 72; ders.,
in: Festschrift E. Edel, Ägypten und Altes Testament I, Bamberg 1979, 425, Tf. 7, Abb. 10,11;
Hofmann – Tomandl, Beiträge zur Sudanforschung, Beiheft 2, 1987, 124

Lit.: Shinnie, in: Meroïtica 7, 1984, 503; ders.,
Meroë, Warschau 1986, Abb. 35

299
Unfertige Statue des Gottes Sebiumeker

Sandstein; H. 27,1 cm, Br. 7,1 cm, T. 8,6 cm
Aus Wad Ban Naga, Palast
Grabungen H. Thabit – J. Vercoutter 1959/60
Meroïtisch, um die Zeitenwende
Khartum, Nationalmuseum 62/9/101

Der unfertige Zustand der Sandsteinfigur hat zu weitreichenden Spekulationen Anlaß gegeben. Der rüsselartige Fortsatz am Gesicht mag entfernt an einen Elefanten erinnern, und von dieser vagen Assoziation ausgehend ist die Figur auch als Beleg für die Beziehungen des meroïtischen Reiches zu Indien herangezogen worden. Die Rolle des Elefanten als königliches Tier der Meroïten ist wohlbekannt (vgl. *Kat. 277*); in der religiösen Ikonographie tritt er hingegen nicht in Erscheinung. Zudem ist der 'Rüssel' für eine Elefantendarstellung zu kurz. All diese Spekulationen sind indes gegenstandslos, da sich die überinterpretierte Detailform einfach und unzweifelhaft als Götterbart erklärt, der ebenso wie die ganze Figur unfertig geblieben ist. Der noch nicht angearbeitete steinerne Steg schließt Nase und Bart in eins zusammen. Die Kronenform erlaubt eine Benennung der Figur als Darstellung des meroïtischen Gottes Sebiumeker (vgl. *Kat. 298, 300*).

Lit.: Vercoutter, in: Syria 39, 1962, 285, Abb. 14; Leclant, in: Orientalia 33, 1964, 386, Tf. L, Abb. 38; P. Shinnie, Meroë. A civilization of the Sudan, New York – Washinton 1967, 113; Hofmann, in: JEA 58, 1972, 245; dies., in: Studia Instituti Anthropos 23, St. Augustin 1975, 139f., Abb. 6; Wenig, in: AiA II, 176; ders., in: Festschrift E. Edel, Ägypten und Altes Testament 1, 1979, 420–431, Tf. 5; Hofmann – Tomandl, in: Beiträge zur Sudanforschung, Beiheft 1, 1986, 76

300
Statue des Gottes Sebiumeker

Bronze; H. 19,9 cm, Br. 5,2 cm, T. 5,9 cm
Aus Kawa, Tempel T, Hypostyl (D/E 14)
Oxford University Excavations, Fundnr. D/E
14: 0607
Meroïtisch, 3.–1. Jahrhundert v. Chr.
Khartum, Nationalmuseum 2715

Von außergewöhnlicher technischer und
stilistischer Qualität ist die Bronzefigur
aus Kawa. Wenn sie in ihrer Datierung
mit den kuschitischen Bronzen des Taharqa verglichen wurde (I. Hofmann), so
ist dies aus stilistischen und ikonographischen Gründen völlig ausgeschlossen.
Die Figur zeigt den Gott Sebiumeker
(vgl. *Kat. 298, 299*) mit dem charakteristischen Wulst um die Doppelkrone (hier
um einen Uräenkranz ergänzt) und dem
Götterbart. Die Kleidung setzt sich aus
dem dreiteiligen Schurz und einem gefiederten Leibchen mit über den Schultern
geknoteten Trägern zusammen. Unter-
arm- und Oberarmreifen, ein Pektoral
(vgl. *Kat. 291, 292*) und eine Halskette
aus großen Kugelperlen bilden den reichen Schmuck. Von der Krone hängt ein
doppeltes breites Band auf Nacken und
Rücken bis zum Gürtel. Die an den Körper gelegte Linke trägt ein Lebenszeichen, die nach vorn ausgestreckte Rechte hielt wohl ein Szepter.

Lit.: M. F. L. Macadam, The temples of Kawa,
II, London 1955, 141, 125, Tf. LXXVb–c;
F. Hintze – U. Hintze, Alte Kulturen im Sudan,
Leipzig 1966, 29f., Tf. 136; P. Shinnie, Meroë.
A civilization of the Sudan, New York – Washington 1967, Tf. 34–35; I. Hofmann, Studi-
en zum meroïtischen Königtum, Brüssel 1971,
47, Tf. 5; E. Russmann, The representation of
the king in the XXVth dynasty, Brüssel 1974,
71f., Nr. 40; Wenig, in: ZÄS 101, 1974, 144–
145; ders., in: AiA II, 217, Nr.138

301
Stele des Prinzen Taktidamani

Granit; H. 47 cm, Br. 30,6 cm, T. 11,1 cm
Aus Meroë, Westfriedhof, Pyramide Beg. W 18
Preußische Ägypten-Expedition, 1844
Meroïtisch, 1. Jahrhundert v. Chr.
Berlin, Ägyptisches Museum und Papyrus-
sammlung 2253

In den königlichen Grabanlagen von
Meroë sind Grabstelen nicht mehr verwendet worden. Nur noch für Mitglieder
der Königsfamilie gibt es im 1. Jahrhundert v. Chr. im Westfriedhof zwei Stelen
nach dem Muster jener von el-Kurru und
Nuri.
Die Stele des Prinzen Taktidamani stand
inmitten einer sechsfach gestuften Tür-
nachbildung an der Rückwand der Opferkapelle. Sie zeigt unter der geflügelten
Sonnenscheibe links den Verstorbenen

mit Palmzweig und Lotosblüte vor Osi-
ris und vor Isis mit Flügelarmen.
Der sechszeilige kursive meroïtische Text
beginnt mit der Anrufung der Götter:
„O Isis, o Osiris, dem Taktidamani, den
Dokarora erzeugte, den gebar, die von
Amaniterese geboren wurde, gutes Brot
möge ... werden ... möge ... werden, o Isis,
o Osiris." Er folgt also dem üblichen
Schema, das um die Nennung weiterer
Verwandter erweitert werden kann. Die
'Benediktionsformeln' am Schluß können
bisher erst zu einem kleinen Teil über-
setzt werden.

K.-H. P.

Lit.: PM VII, 260; R. Lepsius, Denkmäler V,54
(e); VI, 10 (45); F. Ll. Griffith, Meroïtic
inscriptions, I, London 1911, 73, Nr. 49,
Tf. XXVII, XXVIII; A. Erman, Die Religion der
Ägypter, Berlin – Leipzig 1934, 355, Abb. 151;
RCK V, 99; F. Hintze – U. Hintze, Alte Kultu-
ren im Sudan, Leipzig 1966, 28, Tf. 124; I.
Hofmann, Studien zum meroïtischen Königtum,
Brüssel 1971, 59–61; Wenig, in: Cl. Van-
dersleyen, Das Alte Ägypten (=Propyläen Kunst-
geschichte 15), Berlin 1975, 423, Tf. 428; ders.,
in: AiA II, 199, Nr. 120; Priese, in: Katalog Das
Ägyptische Museum Berlin, Mainz 1991, 259,
Nr. 158; REM 0049 (MNL 19, 1978, 19)

302

Stele

Sandstein; H. 40 cm, Br. 28,1 cm, T. 9,4 cm
Aus Wadi Halfa, in einer modernen Mauer verbaut
Meroïtisch, 1.–3. Jahrhundert n. Chr.
Khartum, Nationalmuseum 5311

Fernab von den Zentren meroïtischer – oder auch ägyptischer – Kultur stellt diese Stele aus Wadi Halfa eine verwilderte Version eines Grabsteines dar. Links steht der in Mumienbinden gewickelte Tote an einem niederen Altar. Rechts sind der mumiengestaltige Gott Osiris und der schakalköpfige Gott Anubis dargestellt, der einen Schlüssel hält, ein in Ägypten nicht selten belegtes Motiv, das Anubis als Hüter der Pforten der Unterwelt ausweist.

Lit.: Unveröffentlicht

303

Türpfosten

Sandstein; H. 88 cm, Br. 29 cm, T. 14 cm
Aus Sedeinga, Pyramide W T2
Grabungen der Universität Pisa, Mission Schiff Giorgini, 1970/71, Fundnr. W 23
Meroïtisch
Khartum, Nationalmuseum 23060

Die hochrechteckige Reliefplatte bildete den rechten Türpfosten einer in meroïtischer Kursive beschrifteten Scheintür der Grabpyramide des Ntemkher in Sedeinga. Der schakalköpfige Gott Anubis steht wie auf den Opfertafeln (*Kat. 280–283*) mit leicht gebeugten Knien; er gießt aus einem Bügeleimer eine Wasserspende für den Verstorbenen. Sein knöchellanger Mantel mit breitem Fransensaum ist umgürtet; am Gürtel ist ein Tierschweif befestigt.

Leclant, in: Orientalia 41, 1972, 276, Tf. XXX, Abb. 36

304
Schale mit figürlichen Darstellungen

Bronze; H. 9 cm, Durchm. 16,2 cm
Aus Gammai, Grab 115
Harvard University Excavation 1915,
Fundnr. 115/2
Geschenk von Mrs. Oric Bates, 1924
Meroïtisch, um die Zeitenwende
Boston, Museum of Fine Arts 24.365

Die dickwandige Bronzeschale trägt auf
der Außenseite unter einem Ornamentband aus Olivenblättern einen ziselierten
Relieffries. Er gliedert sich in eine rechts
stehende Gruppe von sieben Götterfiguren, vor denen ein opfernder Priester
steht; hinter ihm folgen drei weitere Figuren. Die Beischrift zu dem Priester

nennt den Namen Akinidad. Der Priester trägt ein Pantherfell und hält in der
erhobenen Linken einen Räucherarm.
Am hohen Opferständer vor ihm hängt
eine Schöpfkelle. Die Götterreihe zur
Rechten beginnt mit einem sitzenden
Gott ohne spezifische Embleme. Ihm
folgt ein Krokodil mit Federkrone, auf

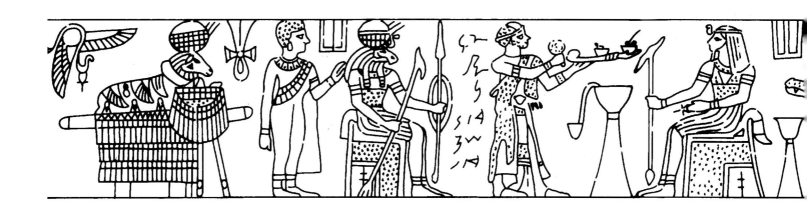

ein naosförmiges Podest gesetzt, hinter dem Papyruspflanzen aufragen. Daran schließen rechts der falkenköpfige Gott Month mit Doppelfederkrone, die Göttin Isis oder Hathor mit Flügelarmen, der Gott Arensnuphis mit Federkrone und die Göttinnen Hathor und, löwenköpfig, Tefnut an. Hinter dem Priester sitzt der widderköpfige Amun von Kawa mit Sonnenscheibe; er hält in seiner Linken Speer und Schild. Eine weibliche Figur, die hinter ihm steht, legt ihre Hand auf seine Schulter; wäre nicht diese nur einer Göttin zukommende Geste, würde man wegen des Fehlens von göttlichen Attributen an eine Priesterin denken. Den Abschluß des Figurenfrieses bildet links die liegende Widderfigur des Amun von Pnubs (Tabo) mit Sonnenscheibe, die auf ein Tragegestell gesetzt ist, das auf einem verhüllten Podest ruht. Daß in der Neunzahl der Götter ein bewußt gewählter Bezug zur Neunheit der ägyptischen Religion zu sehen ist, kann nur vermutet werden. Da die Schriftfelder vor den einzelnen Figuren leer geblieben sind, ist eine namentliche Benennung der Gottheiten nicht mit letzter Sicherheit möglich, und daran scheitert auch die Klärung der theologischen Struktur dieser vielfigurigen Darstellung.

Lit.: PM VII, 142; Bates – Dunham, Excavations at Gammai, Harvard University African Studies, VIII, Cambridge/Mass. 1927, 40, Tf. XXXI.3 B, XLIX, L, LXV, Abb. 2–4; Monneret de Villard, in: Kush 8, 1960, 117 (Nr. 22); REM (MNL I, 1968, 18)

305
Grabrelief

Sandstein; H. 66,2 cm, Br. 85,4 cm, T. 22,2 cm
Aus Meroë, Nordfriedhof, Pyramide Beg. N II, westliche Kammer
Meroïtisch, 170–150 v. Chr.
Khartum, Nationalmuseum 453

Die dreifigurige Szene in fast rundplastisch wirkendem Hochrelief ist in einen architektonischen Rahmen gestellt, von dem die leicht geböschten Pfosten einer Tür in ihrem unteren Teil erhalten geblieben sind. Am rechten und linken Rand schließt der in zwei Teile zerbrochene Block mit einem Rundstab ab.
Das Bildfeld ist symmetrisch aufgebaut. In der Mittelachse steht eine weibliche Figur. Ihre Darstellungsweise löst das Problem der zweidimensionalen Wiedergabe eines dreidimensionalen Körpers auf eine für die ägyptische Kunst nicht belegte Weise, die uns auf einer Stele in Boston (*Kat. 308*) wieder begegnet. Der

Oberkörper (und wahrscheinlich auch der nicht erhaltene Kopf) sind frontal dargestellt. Von der Taille abwärts zeigen sich Körper, Beine und Füße im Linksprofil. Um die Schultern dieser zentralen Figur ist ein Schal gelegt, der auf den rechten Oberarm fällt. Zur Linken und Rechten stehen, der zentralen Frauenfigur zugewandt, je eine Göttin, mit der einen gesenkten Hand aus einem Bügeleimer Wasser spendend, mit der anderen erhobenen Hand einen Stab haltend.
Das dreifigurige Bildmotiv entspricht dem Schema der Darstellung des Osiris, wie er von Isis und Nephthys flankiert wird. An die Stelle des Auferstehungsgottes ist hier die verstorbene Königin gesetzt. Aufgrund des Herkunftsortes des Reliefs aus der Pyramide N II im Nordfriedhof von Meroë kann die Königin als Shanakdakhete identifiziert werden. In der fast völlig abgeriebenen Inschrift auf dem Türpfosten steht links eine Kartusche; sie ist zu sehr zerstört, um noch gelesen werden zu können.

Lit.: PM VII 261; E. A. W. Budge, The Egyptian Sudan, London 1907, I, 388, 499; F. Addison, A short guide, 1934, 31

305

306 ▷

306
Ba-Statue

Sandstein; H. 69,9 cm, Br. 20 cm, T. 49 cm
Aus Karanog
E. B. Cox, Jr. Expedition, 1910
Meroïtisch, 2.–3. Jahrhundert n. Chr.
Philadelphia, The University of Pennsylvania
Museum of Archaeology and Anthropology,
E 7004

In Anlehnung an altägyptische Darstellungen wird ein Statuentypus der meroïtischen Kunst, den man ausschließlich in Unternubien, also weitab vom Zentrum Meroë findet, als Ba-Statue bezeichnet. An eine stehende menschliche Figur ist an den Schultern ein Paar langer Vogelflügel angesetzt, deren Enden bis zur rückwärtigen Kante der Basisplatte rei-

chen. Der altägyptische Ba-Vogel ist dagegen eine vollständige Vogelgestalt, die einen menschlichen Kopf trägt. Der meroïtischen Statuenform entspricht ein anderer altägyptischer Figurentypus, der nur selten belegt ist. Er zeigt einen stehenden oder sitzenden König, aus dessen Schultern Vogelflügel wachsen, die wie bei der meroïtischen Figur schräg abwärts nach hinten zur Basis laufen. Diese Darstellungen zeigen den König als vergöttlichtes Wesen.
Ähnlich dürfte der Bedeutungsgehalt der meroïtischen Figuren sein. Sie kommen aus dem Kontext von Gräbern, sind aber nie an ihrem ursrpünglichen Aufstellungsort gefunden worden; es wird angenommen, daß sie außerhalb des Grabes

als Darstellungen der verklärten Toten aufgestellt waren, um Gebet und Opfer entgegenzunehmen. Auf dem Kopf der Figur saß eine Sonnenscheibe. Der Körper war rotbraun bemalt, auf den Vogelflügeln sind Reste von grüner Farbe erhalten geblieben. Die Linke hält ein Tuch – vielleicht eine Reminiszenz an die von ägyptischen Figuren gehaltene Schleife; die Rechte war nach vorn ausgestreckt und hielt wohl einen Stab.

Lit.: Woolley – Randall – Maciver, Karanog, Philadelphia 1910, 48, 134, Tf. 16; I. Hofmann, Steine für die Ewigkeit. Meroïtische Opfertafeln und Totenstelen, Wien 1991, 35–41; D. O'Conner, Ancient Nubia. Egypt's rival in Africa, Philadelphia 1993, Kap. 7

307
Ba-Statue

Sandstein; H. 63,6 cm, Br. 18,9, T. 49,9 cm
Aus Faras, nahe Mastaba 1201
(zu 2984 gehörig?)
Oxford Expedition (Griffith) 1910/11
Meroïtisch
Khartum 5186

Der Körper der weiblichen Statue vertritt mit seinen vollen Oberschenkeln und Hüften und den hängenden Brüsten ein meroïtisches Ideal der Frauendarstellung. Beide Hände halten ein in einen spitzen Zipfel auslaufendes Tuch (vgl. *Kat. 306*). Die Vogelflügel sind undifferenziert wiedergegeben. Der glatte Halsausschnitt deutet darauf hin, daß ein gesondert gearbeiteter Kopf aufgesetzt war.

Lit.: PM VII, 125; Griffith, in: LAAA 11, 1924, 175, Tf. LXVI.1; ders., in: LAAA 12, 1925, 133f., 171; Hofmann, in: Beiträge zur Sudanforschung, Beiheft 6, 1991, 38

308
Stele

Sandstein; H. 55 cm, Br. 24 cm, T. 9,5 cm
Herkunft unbekannt
Gift of Horace L. and Florence E. Mayer, C. Granville Way, Denman Ross, the Hon. Mrs. Frederick Guest, Bequest from Charles H. Parker, and Anonymous Gift, by exchange
Meroïtisch, 2.–3. Jahrhundert n. Chr.
Boston, Museum of Fine Arts 1992.257

Die Männerfigur, die die Stele in Hochrelief füllt, ist in mehreren ikonographischen Details den Ba-Statuen verwandt: die Sonnenscheibe auf dem Scheitel, der Stab in der Rechten, das Tuch in der Linken (vgl. *Kat. 306, 307*). Die Verbindung der reinen Frontal- bei Kopf und Oberkörper mit der Profilansicht des Unterkörpers und der Beine war schon beim Grabrelief aus dem Nordfriedhof von Meroë begegnet (*Kat. 305*). Sie verleiht mit der Linkswendung der Füße der Darstellung eine verhaltene Dynamik.

Lit.: Unveröffentlicht

310
Kopf einer Ba-Statue

Sandstein, bemalt; H. 13,5 cm, Br. 10,7 cm,
T. 11,9 cm
Aus Faras, meroïtischer Friedhof, Grab 1047
Oxford Excavation (Griffith), 1910/11,
Fundnr. I/1047 R
Meroïtisch, 2–3. Jahrhundert n. Chr.
Khartum, Nationalmuseum 761

Die stilistische Qualität der zahlreichen
Köpfe von Ba-Statuen ist überaus unterschiedlich. Gemeinsam ist ihnen die Di-
rektheit des Blicks und die symmetrische
formale Struktur des Kopfes.
Viele dieser Köpfe zeigen unter dem
Haaransatz an der Stirn eine tief eingeschnittene horizontale Linie. Sie ist entweder als Tätowierung oder, falls die
Frisur eine Perücke darstellt, als Ansatz
des natürlichen Haares zu verstehen.
Auf dem Scheitel dieses Kopfes findet
sich eine Vertiefung zur Fixierung einer
Sonnenscheibe.

Lit.: Griffith, in: LAAA 12, 1925, 124

309
Stele der Lapakhidaye

Sandstein, bemalt; H. 46,4 cm, Br. 32,3 cm,
T. 13,2 cm
Aus Serra-West, meroïtischer Friedhof
(Akscha)
2.–3. Jahrhundert n. Chr.
Khartum, Nationalmuseum 5261

Die Herkunft aus dem Norden des meroïtischen Reiches läßt es fraglich erscheinen, ob die Form der Stele in Analogie zu der kleinen Einlage *Kat. 287* als
Darstellung des Gebel Barkal zu verstehen ist. Wenn auch kein Fundkontext
bekannt ist, ist die Stele als Grabstein
anzusehen. Rings um die rein frontal
wiedergegebene weibliche Figur mit langem weißem Schurz und nacktem Oberkörper ist eine kursive meroïtische Inschrift eingeritzt. Sie nennt den Namen
der Dargestellten, Lapakhidaye, und deren verwandtschaftliche Beziehungen zu
einem Prinzen von Meroë und hochgestellten Persönlichkeiten sowie die Funktion ihres Gemahls als Hoherpriester des
Amun.

Lit.: PM VII, 128; Macadam, in: JEA 36, 1950,
44–46, Tf. XI.2; Arkell, in: JEA 36, 1950, 25;
Haycock, in: JEA 53, 1967, 117; Wenig, in: AiA
II, 207, Nr. 129; REM 1031(MLN 2, 1969, 17)

311
Kopf einer Ba-Statue

Sandstein; H. 20,2 cm, Br. 14 cm, T. 14,8 cm
Aus Aniba
E. B. Cox, Jr. Expedition, 1908
Meroïtisch, 2.–3. Jahrhundert n. Chr.
Philadelphia, The University of Pennsylvania
Museum of Archaeology and Anthropology
E 7044

Seinen einzigartigen Charakter gewinnt
dieser grob gearbeitete Kopf durch die
ungleiche Behandlung der Ohren. Das
rechte Ohr steht vom Kopf ab, das linke
ist angelegt. Die Brillenaugen, die extrem
schmale Nase und der kaum erkennbare

Mund lassen das Gesicht maskenhaft starr erscheinen. Um das Haar ist ein schmaler glatter Diademreif eingeritzt. Auf dem Scheitel ist ein kreisrundes Loch zur Fixierung einer Sonnenscheibe.

Lit.: PM VII, 78; Woolley – Randall – Maciver, Karanog, Philadelphia 1910, 240, Tf. 9

312
Kopf einer Ba-Statue

Sandstein, bemalt; H. 15,3 cm, Br. 12,0 cm, T. 11,6 cm
Aus Schablul
E. B. Cox, Jr. Expedition, 1907
Meroïtisch, 2.–3. Jahrhundert n. Chr.
Philadelphia, The University of Pennsylvania Museum of Archaeology and Anthropology E 5018

Die Sonnenscheibe dieses Kopfes war direkt aus dem Steinblock der Statue herausgearbeitet. Ihr unterer Ansatz ist als Steg erhalten geblieben. An den Ohrläppchen sitzen Scheibenohrringe mit achtstrahligem Sternenmuster.

Lit.: PM VII, 65; Woolley – Randall – Maciver, Areika, 30, Tf. 18

310
311

312
313

313
Kopf einer Ba-Statue

Sandstein; H. 29,1 cm, Br. 17 cm, T. 21,6 cm
Aus Faras
Meroïtisch, 2.–3. Jahrhundert n. Chr.
Khartum, Nationalmuseum 3737

Das große Format des Kopfes mag darauf hindeuten, daß er nicht von einer Statue abgebrochen ist, sondern als Kopf ein selbständiges Werk darstellt (vgl. *Kat. 318, 319*). Die Gesichtsdetails sind ohne plastisches Volumen flach auf den Kopf gesetzt.

314
Kopf einer Ba-Statue

Sandstein, bemalt; H. 17,4 cm, Br. 10,8 cm,
T. 12,9 cm
Aus Aniba
E. B. Cox, Jr. Expedition, 1908
Meroïtisch, 2.–3. Jahrhundert n. Chr.
Philadelphia, The University of Pennsylvania
Museum of Archaeology and Anthropology
E 9059

Von den anderen Beispielen aus Aniba
und Karanog hebt sich dieser Ba-Kopf
durch seine gute Modellierung ab. Das
Gesicht ist dunkel rotbraun bemalt. Spu-

ren einer einst aufgesetzten Sonnenscheibe sind nicht erkennbar.

Lit.: Woolley – Randall – Maciver, Karanog,
Philadelphia 1910, 240 Tf. 10

315
Kopf einer Ba-Statue

Sandstein; H. 15,7 cm, Br. 10,3 cm,
T. 13,4 cm
Aus Aniba
E. B. Cox, Jr. Expedition, 1908
Meroïtisch, 2.–3. Jahrhundert n. Chr.
Philadelphia, The University of Pennsylvania
Museum of Archaeology and Anthropology
E 7069

Das sehr schmale, hohe Gesicht ist durch
den schnabelartig vorspringenden Mund
geprägt. Es findet sich keine Spur einer
Sonnenscheibe.

Lit.: PM VII, 78; Woolley – Randall – Maciver,
Karanog, Philadelphia 1910, 48, 240, Tf. 10

316
Kopf einer Ba-Statue

Sandstein, bemalt; H. 17,0 cm, Br. 10,1 cm,
T. 11,8 cm
Aus Schablul
E. B. Cox, Jr. Expedition, 1907
Meroïtisch, 2.–3. Jahrhundert n. Chr.
Philadelphia, The University of Pennsylvania
Museum of Archaeology and Anthropology
E 501

Der bizarre Ausdruck des Gesichts resultiert hier aus den eingefallenen, von tiefen Nasolabialfalten durchfurchten Wan-
gen, den nach unten gezogenen Mund-
winkeln, den verschieden hoch angesetz-
ten, deformierten Ohren und den aus
den Höhlen tretenden kugeligen Augen.
Auf dem Scheitel ein rundes Loch zur
Fixierung einer Sonnenscheibe.

Lit.: Woolley – Randall – Maciver, Areika, 30,
Tf. 18

317
Kopf einer Ba-Statue

Sandstein, stuckiert und bemalt; H. 15,3 cm,
Br. 8,3 cm, T. 13,3 cm
Aus Aniba

E. B. Cox, Jr. Expedition, 1908
Meroïtisch, 2.–3. Jahrhundert n. Chr.
Philadelphia, The University of Pennsylvania
Museum of Archaeology and Anthropology
E 7058

Die Sonnenscheibe ist fest an den weit
nach hinten ausladenden Kopf angearbeitet. Die Details des feisten Gesichts
sind grob modelliert.

Lit.: PM VII, 78; Woolley – Randall – Maciver,
Karanog, Philadelphia 1910, 240, Tf. 10

318
Männlicher Kopf

Sandstein, bemalt; H. 26,7 cm, Br. 15,2 cm,
T. 18,4 cm
Aus Argin, Oberflächenfund zwischen Grab 26
und 27
Mision Arqueologica Española en Nubia,
Martin Almagro, 1963
Meroïtisch, 2.–3. Jahrhundert n. Chr.
Khartum 13365

Trotz der großen Anzahl von Ba-Statuen
und Köpfen von solchen Statuen steht
der große Sandsteinkopf aus den spani-
schen Grabungen in Argin einzigartig da.
Außergewöhnlich ist sein großes Format;
in der Qualität der bildhauerischen Arbeit übertrifft er alle anderen Köpfe. Stilistisch findet er keine Parallelen in der
meroïtischen Kunst, aber es fällt unmittelbar in die Augen, wie nahe er Kunstwerken steht, die in den Jahrhunderten
vor und nach der Zeitenwende im Gebiet
des heutigen Nigeria entstanden sind.
Sowohl im Ausdruck des Gesichts als
auch in den Einzelformen der Augen, der
Nase und des Mundes sind die Analogien so eng, daß eine direkte Beziehung
zwischen diesen beiden Regionen nicht
von der Hand zu weisen ist. Die räumli-
che Entfernung zwischen den auf glei-
cher geographischer Breite im Osten und
im Westen des afrikanischen Kontinents
liegenden Kulturzonen beträgt etwa
2500 km. Noch sind die Wege und die
Art und Weise der Migration in Zentralafrika zu wenig erforscht, um die Richtung dieser Kontakte erkennen zu können. Die stilistisch isolierte Stellung des
Sandsteinkopfes aus Argin inmitten eines
künstlerisch ganz andersartigen Umfel-
des spricht jedoch dafür, daß das Vorbild
– oder der Künstler? – aus Westafrika
gekommen ist.
Den kugelig wirkenden Schädel umhüllt
eine dicht anliegende Frisur, die auf dem
Oberkopf in rechteckige, am Hinterkopf
und den Schläfen in rautenförmige Löckchen gegliedert ist und an den Schläfen
stufig zu den undifferenzierten Ohren
abfällt. Unter dem Haaransatz zieht sich
eine tief eingeschnittene horizontale Linie über die sehr hohe Stirn; parallel zu
ihr verläuft etwas tiefer eine kaum erkennbare zweite Horizontallinie. Das
dominierende Gestaltungselement des
Gesichtes ist die obere Begrenzung der
Augenhöhlen durch eine tief unterhöhl-
te waagerechte Kante. Dünn eingeritzt
liegen darüber die Brauenbögen; von einer dünnen Linie sind auch die Tränensäcke unter den Augen umzogen. Unter
der schmalen, keilförmigen Nase ist der
kleine Mund durch eine waagerechte
Kerbe mit wulstigen Lippen markiert.
Die gesamte Gesichtsbildung ist von li-
nearer Strenge geprägt, die in eindrucks-
vollem Kontrast zur voll gerundeten Kugelform des anatomisch undifferenzierten Kopfes und zur säulenhaften glatten
Rundung des hohen Halses steht.
Der Kopf war wohl nicht Bestandteil einer Statue. Das ergibt sich aus dem großen Format wie aus der glatt bearbeite-
ten horizontalen Standfläche, die sich
auch bei einigen wenigen anderen meroïtischen Köpfen findet. Als typologisch
verwandt sind Köpfe zu nennen, die in
Ägypten im Alten Reich – also zweiein-
halb Jahrtausende früher – geschaffen
wurden und als „Ersatzköpfe" bezeichnet werden. Jegliche funktionale Beziehung zwischen diesen rein formal ähnlichen Köpfen entbehrt der Grundlage.

Lit.: Almagro, in: Kush 13, 1965, 87, Tf. XIVa,b;
J. Teixidor, La necropolis meroïtica de Nelluah
(Argin Sur, Sudan), Madrid 1965, 62, 102, 167,
Tf. 39a–c; Leclant, in: The image of the black
in western art, I, New York 1976, 128, Abb. 138,
321; Wenig, in: AiA II, 232ff., Nr. 160; Hof-

mann, in: Beiträge zur Sudanforschung, Beiheft
6, 1991, 39f.; Welsby, in: Katalog Africa. The
art of a continent, London 1995, 112, Nr. I.84
(deutsche Ausgabe: Afrika. Die Kunst eines Kontinents, Berlin 1996, 112, Nr. I.84)

318 ▷

319
Männlicher Kopf

Sandstein; H. 59 cm, Br. 16 cm, T. 21 cm
Aus Amir Abdallah, Distrikt Abri-Ost,
Friedhof 2-W-3
SFDAS und Sudan Antiquities Service,
A. Vila – Negm ed-Din Moh. Sherif, 1973,
Fundnr. 2-W-3: I/1
Meroïtisch, 2.-3. Jahrhundert n. Chr.
Khartum, Nationalmuseum 24144

Die formalen und stilistischen Spezifika
des Kopfes aus Argin (*Kat. 318*) finden
sich bei dem großformatigen Kopf aus
einem Kindergrab in Amir Abdallah wieder: das kugelige Volumen des Kopfes,
die Betonung der Horizontalen durch die
tiefe Unterschneidung der Brauen, der
kleine Mund mit wulstigen Lippen, der
säulenhafte Hals. Das eng anliegende
Haar ist in feine Löckchen gegliedert.
Mit dem roh belassenen untersten Teil
des Blockes war der Kopf wohl in einen
Sockel oder auch direkt in den Boden
eingelassen.

Lit.: Vila, in: Etudes nubiennes, BdE 77, Kairo
1978, 355, Tf. LXVII; ders., La prospection
archéologique de la vallée du Nil au sud de la
cataracte de Dal, fasc.9, Paris 1978, 68, 71,
Abb. 28–30, 73, Abb. 31, 74; Wenig, in: AiA II,
89, Abb. 69; Fernandez, in: Meroïtica 7, 1984,
427–432

320
Statue einer Frau

Sandstein, bemalt; H. 39,1 cm, Br. 17,5 cm,
T. 15 cm
Aus Buhen, Ziegelkammer auf der Umfassungsmauer des Hatschepsut-Tempels
Grabung Scott-Moncrieff, 1905
Meroïtisch (?)
Khartum, Nationalmuseum 442

Die Fundumstände dieser einzigartigen
Statue sind ohne Aussagekraft für ihre
Datierung. Die Figur wurde in sekundärer Lage nahe der Umfassungsmauer des
Tempels der 18. Dynastie in Buhen gefunden – zusammen mit Objekten verschiedener Epochen.
Körper und Kopf sind zu Quadern reduziert, zwischen denen der zylindrische
Hals vermittelt. Die Gesichtsdetails sind
grob eingeritzt, die Brüste als knopfartige Erhebungen angedeutet. Die Figur war
kräftig rot bemalt. Ein Schulterkragen ist
durch ein Punktmuster aufgemalt, um
den Hals liegt eine mehrreihige, schwarz-
rot gemalte Kette, das Haar am Hinter-
und am Oberkopf besteht aus einem
schwarzen Punktmuster. In der meroïtischen Kunst ist die Figur ohne Parallelen,
findet aber gewisse Entsprechungen in
Werken aus Südarabien.

Lit.: Scott-Moncrieff, in: PSBA 28, 1906, 118f.,
Abb. 3; ders., in: PSBA 29, 1907, 46. Zum Fundort vgl. PM VII, 138; H. S. Smith, Buhen. The
inscriptions, 41f.

319

320 ▷

321

Ba-Statue

Sandstein; H. 33,4 cm, Br. 15,3 cm,
T. 28,5 cm
Aus Dal
SAS UNESCO 1968, Fundnr. 21-V-6: 6/2
Meroïtisch
Khartum, Nationalmuseum 20036

Im Inventar des Nationalmuseums von
Khartum ist die Figur als „Ba-Statue... in

zwei Stücke zerbrochen" beschrieben.
Das zweite Teilstück ist verschollen; aus
der stichwortartigen Beschreibung ist zu
erschließen, daß es wohl den unteren Teil
der Figur mit menschlichen Beinen dar-
stellte.
Das Federkleid dieses vogelgestaltigen
Fragments bedeckt Rücken und Kopf.
Die extreme Reduzierung der Gesichts-
formen läßt es offen, ob ein Vogel- oder

Menschenkopf dargestellt ist. Ein runder
horizontaler Aufsatz auf dem Scheitel
könnte als Rudiment einer Sonnenscheibe verstanden werden.

Lit.: Unveröffentlicht

300

Das Gold von Meroë

Der Schatz der Amanishakheto

Nahezu alle königlichen Gräber in den Nekropolen von el-Kurru, Nuri, Gebel Barkal und Meroë sind von Grabräubern heimgesucht worden. Vom ursprünglichen Reichtum der Beigaben vermitteln meist nur noch wenige Reste, die von den Grabräubern vergessen, verloren oder auf die Seite geworfen worden sind, einen matten Abglanz. Einen Ausnahmefall bildet die Pyramide N 6 der Kandake Amanishakheto im Nordfriedhof von Meroë. Sie war wie viele der Pyramiden dort noch zu Anfang des 19. Jahrhunderts gut erhalten; Frédéric Cailliaud zeichnete sie 1822 in ihrem damaligen Zustand (vg. *Abb. 45*). Bereits 12 Jahre später ist sie nur noch ein Steinhaufen. Der italienische Arzt Giuseppe Ferlini, mit Mohammed Alis Truppen in den Sudan gekommen, hatte sie wie mehrere andere Pyramiden auf der Suche nach Schätzen abtragen lassen. Dabei wurde er in spektakulärer Weise fündig. Ein offenbar unberührter Goldschatz kam zutage, den Ferlini alsbald außer Landes brachte. In einem 1837 in Bologna in italienischer, 1838 in Rom in französischer Sprache veröffentlichten Katalog stellte er seinen Schatz der Öffentlichkeit vor und suchte nach Käufern.

1839 wurde ein Teil des Fundes für die königlichen bayerischen Kunstsammlungen erworben; der andere Teil erwies sich zunächst als unverkäuflich, wohl nicht zuletzt aufgrund des ungewöhnlichen Stils der Schmuckstücke, der Zweifel an der Echtheit des Fundes aufkommen ließ. Diese Zweifel wurden erst ein Jahrzehnt nach Ferlinis Fund ausgeräumt, als Richard Lepsius, der schon 1842 eine Erwerbung für das Berliner Ägyptische Museum vorgeschlagen hatte, bei seiner Ägypten-Sudan-Expedition nach Meroë kam. Er berichtet in seinen Briefen: „Mehrere Pyramiden waren ganz, andere teilweise zerstört. Keine hatte ihre Spitze behalten; unser Kawaß, der mit Ferlini hier gewesen war, zeigte uns den Ort, wo dieser seinen Goldschatz unter einer jetzt abgetragenen Pyramide gefunden haben sollte." Lepsius fährt fort: „Osman Bey (der sich mit Truppen in der Nähe aufhielt) wollte aus seinen Schanzgräbern Schatzgräber machen und einige Bataillone hierher commandiren, um eine Anzahl Pyramiden niederreißen zu lassen. Der Fund von Ferlini steckt hier allen Leuten noch im Kopfe und hat

seitdem schon mancher Pyramide den Ruin gebracht. ... Es gelang mir, ihn von seiner Idee abzubringen und so sind wenigstens für jetzt die noch erhaltenen Pyramiden gerettet. Die Soldaten sind abgezogen, ohne den Pyramiden den Krieg gemacht zu haben." (R. Lepsius, Briefe aus Aegypten, Aethiopien und der Halbinsel Sinai, Berlin 1852, 206). 1844 wurde auf Empfehlung von R. Lepsius der verbliebene Teil des Schatzes für Berlin angekauft.

Die Fundumstände sind unklar. Ferlini erweckt mit seinem Fundbericht den Eindruck, der Schatz sei in einer Kammer im Inneren der Pyramide gefunden worden. Keine der napatanischen oder meroïtischen Pyramiden liefert hierzu eine Parallele. Außerdem sprechen konstruktionsbedingte Gründe gegen eine Kammer im Pyramidenmauerwerk (vgl. S. 414). Man darf als sicher annehmen, daß der Schatz der Amanishakheto aus der Grabkammer unter ihrer Pyramide stammt, in die Ferlinis Arbeiter nach deren Abtragen von oben eindrangen. Ein großer Teil fand sich, in ein Tuch eingewickelt, in einer Bronzeschüssel; andere Schmuckstücke lagen auf dem Boden der Kammer in der sich — ein wichtiges Indiz für ihre Identifizierung als unterirdische Grabkammer — ein hölzernes Bett befand, wohl das in napatanischen und meroïtischen Gräbern übliche Totenbett.

Die handwerkliche Qualität der Schmuckstücke kann sich nicht mit hellenistischen Goldschmiedearbeiten aus dem Mittelmeerraum messen. Die außergewöhnliche Bedeutung des Fundes liegt in der Verbindung ägyptischer, meroïtischer und vereinzelt auch hellenistischer Elemente zu einem eigenständigen Ganzen. Die reiche Ikonographie der Schild- und Siegelringe, der Armreifen und Halsketten erweitert das Themenrepertoire der Reliefs in den meroïtischen Tempeln und in den Opferkammern der meroïtischen Pyramiden erheblich und liefert gleichzeitig die Originalbelege zum Königsornat, wie er in den Reliefs dargestellt ist. Stilistisch bemerkenswert ist die typisch meroïtische Umformung ägyptischer Vorbilder, von den dickleibigen Gestalten der Göttinnen bis zu den Lebenszeichen und Udjat-Augen, deren Proportionen die überfeinerte Eleganz der ägyptischen Formen durch eine frische Urwüchsigkeit ersetzen.

Abb. 46   Pylon der Opferkammer an der Pyramide der Königin Amanishakheto (N 6) im Nordfriedhof von Meroë. (Foto: S. Schoske)

Vorhergehende Seite: Abb. 45   Frédéric Cailliaud (1822): Pyramide der Königin Amanishakheto (N 6) im Nordfriedhof von Meroë (Voyage, Tf. XLI). (Foto: M. Büsing)

322
Relief der Königin Amanishakheto

Sandstein; Berlin 2245: H. 36 cm, Br. 34 cm;
Berlin 2244: H. 36,5 cm, Br. 63 cm
Aus Meroë, Nordfriedhof, Pyramide Beg. N 6,
rechter Pylonturm der Kapelle
Preußische Ägypten-Expedition, 1844
Meroïtisch, 10 v. Chr.–0
Berlin, Ägyptisches Museum und Papyrussammlung, 2245 und 2244

Die beiden zusammengehörigen Reliefblöcke stammen vom rechten Pylonturm der Opferkapelle vor der Pyramide der Königin Amansihakheto. Beiderseits des Kapelleneingangs steht die Königin, hält vor sich ein Bündel von Gefangenen und setzt ihre Lanze auf deren Schultern. Um die eng anliegende Löckchenfrisur ist ein breiter Diademreif gelegt, an dem über der Stirn ein Schildring mit Widderkopf befestigt ist. Auf dem Scheitel liegt ein Geierbalg, wohl als Schmuck aus Goldblech zu verstehen. Vom Nacken zum Kinn ist ein schmales Band gespannt, das an der Wange zwei Uräusschlangen hält. Die Kartusche enthält den in meroïtischen Hieroglyphen geschriebenen Namen der Königin.

Lit.: PM VII, 245; R. Lepsius, Denkmäler, III, 303 (95); V,40; H. Schäfer, Ägyptische Goldschmiedearbeiten, Berlin 1910, 98, Abb. 86; RCK III, Tf. 17; K.-H. Priese, Das Gold von Meroë, Berlin – Mainz 1992, Vorsatz rechts. Zu 2245: F. Ll. Griffith, Meroïtic inscriptions, I, London 1911, 77, Nr. 55, Tf. XXVII, XXIX; REM (MNL 19, 1978, 19)

323
Relieffragment

Stuck, bemalt und vergoldet; H. 6 cm,
Br. 4 cm, T. 1,7 cm
Aus Wad Ban Naga, Palast
Grabung H. Thabit – J. Vercoutter, 1959/60
Meroïtisch, 10 v. Chr.–O
Khartum, Nationalmuseum 62/10/129

Das Stuckfragment wurde im Palast von
Wad Ban Naga als Teil der ursprünglichen Wandverkleidung gefunden. Inschriftlich kann der Palast Königin Amanishakheto zugewiesen werden. So liegt
es nahe, die in kräftigem Relief model-
lierte Darstellung einer Königin als Bild
dieser Herrscherin anzusehen. Über der
Löckchenperücke liegt ein Geierbalg.
Über der Stirn ist neben den Geierkopf
die Uräusschlange gesetzt. Reste von Vergoldung lassen das ursprüngliche Erscheinungsbild dieser Wanddekoration
aus dem Palast erahnen.

Lit.: Vercoutter, in: Syria 39, 1962, 283f.,
Abb. 13; Wenig, in: AiA II, 202, Nr. 123

324
Relieffragment

Stuck, bemalt und vergoldet; H. 6,4 cm,
Br. 5,3 cm, T. 1,8 cm
Aus Wad Ban Naga, Palast
Grabung H. Thabit – J. Vercoutter, 1959/60
Meroïtisch, 10 v. Chr.–0
Khartum, Nationalmuseum 62/19/130

Diese Darstellung der Königin, die aus
demselben Kontext wie *Kat. 323* stammt,
zeigt auch ihren Hals- und Armschmuck.
Die ganze Figur war mit Blattgold belegt.
Der Bildgrund war blau bemalt, erweck-
te also den Eindruck von Fayencefliesen.
Die Königin hält mit beiden Händen einen Schmuckkragen, mit der Rechten
auch noch einen Spiegel als Gaben für
eine links zu ergänzende Gottheit.

Lit.: Vercoutter, o. c., 282, Abb. 11; erwähnt bei
Wenig, o. c.

*Für die Katalognummern 325–368 Standortangabe für
München, Staatliche Sammlung Ägyptischer Kunst
abgekürzt München, SSÄK
Berlin, Ägyptisches Museum und Papyrussammlung
abgekürzt Berlin, ÄMP*

325
Schüssel

Bronze, H. 16 cm, Durchm. 21 cm
Aus Meroë, Nordfriedhof, Pyramide N 6

Grabungen G. Ferlini, 1834
Meroïtisch, 10 v. Chr.–0
Berlin, ÄMP 4374

Ein großer Teil des Schatzfundes befand
sich zum Zeitpunkt seiner Auffindung
durch Ferlini in dieser Bronzeschüssel, in
ein Tuch eingeschlagen.

Lit.: Schäfer, Goldschmiedearbeiten, 187f.,
Nr. 317, Abb. 205; Katalog Berlin 1967, 116,
Nr. 1059; Priese, Gold, 13, 15, 29, Abb. 6

326
Bettfuß

Holz; H. 23,5 cm
Berlin, ÄMP 4695

Über dem runden Schaft sitzt eine Papyrusdolde als Kapitell, darüber der Kopf
der Göttin Hathor mit stilisiertem Ge-
hörn und Naos: die standardisierte Form
eines Sistrums. Die kleine Holzstütze
war wohl Teil des Totenbettes der Amanishakheto.

Lit.: Schäfer, Goldschmiedearbeiten, 183, Nr. 311,
Abb. 196, 197; Katalog Berlin 1967, 118,
Nr. 1092; Priese, Gold, 13f., Abb. 5

327
Armreif

Gold, Glasfluß; H. 4,6 cm, Br. der Teilstücke
je 8,5 cm
München, SSÄK Ant. 2455

Der am Unter- oder Oberarm getragene
Reif wurde durch ein Verbindungsstück
aus Leder oder Stoff zusammengebun-
den; er umschloß also nur einen Teil des
Armes. In Kreis- und Rautenform sind
auf eine Goldblechunterlage Golddrähte als Stege gelötet, in die Glasfluß in verschiedenen Farben eingelegt ist. Granulierte Bänder umziehen den oberen und
unteren Rand und rahmen die rechteckigen fensterartig ausgesparten Felder in

der mit Federmuster bedeckten Mittelzone, in die Götterbüsten eingesetzt
sind. Über dem Scharnier ist die halbpla-
stisch gearbeitete Figur einer Göttin gesetzt. Sie steht auf einer Papyrusdolde.
Zusätzlich zu ihren zwei Flügelarmen
besitzt sie ein weiteres ausgebreitetes Flügelpaar. Über der Geierhaube trägt sie
die Doppelkrone. Sie ist folglich als die
Göttin Mut, die Gemahlin des Amun,
anzusprechen.

Lit.: Schäfer, Goldschmiedearbeiten, 109f.,
Nr. 160, Tf. 21, Abb. 160a; Wenig, in: AiA II,
93, Abb. 75, 243, Nr. 170; Bianchi, in: Katalog
Cleopatra's Egypt, Mainz 1989, 199f., Nr. 89;
Priese, Gold, 18, 37, Abb. 35

328

Armreif

Gold, Glasfluß; H. 3 cm, Br. der Teilstücke
je 9,2 cm
Berlin, ÄMP 1644

Zierlicher als der Armreif mit der Figur
der Göttin Mut wirkt dieser, über dessen
Scharnier der Widderkopf des Amun mit
Sonnenscheibe inmitten einer Kapellenfassade sitzt. Diese Architekturdarstel-
lung *en miniature* wird von einem Uräenfries bekrönt und fußt auf einem den
Widderkopf halbkreisförmig umschlie-
ßenden Schmuckkragen (vgl. *Kat. 329*).
Die ganze Konstruktion ist aus vielen
winzig kleinen Einzelteilen zusammengelötet. Den unteren Teil der Scharnier-
abdeckung bildet ein großes Stück blau-

en Glases inmitten eines Blättermotivs,
vielleicht die Darstellung eines pflanzen-
umstandenen Teiches.

Die in horizontale Streifen gegliederte
Musterung des Armreifs, oben und unten von einem Flechtband aus Golddraht
gesäumt, zeigt einen Uräenfries, darunter Tropfermuster, ein Band aus schräg
gestellten Quadraten, ein Rosettenband
und nochmals schräg gestellte kleinere
Quadrate in zwei Reihen. Die Ornamente sind als Golddraht auf die Trägerplat-
te aus Goldblech aufgelötet und mit
blauen und roten Glaseinlagen gefüllt.

Lit.: Schäfer, Goldschmiedearbeiten, 105–107,
Nr. 158, Tf. 21; Katalog Berlin 1991, Nr. 161;
Priese, Gold. 17, 47, Abb. 47; Wenig, in: AiA
II, 239, Nr. 165

329

Schildring

Gold, Karneol, Glasfluß; H. 5,5 cm,
Br. 5,5 cm, Ring Durchm. 2,0 cm
München, SSÄK Ant. 2446b

Die kostbaren Stücke im Grabschatz der
Königin Amanishakheto sind die Schildringe. Sie bestehen aus einem goldenen
Ring, an dem mit einem Scharnier eine
Ringplatte befestigt ist. Sie zeigt in ihrem unteren Teil das Motiv der Aegis,
eines Götterkopfes inmitten des Halb-
runds eines breiten Schmuckkragens.
Eine Verwendung dieser Schildringe als
Fingerringe ist wenig wahrscheinlich, da
die Größe der Schildplatte und die viel-
teilige, empfindliche Oberfläche die Trägerin des Ringes zur völligen Immobili-
tät verurteilt hätte. Darstellungen von an
der Hand getragenen Schildringen sind
nicht bekannt. Hingegen begegnet diese
Schmuckform in Reliefdarstellungen als
Stirnschmuck (vgl. *Kat. 324*).
Der Schmuckkragen mit Widderkopf,
wie er auf diesem Ring dargestellt ist,
findet sich im Reliefbild der Amanishakheto vom Pylon ihrer Pyramidenkapelle
(*Kat. 322*) an der Stirn der Königin. Das
prachtvolle Schmuckstück setzt den drei-
dimensional gearbeiteten Widderkopf in
die Mitte der dreigliedrigen Fassade einer Kapelle mit leicht geböschten Seiten-
pfosten. In die Mitte des Türsturzes und
der zwei darüber liegenden Hohlkehlen
ist eine Sonne gesetzt, die unterste ist als
Karneolkügelchen ausgebildet. Die Bekrönung dieser Miniaturarchitektur bildet ein Uräenfries.
Der Widderkopf trägt eine querovale
Sonnenscheibe, um deren untere Hälfte
ein Uräenband gelegt ist. Vom Widderkopf hängt eine Kette aus Goldkügel-
chen; sie trägt unten eine winzige, wohl
löwenköpfige Götterfigur mit Sonnenscheibe und wird von einem grün eingelegten Band begleitet. Der Schmuckkragen zeigt im Wechsel Rautenmuster und
Perlenreihen, die durch glatte Golddrähte gegeneinander abgesetzt sind, und
schließt oben mit einem stark stilisierten
Uräenfries ab.
Trotz seines kleinen Formats besitzt das
Schmuckstück eine offenkundige Monumentalität, die auf der Ausgewogenheit
der Komposition beruht.

Lit.: Schäfer, Goldschmiedearbeiten, 117–119,
Nr. 165, Tf. 22; Wenig, in: AiA II, 92, Abb. 74,
237, Nr. 164; Bianchi, o. c., 199f., Nr. 91; Priese, Gold, 18, 33, Abb. 30

330

331

330
Schildring

Gold, Glasfluß; H. 5,0 cm, Br. 3,0 cm,
Ring Durchm. 1,9–2,0 cm
München, SSÄK Ant. 2446d

Das zentrale Motiv stellt eine kompli-
zierte Krone dar. Auf einer von Uräen
flankierten Sonnenscheibe, der ein Udjatauge eingeschrieben ist, sitzt die Hemhem-Krone. Ein durch kleine Ösen geführter Golddraht hält am unteren Rand
eine rechteckige Plakette mit Schutz-
Zeichen

Lit.: Schäfer, Goldschmiedearbeiten, 123f.,
Nr. 169, Tf. 23; Wenig, in: AiA II, 240, 242,
Nr. 167; Priese, Gold, 18, 39, Abb. 37 (seiten-
verkehrt)

331
Schildring

Gold, Glasfluß; H. 4,2 cm, Br. 4,5 cm,
Ring Durchm. 1,8–1,9 cm
München, SSÄK Ant. 2446a

In der Gliederung des Schmuckkragens
und der Kugelkette Kat. 329 nahestehend, verzichtet dieser Schildring auf die
Kapellenfassade. Der Widderkopf trägt
die Doppelfederkrone über waagerechten
Widderhörnern.

Lit.: Schäfer, Goldschmiedearbeiten, 115f.,
Nr. 163, Tf. 22; Priese, Gold, 35, Abb. 32

332
Schildring

Gold, Glasfluß; H. 4,7 cm, Br. 3,7 cm,
Ring Durchm. 1,9 cm
Berlin, ÄMP 22871

Das Motiv des Schildrings Kat. 332 wird
erweitert um zwei Figuren der Göttin
Mut mit Flügelarmen, die die Widder-
krone umfangen. Auch hier hängt an der
Kugelkette ein kleines stilisiertes Götter-
figürchen.

Lit.: Schäfer, Goldschmiedearbeiten, 116f.,
Nr. 164; Katalog Berlin 1967, 116, Nr. 1065;
Priese, Gold, 31f., Abb. 29

332

333   334 ▷

333
Schildring

Gold, Glasfluß; H. 1,8 cm, Br. 0,4 cm,
T. 0,8 cm; Ring Durchm. 1,9 cm
München, SSÄK Ant.2446e

Die am Ring befestigte Büste der Göttin
Mut mit Doppelkrone und fein gemusterter Perücke verzichtet auf die Rahmung durch den Schmuckkragen.

Lit.: Schäfer, Goldschmiedearbeiten, 124, Nr. 170, Tf. 23; Priese, Gold, 36, 38, Abb. 34

334
Schildring

Gold, Glasfluß; H. 3,7 cm, Br. 3,7 cm,
Ring Durchm. 1,8 cm
München, SSÄK Ant. 2446c

Auf dem Schmuckkragen sitzt zwischen zwei Udjat-Augen die Büste des Gottes Sebiumeker mit Doppelkrone. Am unteren Rand lose aufgehängte Muscheln.

Lit.: Schäfer, Goldschmiedearbeiten, 119, Nr. 166, Tf. 23; Wenig, in: AiA II, 240f., Nr. 168; Bianchi, o. c., 199f., Nr. 90; Priese, Gold, 18, 42f., Abb. 41

335
Schildring

Gold, Glasfluß; H. 4,4 cm, Br. 3,9 cm,
Ring Durchm. 1,9 cm
Berlin, ÄMP 22872

Der Löwenkopf über dem Schmuckkragen trägt die Hemhem-Krone; er ist damit als Darstellung des Gottes Apedemak ausgewiesen.

Lit.: Schäfer, Goldschmiedearbeiten, 120f., Nr. 167, Tf 23; Wenig, in: AiA II, 239, Nr. 166; Katalog Berlin 1991, Nr. 162; Priese, Gold, 18f., Abb. 9; Wildung, in: Katalog Africa. The art of a continent, London 1995, 114, Nr. I.88 (deutsche Ausgabe: Afrika. Die Kunst eines Kontinents, Berlin 1996, 114, Nr. I.88)

314

315

◁ 335

oben 336/337/338

unten 339/340/341

336
Siegelring

Gold; H. 2,1 cm, Platte 1,55 × 1,35 cm
Berlin, ÄMP 1726

Die Göttin Isis mit dem Horuskind auf
dem Schloß.

Lit.: Schäfer, Goldschmiedearbeiten, 142, Nr. 208,
Tf. 27; Priese, Gold, 38, Abb. 36a

337
Siegelring

Gold; H. 2,15 cm, Platte 1,8 × 1,65 cm
Berlin, ÄMP 1723

Die Göttin Mut (links) führt dem Amun
die Königin zu.

Lit.: Schäfer, Goldschmiedearbeiten, 130, Nr. 173,
Tf. 24

338
Siegelring

Gold; H. 2,35 cm, Platte 1,55 × 1,4 cm
Berlin, ÄMP 1712

Der Gott Mandulis als Falke mit Janus-
kopf und Hemhem-Krone.

Lit.: Schäfer, Goldschmiedearbeiten, 147f., Nr. 227,
Tf. 29

oben 342   Mitte 344   unten 343

339
Siegelring

Gold; H. 2,2 cm, Platte 2,0 × 1,8 cm
Berlin, ÄMP 1696

Thronende Herrschergestalt, in beiden
Händen Stäbe haltend.

Lit.: Schäfer, Goldschmiedearbeiten, 129f.,
Nr. 172, Tf. 24; Wenig, in: AiA II, 252, Nr. 185;
Katalog Berlin 1991, Nr. 163; Priese, Gold, 44,
Abb. 42b

340
Siegelring

Gold; H. 1,75cm, Platte 1,4 × 1,25 cm
Berlin, ÄMP 1720

Geier als Königstier über am Boden lie-
gendem Gefallenem.

Lit.: Schäfer, Goldschmiedearbeiten, 145, Nr. 216,
Tf. 28; Hermann, in: ZÄS 93, 1966, 80f., 83,
Abb. 4; Wenig, in: AiA II, 253, Nr. 187; Priese,
Gold, 42, Abb. 40b

341
Siegelring

Gold; H. 2,45 cm, Platte 1,6 × 1,35 cm
Berlin, ÄMP 1725

Amun als geflügelte Sphinx; Löwenkopf
mit Widderhörnern.

Lit.: Schäfer, Goldschmiedearbeiten, 144, Nr. 213,
Tf. 28; Priese, Gold, 41, Abb. 39b

342
Siegelring

Gold; H. 2,2 cm, Platte 2,5 × 2,25 cm
Berlin, ÄMP 1747

Schlußbild der Heiligen Hochzeit: das
Königskind zwischen König und Königin.

Lit.: Schäfer, Goldschmiedearbeiten, 131f.,
Nr. 176, Tf. 24; Wenig, in: AiA II, 252, Nr. 184;
Priese, Gold, 45, Abb. 44

343
Siegelring

Gold; H. 2,25 cm, Platte 1,9 × 1,7 cm
Berlin, ÄMP 1698

Widderkopf des Amun unter Flügelson-
ne und zwischen Lebenszeichen.

Lit.: Schäfer, Goldschmiedearbeiten, 136, Nr. 187,
Tf. 25; Priese, Gold, 30, Abb. 28b

344
Siegelring

Gold; H. 2,4 cm, Platte 2,1 × 1,9 cm
Berlin, ÄMP 1699

Die Königin vor Amun, der sie durch die
Berührung seiner Hand erwählt.

Lit.: Schäfer, Goldschmiedearbeiten, 130f., Nr. 174,
Tf. 24; Wenig, in: AiA II, 251, Nr. 182; Katalog
Berlin 1991, Nr. 163; Priese, Gold, 44f., Abb. 43a

345
Siegelring

Gold; H. 2,05 cm, Platte 1,5 × 0,85 cm
Berlin, ÄMP 1736

Vogel mit Palmzweig und Kranz, vielleicht die Göttin Isis.

Lit.: Schäfer, Goldschmiedearbeiten, 146, Nr. 222,
Tf. 28

346
Siegelring

Gold; H. 1,75 cm, Platte 1,45 × 1,25 cm
Berlin, ÄMP 1721

Amun von Napata, der im Heiligen Berg
(Bergsilhouette mit Uräus) thront.

Lit.: Schäfer, Goldschmiedearbeiten, 133,
Nr. 179, Tf. 24; Priese, Gold, 32, 34, Abb. 31a

347
Siegelring

Gold; H. 2,25 cm, Platte 1,75 × 1,55 cm
Berlin, ÄMP 1738

Stier mit Löwenkopf, eine namentlich
nicht benennbare Gottheit.

Lit.: Schäfer, Goldschmiedearbeiten, 143, Nr. 211,
Tf. 27; Priese, Gold, 42, 46, Abb. 45a

348
Siegelring

Nephrit; H. 2,4 cm, Platte 1,6 × 1,2 cm
Berlin, ÄMP 1749

Vogel (Schwalbe?) mit erhobenen Flügeln.

Lit.: Schäfer, Goldschmiedearbeiten, 147, Nr. 226,
Tf. 29; Katalog Berlin 1991, Nr. 163; Priese, Gold,
46, Abb. 45c

345/346/347/348

349
Figur eines Gottes

Gold; H. 1,9 cm
Berlin, ÄMP 1646

Mumiengestaltig mit Seitenlocke, mit
Mondsichel und Mondscheibe. Wahrscheinlich der meroïtische Gott Aqedis.

Lit.: Schäfer, Goldschmiedearbeiten, 153, Nr. 240,
Tf. 30; Katalog Berlin 1967, 117, Nr. 1073

350
Figur eines Gottes

Gold; H. 2,25 cm
Berlin, ÄMP 1648

Mumiengestaltig mit Seitenlocke, mit
Mondsichel und Mondscheibe. Wahrscheinlich der meroïtische Gott Aqedis.

Lit.: Schäfer, Goldschmiedearbeiten, 152, Nr. 237,
Tf. 30 (Abb. 238!)

351
Figur eines Löwen

Gold; L. 0,8 cm
Berlin, ÄMP 1668

Längs durchbohrt zur Auffädelung in
einer Kette.

Lit.: Schäfer, Goldschmiedearbeiten, 155, Nr. 247,
Tf. 30, Abb. 247 re.; Katalog Berlin 1967, 117,
Nr. 1075; Priese, Gold, 23, Abb. 15 re.

352
Figur eines Löwen

Gold; L. 0,9 cm
Berlin, ÄMP 1666

Wie *Kat. 351* in der Haltung der Löwen
Amenophis' III. aus Soleb, die zum Gebel Barkal umgesetzt wurden.

Lit.: Schäfer, Goldschmiedearbeiten, 155, Nr. 246,
Tf. 30, Abb. 246 re.; Katalog Berlin 1967, 117,
Nr. 1074; Priese, Gold, 23, Abb. 15 li.

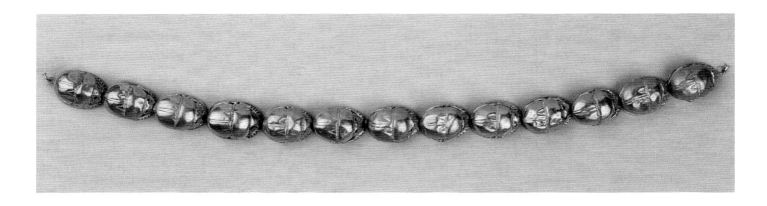

353
Skarabäen-Kette

Gold, Glas; L. 27 cm, Skarabäen: L. 2 cm,
Br. 1,3 cm
München, SSÄK Ant 2447

Ober- und Unterseite aus getriebenem
Goldblech zusammengelötet; Beine aus
Golddraht, eingelegte Augen aus blauem
Glas. Die Unterseite der beiden größeren

Skarabäen ist mit schriftähnlichen, aber
unlesbaren Zeichen versehen.

Lit.: Schäfer, Goldschmiedearbeiten, 159, Nr. 258,
259, Tf. 31; Priese, Gold, 24, Abb. 17

354
Hathorköpfe

Gold, Glasfluß; H. 2,3 cm
Berlin, ÄMP 1661–1664

Frontales Frauengesicht mit Kuhohren
und spiralig eingedrehten Zöpfen, flankiert von zwei Uräusschlangen. Einlagen
aus blauem und türkisem Glasfluß.

Lit.: Schäfer, Goldschmiedearbeiten, 154, Nr.245,
Tf. 30, 32; Katalog Berlin 1967, 116, Nr. 1064

320

355
Zwei Udjat-Augen

Gold, Silber; L. 1,2 cm
Berlin, ÄMP 1758-9, 10

Unter dem inneren Augenwinkel winziges Sa-(„Schutz"-)Zeichen.

Lit.: Schäfer, Goldschmiedearbeiten, 162, Nr. 268, Tf. 31; Katalog Berlin 1967, 116, Nr. 1061

356
Udjat-Auge

Gold, Glasfluß; L. 1,1 cm
Berlin, ÄMP 1756-15

In vier verschiedenen Farben mit Glasfluß eingelegt.

Lit.: Schäfer, Goldschmiedearbeiten, 163, Nr. 270, Tf. 31

355/356/357/358
359/360/361

357
Kleines Lebenszeichen

Gold; H. 1,1 cm
Berlin, ÄMP 1758-7

Schlaufe nicht durchbrochen; winzige Öse am unteren Rand.

Lit.: Schäfer, Goldschmiedearbeiten, 161, Nr. 265, Tf. 31; Katalog Berlin 1967, 117, Nr. 1071

358
Vier Lebenszeichen

Gold, Glasfluß; H. 1,6 cm
Berlin, ÄMP 1758-1 bis 4

Mit hellblauem Glasfluß eingelegt.

Lit.: Schäfer, Goldschmiedearbeiten, 161, Nr. 264, Tf. 31

359
Zwei Lebenszeichen

Gold; H. 3,2 cm, Br. 2,0 cm
Berlin, ÄMP 22874, 22875

Im Mittelpunkt winzige Sonnenscheibe
mit zwei Uräen. Ösen an allen vier Seiten; die Lebenszeichen sind also Teil eines mehrreihigen Schmuckkragens.

Lit.: Schäfer, Goldschmiedearbeiten, 160, Nr. 262,
Tf. 31; Katalog Berlin 1967, 117, Nr. 1072

360
Drei Lebenszeichen

Gold, Glasfluß; H. 2,0 cm
Berlin, ÄMP 1756-4 bis 6

Ähnlich *Kat. 358*, jedoch oben und unten mit winzigen Ösen versehen.

Lit.: Schäfer, Goldschmiedearbeiten, 160f.,
Nr. 263, Tf. 31; Katalog Berlin 1967, 117,
Nr. 1070

361
Zwei Lebenszeichen

Gold; H. 1,35 cm
Berlin, ÄMP 1756-2, 3

Durchbrochene Arbeit, wohl ursprünglich mit Einlagen.

Lit.: Schäfer, Goldschmiedearbeiten, 160, Nr. 261,
Tf. 31; Katalog Berlin 1967, 117, Nr. 1068

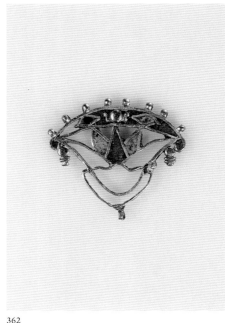

362

362
Lotos-Anhänger

Gold, Glasfluß; H. 2,2 cm, Br. 2,45 cm
Berlin, ÄMP 1756-1

Durchbrochene Arbeit mit mehrfarbigen
Einlagen. Kleine Sonnenscheibe mit zwei
Uräen über der Lotosblüte, von zwei Augen flankiert. Rechts und links außen je
ein Sa-(„Schutz"-)Zeichen. Ösenreihe
am oberen Rand, Einzelöse unten.

Lit.: Schäfer, Goldschmiedearbeiten, 167f., Nr. 279,
Tf. 32; Katalog Berlin 1967, 117, Nr. 1067; Priese, Gold, 26, Abb. 20

363
Acht Udjat-Augen

Gold, Glasfluß; L. je 1,7 cm
Berlin, ÄMP 1754-1 bis 1754-8

Drei Augenpaare, zwei rechte Augen.
Vierfarbiger Glasfluß. Auf der Rückseite je zwei Goldröhrchen zum Auffädeln.

Lit.: Schäfer, Goldschmiedearbeiten, 162f.,
Nr. 269, Tf. 31; Katalog Berlin 1967, 116,
Nr. 1060; Priese, Gold, 26, Abb. 21

364
Henkelgefäß

Bronze; H. 6,4 cm
Berlin, ÄMP 22878

Der kleine Bronzeeimer besitzt in seinem
fest angearbeiteten Deckel eine kleine
runde Öffnung, die mit einer an einer
Kette befestigten Rosette verschlossen
werden kann. Zwei bandartige Tragebü-
gel sitzen frei beweglich in seitlichen
Aufhängungen, die als in sich verschlun-
gene Pflanzenstengel geformt sind. Ein
Parallelstück ist mit Dionysos-Masken
geschmückt. Das Gefäß ist sicherlich ein
hellenistisches Importstück.

Lit.: Schäfer, Goldschmiedearbeiten, 186, Nr. 315,
Tf. 36; Priese, Gold, 28f., Abb. 26

363

364 ▷

365

Schulterkragen

Stein, Karneol, Glas, Fayence; Br. 40 cm
Berlin, ÄMP 1757

Zu den häufigsten Schmuckstücken, die sowohl in der ägyptischen als auch der meroïtischen Ikonographie dargestellt werden, von Königen und Göttern, aber auch nichtköniglichen Personen getragen, gehört der Schulterkragen. Er legt sich vielreihig über Schultern und Brust des Trägers und wandelt seine Form im Lauf der Jahrtausende von einer Aufreihung schlichter Röhrenperlen zu reichen Zusammenstellungen verschiedener Amulettformen.

Aus Einzelperlen des Schatzfundes der Amanishakheto sind modern zwei Schulterkragen zusammengesetzt worden, die nur in ihren Elementen, nicht aber in ihrer Komposition authentisch sind. In den ersten Kragen sind außer einer Reihe von blauen Udjat-Augen nur nichtfigürliche Perlen aus Glas, Fayence, Karneol und anderen Steinen aufgenommen worden.

Lit.: Schäfer, Goldschmiedearbeiten, 169–174, Nr. 283, Tf. I, 33; Katalog Berlin 1991, Nr. 164

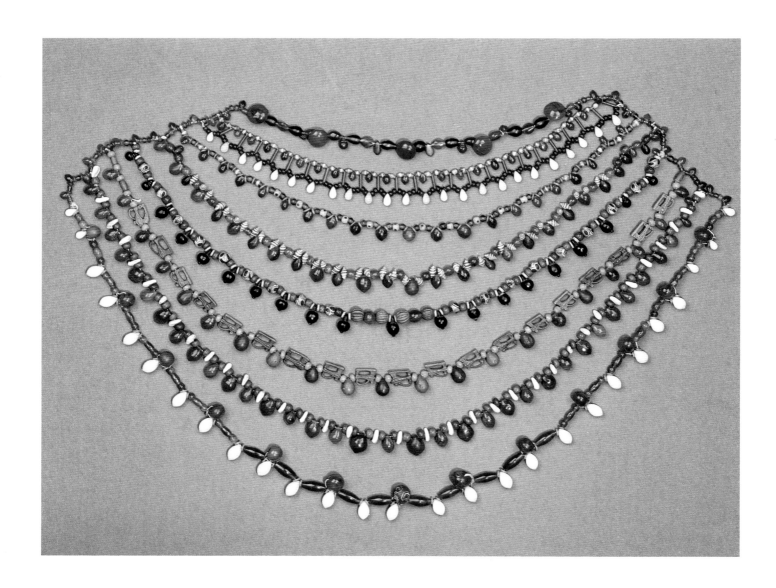

366
Schulterkragen

Muscheln, Stein, Karneol, Fayence, Glas;
Br. 45 cm
Berlin, ÄMP 1755

Die beliebtesten Amulettformen sind in
diesem modern aus Originalelementen
des Amanishakheto-Schatzes zusammen-
gestellten Schulterkragen vertreten: Lebenszeichen, Djed-Pfeiler, Udjat-Augen,
Skarabäen, dazu Fische und verschiedene Blüten- und Pflanzenmotive.

Lit.: Schäfer, Goldschmiedearbeiten, 169–174,
Nr. 284, Tf. I, 34; Wenig, in: AiA II, 236,
Nr. 162; Priese, Gold, 22, Abb. 12

Königin Amanitore in vollem Ornat. Relief an der Rückwand des Löwentempels in Naga (Lepsius, Denkmäler V, 59). (Foto: M. Büsing)

367
Kameo mit Athena-Kopf

Achat; H. 2,05 cm
Berlin, ÄMP 1751

Aus den vier verschiedenfarbigen Schichten des Achats ist der Kopf der Athena geschnitten. Sein attischer Helm zeigt ein Zweigespann galoppierender Pferde, im Wagen die Göttin Nike. Auf der Brust ein Gorgo-Kopf. Sicherlich Import aus dem Mittelmeerraum.

Lit.: Schäfer, Goldschmiedearbeiten, 150f., Nr. 233, Tf. 30; Priese, Gold, 28, Abb. 25 li.

368
Kette

Gold; L. 24,5 cm
Berlin, ÄMP 1759

Eine Kette mit achteckigem Querschnitt, die aus gefalteten Ringen aus Golddraht zusammengesetzt ist. Endhülsen in Gestalt von Schlangenköpfen.

Lit.: Schäfer, Goldschmiedearbeiten, 168, Nr. 280, Tf. 32; Wenig, in: AiA II, 244, Nr. 173; Priese, Gold, 21f., Abb. 11

369
Schildring

Gold, Glasfluß; H. 3,3 cm, Br. 3,0 cm,
Ring Durchm. 1,9 cm
Aus Faras, Grab 2782
Oxford Excavation (Griffith), 1912, Fundnr. 1/2782
Meroïtisch, um die Zeitenwende
Khartum, Nationalmuseum 762a

Dieser Schildring aus Faras, der funktional mit denen der Königin Amanishakheto verglichen werden kann, ist wie eine Miniaturstele dekoriert. Geflügelte Sonnenscheibe und Udjat-Augen beiderseits des zentralen Sa-Zeichens sind als Bekrönungen ägyptischer Stelen belegt.

Lit.: Griffith, in: LAAA 11, 1924, 167, Tf. LVIII.2; ders., in: LAAA 12, 1925, 80f., Tf. XX; Wenig, in: AiA II, 248, Nr. 179, 250

370
Frauenfigur

Gebrannter Ton, bemalt; H. 4,6 cm,
Br. 4,4 cm, T. 2,4 cm
Aus Meroë
Meroïtisch, um die Zeitenwende
Berlin, Ägyptisches Museum und Papyrus-
sammlung 25951

Die große thematische Vielfalt der Motive auf meroïtischen Schmuckstücken
liefert als wichtige Informationsquelle
über die meroïtische Götterwelt oft die
Deutung von Darstellungen ohne erklä-
renden Kontext.
Der Torso einer kleinen nackten Frauenfigur mit vollen Brüsten erklärt sich aus
dem Zusammenhang einer Darstellung
auf Ohrringen (*Kat. 371, 375*), in der die
Göttin Mut vollbrüstig und mit nacktem
Oberkörper dargestellt ist.

Lit.: Wenig, in: AiA II, 221f., Nr. 144

371

371

371
Ohrstecker

Gold, Glasfluß; Durchm. 1,45 cm
Aus Meroë, Westfriedhof, Grab Beg. W 179
bzw. W 165
Harvard University – MFA Boston-Expedition,
Februar 1922 bzw. Januar 1923, Fundnr.
22-2-610 bzw. 23-1-2
Meroïtisch, 30–170 n. Chr.
bzw. 50–10 v. Chr.
Khartum, Nationalmuseum 1972
Boston, Museum of Fine Arts 23.845

Der kreisrunde kleine Ohrstecker zeigt
auf blau eingelegtem Grund frontal die
Büste einer Göttin mit Kuhgehörn und
Sonnenscheibe. Sie stützt mit ihren Hän-
den die vollen Brüste.
Auf dem Parallelstück nur Kopf und
Krone der Göttin.

372

372

Lit.: Reisner, o. c., 25; RCK V, 184, 187,
Abb. 134a,b bzw. 237, Abb. 162,8

372
Ohrstecker

Gold, Glasfluß; Durchm. 3,15 cm
Aus Meroë, Westfriedhof, Grab Beg. W 125
Harvard University – MFA Boston-Expedition,
Februar 1922, Fundnr. 22-2-480a
Meroïtisch, 30–170 n. Chr.
Khartum, Nationalmuseum 1958
Boston, Museum of Fine Arts 24.490

Auf blauem Grund, von granuliertem
Randstreifen gesäumt, Kopf der Göttin
Hathor mit den für sie typischen Schnek-
kenzöpfen.

Lit.: Reisner, o. c., 24; D. Dunham, The Egyptian
Department and its excavations, Boston 1958,
135, Abb. 108; RCK V, 161f., Abb. 117f,g

373
Ohrstecker

Gold, Glasfluß; Durchm. 3,8 cm
Meroë, Nordfriedhof, Pyramide Beg. N 16
Harvard University – MFA Boston-Expedition,
März 1921, Fundnr. 21-3-619
Meroïtisch, 175–190 n. Chr.
Khartum, Nationalmuseum 1817
Boston, Museum of Fine Arts 24.491

Auf blauem Grund drei Figuren des
Gottes Bes in Frontalansicht. Randorna-
ment aus Papyrusdolden im Wechsel mit
Papyrusknospen.

Lit.: RCK IV, 137, 139, 141, Abb. 92, 211,
Tf. LXI.M

373

374

375

374

Ohrstecker

Gold, Durchm. 4,1 cm
Aus Meroë, Westfriedhof, Grab Beg. W 127
Harvard University – MFA Boston-Expedition,
Februar 1922, Fundnr. 22-2-503
Meroïtisch, 30–170 n. Chr.
Khartum, Nationalmuseum 1974
Boston, Museum of Fine Arts 24.489

Kopf der Göttin Hathor mit hoch auf-
ragendem Kuhgehörn und Sonnenscheibe. Um den Hals mehrreihiger Schulterkragen. Randornament aus Blütenblät-
tern.
Aus der Pyramide des Königs Aryesbokhe.

Lit.: Reisner, in: Bull. MFA XXI/124, 1923, 24;
RCK V, 168, Abb. 122i, 123

375

Ohrstecker

Gold, Glasfluß; Durchmesser 2,3 cm
Aus Meroë, Westfriedhof, Grab Beg. W 179, in
einem Bronzekasten
Harvard University – MFA Boston-Expedition,
Februar 1922, Fundnr. 22-2-609
Meroïtisch, 30–170 n. Chr.
Khartum, Nationalmuseum 1971
Boston, Museum of Fine Arts 24.550

Geflügelte kniende Göttin im Federkleid, Oberkörper nackt. Die Brüste werden von den Händen der Göttin unterstützt. Über der Geierhaube die Doppelkrone. Wie auf der Stele der Amanikhabale (*Kat. 290*) hinter der Göttin ein
Pflanzenbündel (?), das bis zur Krone
emporreicht.
Das Gegenstück ist spiegelverkehrt gestaltet. Randornament wie bei *Kat. 373*.

Lit.: Reisner, 25; RCK V, 184, 187, Abb. 134a,d

373

374

375

376
Ohrstecker

Gold, Glasfluß; Durchm. 2,4 cm
Aus Meroë, Westfriedhof, Grab Beg. W 139
Harvard University – MFA Boston-Expedition,
Februar 1922, Fundnr. 22-2-520
Meroïtisch, um die Zeitenwende
Khartum, Nationalmuseum 1960
Boston, Museum of Fine Arts 24.497

Um das kegelförmige Mittelstück ein
Fries von granulierten Trauben. Stilisier-
tes Blütenmotiv aus Golddraht mit roten
Einlagen am Rand.

Lit.: RCK V, 129, Abb. 96a

377
Ohrstecker

Gold, Glasfluß; Durchm. 3,0 cm
Aus Meroë, Westfriedhof, Grab W 111
Harvard University – MFA Boston-Expedition,
Januar 1922, Fundnr. 22-1-562
Meroïtisch, 90–220 n. Chr.
Khartum, Nationalmuseum 1961
Boston, Museum of Fine Arts 24.487

Kegelförmiges Mittelstück mit Blütenmuster, das von doppeltem granulierten
Band gesäumt wird. Randornament aus
kleinen Stabsträußen.

Lit.: Reisner, o. c., 27; RCK V, 225, Abb.156,8

378
Ohrstecker

Gold, Glasfluß; Durchm. 3,3 cm
Aus Meroë, Westfriedhof, Grab Beg. W 179
Harvard University – MFA Boston-Expedition,
Februar 1922, Fundnr. 22-2-608
Meroïtisch, 30–170 n. Chr.
Khartum, Nationalmuseum 1970
Boston, Museum of Fine Arts 24.551

Von doppeltem granulierten Band ge-
säumtes kegelförmiges Mittelstück mit
Blütenmuster. Randornament als Blätter-
kranz auf blau eingelegtem Grund.

Lit.: Reisner, o. c., 25; RCK V, 184, 187, Abb. 134a,f

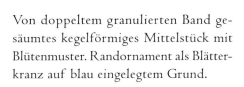

379

379

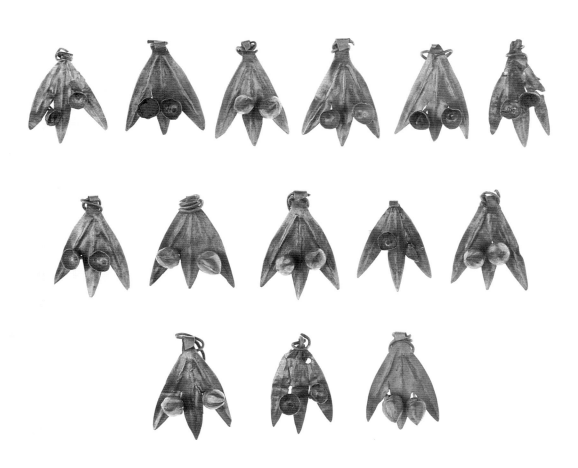

380
380

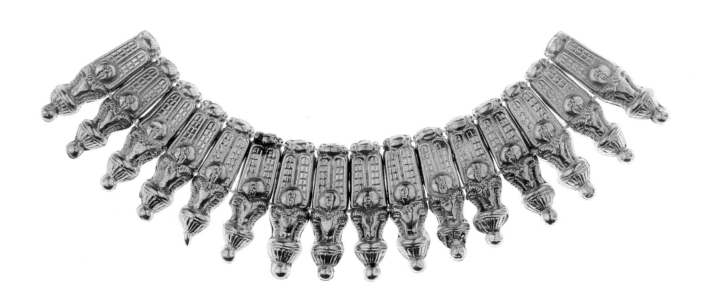

381

379
Elemente einer Halskette

Gold; H. 2,25 cm, Br. 1,8 cm
Aus Meroë, Westfriedhof, Grab Beg. W 199
bzw. W 212
Harvard University – MFA Boston-Expedition,
Januar 1923 bzw. Dezember 1922, Fundnr.
23-1-12/26 bzw. 22-12-18
Meroïtisch, 170–10 v. Chr.
Khartum, Nationalmuseum 2257
Boston, Museum of Fine Arts 23.314-327

Die – wie auch die Ohrstecker – durch
die Fundteilung zwischen Khartum und
Boston aufgeteilte Kette besteht aus 19
Elementen. Sie zeigen drei Blätter mit
zwei Früchten, wahrscheinlich Oliven,
an dünnen Golddrähten befestigt. Am
Blätteransatz röhrenförmige Ösen.

Lit.: RCK V, 241f., Abb. 163.14 (Khartum-Ob-
jekte); 243 (Boston-Objekte)

380
Armband

Gold; Einzelelemente: H. 3,7 cm, Br. 1,0 cm,
T. 0,4 cm
Aus Meroë, Nordfriedhof, Pyramide Beg. N 16
Harvard University – MFA Boston-Expedition,
März 1921, Fundnr. 21-3-630
Meroïtisch, 40–50 n. Chr.
Khartum, Nationalmuseum, ohne Nummer
Boston, Museum of Fine Arts 24.1077a–c

Jedes der 29 Elemente zeigt über einer
Papyrusdolde den Widderkopf Amuns
mit Sonnenscheibe und Doppelfederkrone, auf der eine weitere Sonnenscheibe,
von Uräen flankiert, sitzt. Aus der Pyramide des Königs Amanitaraqide.

Lit.: RCK IV, 137, 139, 211; vgl. o. c. Abb. 92,
Tf. LXI.N

381
Armband

Gold; H. 3,6 cm, Br. 0,7 cm,
T. 0,3 cm (Einzelglieder)
Aus Meroë, Nordfriedhof, Pyramide Beg. N 20
Harvard University – MFA Boston-Expedition,
Dezember 1921, Fundnr. 21-12-145, 161,
168
Meroïtisch, 190–185 v. Chr.(?)
Khartum, Nationalmuseum 1983

Die neun Elemente zeigen über dem
Widderkopf mit Sonnenscheibe ein hohes, schlankes Lebenszeichen.

Lit.: RCK IV, 78, 80, Abb. 51, 213, Tf. LXI.C

382

382
Halskette

Gold; L. 17 cm
Aus Meroë, Nordfriedhof, Pyramide Beg. N 16
Harvard University – MFA Boston-Expedition,
März 1921, Fundnr. 21-3-638b

383

Meroïtisch, 40–50 n. Chr.
Khartum, Nationalmuseum 1992

Nach rechts blickende Uräusschlangen
mit Sonnenscheibe.

Lit.: RCK IV, 139, Abb. 92, Tf. LXI.N. unten

383
Halskette

Gold, Karneol; L. 33 cm, H. der Elemente 2 cm
Aus Meroë, Westfriedhof, Grab Beg. W 20
Harvard University – MFA Boston-Expedition,
Februar 1922, Fundnr. 22-2-93
Meroïtisch, 185–100 v. Chr.
Boston, Museum of Fine Arts 24.488

Die 43 Goldelemente zeigen einen Löwenkopf mit Sonnenscheibe und zwei
Uräen. Zwischen den Ösen Karneolperlen.

Lit.: RCK V, 89, Abb. 68b,c

384
Relieffigur eines Schweines

Gold; L. 1,4 cm, H. 0,95 cm, T. 0,5 cm
Aus Meroë, Westfriedhof, Grab Beg. W 652
Harvard University – MFA Boston-Expedition,
1923, Fundnr. 23-M-334
Napatanisch, 690–630 v. Chr.
Khartum, Nationalmuseum 2226

Kleine Tierfiguren, die als Motive von
Schmuckstücken und Amuletten in me-
roïtischen Gräbern oft anzutreffen sind,
finden sich auch schon in napatanischer
Zeit. In der ägyptischen Ikonographie ist
das Schwein eine Erscheinungsform der
Himmelsgöttin Nut.
Aus dem Grab eines kleinen Kindes.

Lit.: RCK V, 54, Abb. 39c

385

Ohrring

Gold; H. 2,05 cm, Br. 2,3 cm, T. 0,65 cm,
Durchm. Ring 1,65 cm
Aus Meroë, Westfriedhof, Grab Beg. W 179
Harvard University – MFA Boston-Expedition,
Februar 1922, Fundnr. 22-2-607
Meroïtisch, 30–170 n. Chr. (Wenig:
Spätmeroïtisch, 3. Jahrhundert n. Chr.)
Khartum, Nationalmuseum 1969

Hockender Vogel mit angelegten Flügeln.
Dünner Goldring in der Öse auf dem
Rücken des Tieres.

Lit.: Reisner, in: Bull. MFA XXI/124, 1923, 25;
RCK V, 184, 187, Abb. 134a; vgl. Wenig, in: AiA
II, 247, Nr. 177 (Parallelstück Boston, MFA
24.549)

384

385

386

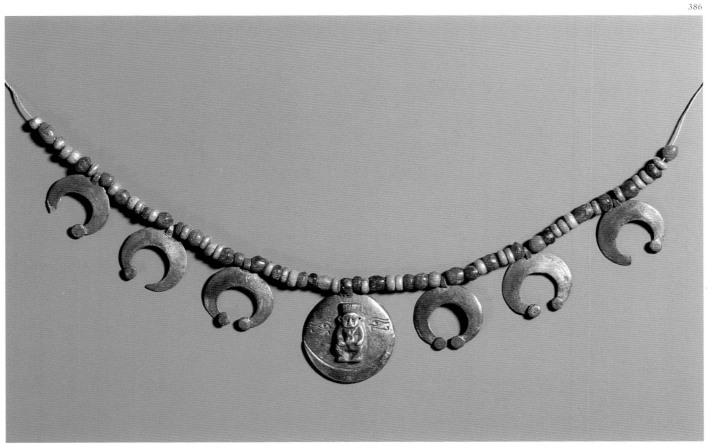

335

387

388
389

386
Halskette

Silber, Karneol, Glas; Durchm. der Anhänger
2,0 cm,
Aus Meroë, Westfriedhof, Grab Beg. W 308
Harvard University – MFA Boston-Expedition,
Januar 1923, Fundnr. 23-1-318a
Meroïtisch, 40–90 n. Chr.
Khartum, Nationalmuseum 2157

Die aus etwa 200 kleinen Perlen aus Silber, Karneol und Glas zusammengestell-
te Kette trägt 22 sichelförmige Silberan-
hänger mit kugelförmig verstärkten Enden. Das Mittelmedaillon zeigt in ver-
goldetem Relief vor der Mondscheibe
und über der Mondsichel eine stehende
Besfigur.
Aus einem Kindergrab.

Lit.: RCK V, 150f., Abb. 10

387
Schmuckelement: Löwenkopf

Gold; H. 1,8 cm, Br. 1,7 cm
Aus Meroë, Nordfriedhof, Pyramide Beg. N 34
Harvard University – MFA Boston-Expedition,
Januar 1922, Fundnr. 22-1-26
Meroïtisch, 175–190 n. Chr.
Khartum, Nationalmuseum 1982

Der Löwenkopf ist in eine versilberte
Mondsichel gesetzt. In beiden Motiven
verkörpert sich die Göttin Tefnut, die
Gemahlin des Schu.
Das Götterpaar Schu-Tefnut ist eng in
die Theologie des Gebel Barkal eingebunden (vgl. *Kat. 287*).

Lit.: RCK IV, 164f., Abb. 107, 213, Tf. LXII.C

388
Stockknauf

Gold, H. 2 cm, Durchm. 2 cm
Aus Meroë, Nordfriedhof, Pyramide Beg. N 6,
Kammer A
Harvard University – MFA Boston-Expedition,
März 1921, Fundnr. 21-3-605
Meroïtisch, 10 v. Chr.–0
Khartum, Nationalmuseum 1968

Das in der Feindsymbolik so häufig anzutreffende Motiv des gefesselten Fein-
des umzieht als Relief in 10-facher Wiederholung die Außenseite der Hülse, die
wohl auf dem unteren Ende eines Stabes
oder Szepters saß.
Die Hülse wurde bei Nachgrabungen G.
Reisners in der von Ferlini zerstörten
Pyramide der Königin Amanishakheto
gefunden.

Lit.: RCK IV, 108f., Abb. 73, 111, 211, Tf. LXI.J

389
Stockknauf

Gold, Glasfluß; H. 1,42 cm, Durchm. 1,4 cm
Aus Meroë, Nordfriedhof, Grab Beg. N 21
Harvard University – MFA Boston-Expedition,
Januar 1922, Fundnr. 22-1-61
Meroïtisch, um 50 v. Chr.
Boston, Museum of Fine Arts 24.498

Die Hülse saß am oberen Ende eines
Stockes oder Szepters der Königin Ama-
nirenas. Um die Außenseite verläuft ein
Fries von 13 Uräen mit Sonnenscheibe.
Die Deckplatte trägt eine 10-strahlige
Rosette mit weißen Einlagen.

Lit.: RCK IV, 83f., Abb. 55, 213, Tf. LXI.H

390
Siegelring

Gold; H. 2,4 cm, Platte 1,7 × 1,55 cm
Aus Meroë, Westfriedhof, Grab Beg. W 134
Harvard University – MFA Boston-Expedition,
Februar 1922, Fundnr. 22-2-517b
Meroïtisch, 40–90 n. Chr.
Khartum, Nationalmuseum 1986

In einer Barke, deren Bug und Heck in einne aufrecht stehende Papyrusdolde auslaufen, sitzt, nach rechts gewendet, ein Falke mit Widderkopf. Er trägt die Doppelfederkrone mit Sonnenscheibe und Uräusschlange

Lit.: RCK V, 230 f., Abb. 160.3

390

391
Siegelring

Elektrum; H. 2,8 cm, Durchm. 2,2 cm
Aus Gamai
Harvard University -Expedition 1915/16,
Oric Bates, Fundnr. 16-1-12
Geschenk von Oric Bates, 1942
Meroïtisch, 2.–3. Jahrhundert n. Chr.
Boston, Museum of Fine Arts 42.126

Hinter der thronenden Königsfigur mit Hemhem-Krone sitzt ein Falke auf einer schräg gestellten Leiter (?). Vor ihm ein Spielbrett (?). Die Deutung dieser Begleitmotive bleibt unklar.

Lit.: Bates – Dunham, Excavations at Gammai, Harvard University African Studies, VIII, Cambridge/Mass. 1927, 78f., Nr. R50, Tf. XXXIII.I (D,DD), 6 (K), LXVIII, Abb. 9; T. Kendall, Kush. Lost kingdom of the Nile, Brockton/Mass. 1982, 47, Nr. 60

392
Siegelring

Gold; H. 1,9 cm, Platte 2,3 × 2,5 cm
Aus Meroë, Nordfriedhof, Pyramide Beg. N 20
Harvard University – MFA Boston-Expedition,
Dezember 1921, Fundnr. 21-12-169a
Meroïtisch, 110–90 v. Chr.
Boston, Museum of Fine Arts 24.569

391
392

Auf einem sehr breiten Schulterkragen sitzt frontal dargestellt der menschengestaltige Kopf des Amun mit Federkrone. Er wird flankiert von zwei im Profil wiedergegebenen Widderköpfen mit Doppelfederkrone auf einem waagerechten Hörnerpaar.
Amun von Theben und Amun von Napta vereinigen sich in einem Bild.

Lit.: RCK IV, 80, Tf. LXa

393
Halskette

Gold, Glas; L. 66,5 cm,
Durchm. der Perlen 1,3 cm
Aus Meroë, Westfriedhof, Grab Beg. W 5
Harvard University – MFA Boston-Expedition,
Januar 1923, Fundnr. 23-10-184
Meroïtisch, 90–50 v. Chr.
Boston, Museum of Fine Arts 23.390

Je zwei hohle Kugelperlen aus Goldblech
wechseln mit je drei Röhrenperlen aus
mehrfarbig gestreiftem Glas. Die Kette
gehört zu den über 50 Schmuckstücken
aus Grab Beg. W 5 im Westfriedhof von
Meroë (siehe *Katalogabbildung*).

Lit.: RCK V, 122, 126, Abb. 94 (4. Kette)

394
Halskette

Gold, Karneol, Glas; L. 68,2 cm
Aus Meroë, Westfriedhof, Grab Beg. W 5
Harvard University – MFA Boston-Expedition,
Januar 1923, Fundnr. 23-1-176
Meroïtisch, 90–50 v. Chr.
Boston, Museum of Fine Arts 23.365

Die Kette aus Hunderten von winzigen
Perlen aus Gold, aus Karneol und Glas
kommt aus dem Grab, aus dem schon
Kat. 393 stammt.   Der Schmuck der in
diesem Grab bestatteten Frau scheint im
täglichen Leben getragen worden zu sein;
religiöse Motive treten nur vereinzelt auf.

Lit.: RCK V, 122,126, Abb. 94 (3. Kette)

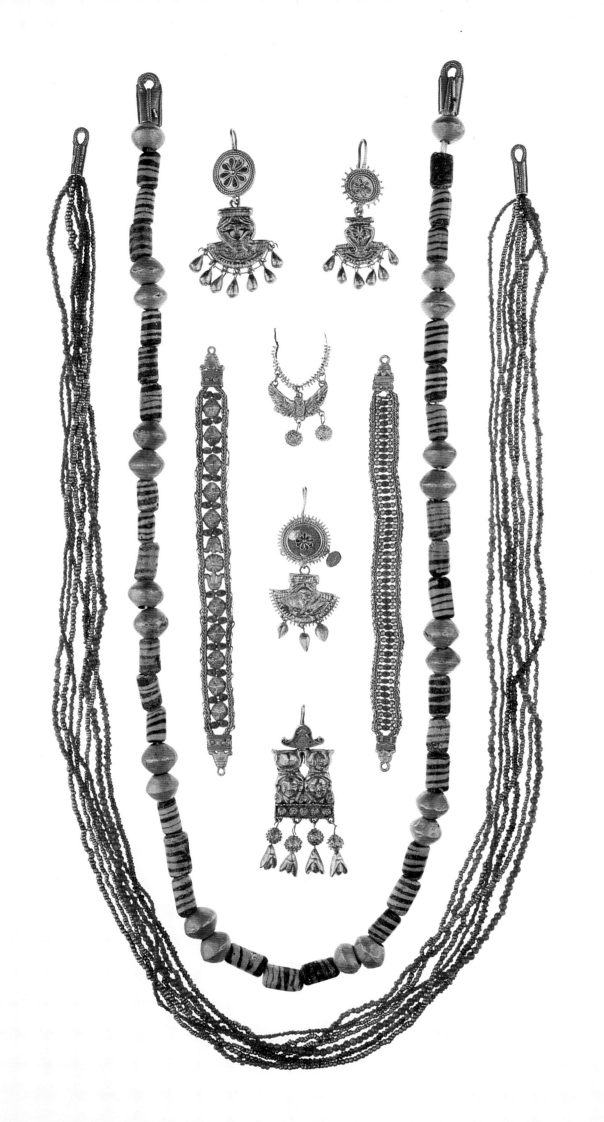

395
Beschlag eines Pferdegeschirrs

Silber, vergoldet; H. 3,1 cm, Br. 3,3 cm,
T. 1,8 cm
Aus Meroë, Nordfriedhof, Pyramide Beg. N 16
Harvard University – MFA Boston-Expedition,
März 1921, Fundnr. 21-3-694b
Meroïtisch, 40–50 n. Chr.
Boston, Museum of Fine Arts 24.1815

In den Grabkammern mehrerer Pyramiden im Nordfriedhof von Meroë wurden
Teile von Pferdegeschirren gefunden, die
mit Silber beschlagen waren. Sie scheinen
als Nachklang der Pferdebestattungen
von el-Kurru zur Standardausstattung
der Königsgräber gehört zu haben. Der
aus Silberblech getriebene Löwenkopf
saß an der Kreuzungsstelle waagerechter
und senkrechter Lederriemen des Kopf-
geschirrs. Er stellt den kriegerischen Löwengott Apedemak dar.

Lit.: RCK IV, 137, 139, 212, Tf. LXIII.A. Vgl.
zur Objektgruppe: T. Kendall, Kush. Lost
kingdom of the Nile, Brockton/Mass. 1982,
48f.; Lenoble, in: Archéologie du Nil Moyen 6,
1994, 107–130

396
Beschlag eines Pferdegeschirrs

Silber, vergoldet; H. 3,6 cm, Br. 2,8 cm
Aus Meroë, Nordfriedhof, Pyramide Beg. N 18
Harvard University – MFA Boston-Expedition,
März 1921, Fundnr. 21-3-660
Meroïtisch, 62–85 n. Chr.
Boston, Muaseum of Fine Arts 24.1060

Das Lebenszeichen und die zwei flankie-
renden Was-Szepter saßen auf der hoch-
rechteckigen Silberplatte an einem senkrecht verlaufenden Lederriemen des Pfer-
degeschirrs.

Lit.: RCK IV, 147f., Abb. 96, 151, 212,
Tf. LXIV.B

397
Beschlag eines Pferdegeschirrs

Silber, vergoldet; H. 3 cm, Br. 3,2 cm,
T. 1,8 cm
Aus Meroë, Nordfriedhof, Pyramide Beg. N 16
Harvard University – MFA Boston-Expedition,
März 1921, Fundnr. 21-3-694e
Meroïtisch, 40–50 n. Chr.
Boston, Museum of Fine Arts 24.1061

Der springende Löwe befand sich an einem Horizontalriemen des Kopfge-
schirrs eines Pferdes. Der Löwe als Be-
gleiter des Königs im Streitwagen tritt
bereits in den Schlachtendarstellungen
des Neuen Reiches auf.

Lit.: RCK IV, 137, 141, 212, Tf. LXIV.A

398
Beschlag eines Pferdegeschirrs

Silber, vergoldet; H. 4,8 cm, Br. 3 cm,
T. 0,3 cm
Aus Meroë, Nordfriedhof, Pyramide Beg. N 16
Harvard University – MFA Boston-Expedition,
März 1921, Fundnr. 21-3-694d
Meroïtisch, 40–50 n. Chr.
Boston, Museum of Fine Arts 24.1816

Der Gott Arensnuphis mit hoher Federkrone hält vor sich einen Bogen, hat einen Köcher umgehängt und schwingt in
der erhobenen Linken eine Keule. Der
weite Ausfallschritt ist die kanonische
Haltung des Königs, der die Feinde er-
schlägt.
An dem mit den Silberbeschlägen geschmückten Pferdegeschirr hingen Bronzeglöckchen, auf denen gefesselte Feinde dargestellt waren.

Lit.: RCK IV, 137, 138, Abb. 90 (re. oben),
139f., 212, Tf. LXIII.B. Zum Gott Arensnuphis:
Wenig, in: ZÄS 101, 1974, 130–150; Winter,
in: RdE 25, 1973, 235–250

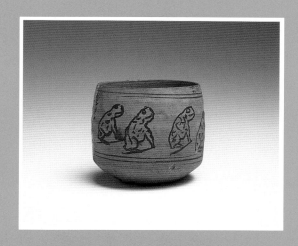

DIE MEROÏTISCHE KERAMIK

In sehr viel höherem Maße als in Ägypten ist in Nubien und im Sudan die Keramik ein Ausdruck der kulturellen Evolution und des künstlerischen Gestaltungswillens. Die Funde von Kadero, el-Kadada und Kadruka (*Kat. 1–30*) belegen für das späte 5. und frühe 4. Jahrtausend v. Chr. in dem riesigen Areal vom Dritten bis zum Sechsten Katarakt einen technischen und künstlerischen Standard der Töpferwerkstätten, der im ägyptischen Niltal nicht seinesgleichen findet. Die vollendete Form der neolithischen Keramik und die Steigerung dieser Form durch die Dekoration der Oberfläche – exemplarisch in den Kelchbechern – bleiben ein Charakteristikum der Keramik der A-Gruppe (*Kat. 34–39*) und der C-Gruppe. Längst sind in Ägypten Skulptur, Relief und Malerei zur Meisterschaft entwickelt worden, und Keramik wird vor allem für den täglichen Gebrauch gefertigt. In Nubien dagegen bleibt die Töpferei das bevorzugte künstlerische Ausdrucksmittel. In den Gräbern von Kerma fanden sich vereinzelt Steinskulpturen mit komplizierter Oberflächenveredelung durch Glasur (*Kat. 104*), die die hoch entwickelten Fähigkeiten der Bildhauer von Kerma ebenso belegen wie die figürlichen Fayencereliefs (*Kat. 101–102*). Zur nicht überbietbaren Perfektion findet das künstlerische Schaffen in Kerma jedoch in der Keramikproduktion. Die Tulpenbecher und Tüllengefäße (*Kat. 115–125*), aber auch die einfachen Näpfe und Schüsseln erreichen in Form und Oberflächenbehandlung eine Plastizität, die ihnen den Rang von abstrakten Skulpturen verleiht. In der Verschmelzung mit ikonographischen Elementen, wie sie in den Figurengefäßen (*Kat. 96–99*) vollzogen wird, verliert die Autonomie der plastischen Form des Gefäßes an Überzeugungskraft.

Der einzigartige Stellenwert, den die Keramik in den Kulturen Nubiens vom 5. bis zum 2. Jahrtausend v. Chr. einnimmt, tritt während der Dominanz Ägyptens im nubischen Niltal nicht in Erscheinung, scheint aber nicht ganz verloren gegangen zu sein, da die Keramik der meroïtischen Zeit an diese Tradition anknüpft und sie zu einem nochma-

ligen Höhepunkt führt, ohne daß es dazu eines langen Entwicklungsprozesses bedurft hätte. Als hochentwickeltes Gebiet des Kunsthandwerks steht die meroïtische Keramik qualitativ gleichrangig neben den Goldschmiedearbeiten. Die Materialfülle ist beträchtlich, verteilt sich aber sehr ungleichmäßig über das gesamte Gebiet des meroïtischen Reiches. Während dank intensiver Grabungstätigkeit aus dem unternubischen Niltal zwischen dem Ersten und Dritten Katarakt reiches archäologisches Fundgut zur Verfügung steht, ist die Kenntnis der meroïtschen Keramik im Kerngebiet des Reiches, also im Bereich Napata und Meroë, lückenhaft. Daraus den Schluß abzuleiten, daß die Zentren der meroïtischen Keramikproduktion ganz auf den Norden des Reiches konzentriert seien, ist sicherlich nicht richtig. Trotz des quantitativen Ungleichgewichts zwischen Norden und Süden lassen sich spezifische technologische Unterschiede der Tonware und stilistische und ikonographische Spezifika in der Dekoration herausarbeiten. Produktionszentren und Werkstätten lassen sich identifizieren, und sogar die Handschrift einzelner Maler ist erkennbar; da die von ihnen bemalten Gefäße an verschiedenen Orten gefunden wurden, muß entweder auf einen überregionalen Keramikhandel oder auf Wandermaler geschlossen werden. Das Repertoire der Motive in der Gefäßmalerei bedient sich im ornamentalen Bereich ägyptischer Symbole und Pflanzenmuster und läßt hellenistische Einflüsse erkennen, entwickelt aber eine autonome Bildsprache ausgeprägter Originalität, die es leicht macht, meroïtische Keramik als solche zu erkennen.

Neben einer groben Klassifizierung in handgeformte Gefäße und scheibengedrehte Ware, zu der die hauchdünne, hart gebrannte „Eierschalen-Keramik" gehört, ist eine differenzierte zeitliche und geographische Gliederung des reichen Fundmaterials noch nicht erarbeitet worden. So können Zeitangaben nur unter Vorbehalt gegeben werden. Der Meisterschaft der meroïtischen Töpfer und dem Erfindungsreichtum der Vasenmaler tut dies keinen Abbruch.

399
Gefäß

Gebrannter Ton, bemalt; H. 23,5 cm
Aus Faras, Grabung Griffith, Fundnr. I/2663/6
Meroïtisch
Berlin, Ägyptisches Museum und Papyrussammlung 20890

Nach dem Vorbild eines griechischen Dinos geformt, zeigt das Gefäß in monochromer Bemalung über Blattranken einen Ibis, vor dem ein Hirte mit Stab geht.

Lit.: Unveröffentlicht. Zum narrativen Stil vgl. Wenig, in: AiA II, 287, Nr. 233.

400
Bauchige Flasche

Gebrannter Ton; H. 16 cm, Durchm. 14,5 cm
Aus Faras, meroïtischer Friedhof, Grab 557
Oxford Excavations 1911, Fundnr. I/557/1
Aus der Sammlung v. Bissing
Meroïtisch, I. Jahrhundert n. Chr.
München, Staatliche Sammlung Ägyptischer
Kunst ÄS 3865

Lit.: Griffith, in: LAAA II, 1924, 158,
Tf. XLIV.6; Katalog Staatliche Sammlung Ägyptischer Kunst München, München 1976, 232

401
Bauchige Flasche

Gebrannter Ton; H. 26 cm, Durchm. 19 cm
Herkunft unbekannt
Aus der Sammlung v. Bissing
Meroïtisch. I. Jahrhundert v. Chr.
München, Staatliche Sammlung Ägyptischer
Kunst ÄS 4638

Lit.: Katalog Staatliche Sammlung Ägyptischer
Kunst München, München 1976, 232 f.

Beide Gefäße gehören zur dickwandigen
schwarzen Ware mit weiß ausgefülltem
Punkt- oder Ritzmuster.

402

Kugeliges Gefäß

Gebrannter Ton, bemalt; H. 31,5 cm,
Durchm. 28,5 cm
Von der Insel Argo, Oberflächenfund
Meroïtisch, 1.–3. Jahrhundert n. Chr.
Khartum, Nationalmuseum 5716

Auf der oberen Gefäßhälfte vier Streifen
mit Halbmonden und Kugelkette. „Aka-
demische Schule" (nach der Klassifika-
tion von St. Wenig).

Lit.: Unveröffentlicht

403

Bauchige Flasche

Gebrannter Ton, rote Inkrustation;
H. 23,7 cm, Durchm. 17 cm
Aus Meroë, Westfriedhof, Grab Beg. W 418
Harvard University – MFA Boston-Expedition,
Februar 1923, Fundnr. 23-2-231
Meroïtisch, um die Zeitenwende
Khartum, Nationalmuseum 2103

Rot ausgefülltes Punktmuster in vertika-
len Streifen.

Lit.: RCK V, 99, 346, Abb. J (5); vgl. Geus, in:
Van Moorsel (Hrgb.), New discoveries, Leiden
1982, 17, Tf. VIII, Abb. 6

404

Kugeliges Gefäß

Gebrannter Ton; H. 30,3 cm, Durchm. 30 cm
Aus Wad Ban Naga, Palast
Grabungen H. Thabit – J. Vercoutter 1959/60
Meroïtisch, um die Zeitenwende
Khartum Nationalmuseum 62/10/1440

Weiß ausgefüllte gepunktete Figuren von
zehn Langhornrindern und einem Hirten mit langem Stab.

Lit.: Vercoutter, in: Syria 39, 1962, 281, 291,
Tf. XXc; vgl. Katalog Nubie, Lille 1994, 222,
Nr. 311

405
Eiförmige Flasche

Gebrannter Ton, bemalt; H. 34 cm
Aus Faras, meroïtischer Friedhof, Grab 2004
Oxford Excavations 1910/11, Fundnr. I/2004/2
Meroïtisch, 1–3. Jahrhundert n. Chr.
Berlin, Ägyptisches Museum und Papyrus-
sammlung 20936

Auf der Schulter zwei frontal gezeichne-
te Gesichter mit hohen spitzen Ohren.

Lit.: Griffith, in: LAAA 12, 1925, 138

406
Kugeliges Gefäß

Gebrannter Ton, bemalt; H. 22,5 cm
Aus Aniba, Grab G 626
Meroïtisch, 1. Jahrhundert v. Chr. – 3. Jahr-
hundert n. Chr.
Philadelphia, University of Pennsylvania
Museum of Archaeology and Anthropology
E 8272

Auf der Schulter vier frontal gezeichne-
te Gesichter mit hohen spitzen Ohren,
abwechselnd schwarz und rot.

Lit.: Woolley – Randall – Maciver, Karanog, 217,
264, Tf. 70

407
Kugeliges Gefäß

Gebrannter Ton, bemalt; H. 23,5 cm
Aus Aniba, Grab G 442
Meroïtisch, 1. Jahrhundert v. Chr. – 3. Jahr-
hundert n. Chr.
Philadelphia, University of Pennsylvania
Museum of Archaeology and Anthropology
E 8249

Auf der Schulter abwechselnd Lebenszeichen und achtblättrige Blüte. Um den
Halsansatz Weinranke.

Lit.: Woolley – Randall – Maciver, o. c., 189, 263,
Tf. 44

408
Kugeliges Gefäß

Gebrannter Ton, bemalt; H. 25,1 cm,
Durchm. 27 cm
Herkunft unbekannt
Aus der Sammlung v. Bissing
Meroïtisch, 1.–2. Jahrhundert n. Chr.
München, Staatliche Sammlung Ägyptischer
Kunst ÄS 2775

Auf der Schulter ein Krokodil kreisför-
mig um die Gefäßöffnung gelegt, vor
ihm ein Fisch. Der Schwanz des Krokodils überschneidet die umlaufende Basis-
linie und reicht bis auf den Gefäßkörper
herunter.

Lit.: Katalog Staatliche Sammlung Ägyptischer
Kunst München, München 1976, 242

409
Räucherständer

Gebrannter Ton; H. 36 cm, Durchm. 48 cm
Aus Meroë, Westfriedhof, Grab Beg. W 108
Harvard University – MFA Boston-Expedition,
Februar 1922, Fundnr. 22-2-105
Meroïtisch, um die Zeitenwende
Khartum, Nationalmuseum 2098

Der scheibengedrehte Räuchertisch zeigt
auf seinem konischen Fuß in durchbro-
chener Arbeit Lebenszeichen und eine
halbkreisförmige Öffnung, unter ihnen
zwei waagerechte Schlitze. Als Kultgerät
an verschiedenen Fundplätzen belegt.

Lit.: RCK V, 223; vgl. o. c., 345, Abb. I.6

348

410

Tonnenförmige Flasche

Gebrannter Ton, bemalt; H. 21,8 cm,
Durchm. 14,8 cm
Herkunft unbekannt
Aus der Sammlung v. Bissing
Meroïtisch, 1.–2. Jahrhundert n. Chr.
München, Staatliche Sammlung Ägyptischer
Kunst ÄS 4951

Auf der kegelförmigen Schulter Netzmuster; um den tonnenförmigen Gefäßkörper ringelt sich eine Schlange. Aus
ihrem Maul ragen drei stilisierte Lebenszeichen, aus dem Körper wachsen Halme
mit Ähren (?).

Lit.: Wenig, in: Cl. Vandersleyen (Hrgb.), Das alte
Ägypten (= Propyläen Kunstgeschichte 15), Berlin 1975, 427, Tf. 439a; Katalog Staatliche Sammlung Ägyptischer Kunst München, München 1976,
237f.; Katalog Meisterwerke altägyptischer Keramik, Höhr-Grenzhausen 1978, 258f., Nr. 496; S.
Schoske – D. Wildung, Ägyptische Künst München, München 1984, 137; S. Schoske, Egyptian
art in Munich, München 1993, 67

411

Kanne

Gebrannter Ton, bemalt; H. 10,5 cm,
Durchm. 8,4 cm
Aus Faras, meroïtischer Friedhof, Grab 2843
Oxford Excavations 1911, Fundnr. 1/2843/3
Meroïtisch, 2. Jahrhundert n. Chr.
München Staatliche Sammlung Ägyptischer
Kunst ÄS 3861

Auf der Schulter Kugelkette zwischen
konzentrischen Kreisen.

Lit.: Katalog Staatliche Samlung Ägyptischer Kunst
München, München 1976, 241; S. Schoske
(Hrgb.), Staatliche Sammlung Ägyptischer Kunst
München, Mainz 1995, 30, Abb. 26

412
Becher

Gebrannter Ton, bemalt; H. 7,4 cm,
Durchm. 8,5 cm
Herkunft unbekannt
Aus der Sammlung v. Bissing
Meroïtisch, 2. Jahrhundert n. Chr.
München, Staatliche Sammlung Ägyptischer
Kunst ÄS 1822

Die vier Frösche auf der einen Seite und
die vier Vögel zwischen schräg gestellten
Zweigen auf der anderen Seite des Be-
chers können als Bildsymbole für Wasser,
Erde und Luft verstanden werden.

Lit.: Katalog Staatliche Sammlung Ägyptischer
Kunst ÄS 1822

413
Kugelige Flasche

Gebrannter Ton, bemalt; H. 25 cm,
Durchm. 18 cm
Aus Semna-Süd, Grab M-153,
Fundnr. M-153/1
Meroïtisch, 2.–3. Jahrhundert n. Chr.
Khartum, Nationalmuseum 18875

Auf der Schulter umlaufend ein Kranz
von Lotosblüten. Auf dem Gefäßkörper
sechs aufgerichtet hockende Frösche mit
breitem Halsband. Von ihren Vorderfü-
ßen aus schräg aufsteigend je ein Pflanzenstengel mit drei Blättern (ein Lebenszeichen?).

Lit.: Zabkar – Zabkar, in: JARCE 19, 1982, 22,
43, Tf. V

414

Kugeliges Gefäß

Gebrannter Ton, bemalt; H. 18 cm,
Durchm. 15 cm
Aus Faras, meroïtischer Friedhof,
Grab 1090 D
Oxford Excavations 1910/11,
Fundnr. I/1090/2
Meroïtisch, 3. Jahrhundert n. Chr.
Berlin, Ägyptisches Museum und Papyrus-
sammlung 20856

Aufgrund seiner klaren Zeichnung, der
undekorierten unteren Gefäßhälfte und
der Kugelkette am Halsansatz ist es der
„akademischen Schule" zuzuweisen (vgl.

Kat. 402). Auf hohen, steifen Stengeln
wechseln großformatige Lotusblüten mit
Lotosknopsen ab.

Lit.: Griffith, in: LAAA 12, 1925, 129; Scharff,
in: Berliner Museen. Berichte aus den Preußischen
Kunstsammlungen 46, 1925, 22, Abb. 5 Mitte

415
Becher

Gebrannter Ton, bemalt; H. 10,5 cm,
Durchm. 8 cm
Vom Gebel Barkal
Aus der Sammlung Lepsius
Meroïtisch, 3. Jahrhundert n. Chr.
Berlin, Ägyptisches Museum und Papyrus-
sammlung 4603

Trotz seines anderen Fundortes ist der
Becher stilistisch mit dem Kugelgefäß
Kat. 414 vergleichbar, zeigt aber statt des
Lotos die Papyruspflanze.

Lit.: Scharff, o. c., 22, Abb. 5; Katalog Das Ägyptische Museum Berlin, Berlin 1967, 118, Nr. 1096

416
Schüssel

Gebrannter Ton, bemalt; H. 18,2 cm,
Durchm. 29,3 cm
Aus Kawa, Site III, Haus I, Raum I
Oxford Excavations 1935/36, Fundnr. 2164
Meroïtisch, 2.–3. Jahrhundert n. Chr.
Khartum, Nationalmuseum 2924

Die Gefäßform geschickt nutzend, wechseln Lotosblüten und Lotosknospen miteinander ab.

Lit.: Macadam, Kawa II, London 1955, 230,
Tf. CV.ii a

417
Amphore

Gebrannter Ton, bemalt; H. 35,1 cm, Durchm. 26,1 cm
Aus Faras, meroïtischer Friedhof
Oxford Excavations 1011/12,
Fundnr. 1/2713/2
Meroïtisch
Khartum, Nationalmuseum 4288

In Material, Form und Dekor hebt sich die Amphore von der meroïtischen Keramik ab. Sie ist offenbar als Verpackung von Importgütern aus dem römischen Ägypten nach Unternubien gekommen.

Lit.: Faras Meroïtic Cemetery, Catalogue (Tomb Register), 515

419
Kugeliges Gefäß

Gebrannter Ton, bemalt; H. 31,2 cm, Durchm. 25,2 cm
Aus Gemai, Site 5-X-40, Grab 34
SAS UNESCO 1962,
Fundnr. 5-X-40: G 34/1
Meroïtisch, 200–400 n. Chr.
Khartum, Nationalmuseum 14765

Der zylindrische Hals ist— wie auch bei *Kat. 420* — eine späte Variante zu der bereits um die Zeitenwende belegten Gefäßform (vgl. *Kat. 404*).

417

Lit.: Unveröffentlicht

420
Kugeliges Gefäß

Gebrannter Ton, bemalt; H. 29,5 cm, Durchm. 23 cm
Aus Faras, meroïtischer Friedhof
Meroïtisch, 200–400 n. Chr.
Khartum, Nationalmuseum 4251

Lit.: Unveröffentlicht

418/419/420 ▷

418
Eiförmiges Gefäß

Gebrannter Ton, bemalt; H. 37,2 cm, Durchm. 26,5 cm
Aus Serra-Ost/Schirfadik, Site 24-I-32, Grab 239
Scandinavian Joint Expedition 1962, Fundnr. 24-I-32: 239/1
Meroïtisch, 200–400 n. Chr.
Khartum, Nationalmuseum 13638

Am niederen Hals des Gefäßes sitzen vier kleine Henkel. Dekoration mit konzentrischen Kreisen. Späte meroïtische Ware.

Lit.: T. Säve-Söderbergh u. a., Late Nubian cemeteries. The Scandinavian Joint Expedition to Sudanese Nubia 6, Arlöv 1982, 128, Tf. 86.2; vgl. Adams, in: Kush 12, 1964, Abb. 8 (K 6)

421
Eiförmige Flasche

Gebrannter Ton, bemalt; H. 32 cm,
Durchm. 24 cm
Aus Faras, meroïtischer Friedhof, Grab 630
Oxford Expedition, 1910/11, Fundnr. I/630/3
Meroïtisch, 1. Jahrhundert n. Chr.
Khartum, Nationalmuseum 799 A

Unter der Kugelkette am Halsansatz sind
drei nach links gerichtete stehende Figuren auf die volle Höhe des Gefäßkörpers
gezeichnet. Die Wiedergabe des Körpers
folgt im Wechsel von Frontal- und Profilansicht dem kubistischen Prinzip der
ägyptischen Kunst. Der individuelle Stil
der Zeichnung, geprägt durch die dünnen Arme, die schmächtigen Beine, die
Betonung des Gesäßes und das übergro-
ße Auge weist das Gefäß dem „Gefangenen-Maler" zu, einer der Künstlerper-
sönlichkeiten, die sich durch ihre unver-
wechselbare Handschrift aus der Masse
der anonymen meroïtischen Vasenmaler
herausheben. Mehrere der von ihm ge-
zeichneten Figuren zeigen an den Armen
Fesseln. Vielleicht ist die aufgemalte
Doppellinie, die die Figuren dieses Gefäßes am Hals schneidet, ebenfalls als
Fesselung zu verstehen.

Lit.: Unveröffentlicht. Zum „Gefangenen-Maler"
vgl. Wenig, in: AiA II, 290, Nr. 236, 237; ders.,
in: Meroïtica 5, 1979, 130; Török, in: Th. Hägg,
Nubian culture. Past and present, Uppsala 1987,
202

422
Kugeliges Gefäß

Gebrannter Ton, bemalt; H. 17,2 cm,
Durchm. 19,4 cm
Aus Faras, meroïtischer Friedhof, Grab 2515
Oxford Excavations 1911, Fundnr. 1/2515/1
Aus der Sammlung v. Bissing
Meroïtisch, 2.–3. Jahrhundert n. Chr.
München, Staatliche Sammlung Ägyptischer
Kunst ÄS 3863

Um den Ansatz des niederen Halses läuft
eine Kugelkette. Große Lotosblüten sind
durch girlandenähnliche Bögen mit Lotosknospen verbunden.

Dazwischen sitzt das große Hieroglyphenzeichen „Sa", das in der ägyptischen
Schrift „Schutz" bedeutet.

Lit.: Griffith, in: LAAA 11, 1924, Tf. XLV.10;
ders., in: LAAA 12, 1925, 154; Katalog Staatliche Sammlung Ägyptischer Kunst München,
München 1976, 240

423
Becher

Gebrannter Ton, bemalt; H. 6,4 cm,
Durchm. 9,1 cm
Aus Faras, meroïtischer Friedhof, Grab 2856

Oxford Excavations 1911, Fundnr. 1/2856/4
Aus der Sammlung v. Bissing
Meroïtisch, 2.–3. Jahrhundert n. Chr.
München, Staatliche Sammlung Ägyptischer
Kunst ÄS 3851

Das „Sa"-zeichen von *Kat. 422* läuft als
einziges Dekorationsmotiv als Fries rings
um den Becher.

Lit.: Griffith, in: AAA 12, 1925, 166; Katalog
Staatliche Sammlung Ägyptischer Kunst München,
München 1976, 236; S. Schoske – D. Wildung,
Ägyptische Kunst München, München 1984, 135f.,
Nr. 96; S. Schoske, Egyptian art in Munich, Mün-
chen 1993, 67, Nr. 63

424
Becher

Gebrannter Ton, bemalt; H 11,9 cm,
Durchm. 7,1 cm
Aus Faras, meroïtischer Friedhof, Grab 2801
Oxford Excavations 1910/11,
Fundnr. I/2081/3
Meroïtisch, 2.–3. Jahrhundert n. Chr.
Berlin, Ägyptisches Museum und Papyrus-
sammlung 20836

Stark stilisiertes „Sa"-Zeichen und doppeltes Gitterband.

Lit.: Griffith, in: LAAA 11, 1924, 162, Tf. LI.2;
ders., in: LAAA 12, 1925, 145

425
Becher

Gebrannter Ton, bemalt; H. 7,5 cm,
Durchm. 8 cm
Aus Meroë, Grabung Garstang
1914 aus der Sammlung Kennard erworben
Meroïtisch, 1.–3. Jahrhundert n. Chr.
Berlin, Ägyptisches Museum und Papyrus-
sammlung 20631

Auf der Wandung Schuppenmuster. Auf
dem gerundeten Boden eine vielblättrige
Blüte.

Lit.: Unveröffentlicht

426
Becher

Gebrannter Ton, bemalt; H. 6,4 cm,
Durchm. 9 cm
Aus Faras, meroïtischer Friedhof, Grab 856
Oxford Excavations, Fundnr. I/856
Meroïtisch, 1.–3. Jahrhundert n. Chr.
Berlin, Ägyptisches Museum und Papyrus-
sammlung 20838

Drei Reihen stehender Blätter mit Innen-
zeichnung. Auf dem flachen Boden achtblättrige Rosette.

Lit.: Unveröffentlicht

427
Bauchiges Gefäß

Gebrannter Ton; H. 10,3 cm, Durchm. 12 cm
Herkunft unbekannt
1903 in Luksor erworben
Meroïtisch (?), I. Jahrhundert n. Chr.
Berlin, Ägyptisches Museum und Papyrus-
sammlung 16144

Dekoriert nach Art der römischen „Bar-
botin"-Keramik, die im ganzen römischen Reich verbreitet war. Reliefartig
aufgesetzte Tonklümpchen, hell gegen
den braunen Gefäßgrund abgesetzt.

Lit.: Unveröffentlicht

428
Becher mit Henkeln

Gebrannter Ton; H. 9 cm
Aus Faras, meroïtischer Friedhof, Grab 2011
Oxford Excavations 1910/11,
Fundnr. 1/2011/2
Meroïtisch, I. Jahrhundert n. Chr.
Berlin, Ägyptisches Museum und Papyrus-
sammlung 20884

Die Barbotin-Keramik ist in Nubien so
häufig belegt, daß an lokale Herstellung
nach römischem Vorbild zu denken ist.

Lit.: Griffith, in: LAAA 11, 1924, 161, Tf. XLIX.11;
ders., in: LAAA 12, 1925, 139; Katalog Ägyptisches
Museum Berlin, Berlin 1967, 118, Nr. 1095

429
Bauchiges Gefäß

Gebrannter Ton; H. 11 cm, Durchm. 12 cm
Herkunft unbekannt
1901 von L. Borchardt in Qena erworben
Geschenk J. Simon
Meroïtisch, I. Jahrhundert n. Chr.
Berlin, Ägyptisches Museum und Papyrus-
sammlung 15291

Technische oder stilistische Unterschiede zwischen den in Ägypten und den in
Nubien gefunden Barbotin-Gefäßen sind
nicht erkennbar.

Lit.: Unveröffentlicht

430
Halbkugeliger Napf

Gebrannter Ton; H. 7,5 cm, Durchm. 9,2 cm
Aus Faras, meroïtischer Friedhof, Grab 2820
Oxford Excavations 1911,
Fundnr. 1/2820/o. Nr.)
Aus der Sammlung v. Bissing
Meroïtisch, 1.–2. Jahrhundert n. Chr.
München, Staatliche Sammlung Ägyptischer
Kunst ÄS 3846

Die konkaven Einbuchtungen der Gefäß-
wand sind durch kleine weiße Punkte in
Barbotin-Technik betont.

Lit.: Griffith, in: LAAA 11, 1924, Tf. XLIX.1;

ders., in: LAAA 12, 1925, 164; Katalog Staatli-
che Sammlung Ägyptischer Kunst München,
München 1976, 241; vgl. J. Bourriau, Umm el-
Gaa'b, Cambridge 1988, 94f., Nr. 186, 187

431
Schale

Gebrannter Ton, bemalt; H. 5,4 cm,
Durchm. 10,2 cm
Herkunft unbekannt
Meroïtisch, 2. Jahrhundert n. Chr.
München, Staatliche Sammlung Ägyptischer
Kunst ÄS 3844

In den weiß gegen den roten Gefäßboden
abgesetzten Rand sind nach außen Trauben gestempelt. Die kreisrunden Vertiefungen der Trauben treten auf der Innenseite plastisch in Erscheinung. Zwischen
den Trauben grob eingeritzte Weinran-
ken. Eine gestempelte Dekoration ist bei
meroïtischer Keramik häufig belegt.

Lit.: Katalog Staatliche Sammlung Ägyptischer
Kunst München, München 1976, 240f.,
Nr. 147c; Katalog Meisterwerke altägyptischer
Keramik, Höhr-Grenzhausen 1978, 258,
Nr. 490, Tf. XVI; Zach, in: Beiträge zur Sudan-
forschung 3, 1988, 137; Abb. 13

432

Opferbecken

Sandstein, L. 72,2 cm, Br. 30 cm,
H. 10,1 cm
Aus Naga, Löwentempel Naga 300, Raum 301
Naga-Projekt Berlin 1996, Fundnr. 301-1
Meroïtisch, um die Zeitenwende
Khartum, Nationalmuseum 27500

Das aus Sandstein gefertigte Opferbekken ahmt in Form und Funktion tönerne Becken nach, die an verschiedenen Fundstätten zutage kamen.
Die zentrale Rosette wird von zwei Lebenszeichen flankiert, auf die im Halbrund der Schmalseiten je eine vierblättrige Blüte folgt. Die Motive stehen als hohe schmale Stege über dem tief ausgehobenen Beckengrund. Sie sind an meheren Stellen horizontal durchbohrt, damit Wasser durch das Becken fließen kann, das durch die Berührung mit den Lebenszeichen magisch aufgeladen wird.
Das Becken wurde im Innenraum des Löwentempels von Naga nahe bei dem Sockel des Götterschreins gefunden. Es wird im Kult des Löwengottes Apedemak verwendet worden sein. Ein in der Dekoration ähnliches kleineres Becken fand sich in originaler Position direkt vor dem Schrein.

Lit.: Unveröffentlicht

433
Relieffliese

Fayence; H. 9,8 cm, Br. 8,6 cm, T. 1,8 cm
Aus Naga, Löwentempel Naga 300, Raum 301
Naga-Projekt Berlin 1996, Fundnr. 301-2
Meroïtisch, um die Zeitenwende
Khartum, Nationalmuseum 28045

Die Herstellung von Fayence, ein Sonderbereich der Keramikproduktion, war schon in Kerma zu hoher Qualität entwickelt (vgl. *Kat. 101–102*). Polychrome Fayencen begegnen in meroïtischer Zeit nicht nur bei Gefäßen (vgl. *Kat. 435*), sondern auch bei figürlichen Arbeiten. Das im Innenraum des Löwentempels von Naga beim Götterschrein gefundene Fragment einer Fliese zeigt einen hokkenden Leoparden. Zur Deutung des Motivs ist eine weitere figürliche Fliese von derselben Fundstelle von Interesse. Sie zeigt einen dickleibigen Knienden, der betend oder um Gnade flehend die Arme erhebt. Als Gegenstück zu dieser Darstellung ist die majestätische Figur des Leoparden wohl als königliches Tier zu verstehen. Relieffliesen mit Darstellungen des Königs und der Untergebenen dürften im Löwentempel die Sockelzone des Götterschreins geschmückt haben.

Lit.: Unveröffentlicht

434

Figur eines Leoparden

Fayence; H. 6,5 cm, L. 16,5 cm, Br. 8,8 cm
Aus Kumbur, nördlich von Akscha
Mission Archéologique de la Fondation
H. M. Blackmer et le Centre d'études
orientales de l' Université de Genève 1970–71,
Fundnr. 21-N-15: 98
Meroïtisch, 1. Jahrhundert n. Chr.
Khartum, Nationalmuseum 23159

Die an beiden Schmalseiten durchbohr-
te Fayenceplatte diente als Deckel eines
Kästchens. Durch das eine Loch war der
Drehzapfen gesteckt. Im anderen war ein
Knopf zum Verschnüren und Versiegeln
des Kästchens und Deckels eingesetzt.

Die überschlanke Figur des Leoparden
wendet den Kopf nach hinten. Die Vordertatzen liegen wie bei einer Sphinxfigur nebeneinander.

Die in einer entspannt wirkenden Haltung aus der Achse der Figur herausge-
nommenen Hinterläufe sind rechts neben
den Körper gelegt.

Lit.: Maystre, in: K. Michalowski, Nubia, Warschau 1975, 91, Abb. 35; Wenig, in: AiA II, 256,
Nr. 192, 258; Hofmann – Tomandl, in: Beiträge zur Sudanforschung, Beiheft 2, 1987, 108

436
Kelchgefäß

Blaues Glas, bemalt und vergoldet; H. 20,1 cm,
Durchm. 6,2 cm, Durchm. des Fußes 6,6 cm
Aus Sedeinga, Westnekropole, Pyramide W T 8
Universität Pisa, Mission Schiff Giorgini
1969/70, Fundnr. WT8 c 13
Meroïtisch, 250–300 n. Chr.
Pisa, Cattedra di Egittologia – Università di
Pisa 230

Lit.: Leclant, in: Orientalia 40, 1971, 254f.; ders.,
in: Journal of Glass Studies 15, 1973, 56–68,
Abb. 5–11; ders., in: Les syncrétismes dans les
religions grecque et romaine, 1973, 135–139,
Tf. VII.1–2; ders., in: Nubia. Récentes recherches,
Warschau 1975, 85f., 96, Abb. 16–19; Katalog Il
Nilo sui lungarni. Ippolito Rosellini, egittologo dell
Ottocento, Pisa 1982, 91f., Nr. 238; Brill, in: Jour-
nal of Glass Studies 33, 1991, 11–28, Abb.1–6;
E. Bresciani – F. Silvano, La collezione Schiff
Giorgini, Pisa 1992, 90, Nr. 197, Tf. IX; Katalog
Nubie, Lille 1994, 214f., Nr. 308

435
Becher

Fayence; H. 7,7 cm, Durchm. 10,4 cm
Aus Argin, Grab 90
Mision Arqueologica Española en Nubia
1962, Fundnr. 24-V-9-MAN 90
Meroïtisch, 1.–2. Jahrhundert n. Chr.
Khartum, Nationalmuseum 13965

Die Gefäßform ist bei den meroïtischen
Bechern gut belegt (vgl. *Kat. 412, 426*).
Gegenüber der Eierschalen-Ware ist das
Fayencegefäß dickwandig; an die Stelle
der Bemalung tritt unter dem Rand ein
eingestempelter Fries von Uräusschlangen mit Sonnenscheiben. Ihr Typus entspricht den Uräen der goldenen Halskette *Kat. 382.*

Lit.: M. P. Catalan, La necropolis meroïtica de Nag-
Shayeg, Memorias de la Mision Arqueologica II,
Madrid 1963, 35, 90, Abb. 19.4, Tf. VIII, 2B;
Wenig, in: AiA II, 276f., Nr. 218

437
Kelchgefäß

Blaues Glas, bemalt und vergoldet; H. 20,3 cm,
Durchm. 6,4 cm, Durchm. des Fußes 6,6 cm
Aus Sedeinga, Westnekropole, Pyramide W T 8
Universität Pisa, Mission Schiff Giorgini
1969/70, Fundnr. W T 8c 14
Meroïtisch, 250–300 n. Chr.
Khartum, Nationalmuseum 20406

Lit.: vgl. *Kat. 438*; Leclant, in: Orientalia, o. c.,
Tf. XLVI, Abb. 59–62; ders., in: Journal of Glass
tudies, o. c., Einband, Frontispiz, 57–68,
Abb. 12–15

Einen der späten Höhepunkte des meroïtischen Kunsthandwerks bilden zwei Glaskelche, die in einem Grab in Sedeinga gefunden worden sind. Sie waren beide in etwa 80 Fragmente zerbrochen; es scheint, daß sie absichtlich zerschlagen wurden, vielleicht nach Abschluß der Bestattungsriten.

Einer Sektflöte gleich ist ihr Gefäßkörper fast zylindrisch und schwingt am Rand oberhalb eines feinen umlaufenden Wulstes leicht zur runden Lippe aus. Unter dem halbkugeligen unteren Gefäßteil vermittelt ein niedriger Ring zum flach kegelförmigen Fuß, der im Verhältnis zum Gefäßkörper nicht ganz genau zentriert ist. Ein hoher Bildstreifen umzieht beide Gefäße. Er ist oben und unten von je zwei Bändern aus liegenden Ovalen bzw. Rechtecken begrenzt. Zwischen den unteren Bändern sitzen vierblättrige Blüten, zwischen den oberen steht auf Griechisch in weit auseinander gezogenen Buchstaben: „Trinke, und du wirst leben." Dieser Spruch findet sich häufig in frühchristlichem Kontext.

Vier Figuren sind im Bildfeld dargestellt. Als Hauptmotiv sitzt der Gott Osiris auf einem Thron mit niederer Lehne. Seine Mumienumhüllung ist mit einem Netzmuster geschmückt. Er trägt die Atef-Krone und hält Krummstab und Wedel. Seine Hautfarbe ist ein dunkles Grün.

Auf Osiris zu schreitet eine Frau im Flügelkleid (beim Glas in Pisa stattdessen ein Karo-Muster). Über der Zopfperücke trägt sie eine Sonnenscheibe. Ihre bis in Schulterhöhe erhobene Rechte trägt ein Tablett, auf dem eine kleine männliche Figur zwischen Pflanzenstengeln an einem roten Gefäß kniet. Offenbar hat für diese Darstellung das in ägyptischen Tempelreliefs häufig anzutreffende Motiv des Salbgefäßes in Gestalt eines kniend opfernden Königs Pate gestanden.

Die Linke der Frau hält eine sich aufbäumende Antilope an den Hörnern. Der Frau folgt ein Mann in spitz vorspringendem Schurz mit reicher Musterung; den Oberköper bedeckt ein trägerloses Leibchen, über den Schultern liegt ein breiter roter Schmuckkragen. Die eng anliegende Kopfbedeckung mit bekrönender Sonnenscheibe läßt an die Kuschitenkappe denken. Der Mann hält vor sich in der Rechten ein hohes schlankes Wassergefäß. Mit seiner linken Hand packt er die Vorderläufe eines Hirschs und zieht ihn hinter sich her. Rücken an Rücken zu dieser Figur steht hinter Osiris die vierte Gestalt, ein Mann in ähnlicher Tracht. Seine Linke faßt drei Enten an ihren Schwänzen und läßt sie kopfüber hängen. Seine Rechte hält den rechten Hinterlauf einer Antilope, die er auf der Schulter trägt.

Trotz der Sonnenscheiben, die alle drei um Osiris gescharten Figuren als Kopfputz tragen, sind sie als nichtkönigliche Personen anzusehen. Die Sonnenscheiben sind wie bei den Ba-Figuren (vgl. *Kat. 306–317*) Zeichen der Verklärung der Toten, die vor den Herrn der Ewigkeit treten, um ihm ihre Opfer darzubringen. Die interessanteste und für das Verständnis dieser außergewöhnlichen Glaskelche wichtigste Frage ist die des Herstellungsortes. Die Fülle ikonographischer Details aus dem Bereich der ägyptischen Religion macht eine Entstehung im Niltal sicher. Die für die ägyptische Ikonographie ungewöhnlichen Einzelmotive der Sonnenscheiben und der Kuschitenkappe sprechen für den meroïtischen Raum. Die fehlerhafte Schreibung des griechischen „du wirst leben" (N statt Σ als letzter Buchstabe) wäre für das griechisch sprechende Ägypten unwahrscheinlich. Die bunte Bemalung und die Verzierung mit Blattgold sind ebenso bewunderswerte technische Leistungen wie die Fertigung des dünnwandigen, durchscheinenden blauen Glases. Da im meroïtischen Reich lange Erfahrung im Schmelzen von Metall vorlag, war die rein technische Seite der Glasproduktion ein leicht lösbares Problem.

438

Amphoriskos

Glas; H. 15,5 cm, Br. 6,2 cm
Aus Sedeinga, Westnekropole, Pyramide W T 7
Universität Pisa, Mission Schiff Giorgini
1969/70, Fundnr. WT 7/c 14
Meroïtisch, 250–300 n. Chr.
Khartum, Nationalmuseum 20407

Die kleine Spitzamphora aus fein gebändertem, zu einem leichten Wellenmuster gekämmtem Glas würde ohne ihre Herkunft aus Sedeinga wohl kaum mit dem meroïtischen Reich in Verbindung gebracht werden. Angesichts der hohen Meisterschaft der Glastechnik, die sich in den blauen bemalten und vergoldeten Kelchen aus demselben Fundort (*Kat.* *436, 437*) zeigt, sind Vermutungen gegenstandslos, die Fadenglastechnik sei im meroïtischen Einzugsbereich nicht heimisch gewesen. Die Form des Amphoriskos ist der Ostmittelmeerwelt entlehnt, den Produktionsort wird man aufgrund der zahlreichen Glasfunde im ganzen meroïtischen Reich nicht außerhalb suchen müssen.

Lit.: Leclant, in: Orientalia 40, 1970, 254, Tf. XLIII, Abb. 51; ders., in: Nubia, récentes recherches, Warschau 1975, 85, Abb. 8

Meroë und der Hellenismus

Zur Blütezeit der meroïtischen Kultur hat Ägypten, der Nachbar im Norden, nach nahezu dreitausendjähriger Geschichte seine nationale Eigenständigkeit verloren. Seit der Eroberung Alexanders des Großen herrschen Makedonen über das ehemalige Reich der Pharaonen. Offizielle Landessprache wird das Griechische, und die Hauptstadt rückt in den äußersten Nordwesten des Landes, in das neu gegründete Alexandria. Weitgehend unberührt bleibt von diesem tiefgreifenden politischen Wandel die geistige Struktur Ägyptens, der sich die neue Landesherren fügen, die sie anerkennen und der sie nacheifern. Die altägyptische Religion hat weiter Bestand, greift nun sogar über die Grenzen des Landes hinaus und findet ihre Anhänger in der ganzen hellenistisch-römischen Welt. Die ägyptische Kunst bleibt ihren Prinzipien treu und läßt nur vereinzelt den Einfluß der hellenistischen Kunst Alexandrias erkennen.

So sind die Einflüsse, die Ägypten auf seine südlichen Nachbarn ausübt, vom pharaonischen Kulturerbe geprägt, und erst in den Jahrhunderten nach Christi Geburt, also zeitgleich mit der römischen Kaiserzeit, mehren sich die Spuren hellenistischer Kultur auch im meroïtischen Reich.

Die gegenseitigen Kontakte sind vielfältig. Römische Expeditionen dringen bis nach Napata vor, die erste unter Augustus als militärische Operation, die zweite unter Nero mit der Absicht, Beziehungen anzuknüpfen, den Weg nach Indien zu bereiten und die Quellen des Nils zu finden. Daß auch Meroïten in den Norden reisen, berichtet u. a. die Apostelgeschichte: der Kämmerer der Kandake aus dem Mohrenlande kommt nach Jerusalem. Hellenistisch-römische Funde aus dem meroïtischen Reich wie hellenistisch beeinflußte meroïtische Kunstwerke sind selten, und die Art der Kontakte ist von Fall zu Fall zu untersuchen. Aus römischer Sicht ist Meroë das südliche Ende der Welt. Vom meroïtischen — wie vom ägyptischen — Standpunkt aus gibt es wenig Grund, sich mit der fernen und fremden hellenistisch-römischen Welt auseinanderzusetzen. Der Besitz hellenistischer oder nach hellenistischem Vorbild gearbeiteter Kunstwerke scheint jedoch ein Zeichen hohen sozialen Status gewesen zu sein.

439
Statue einer Frau

Sandstein, stuckiert und bemalt; H. 87,9 cm, Br. 36,5 cm, T. 29 cm
Aus Meroë, „Römisches Bad"
Grabungen J. Garstang 1912–13
Meroïtisch, 2.–3. Jahrhundert n. Chr.
München, Staatliche Sammlung Ägyptischer Kunst ÄS 1334

Als „Venus von Meroë" ist die Sandsteinfigur aus dem „römischen Bad" in Meroë bekannt geworden, einer Anlage, die sich in ihrer Funktion und in ihrer Ausstattung um die Nachahmung römischer Thermen bemüht. Um ein vertieft angelegtes Becken waren auf Balustraden, die ringsum in Stufen anstiegen, Skulpturen aufgestellt, die den Eindruck einer römischen Badeanlage erwecken sollten. Manche von ihnen befinden sich noch heute *in situ*. Die „Venus von Meroë" setzt einen hellenistischen Statuentypus in die Formensprache der meroïtischen Kunst um. Der Einfluß der Vorbilder bleibt aber auf die formale Struktur der Statue beschränkt; ihr massiges Volumen und ihre Proportionen sind meroïtisch. Der braunrot bemalte Stucküberzug des körnigen Sandsteins sollte vielleicht die Oberflächenstruktur bemalten Marmors nachahmen.

Lit.: PM VII, 240; Garstang, in: LAAA 5, 1913, 79, Tf. IX; Katalog Staatliche Sammlung Ägyptischer Kunst München, München 1976, 234f., Nr. 144; Hakem, in: AiA I, 40, Abb. 19; Wenig, in: AiA II, 235, Nr. 161; S. Schoske – D. Wildung, Ägyptische Kunst München, München 1984, 139, Nr. 98, 155; Hofmann, in: Beiträge zur Sudanforschung 3, 1988, 25–38, Abb. I–3; S. Schoske (Hrgb.), Staatliche Sammlung Ägyptischer Kunst München, Mainz 1995, 70, Abb. 77; D. Welsby, The kingdom of Kush, London 1996, 123, Abb. 51

440
Pokal mit Reliefdekor

Silber, Reste von Vergoldung; H. 9,8 cm,
Durchm. 8,8 cm
Aus Meroë, Nordfriedhof, im Bauschutt der
Pyramide Beg. N 2
Harvard University – MFA Boston-Expedition,
Februar 1922, Fundnr. 22-2-439
Mitte des 1. Jahrhunderts n. Chr.
Boston, Museum of Fine Arts 24.971

Kaum ein Fundstück aus dem Umfeld
der Hauptstadt Meroë hat so kontroverse Deutungen erfahren wie der ausgezeichnet erhaltene Silberpokal, der im
Bauschutt der Pyramide Beg. N 2 im
Nordfriedhof von Meroë gefunden wurde. Seine aus vier Hauptfiguren bestehende Reliefdekoration zeigt einen auf der
sella curulis thronenden, mit der Toga be-
kleideten römischen Herrscher mit den
Zügen des Kaisers Augustus; mit energischem Schritt schreitet vor ihm ein Mann
in ärmelloser Tunika nach rechts aus und
hält in seiner Linken ein Beil mit langem
Stiel. Ihm und dem thronenden Herrscher wendet sich eine Frau in bewegtem
Bittgestus zu, die Arme hoch erhoben; an
ihr Gewand klammern sich zwei kleine
Kinder. Hinter der Frau, den Figuren-
kreis schließend, schreitet ein Mann, bekleidet mit Tunika und Kapuzenmantel.
Die Szene stellt offenbar die Verkündung
eines Richterspruches dar. Historisch in-
terpretiert, könnte sie Augustus zeigen,
der als neuer Pharao dem Land Ägypten,
personifiziert in der Frauengestalt, den
Frieden verkündet. Als mythologische
Deutung bietet sich die Legende um den
König Bokchoris an, und auch König
Salomon als Gesetzgeber ist als Deutung
vorgeschlagen worden.
Da der Pokal weder ikonographisch noch
stilistisch irgendeine Beziehung zum Vorderen Orient, zu Ägypten oder zu Meroë
erkennen läßt, ist seine Erklärung losge-

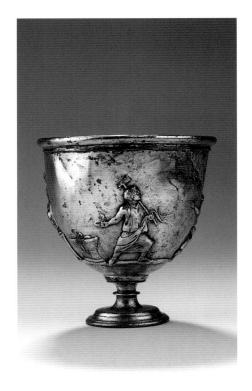

löst von diesem Umfeld zu suchen. Der
Vorschlag, in der Szene eine Episode aus
der griechischen Tragödie zu sehen, verdient Beachtung. Nach Burkhalter – Arce
ist aus der Medea des Euripides der Ur-
teilsspruch des korinthischen Königs
Kreon dargestellt, mit dem er Medea in
die Verbannung schickt; ihre beiden Kinder bleiben in den Händen eines Erzie-
hers in Korinth.
Für die Bedeutung des Pokals im Kontext
seines Fundortes Meroë sind diese Inter-
pretationsversuche des Bildmotivs ohne
Belang. Der Pokal ist ein Erzeugnis römischer Silberschmiede des 1. Jahrhunderts
n. Chr. in Rom oder Alexandria. Seinen
Weg nach Meroë könnte er als Kriegsbeute genommen haben, darin dem Bron-
zekopf des Augustus vergleichbar, der
hier gefunden wurde. Wahrscheinlicher
ist es jedoch, daß er beim Besuch der römischen Delegation, die Kaiser Nero im
Jahre 61 n. Chr. nach „Äthiopien" ausgesandt hatte, als diplomatisches Geschenk überreicht wurde. Was dabei zähl-
te, waren das kostbare Material und die
hervorragende handwerkliche Arbeit; un-
verständlich wird dem Empfänger, dem
meroïtischen König, der Inhalt der Darstellungen gewesen sein, deren Bildsprache aus einer fremden Welt stammte. Als
Besitz von hohem Repräsentationswert
war der Pokal nicht nur zu Lebzeiten des
Königs ein Zeichen seiner internationalen Verbindungen, sondern auch noch als
Grabbeigabe ein Ausdruck des herrscherlichen Selbstverständnisses des Königs
von Meroë.

Lit.: Reisner, in: Bull. MFA XXIII/136, 1925,
10; RCK IV, 1957, 105f., 214, Tf. LIII.A–D;
D. Dunham, The Egyptian Department and its
excavations, Boston 1958, 126, Abb. 101;
P. Shinnie, Meroë. A civilization of the Sudan,

London 1967, 223f., Tf. 78–81; Török, in: Orientalia Suecana 38–39, 1989–1990, 182ff., Abb. 7–11; C. Vermeule, Roman imperial art in Greece and Asia Minor, Cambridge/Mass. 1968, 125–128, Abb. 53–56; Török, in: Meroïtica 10, 1988, 138, Nr. 130, 177; A. Oliver, Silver for the gods, Katalog Toledo Museum of Art, Toledo 1977, 122f.; Burkhalter – Arce, in: Bulletin de Correspondance Hellénique 108, 1984, 407–423

441 ▷▷

441
Kopf einer Dionysos-Statue

Bronze, Silber; H. 12,5 cm, Br. 11,8 cm
Aus Meroë, Nordfriedhof, Pyramide Beg. N 5, Kammer A
Harvard University – MFA Boston-Expedition, Dezember 1921, Fundnr. 21-12-58
150 v. Chr. – 50 n. Chr.
Khartum, Nationalmuseum 1948

Lit.: Reisner, in: Bull. MFA XXI/124, 1923, 25, Abb. S. 16; RCK IV, 1957, 125, 127, 212, Tf. XLVIII.A-D, XLIX.A; Goorieckx, in: Kush 7, 1959, 214–216, Tf. LVI; Chamoux, in: Kush 8, 1960, 77–87; ders., in: Kush 10, 1962, 335; Török, in: Meroïtica 10, 1989, 137, Nr. 124, 177; Seguenny, in: M. Krause (Hrgb.), Nubische Studien, Mainz 1986, 172

◁◁ 442

442
Kopf einer Dionysos-Statue

Bronze, Silber; H. 13 cm
Aus Meroë, Nordfriedhof, Pyramide Beg. N 5,
Kammer A
Harvard University – MFA Boston-Expedition,
Dezember 1921, Fundnr. 21-12-61
150 v. Chr. – 50 n. Chr.
Boston, Museum of Fine Arts 24.957

Lit.: vgl. *Kat.443*; RCK IV, 1957, 124f., 127,
212, Tf. XLVIII.A–D, XLIX.A; D. Dunham, The
Egyptian Department and its excavations, Boston
1958, 126, Abb. 97

Obwohl sie in der Modellierung der Gesichter verschieden sind, bilden die beiden Bronzeköpfe ohne jeden Zweifel ein
Paar. Sie sind im Wachsausschmelzver-
fahren in zwei Teilen gegossen, die in der
Höhe des Diadems zusammengelötet
sind; dadurch war die Befestigung der
Augeneinlagen von der Innenseite des
Kopfes aus leicht zu bewerkstelligen. Der
in Seitenansicht rechtwinklige Ausschnitt
des Halsansatzes erlaubte die Befestigung
der Köpfe auf Statuen, deren Höhe mit
etwa 75 cm rekonstruiert werden kann.
Das in einem Zopf zusammengefaßte
lockige Haar, das über der Stirn gekno-
tete Efeu-Diadem, das Stirnband (aus
rotem Kupfer mit Silbereinlagen) und die
vollen jugendlichen Gesichtszüge sind eindeutige Indizien für die Benennung der
Köpfe als Darstellungen des griechischen
Gottes Dionysos. Der Statuentypus ist
nach C. Vermeule auf ein Werk des Pra-
xiteles zurückzuführen. Die Zweizahl der
Köpfe macht es unwahrscheinlich, daß sie
zu selbständigen Statuen gehörten; es ist
vielmehr anzunehmen, daß sie in einem
praktisch-funktionalen Kontext standen,
der eine paarweise Aufstellung erforder-
te. Wahrscheinlich dienten sie als Lam-
penhalter, die als kostbare, importierte
Luxusgüter zur Ausstattung des kögli-
chen Palastes gehörten.

443
Rechte Hand einer Dionysos-Statue

Bronze, Silber; H. 5,4 cm, Br. 5,7 cm,
L. 10,6 cm
Herkunft wie *Kat.444*
Harvard University – MFA Boston-Expedition,
Dezember 1921, Fundnr. 21-12-61
150 v. Chr. – 50 n. Chr. 24,897

Lit.: vgl. *Kat.441*; RCK IV, 1957, 125f., 212,
Tf. XLIX.B

444
Linker Fuß einer Dionysos-Statue

Bronze, Silber; H. 6,4 cm, Br. 5,7 cm,
L. 14,9 cm
Aus Meroë, Nordfriedhof, Pyramide Beg. N 5,
Kammer A
Harvard University – MFA Boston-Expedition,
Dezember 1921, Fundnr. 21-12-58
150 v. Chr. – 50 n. Chr.
Boston, Museum of Fine Arts 24.896

Lit.: vgl. *Kat.441*; RCK IV, 1957, 124, Abb. 82,
125, 126, 212, Tf. XLIX.G; M. Comstock – C. Vermeule, Greek, Etruscan and Roman bronzes in the
Museum of Fine Arts, Boston 1971, 68f., Nr. 70;
Török, o. c., 137, Nr. 128, 177

Beide Statuenteile aus Bronze sind zusammen mit den beiden Dionysos-Köp-
fen *Kat. 441–442* gefunden worden und
passen maßstäblich zu ihnen. Es liegt
nahe, sie mit den Köpfen zu Statuen zu
ergänzen, die als Lampenständer dienten,
wobei dann die Hand eine Lampe hielt.
Beispiele für diesen figürlichen Lampen-
typ finden sich in nachmeroïtischer Zeit
in den Königsgräbern der X-Gruppe in
Ballana.

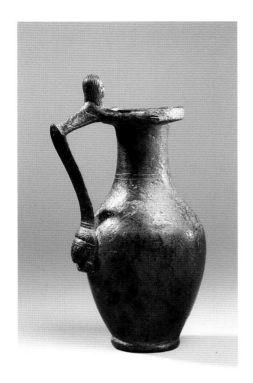

445

445
Kanne

Bronze; H. 17 cm, Br. 13 cm, T. 15 cm
Aus Meroë, Westfriedhof, Grab Beg. W 354
Harvard University – MFA Boston-Expedition,
Februar 1923, Fundnr. 23-2-6b
Meroïtisch, um die Zeitenwende
Khartum, Nationalmuseum 2147

Der figürliche Henkel der Kanne hat die
stark stilisierte Form eines weiblichen
Körpers. Der Kopf blickt über den Rand
in die Gefäßöffnung, die ausgebreiteten
Arme umfassen den Rand. Der untere
Ansatz des Henkels am Gefäßkörper
zeigt in kräftigem Relief einen Hathor-
kopf. Der Henkel nimmt in stark verein-
fachter Form das Vorbild der Kanne *Kat.
446* auf.

Lit.: RCK V, 1963, 265; Török, in: Meroïtica
10, 1989, 143, Nr. 183, 181; vgl. zum Parallelstück Boston MFA 24.964: ders., in: MNL 10,
1972, 37ff, Nr. 16

446
Kanne

Bronze; H. 13,8 cm
Aus Karanog, Grab G 187
Meroïtisch, 2.–3. Jahrhundert n. Chr.
Philadelphia, University of Pennsylvania
Museum of Archaeology and Anthropology
E 7513

Das Kompositionsprinzip des figürlichen Henkels der Kanne *Kat. 445* ist hier
in rein hellenistischem Stil ausgeführt.
Der untere Henkelansatz zeigt frontal
ein Frauengesicht mit üppiger Lockenfri-
sur, vielleicht ein Gorgoneion. In der
Mitte des Henkels findet sich ein halb
verhüllter Frauenkopf im Profil. Die
Kanne und eine identische Parallele gehören als einzige Importstücke zur reichen Grabausstattung des Vizekönigs
Maloton.

Lit.: Woolley – MacIver, Karanog, 39, 61, 146, 245,
Tf. 29; vgl. Wenig, in: AiA II, 262, Nr. 199; Török,
in: Meroïtica 10, 1989, 147, 185; Hofmann, in:
Meroïtica 5, 1979, 78f., Abb. 26; D. O'Connor,
Ancient Nubia. Egypt's rival in Africa, Philadelphiia
1993, 92ff., Abb. 7.1. Zum Vizekönig Maloton:
L. Török, Der meroïtische Staat (= Meroïtica 9),
Berlin 1986, 77; ders., Geschichte Meroës, ANRW
II, 10.1, Berlin – New York 1988, 247

446

447
Hängelampe

Bronze; H. 62 cm, Br. 12,5 cm, T. 39,7 cm
Aus Meroë, Nordfriedhof, Pyramide Beg. N 29
Harvard University – MFA Boston-Expedition,
März 1921, Fundnr. 21-3-160
Meroïtisch, 2.–3. Jahrhundert n. Chr.
Boston, Museum of Fine Arts 24.959

Das Akanthusblatt als Hitzeschutz vor
dem Henkel, der Greifenkopf auf dem
Aufhängestab und die Lampenform sind
Indizien für den Import der Lampe aus
Ägypten oder der römischen Welt. Das
Königsemblem aus Schen-Ring und Was-
Szeptern auf der Oberseite und die me-
roïtische Inschrift auf der Rückseite der
Lampe sind nachträglich eingeritzt. Aus
der Grabausstattung des Königs Takide-
amani.

Lit.: Reisner, in: Bull. MFA XXI/124, 1923, 25,
Abb. auf S. 23; RCK IV, 1957, 166, 168,
Abb. 109, 170, 210, Tf. XXXV.E, LI.B, C, D;

447

D. Dunham, The Egyptian Department and its excavations, Boston 1958, 132, Abb. 103; ders., in: Kush 13, 1965, 135 (Group IV, Nr. 30), 139, Nr. 30; P. Shinnie, Meroë. A cicilization of the Sudan, New York – Washington, 1967, 128, Abb. 49, Tf. 69; Török, in: MNL 10, 1972, 36, Abb. I(4); ders., in: Meroïtica 10, 1989, 144, Nr. 191, 182: Wenig, in: AiA II, 263, Nr. 200; Kendall, in: Katalog Kush. Lost kingdom of the Nile, Brockton/Mass. 1982, 57f. Text: REM 0822, MNL 19, 1978, 20.

448
Lampe

Bronze; H. 5,9 cm, Durchm. 13,1 cm, Br. (mit Henkeln) 20,9 cm

Aus Meroë, Nordfriedhof, Pyramide Beg. N 18, Kammer A
Harvard University – MFA Boston Expedition, März 1921, Fundnr. 21-3-644
1. Jahrhundert n. Chr.
Khartum, Nationalmuseum 1826

Lit.: Reisner, in: Bull. MFA XXI/124, 1923, 25; RCK IV, 1957, 147, 1449f., Abb. 97, 212, Tf. L.A–E; P. Shinnie, Meroë. A civilization of the Sudan, London 1967, 223, Tf. 70; Kendall, in: Katalog Kush. Lost kingdom of the Nile, Brockton/Mass. 1982, 56f., Nr. 81; Török, in: Meroïtica 10, 1989, 144, Nr. 194, 183; Lenoble, in: Archéologie du Nil Moyen 6, 1994, 113

449
Lampe

Bronze; H. 20,9 cm, Br. 9,2 cm, L. 26 cm
Aus Meroë, Nordfriedhof, Pyramide Beg. N 18, Kammer A
Harvard University – MFA Boston Expedition, März 1921, Fundnr. 21-3-645
1. Jahrhundert n. Chr.
Boston, Museum of Fine Arts 24.967

Lit.: Reisner, in: Bull. MFA XXI/124, 1923, 25; RCK IV, 1957, 147, 149f., Abb. 97, 212, Tf. LI.A; D. Dunham, The Egyptian Department and its excavations, Boston 1958, 128, Abb. 98; P. Shinnie, o. c., 128, 223, Tf. 72; M. Comstock – C. Vermeule, Greek, Etruscan and Roman

bronzes in the Museum of Fine Arts Boston, Greenwich/Conn. 1971, 349; Kendall, in: Katalog Kush. Lost kingdom of the Nile, Brockton/Mass. 1982, 56f., Nr. 81; Török, in: Meroïtica 10, 1989, 145, Nr. 195, 183; Lenoble, o. c., 113; vgl. Wenig, in: AiA II, 318

Die von Grabräubern weitgehend verschont gebliebene Bestattung der Königin Amanikhatashan unter ihrer Pyramide Beg. N 18 im Nordfriedhof von Meroë war mit einer ganzen Sammlung importierter römischer Gegenstände ausgestattet. Da die Regierung der Königin in den Zeitraum fällt, in dem die von Nero ausgesandte römische Delegation „Äthiopien" besuchte, liegt es nahe, diese römische Importware als Gastgeschenke der Römer anzusehen.

Die beiden figürlichen Lampen tragen an dem als Pflanzenstengel gebildeten Griff den Vorderleib eines Pferdes im Galopp bzw. eines Kentauren. Bei beiden Lampen wurden der Griff und der Fuß gesondert gegossen.

450
Henkelschale

Silber; H. 18,6 cm, Br. 10,8 cm, T. 20,8 cm
Aus Meroë, Nordfriedhof, Pyramide Beg. N 18, Kammer A
Harvard University – MFA Boston-Expedition, März 1921, Fundnr. 21-3-696
Meroïtisch, 1.–2. Jahrhundert n. Chr.
Khartum, Nationalmuseum 1827

Die Form der Schale ist ebenso wie das Motiv der den oberen Schalenrand umgreifenden Henkel ein sicheres Indiz für ein römische Arbeit.
Die Schale gehört wie die Lampen *Kat. 451–452* zum Grabschatz der Königin Amanikhatashan.

Lit.: RCK IV, 1957, 147, 150f., Abb. 97, 212, Tf. LIV.A, B; P. Shinnie, Meroë. A civilization of the Sudan, London 1967, 130, 224, Tf. 74; Török, in: MNL 10, 1972, 36(3), Abb. 1 (3a,

3b); I. Hofmann, Beiträge zur meroïtischen Chronologie, Studia Instituti Anthropos 31, Bonn 1978, 226f. Abb. 44; Török, in: Meroïtica 10, 1989, 145, Nr. 198, 183

451
Henkelschale

Bronze; H. 9,5 cm, Durchm. 11,1 cm
Aus Gamai, Friedhof 100, Grab E 99
Harvard University Excavation 1915, Fundnr. E 99/4
Meroïtisch, 3.–4. Jahrhundert n. Chr.
Khartum, Nationalmuseum 1505

Die Form der flachen Schale auf konischem Fuß steht in der Tradition römischer Metallgefäße. Die weit nach innen über den Schalenrand hängenden Henkelösen sind jedoch eine typische Form, die in spät- und nachmeroïtischem Kontext an mehreren Fundplätzen belegt ist, so daß an lokale Herstellung zu denken ist.

Lit.: O. Bates – D. Dunham, Excavations at Gammai, Harvard African Studies VIII, Cambridge/Mass. 1927, 62, Tf. XXXII.5A, LXV, Abb. 12; P. Shinnie, o. c., 223, Tf. 66; vgl. Kairo JE 89674: Wenig, in: AiA II, 318, Nr. 281

452
Eimer

Bronze; H. 24,5 cm, Durchm. 21 cm
Aus Gamai, Grab 115
Harvard University Excavation 1915, Fundnr. 115/11
1.–2. Jahrhundert n. Chr.
Geschenk von O. Bates, 1924
Boston, Museum of Fine Arts 24.367a–b

An die beiden Henkel des bauchigen Eimers sind oben Ösen angearbeitet, in die ein Tragbügel eingehängt ist.

Lit.: Bates – Dunham, o. c., 41, Tf. XXX.1 B, 2 B, LXV, Abb. 15

DIE SPÄTMEROÏTISCHE KULTUR

453

Schüssel

Bronze; H. 17,3 cm, Durchm. 26,2 cm
Aus Karanog, Grab 187
Mitte des 3. Jahrhunderts n. Chr.
Philadelphia, University of Pennsylvania Museum of Archaeology and Anthropology
E 7156; Replik nach dem Original Kairo
JE 41017

Das Ende der königlichen Bestattungen im Nordfriedhof von Meroë im frühen 4. Jahrhundert n. Chr. wird oft als der Schlußpunkt des meroïtischen Königreiches angesehen. Aus der Sicht des Archäologen ist dies nicht zwingend, da sich typisch meroïtisches archäologisches Material auch noch später an verschiedenen Orten findet.

Für die zahlreichen Bronzegefäße des 4. und 5. Jahrhunderts n. Chr. (*Kat. 454–467*) kann die Schüssel aus Karanog als Prototyp angesehen werden. Auf die Außenwand ist ein vielfiguriger Bildfries geritzt. Vor einer Rundhütte nimmt ein wohlbeleibtes Paar mit nackter Tochter als Gabe eines bärtigen Hirten einen Eimer Milch entgegen. Hinter ihm befinden sich drei Paare von Kühen, ein Paar Stiere, ein weiterer Hirte und zwei Kühe mit fünf Kälbchen. Trotz des ländlichalltäglichen Charakters der Szene dürfte es sich um eine religiöse Darstellung handeln, wahrscheinlich um das Opfer vor den Ahnen. Die Rundhütte trägt eine Sonnenscheibe und wird daher als Heiligtum zu verstehen sein; die deformierten Hörner der Rinder treten schon in Opferzügen des Neuen Reiches auf.

Lit.: PM VII, 78; Woolley – Randall – Maciver, Karanog, 39, 59f., 146, 243, Tf. 26, 27; Katalog L'art nègre, Dakar – Paris 1966, Nr. 466; P. Shinnie, Meroë, New York 1967, 18–19, Abb. 3; Wenig, in: AiA II, 260, Nr. 196; Hofmann – Tomandl, in: Beiträge zur Sudanforschung, Beiheft 2, 1987, 166f., Abb. 31; D. O'Connor, Ancient Nubia. Egypt's rival in Africa, Philadelphia 1993, 104–107, Abb. 7. 6

454
Schüssel

Bronze; H. 6,7 cm, Durchm. 11,7 cm
Aus el-Hobagi, Tumulus III
SFDAS, Fundnnr. HBG III/1/135
Nachmeroïtisch, 4.–5. Jahrhundert n. Chr.
Khartum, Nationalmuseum 26291

Der für das Fortleben des meroïtischen
Reiches im 4. und 5. Jahrhundert n. Chr.
wichtigste Fundplatz ist el-Hobagi, nicht
weit von Wad Ban Naga auf dem linken,
westlichen Nilufer gelegen. An die Stelle der Grabform der Pyramide tritt wieder der traditionsreiche Tumulus, nun
umgeben von einem großen Temenos.
Wenn solche Anlagen bislang als typisch
postmeroïtisch angesehen worden sind,
so steht dies in krassem Gegensatz zur
Ausstattung der Gräber von el-Hobagi.
Deren Inventar ist rein meroïtisch, so daß
das Ende der Stadt Meroë und ihres Kö-
nigsfriedhofs keine historische Zäsur
darstellt. Die Kontinuität der meroïtischen Kultur reicht bis ins 4. und 5. Jahrhundert n. Chr. hinein.

Auf der Bronzeschüssel aus Tumulus III
steht eine Inschrift in meroïtischen Hieroglyphen, aus deren Kontext die Wörter
„König" und „Gott" erkennbar sind. Es
ist der bislang späteste meroïtische Text.

453

454

Lit.: Lenoble – Nigm ed Din, in: Antiquity 66,
1992, 634, Abb. 6; Shinnie – Robertson, in:
Antiquity 67, 1993, 897; Lenoble, in: Katalog
Nubie, Lille 1994, 228, Nr. 314; ders. u. a., in:
MNL 25, 1994, 60, 80, Tf. 12; Valbelle, in: Les
Dossiers d'Archéologie 196, 1994, 58. REM
1222 (Meroïtic Newsletter 25, 1994, 13)

455
Schale

Bronze; H. 6,8 cm, Durchm. 10,1 cm
Aus el-Hobagi, Tumulus VI
SFDAS 1987, Fundnr. HBG VI/1/16
Nachmeroïtisch, 4.–5. Jahrhundert n. Chr.
Khartum, Nationalmuseum 26307

Unter dem Rand läuft ein Fries von 24
Fröschen um; darunter Rankenwerk mit
stehenden und hängenden Lotosblüten.

Lit.: Lenoble – Nigm ed Din, o. c., 630, Abb. 3;
Shinnie – Robertson, o. c., 897; Lenoble, in:
Katalog Nubie, Lille 1994, 230f., Nr. 321

456
Schüssel

Bronze; H. 13,3 cm, Durchm. 22 cm
Aus el-Hobagi, Tumulus VI
SFDAS 1987, Fundnr. HBG VI/1/19
Nachmeroïtisch, 4.–5. Jahrhundert n. Chr.
Khartum, Nationalmuseum 26310

Unter dem Rand ein Ornamentband mit
Blütenranke; auf dem halbkugeligen Ge-
fäßkörper Falken mit ausgebreiteten
Schwingen.

Lit.: Lenoble, o. c., 231, Nr. 322

457
Glocke

Bronze; H. 10,8 cm, Durchm. 10,6 cm
Aus el-Hobagi, Tumulus III
SFDAS, Fundnr. HBG III/1/174
Nachmeroïtisch, 4.–5. Jahrhundert n. Chr.
Khartum, Nationalmuseum 26302

Die Bronzeglocke gehört zu einem Pferdegeschirr. In zwei Bildstreifen sind Perl-
hühner dargestellt. Pferdegeschirre sind
auch im Königsfriedhof von Meroë als
Grabbeigaben belegt (vgl. *Kat. 395–
398*).

Lit.: Lenoble, in: MNL 25, 1994, 63, 79, Tf. 11;
ders., in: Archéologie du Nil Moyen 6, 1994,
108ff., Tf. I; ders., in: Katalog Nubie, Lille 1994,
227f., Nr. 312

458
Schüssel

Bronze; H. 10,5 cm, Durchm. 17,1 cm
Aus el-Hobagi, Tumulus VI
SFDAS, Fundnr. HBG VI/I/11 ex 64
Nachmeroïtisch, 4.–5. Jahrhundert n. Chr.
Khartum, Nationalmuseum 26304

Unter dem Rand sind sieben kleine Kegel aufgelötet, an denen sechs Glöckchen
und ein Ring hängen.

Lit.: Lenoble, in: Katalog Nubie, Lille 1994, 228,
Nr. 315

459
Schüssel

Bronze; H. 6,2 cm, Durchm. 12,3 cm
Aus el-Hobagi, Tumulus III
SFDAS, Fundnr. HBG III/1/99
Nachmeroïtisch, 4.–5. Jahrhundert n. Chr.
Khartum, Nationalmuseum 26286

Unter dem Rand umlaufender Fries mit
Papyrusdolden und Papyrusknospen.

Lit.: Unveröffentlicht

460
Schüssel

Bronze; H. 7,1 cm, Durchm. 14,7 cm
Aus el-Hobagi, Tumulus VI
SFDAS, Fundnr. HBG VI/1/22 ex 80
Nachmeroïtisch, 4.–5. Jahrhundert n. Chr.
Khartum, Nationalmuseum 26314

Das Leinentuch, in das das Gefäß gehüllt
war, hat auf der Bronze Abdrücke hinterlassen.

Lit.: Unveröffentlicht

461
Schüssel

Bronze; H. 6,8 cm, Durchm. 11,8 cm
Aus el-Hobagi, Tumulus III
SFDAS, Fundnr. HBG III/1/37
Nachmeroïtisch, 4.–5. Jahrhundert n. Chr.
Khartum, Nationalmuseum 26270

Auf den Gefäßkörper waren in drei Reihen je 12 oder 13 kleine Halbkugeln aufgelötet. Auf dem Grund des Gefäßes
sitzt eine plastisch gearbeitete aufgelöte-
te Rosette.

Lit.: Unveröffentlicht

462
Schüssel

Bronze; H. 7,0 cm, Durchm. 11,3 cm
Aus el-Hobagi, Tumulus III
SFDAS, Fundnr. III/1/61
Nachmeroïtisch, 4.–5. Jahrhundert
Khartum, Nationalmuseum 26281

Undekoriert; leicht ausschwingender
Rand.

Lit.: Unveröffentlicht

463
Schale

Bronze; H. 4,9 cm, Durchm. 12,2 cm
Aus el-Hobagi, Tumulus III
SFDAS, Fundnr. HBG III/1/48
Khartum, Nationalmuseum 26273

Außen undekoriert, im Zentrum des
Bodens ist innen ein Medaillon mit der
Darstellung eines bärtigen Mannes auf-
gelötet.

Lit.: Unveröffentlicht

464
Schüssel

Bronze; H. 8,6 cm, Durchm. 13,7–16,4 cm
Aus el-Hobagi, Tumulus VI
SFDAS, Fundnr. HBG VI/1/10 ex 81
Nachmeroïtisch, 4.–5. Jahrhundert n. Chr.
Khartum, Nationalmuseum 26303

Unter dem Rand ein Ornamentband aus
liegenden Lotosblüten, unterbrochen
von einer Ringöse mit Ring. Darunter
rings umlaufend im Wechsel Hathorköpfe und Blätterranken.

Lit.: Unveröffentlicht

465
Schüssel

Bronze; H. 10,7 cm, Durch. max. 19,4 cm
Aus el-Hobagi, Tumulus VI
SFDAS, Fundnr. HBG VI/1/12 ex 63
Nachmeroïtisch, 4.–5. Jahrhundert n. Chr.
Khartum, Nationalmuseum 26305

Um den Rand der Schüssel sitzen sieben
kleine Kegel. Sechs von ihnen tragen
Bronzeglöckchen, der siebte einen Ring.
Auf der Gefäßwandung eingeritzt vier
doppelköpfige Falken mit ausgebreiteten
Schwingen, auf dem Boden ein Hathor-
kopf.

Lit.: Unveröffentlicht

466
Schüssel

Bronze; H. 6,8 cm, Durchm. 12,4 cm
Aus el-Hobagi, Tumulus III
SFDAS, Fundnr. HBG III/1/63
Nachmeroïtisch, 4.–5. Jahrhundert n. Chr.
Khartum, Nationalmuseum 26283

In der Mitte des Bodens der undekorierten Schüssel sitzt ein Medaillon, das einen bärtigen Männerkopf darstellt.

Lit.: Unveröffentlicht

459/460/461

462/463/464

464

387

465/466/467

467
Schüssel

Bronze; H. 8,6 cm, Durchm. 14,6 cm
Aus el-Hobagi, Tumulus VI
SFDAS, Fundnr. VI/1/17 ex 62
Nachmeroïtisch, 4.–5. Jahrhundert n. Chr.
Khartum, Nationalmuseum 26308

Reste des Randornaments (Ranken), des
Schuppenmusters auf dem Gefäßkörper
und einer vierstrahligen Rosette auf dem
Boden.

Lit.: Unveröffentlicht

465

468
Figur eines Krokodils

Bronze; L. L. 8,5 cm, Br. 2,6 cm, H. 1,4 cm
Aus el-Hobagi, Tumulus VI
SFDAS, Fundnr. HBG VI/1/19a
Nachmeroïtisch, 4.–5. Jahrhundert n. Chr.
Khartum, Nationalmuseum 26311

Das massiv gegossene Bronzekrokodil
war in der Bronzeschüssel *Kat. 456* im
Zentrum des Bodens befestigt. Beim
Ausgießen des Opfers kam die Tierfigur
zum Vorschein – wohl ein bewußt ge-
suchter Effekt, der auf ein Vernichtungs-
ritual hindeuten dürfte.

Lit.: Leclant – Clerc, in: Orientalia 57, 1988,
389, Tf. LXIII, Abb. 80; Lenoble, in: Archéologie du Nil Moyen 3, 1989, 101, Tf. IXb, XIIb;
ders., in: Katalog Nubie, Lille 1994, 231f.,
Nr. 323

Meroïtische Architektur

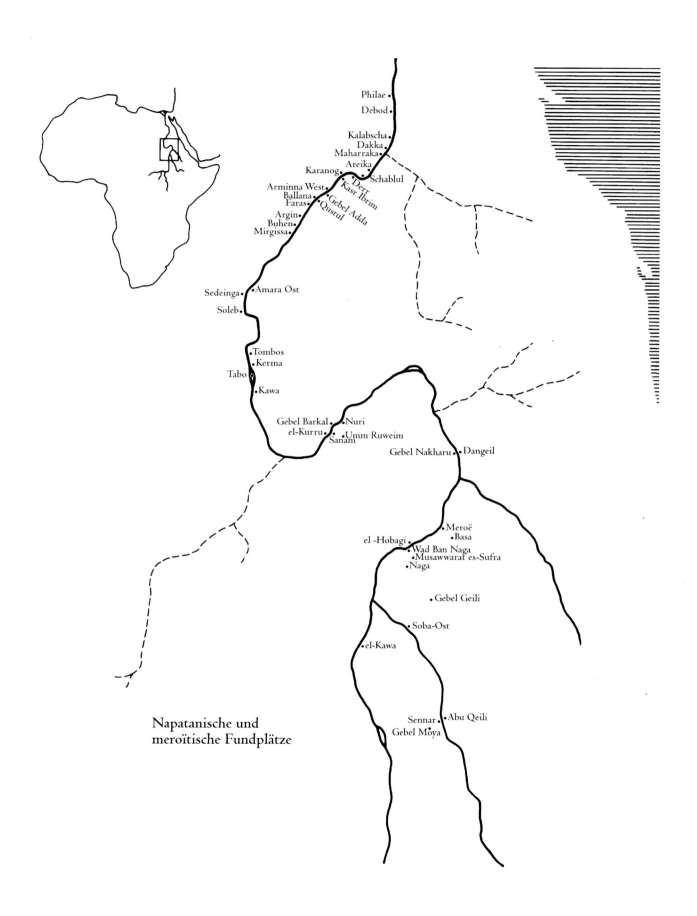

Napatanische und
meroïtische Fundplätze

Friedrich W. Hinkel

Meroïtische Architektur

300 v. Chr. – 350 n. Chr.

Die mit der Eroberung durch Alexander von Mazedonien und später durch die römische Herrschaft auf politischem, religiösem und baukünstlerischem Gebiet in Ägypten eingetretenen Veränderungen blieben nicht ohne Auswirkungen auf das südliche Nachbarland. Diese äußeren Einflüsse traten damit zu den geographischen, geologischen, klimabedingten und traditionsgebundenen Faktoren, die unverändert für das dortige Bauwesen von Bedeutung waren. Die Synthese aus Eigenständigem und Fremdem hat der meroïtischen Architektur ihre Besonderheit verliehen und gibt dem Begriff des 'Meroïtischen' seine Legitimität. Tradition und äußere Anregungen, Eigenständiges und Fremdes wurden vereint bei der praktisch-nützlichen und der künstlerisch-schöpferischen Tätigkeit zur Lösung von Funktion, Konstruktion und Gestalt der Bauten. Da Architektur kein Produkt für einen unbekannten Markt darstellt, sondern eines privaten oder gesellschaftlichen Auftrages bedarf, können wir auch die Baukunst im Reich von Meroë als einen sichtbaren Ausdruck der Lebensformen der Menschen – wenn auch wohl nur für einen eingeschränkten Personenkreis – und ihrer gesellschaftlichen Umgebung werten.

Profanarchitektur

Neuere Hochrechnungen geben für das Gebiet des Reiches von Kusch in seiner Blütezeit eine Bevölkerung von etwa 500.000 Menschen an. Diese von Meroë aus mehr oder weniger kontrollierte Bevölkerung umfaßte zum allergrößten Teil die an den Ufern des Nils lebenden und Landwirtschaft betreibenden Menschen. Einfache Grashütten oder mit Matten verkleidete Unterkonstruktionen[1] auf den Feldern werden für einen großen Teil der Bevölkerung den einzigen Schutz gegen die Natur geboten haben. Daneben

gab es massivere Wohnbauten aus ungebrannten Ziegeln und auf rechtwinkligem Grundriß, die mehr und dauerhafteren Schutz und mit zwei oder drei Räumen einen gewissen Komfort boten.

Für einen höher gestellten Personenkreis waren größere Hauskomplexe bestimmt, die eine Gliederung in Wohn-, Repräsentations- und Wirtschaftsbereich mit vorgelagerter Hofanlage erkennen lassen. Hierbei waren verschiedene Mischbauweisen in Gebrauch, z. B. Lehmziegel mit Steinplatten/Bruchsteinen oder mit ein- oder beidseitiger Ziegelverkleidung kombiniert.

Siedlungen an Orten des Handels und der Verwaltung entwickelten sich in Richtung auf eine städtische Bebauung. Unter ihnen ist für die spätmeroïtische Zeit in Unternubien die Siedlung Karanog mit ihrer auf 6 bis 8 Hektar (60–80.000 m²) geschätzten Fläche als offensichtliche Provinzhauptstadt und mit ca. 3000 bis 4000 Einwohnern zu nennen. Ein Bild der Straßenzüge und der innerstädtischen Erschließung ist aus dem Stadtplan der Ausgräber nicht zu entnehmen. Die Siedlungsstruktur wird als von engen unregelmäßigen und sich windenden Straßen zwischen zwei- und dreistöckigen Häusern aus Lehmziegelmauerwerk mit teilweise gewölbten Decken vermerkt[2]. Häuser für eine Elite (Gouverneur?) werden mit ihren drei Geschossen als Paläste oder als 'Castle' bezeichnet und erreichen eine Grundfläche von je etwa 650 m².

In Obernubien lassen sich größere Siedlungen in meroïtischer Zeit nachweisen, die eher den Namen Stadt verdienen. Darunter zählt Kawa mit 17 Hektar Fläche und etwa 7000 bis 8000 Bewohnern wie auch die Hauptstadt Meroë mit ihrem etwa 50 Hektar umfassenden Stadtgebiet, das königliche Stadt, Tempel, Werkstätten, Straßen und Plätze einschließt. Zur Blütezeit könnten hier etwa 20.000 bis 25.000 Einwohner gelebt haben (*Abb. 47*)[3]. Die Infor-

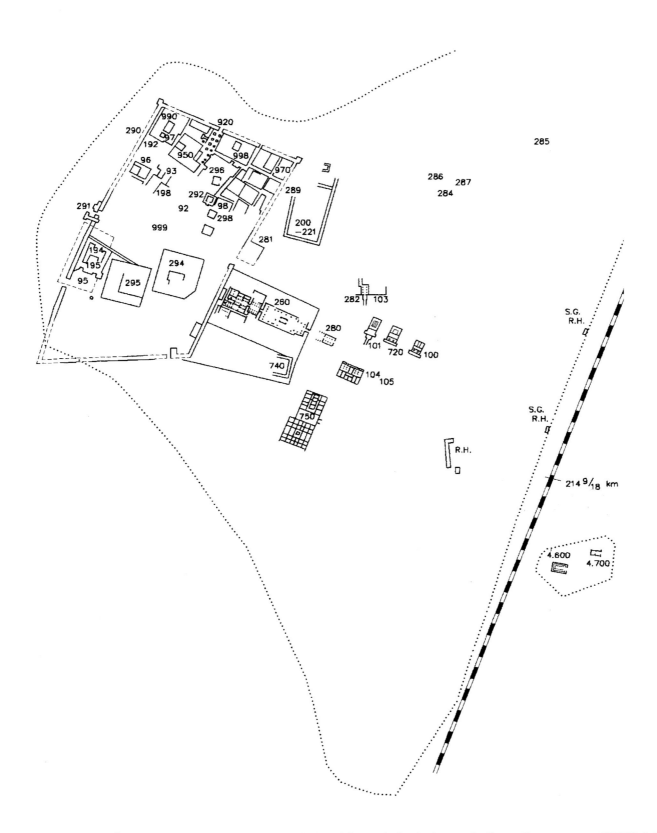

Abb. 47   Meroë. Übersichtsplan des zentralen Bereichs und der königlichen Stadt. (Nach Shinnnie–Bradley mit Ergänzungen von F. W. Hinkel)

mationen aus der 1910–14 durchgeführten Grabung[4] sind gering und erlauben keine befriedigende Betrachtung der Wohn- und Palastarchitektur. Ein besseres Beispiel bieten die weiter südlich gelegenen Ruinen von Wad Ban Naga, einer Stadt mit mehreren Tempeln und der Residenz der Königin Amanishakheto (etwa 10–0 v. Chr.) (*Abb. 48*). Unter den Feldern westlich der Eisenbahnlinie werden die Reste der alten Siedlung (1000) vermutet. Auf ihrer Ostseite markieren zwei langgestreckte Hügel aus Ziegelbruch und vereinzelten Werksteinbrocken die Lage des 'Typhoniums' (200) und des Isis-Tempels (300). Wenige Meter entfernt liegt die Ruine des Palastes der Königin (*Abb. 49*).

Der quadratische Baukörper (100) bedeckt mit seinen rund 61 m langen Seiten etwa 3700 m² und gehört damit zu den größten meroïtischen Profanbauten. Nur das meist aus Lehmziegelmauerwerk bestehende Erdgeschoß mit seinen 60 Räumen, seinen Eingangshallen, inneren Rampen und den oft von oben erschlossenen langen Magazinen hat unter einem Schutthügel die Zeiten überdauert[5]. Im Zentrum des Obergeschosses lag ein Lichthof in Form eines Atriums – wie von anderen Bauten her bekannt –, um das sich die weiteren Räume gruppierten. Säulen und Kapitelle des oberen Peristyls waren herabgestürzt und fanden sich im Erdgeschoß.

Abb. 48   Wad Ban Naga. Lageplan des archäologischen Geländes östlich der Eisenbahnlinie. (Aufmaß F. W. Hinkel)

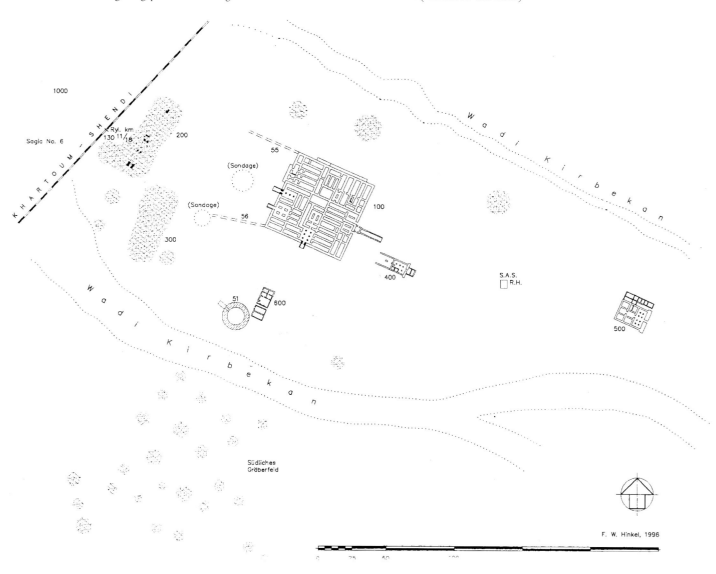

Abb. 49   Wad Ban Naga. (Foto: F. W. Hinkel)

In das Obergeschoß mit den Repräsentations- und Wohn-
räumen gelangte man über eine 21 m lange Rampe auf der
Ostseite, die seitlich in das Atrium führte – ähnlich wie in
dem gleich großen Palast 1500 in Barkal. Rampen im Inneren verbanden die Eingangshallen im Süden und Westen
mit dem Obergeschoß. Das westliche Portal öffnete sich in
einen durch Mauern geschützten Hofraum, der anscheinend
die Residenz mit den beiden Tempeln verband. Vor dem
Palast im Osten lag in einigem Abstand ein kleiner Tempel
(400) und 150 m weiter der Amun-Tempel (500).

Sicherlich gehört auch das sogenannte königliche Bad
in Meroë (95, 194, 195) in die Gruppe der Profanbauten.
Der Bau, der in Idee und Ausführung den bestimmenden
Einfluß aus dem ptolemäisch-römischen Norden widerspiegelt, ist mit seiner noch vorhandenen Bausubstanz für eine
realistische Architekturbetrachtung wenig ergiebig.

Einen eigenen Typus bilden militärische Bauten, wie
z. B. die beiden befestigten Plätze von Hosch el-Kab und
Gebel Marrahi mit viereckigen Bastionen und einer Grundrißlösung aus drei doppelten Rechtecken 8 : 5 (el-Kab)
oder als Quadrat (Gebel Marrahi). Zu dieser Gruppe zäh-

len auch die Festungen von Kubinat und el-Fura wie auch
die teilweise gegliederte Stadtmauer von Meroë oder jene
von Dangeil. Die über 1000 m lange Mauer der königlichen Stadt in Meroë war zwischen 3,55 m und 4,15 m dick
und könnte eine entsprechende Höhe erreicht haben[6].

Die großen wasserwirtschaftlichen Bauvorhaben der
Meroïten gehören nicht unter den Begriff 'Architektur',
sondern zu den 'ingenieurtechnischen Bauten'. Trotzdem
sollen die mehr als 800 Hafire (*Abb. 50*) hier erwähnt werden. Ihre aus dem 3. und 2. Jahrhundert v. Chr. stammen-
den größten Wasserauffangbecken haben einen Durchmesser zwischen den Wallkronen von bis zu 250 m (Awlib,
Basa, Musawwarat 51, Umm Usuda), und der Hafir Meroë
256 erreicht 183 m (*Abb. 60*, vgl. auch *Abb. 62* für MUS 51).
Große Froschskulpturen sollten das Wasser anlocken, lebensgroße Löwenfiguren hatten apotropäische Funktionen
zu übernehmen. Neuere Untersuchungen erklären das Ha-
firbauprogramm mit dem Versuch der wirtschaftlichen Erschließung und der politischen Expansion und Festigung
des meroïtischen Hinterlandes und nicht so sehr mit Kli-
maeinflüssen und -schwankungen[7].

Abb. 50   Großer Hafir von Naga. (Foto: F. W. Hinkel)

Sakralarchitektur

I. Tempel

Die politischen Veränderungen in Ägypten zu Beginn des 3. Jahrhunderts v. Chr. spiegeln sich wohl besonders deutlich auf dem Gebiet der sakralen Architektur wider. Betrachtet man die Bautätigkeit im nubisch-sudanesischen Niltal in den davorliegenden Abschnitten, so fällt auf, daß die großen Göttertempel[8] und andere bedeutende Bauten[9] aus der Zeit der 25. Dynastie stammen bzw. – beim Amun-Tempel in Barkal (500) – ihre endgültige Form gefunden haben. Dagegen wirken die Aktivitäten in den darauffolgenden 350 Jahren, abgesehen von den nun bedeutend größere Anstrengungen fordernden Grabbauten in Nuri, eher bescheiden. Zwischen 650 und 300 v. Chr. liegt eine Periode geringerer Bautätigkeit an neuen Tempelbauten. Schwerpunkte mögen neben Neubauten in Meroë hauptsächlich Umbauten und Ergänzungen an bestehenden Bauwerken[10] gewesen sein. Gründe für diese Tatsache könnten in den vorrangigen Reparaturen an den durch die Expedition von Psametich II.

(595–589 v. Chr.) verursachten Zerstörungen, in den nun notwendig gewordenen Instandsetzungsarbeiten der vom natürlichen Verfall bedrohten Tempel aus den letzten 200–400 Jahren oder im Umzug der Residenz nach Meroë gelegen haben. Wie auch immer, mit der Verlegung der Hauptstadt hatten sich offenbar die Umstände für den Bau von Tempeln für die einheimischen Götter verbessert. Von nun an teilten sich Tempel für ägyptische Götter sozusagen die Baukapazität mit denen für einheimische Gottheiten. Der Schwerpunkt der Bautätigkeit verlagerte sich nach Süden, nach Meroë und seine Umgebung.

Tempel für ägyptische Götter

Die mit den Amun-Tempeln gegebene axiale Abfolge von Hof und Hypostyl als Festräume sowie von Pronaos, Barkenraum und Kultbildkammer als Götterwohnung wird beibehalten[11]. Der nicht vollständig ausgegrabene Amun-Tempel in Meroë (MER 260) (*Abb. 51*) bietet ein Beispiel für eine entsprechende Grundrißlösung (*Abb. 52*). Es hat den Anschein, daß die Anlage in zwei zeitlich getrennten Bauphasen errichtet wurde und daß deren westliche Hälf-

397

Abb. 51   Meroë. Amun-Tempel. (Luftbild F. W. Hinkel)

Festhof von 60 m Länge und mit zentralem Kiosk (279) in einer vierfachen Aneinanderreihung von harmonischen Rechtecken 8 : 5 erweitert. Zusammen mit seiner seitlichen Ausdehnung erreichte der Temenos mit ca. 222 Ellen[13] zu etwa 139 Ellen ebenfalls eine Proportion von 8 : 5. Die Länge des Amun-Tempels in Barkal (BAR 500) (*Abb. 53*) mit seinen 300 Ellen (etwa 160 m) wurde in Meroë jedoch nicht erreicht. Auch die anderen meroïtischen Tempelanlagen für den Gott Amun sind deutlich kleiner und messen z. B. etwa 70 Ellen für den eigentlichen Tempelbau in Naga (100) (*Abb. 54*).

Ein zweiter kleinerer Tempeltyp ist in meroïtischer Zeit gebaut worden. Seine Endung im Sanktuarbereich bestand aus drei Kammern, wie sie z. B. der Tempel 200 in Naga aufweist (*Abb. 55*). Davor lagen zwei Räume, von denen der erste mit zwei, bei einigen Tempeln (BAR 1300, BAR 1400) mit vier oder im Sonderfall mit 8 Säulen (WAD BAN NAGA 500), an das Hypostyl erinnert. Der zweite Raum, dem Pronaos entsprechend, wurde kleiner gehalten und besaß keine oder nur zwei Säulen (BAR 1300, BAR 1400). Beachtlich sind die ineinander verflochtenen Proportionen in den Verhältnissen 1 : 1 und 8 : 5, die in ihrer Längsentwicklung zu einer proportionalen Dreiteilung führen. Der Tempel in Naga stammt aus spätmeroïtischer Zeit und folgt daher der in der meroïtischen Tempelarchitektur zu beobachtenden Außenproportion statt der bei ägyptischen Tempeln bevorzugten inneren harmonischen Proportion der Räume[14].

Ebenfalls dem Gott Amun zugeordnete Tempel aus meroïtischer Zeit sind die Anlagen BAR 700-sec, NAGA 500 und MER 720. Aber auch das sogenannte Typhonium in Wad Ban Naga und der dortige Tempel für die Göttin Isis (300) sowie weitere in Musawwarat (800) und Meroë (600. a, b) waren für ägyptische Götter bestimmt.

Für alle diese Bauten gilt, daß die Abmessungen der Räume hauptsächlich harmonischen Innenproportionen folgen und daß Tempel für ägyptische Götter nach den bisherigen Untersuchungen und im Gegensatz zu denen für einheimische Gottheiten mit der ägyptischen Elle als Maßeinheit gebaut wurden.

Tempel für einheimische Götter

Im Gegensatz zu den Tempeln für ägyptische Gottheiten, die sich aus einer größeren Abfolge von Räumen zusammensetzen, bestehen die Bauten für die meroïtischen Göt-

te im Zusammenhang oder bald nach dem Bau der Mauer der königlichen Stadt (oder eines Vorgängerbaus) entstanden ist[12]. In einem ersten Bauabschnitt folgten hinter einem Pylon ein auf beiden Seiten überdeckter Hof (270), Erscheinungssaal (273), Pronaos (269) und Barkenraum (261) mit dahinter liegender Kultbildkammer. Die Räume nördlich und südlich – ausgenommen der Thronsaal (266) – werden Magazine und Nebenkammern gewesen sein. Die für einige Räume genommenen Maße lassen klare harmonische Proportionen erkennen. Die Fläche des Hofes (270) basiert auf zwei Rechtecken im Verhältnis 8 : 5, die des Erscheinungssaales auf 3 : 2 und die des Pronaos auf 8 : 5.

Dieser 'Kernbau' von fast 50 m Länge wurde anscheinend danach durch einen vorgelagerten großen peristylen

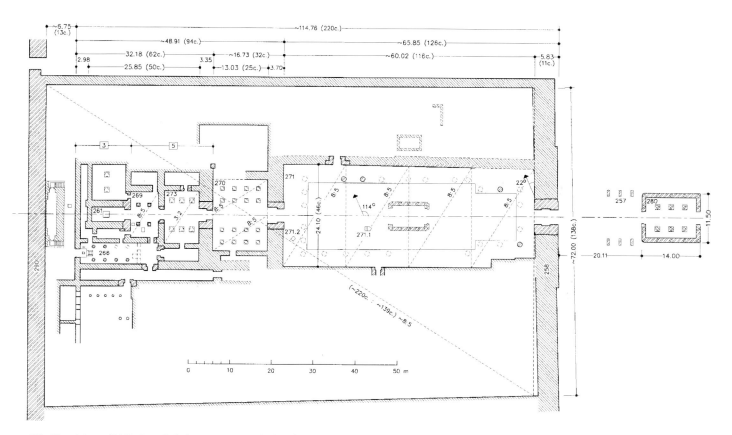

Abb. 52   Meroë (260). Grundriß des Amun-Tempels. (Nach Garstang mit Ergänzungen von F. W. Hinkel)

ter nur aus ein bzw. zwei Räumen mit oder ohne Pylon. Früheste eigenständige Formen für einen meroïtischen Typ als Einraumtempel mögen bis zu den sorgfältig in Proportionen angelegten Kapellen vor den Tumuli von Kerma[15] und den Bauten Barkal 700.sub I und sub. 2 bis zu Barkal 900 zurückreichen.

Zu diesem Typ gehören z. B. Tempel in Musawwarat (300, 1000), Naga (300, 500, 700), Tabo (300), Wad Ban Naga (400), Matruka und Murabba sowie die eventuell nachträglich mit einer peripteralen Säulenreihe ausgestatteten Tempel[16] in Tabo (200), Naga (400, 800), Basa (100) und Gebel Hardan.

Viele dieser Tempel werden mit der Verehrung des Löwengottes Apedemak in Verbindung gebracht. Dabei wird von einigen wenigen durch Inschriften und Reliefs dem Apedemak zuzuordnenden Bauten auf die anderen Tempel gleichen Typs geschlossen. Ein Beispiel für einen Löwentempel, neben dem in Musawwarat (1000)[17], ist der erst kürzlich untersuchte Tempel 300 in Naga (*Abb. 56*). Das Bauwerk[18] steht auf einem Sockel und ist nach Südosten

gerichtet. Ein reichgeschmücktes Vitruv'sches Portal[19] und Kammertor in einem 6,50 m hohen Pylon führte in einen Raum, dessen Decke von auf vier Säulen lagernden hölzernen Unterzügen getragen wurde. Material für alle tragenden und raumbegrenzenden Bauteile war Sandstein aus dem nahen Steinbruch. Die beiden Säulenpaare unterteilten den Raum ungleichmäßig und gestatteten erweiterten Platz im hinteren Teil für einen hölzernen Schrein, dessen sorgfältiges Auflager aus Werkstein erhalten geblieben ist. Äußere wie innere Wandflächen tragen Reliefs, die ursprünglich mit Kalkmörtelputz[20], Farbanstrich, Metall- und Steineinlagen versehen waren. Die Außenwände endeten in einer Hohlkehle. Die äußeren Pylon- und Gebäudeecken verjüngten sich zusammen mit den Wandflächen unter 86°–87° und bildeten scharfkantige Eckleisten und zusammen mit dem Sternenfries Spiegelrahmen, die die Reliefs einfaßten.

Besondere Sorgfalt wurde beim Vermessen und Abstekken des Bauwerkes geübt. Grundmaß war der aus der griechischen Architektur stammende Modul (M) und nicht die für Tempel ägyptischer Götter benutzte Elle. Der dem

Abb. 53   Gebel Barkal. Amun-Tempel (500). (Foto: F. W. Hinkel)

Abb. 54   Naga. Amun-Tempel (100)

Löwentempel zugrunde gelegte Modul als unterer Durchmesser der Säulen betrug ca. 65 cm. Der Pylon hatte demnach eine Grundfläche von 16 M × 2 M. Seine Breite und Höhe bildeten die harmonische Proportion 8 : 5 (*Abb. 57*). Die Länge von 16 M wurde auch für die äußere Abmessung des Baukörpers hinter dem Pylon verwendet, so daß eine Umhüllungsfigur in der Proportion 1 : 1 entstand. Die Breite des Baukörpers entwickelte sich aus zwei harmonischen Rechtecken 8 : 5 und betrug 13 M. Der Innenraum erhielt mit seinen Abmessungen 15 M × 10,5 M die Proportion 7 : 5. In ihm standen die Säulen im Achsabstand von 6 M und 2 × 4,5 M. Der Abstand im Säulenpaar betrug 5 M. Das Wohnhaus des Gottes war somit unter einem Grundmaß, dem Säulendurchmesser, in allen seinen Elementen harmonisch geplant, gebaut und proportioniert.

Daneben gibt es einen Typ mit zwei hintereinanderliegenden Räumen[21], der z. B. in Meroë[22], Musawwarat[23], Alim und Nasb es-Sami auftritt. Östlich vor der Stadt Meroë liegt auf einem Schlackenhügel der Tempel MER 4.700 (*Abb. 58*). Ein erstes grobes Aufmaß zeigt das Bauwerk eng umgeben von einer stark zerstörten Mauer, die einen Temenos von rund 20 × 10 m umschließt. Durch den Pylon mit seinem Kammertor und zweiflügliger Tür gelangt man in die beiden gleich breiten, hintereinander liegenden Räume. Untere Reste des Reliefs wie Füße, Sandalen und Rinder sind an den Wänden aus Sandsteinblöcken zu erkennen. Etwa 15 m und axial vor dem Temenos liegen die Reste eines etwa 3 × 3 m großen Schreins oder Kiosks. Das Grundmaß der Anlage, der Modul, ergibt sich zu etwa 56 cm. Der Temenos ist demnach 36 M × 18 M groß, d. h. er besteht aus zwei Quadraten zu 18 M × 18 M. Die Abmessungen des Pylons betragen 16 M × 5 M; seine Fläche setzt sich aus zwei harmonischen Rechtecken 8 : 5 zusammen. Die Umhüllungsfigur beim Abstecken des Baukörpers bestand aus zwei hintereinanderliegenden Rechtecken 16 M × 10 M (8 : 5). Der Pronaos ist 10,5 M × 6,5 M (8 : 5) groß, der Altarraum hat die Abmessungen 10,5 M × 5 M.

Eine dritte auffallende Grundrißlösung gehört zu einem Typ, dessen Sanktuar von einem Umgang (Ambulatorium) umgeben ist[24]. Das wohl bekannteste und zugleich bedeutendste Beispiel ist der sogenannte Sonnentempel von Meroë (MER 250)[25] (*Abb. 59*). Sein rund 112 m × 112 m großer heiliger Bezirk (249) liegt etwa einen Kilometer vor der Stadt und wird von einer 2,70 m dicken Mauer (247) aus Lehmziegeln mit einer beidseitigen Ziegelverkleidung

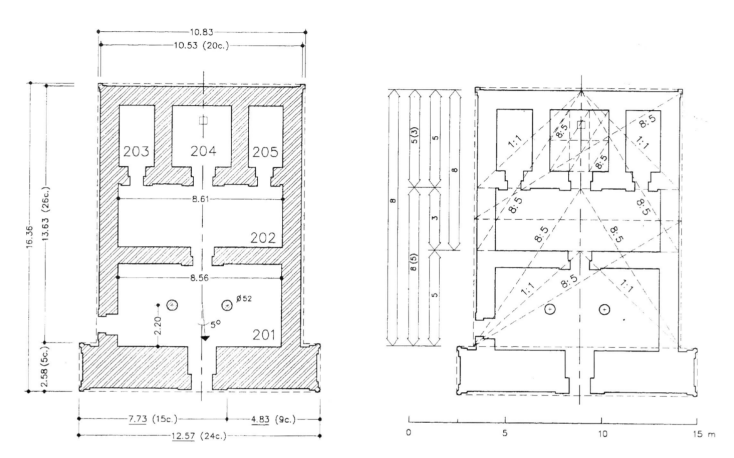

Abb. 55   Naga (200). Grundriß und Untersuchung der Maßeinheit und der Proportionen (Aufmaß F. W. Hinkel)

(*Abb. 60, 61*) begrenzt. Ein Kammertor aus Werkstein im Osten führt axial von einem Hochaltar (246) und dem seitlich dahinterliegenden Baldachin (245) in den Temenos. Seine Mauer grenzt im Süden an einen großen Hafir (256). Der Temenos entwickelte sich aus drei Doppelreihen von Rechtecken im Verhältnis 8 : 5.

Im Zentrum der Anlage, über Dromos und Rampe von Osten zu erreichen, steht ein typischer meroïtischer Einraumtempel, dessen innerer Fußboden 2 m über dem Temenos liegt und dessen Außenseiten mit Reliefs geschmückt waren. Das vor den inneren Wandflächen umlaufende Peristyl gibt den nach oben offenen Teil frei, in welchem ein kleinerer Einraumtempel über neun Stufen zu erreichen ist. In ihm befand sich – innerhalb eines Umganges – die Cella mit einem wahrscheinlich lebensgroßen Standbild aus eisenhaltigem schwarzen Sandstein. Der Tempel wurde zu Beginn des 5. Jahrhunderts gebaut. Umbauten, Ergänzungen und Reliefs belegen eine mindestens 600jährige Nut-

zung. Ältere Fundamente im Temenos stehen im Zusammenhang mit den dort gefundenen Bruchstücken einer Inschrift des Königs Aspelta (593–568 v. Chr.), dem nach dem Feldzug des Psametich II. bis Napata der Umzug der Residenz nach Meroë zugeschrieben wird.

Zugunsten eines Peristyls mit der harmonischen Proportion 8 : 5 und eines damit verbundenen gedeckten und gleich breiten Umganges wurde die Umhüllungsfigur des Baukörpers hinter dem Pylon um die Westwand gekürzt und so mit zwei harmonischen Rechtecken 8 : 5 gebildet. Die Lage des inneren Tempels entspricht der proportionalen Teilung 8 : 5, d. h. Tempellänge (5) plus Vorhof (3) im Verhältnis zur Tempellänge (5). Unter dem Einfluß griechischer Tempelarchitektur wurde zur Zeit der Ptolemäer dem ersten Pylon eine dreistufige, den seitlichen Außenwänden eine zweistufige Krepis vorgesetzt. Eine ähnliche, allerdings zwei- und einstufige Krepis erhielt der innere Tempel. Wahrscheinlich wenig später wurde durch die Hin-

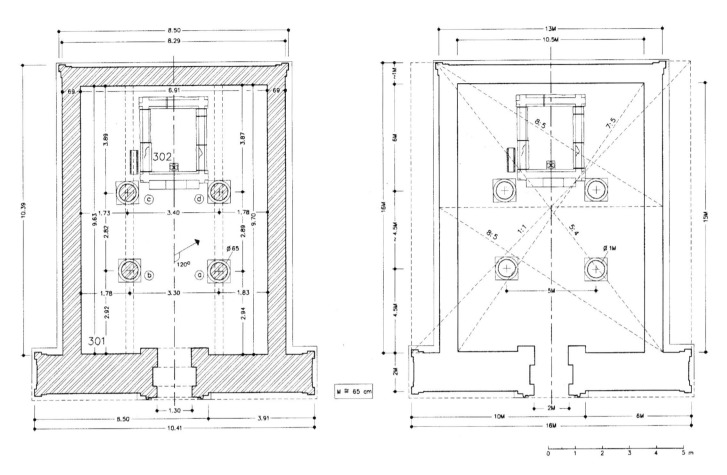

Abb. 56   Naga (300). Grundriß des Apedemak-Tempels und Untersuchung der Maßeinheit und der Proportionen. (Aufmaß F. W. Hinkel)

Abb. 57   Naga (300). Untersuchung der Maßverhältnisse und Proportionen am Pylon. (Aufmaß F. W. Hinkel)

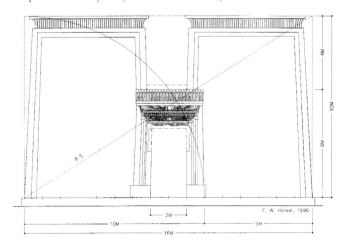

zufügung einer äußeren Kolonnade von 72 Säulen der Eindruck griechischer Tempelarchitektur bewußt und entscheidend verstärkt. Hier verband sich Autochthones mit später hinzutretenden fremden Ideen zu einer besonderen Architekturlösung, die zu keiner Verschmelzung, sondern zum kontrastreichen Nebeneinander führte. Der Tempelherr ist uns nicht bekannt; eine ägyptische Gottheit kann ausgeschlossen werden. Die besondere Architektur, die Lage vor der Stadt und die Reliefszenen deuten auf einen Ort des Triumphes des Königs über seine Feinde und möglicherweise auf eine Stätte für den Kult des Herrschers.

Ein gleichfalls einmaliges Ensemble ausdrucksvoller meroïtischer Architektur bietet das wohl als Pilgerzentrum gedachte Musawwarat es-Sufra mit seinen sieben Tempeln. Drei von ihnen befanden sich allein in der sogenannten Großen Anlage (100–600)[26] (*Abb. 62*). Auch hier gibt es, wie in Meroë, Wad Ban Naga und Naga, ein Nebeneinander von Tempeln ägyptischer und einheimischer Götter, die sich in ihrer Architektur, in Grundrißlösungen, Maßordnungen und Proportionsgesetzen unterscheiden. Aber auch kleinere Bauten wie eine Anzahl Kioske[27], Baldachine (z. B. MER 245)[28], mehrere Aediculae und Hochaltäre (MER 246, NAGA 165) und auch die Gruppe der Kleinarchitektur mit ihren Skulpturen von Widdern, Löwen und Elefanten, mit Altären und Barkenuntersätzen, Stelen und Obelisken, Wasserspeiern und Protomen haben ihren festen Platz in der meroïtischen Sakralarchitektur. Sie alle sind

Ausdruck einer Verarbeitung eigener und fremder Vorstellungen zu einer neuen 'meroïtischen' Form. Ein Beispiel für eine Überbetonung fremder Lösungsvorschläge bis zu ihrer Übernahme ist eine Aedicula in Meroë (97)[29] (*Abb. 63*). Es scheint, daß der kleine zwischen Antenpfeilern offene Raum auf einem niedrigen Sockel später als die umgebenden Baureste (MER 990) errichtet wurde. Den oberen Abschluß über dem Vorbau (Prostylos) mit seinen vier Säulen (Tetrastylos) wird ein Giebelfeld gebildet haben.

Abb. 58   Meroë (4.700). Grundriß und Untersuchung der Maßeinheit und der Proportionen. (Aufmaß F. W. Hinkel)

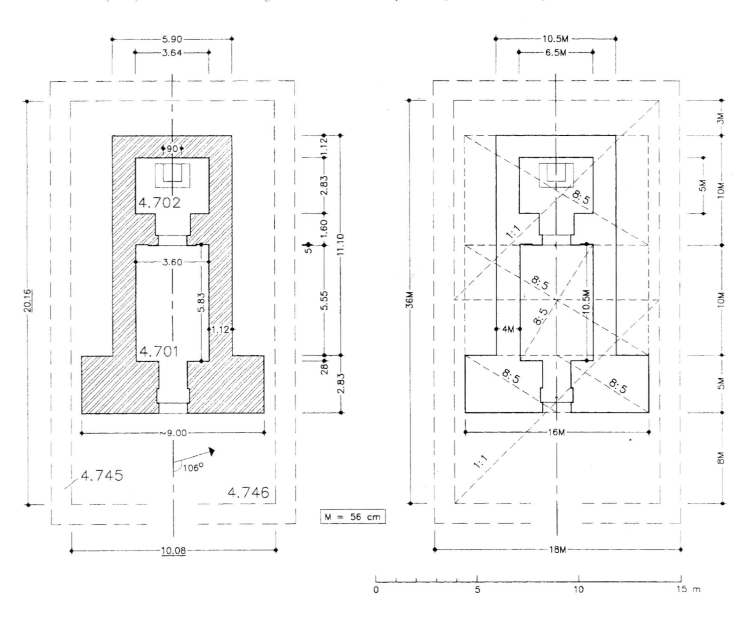

403

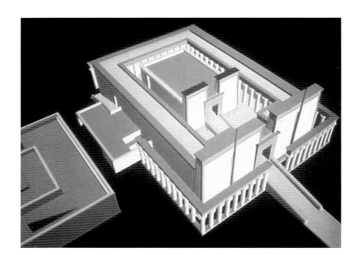

Abb. 59   Meroë (250). Sonnentempel. Modell

Abb. 60   Meroë (241–256). Orientierungsplan des archäologischen Geländes um den Tempel MER 250. (Aufmaß F. W. Hinkel)

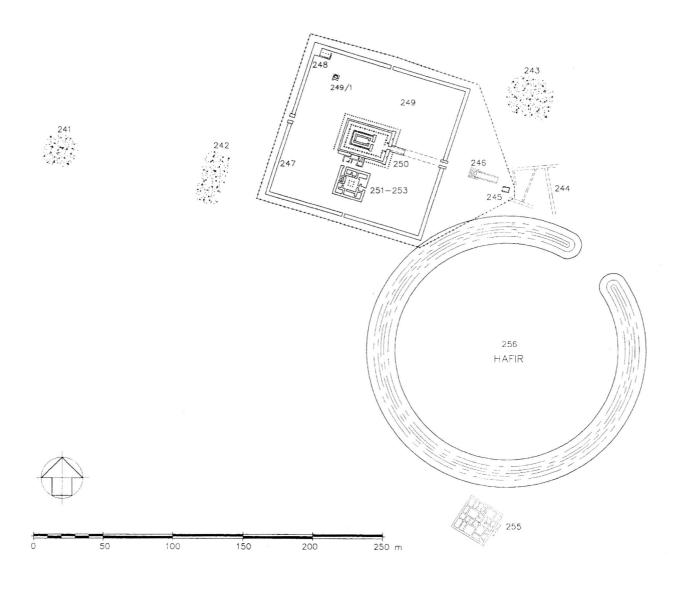

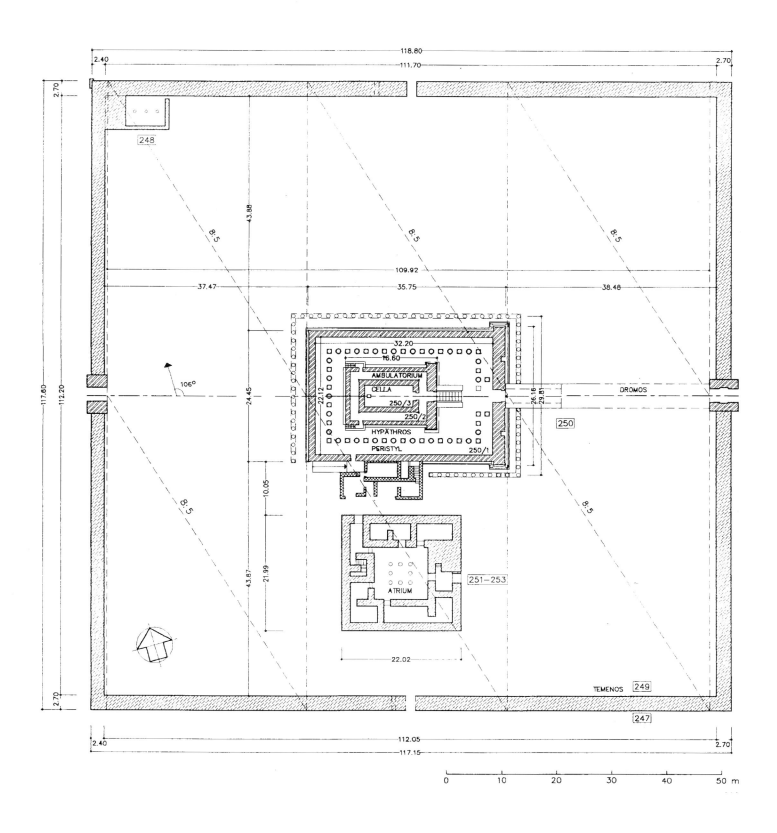

Abb. 61 Meroë (247–253). Lageplan des Temenos und Untersuchung seiner Proportionen. (Aufmaß F. W. Hinkel)

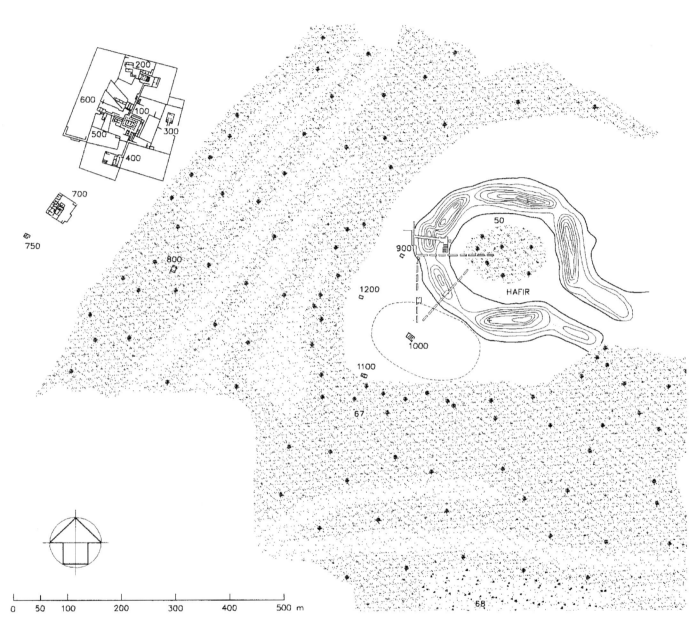

Abb. 62   Musawwarat es-Sufra. Zentraler Bereich. (Aufmaß F. W. Hinkel)

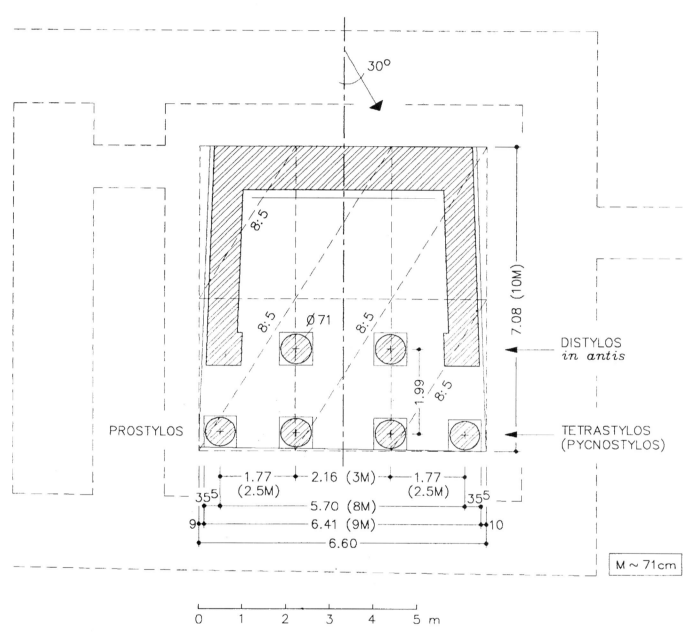

Abb. 63   Meroë (97). Grundriß der ergänzten Aedicula. (F. W. Hinkel)

II. Grabbauten

Die Nekropolen

Die frühen napatanischen Graboberbauten entwickelten sich aus Erdhügeln über kleine quadratische Mastabas, ähnlich denen von el-Kurru, zu den Pyramiden in Nuri. Mit Beginn des 3. Jahrhunderts wechselte – nach der vorausgegangenen Verlegung der Residenz der Könige von Napata nach Meroë – nun auch die Nekropole von Nuri in die Nähe der neuen Hauptstadt (*Abb. 64*). Eine Ruhestätte fanden die ersten beiden Generationen von Herrschern aus Meroë in dem sogenannten Südfriedhof, der von dem schon vorher in Meroë lebenden Zweig der königlichen Familie auf einer Anhöhe vor dem östlichen Sandsteinmassiv benutzt worden war[30]. Damit war jedoch seine Kapazität erschöpft. Die Nachfolge übernahm für die nächsten 600 Jahre und bis zum Ende des Baues von Pyramiden ein nur wenige hundert Meter im Norden liegender langgestreck-

ter und bisher unbenutzter Hügel, der sogenannte Nordfriedhof (*Abb. 65*). Diese neue Nekropole blieb nur Herrschern vorbehalten und wurde so zur Ruhestätte für 30 Könige, 8 herrschende Königinnen und 3 (?) Prinzen (Koregenten?).

Ein dritter bedeutender Friedhof lag zwischen der Stadt Meroë und dem südlichen und nördlichen Pyramidenfeld. Dieser Westfriedhof wurde von Mitgliedern der königlichen Familie, des Hofstaates und wohlhabenden Privatleuten genutzt. Neben Hunderten früher Schachtgräber sind dort etwa 170 Graboberbauten festgestellt worden, von denen ca. 90 mastaba-ähnliche Formen aufweisen und 80 als kleine Pyramiden gebaut sind. Weitere Pyramidenfelder befinden sich am Gebel Barkal und gehören entsprechend ihrem Befund und ihrer Architektur in das I. Jahrhundert v. Chr[31].

Die äußeren Unterschiede der meroïtischen Pyramiden zu den großen Vorgängerbauten im Ägypten des Al-

Abb. 64   Meroë. Lageplan der registrierten archäologischen Plätze zwischen dem Stadtgebiet und den Steinbrüchen. (F. W. Hinkel)

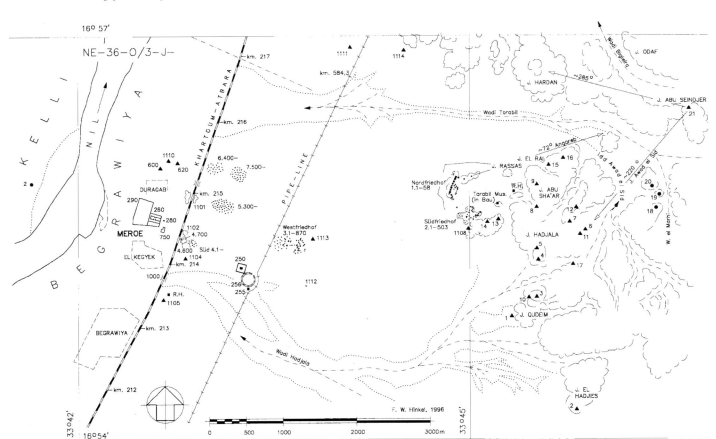

Abb. 65   Die Nordgruppe der Pyramiden von Meroë. Lageplan der oberirdischen Bausubstanz. (F. W. Hinkel)

ten Reiches sind offensichtlich. Die Pyramiden von Meroë und vom Gebel Barkal erreichten nur eine Höhe von max. 30 m; ihrer Form nach waren es Pyramidenstümpfe mit besonders geformten Abschlußsteinen, ihr Neigungswinkel war steiler, ihre Oberflächenbearbeitung unterlag verschiedenen der Technik und Mode unterworfenen Varianten, und ihnen allen war normalerweise auf der Ostseite eine kleine, aus einem Raum bestehende Opferkapelle vorgesetzt, die in Grundriß und Ansicht den Tempeln für die einheimischen Götter ähnelte. Vielleicht haben die privaten Grabbauten in Deir el-Medine oder auch in Aniba als Vorbild für die meroïtischen Pyramiden gedient. Äußerlich nicht erkennbare Unterschiede zu den ägyptischen Vorbildern der

frühen Dynastien sind u. a. in der funktionellen Bestimmung der meroïtischen Pyramiden zu suchen. Ihre Aufgabe war es nicht, die Grabkammer zu umschließen, d. h. 'Grabmal' zu sein, sie sollten vielmehr das 'Denkmal' für den Verstorbenen darstellen. Das eigentliche Grab befand sich nach alter Tradition unter der Erde und damit unter dem zur Monumentalität gesteigerten Grabhügel, der Pyramide, als einem architektonischen Zeichen. Damit wird bereits deutlich, daß die Baumaßnahmen aus zwei zeitlich getrennten Aufgaben bestanden: den vorbereitenden unterirdischen Arbeiten an dem vom Herrscher ausgewählten Standort und der nach dem Tode notwendigen oberirdischen Fertigstellung durch die Nachwelt. Gleichzeitige Bau-

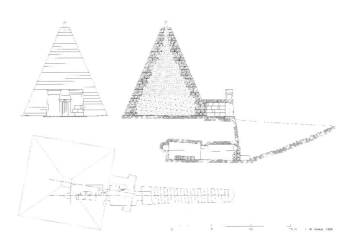

Abb. 66   Pyramide einer Königin in der Südgruppe von Meroë (S 10). Rekonstruktionsvorschlag der Pyramide und Kapelle. (F. W. Hinkel)

Abb. 67   Schematische Aufstellung der in Meroë und Barkal auftretenden Pyramidentypen. (F. W. Hinkel)

arbeiten waren in den meisten Fällen allein aus baukonstruktiven Gründen nicht möglich (*Abb. 66*)[32].

Zwischen 1976 und 1988 wurden in den Pyramidenfeldern Sicherungs- und Restaurierungsarbeiten zusammen mit einer Bestandsaufnahme der Architektur und Reliefs durchgeführt, die zu neuen Erkenntnissen über die meroïtischen Pyramiden geführt haben.

Die Bauelemente

Die unterirdische Anlage bestand für die Könige aus drei, die für Königinnen aus jeweils zwei Grabkammern. Diese Anzahl verringerte sich im Laufe der Zeit bis auf ein oder zwei enge, niedrige Räume. Der Transport des gelösten Steinschuttes erfolgte zunächst über eine Rampe, die nach Abschluß der Arbeiten zu Treppenstufen ausgehauen wurde. Die oberirdische Baugruppe bestand aus der nach Beisetzung und Schließung des Treppenschachtes zu errichtenden Pyramide, dem nachfolgenden Anbau einer Kapelle,

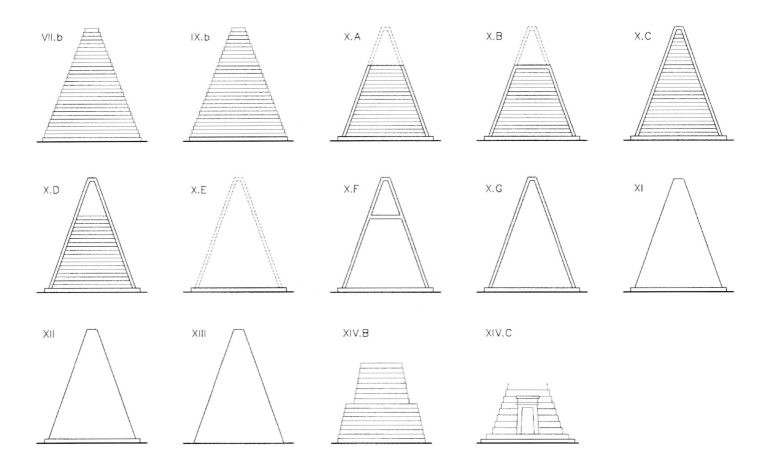

manchmal auch eines Portikus und der bisweilen noch fest-
stellbaren Umfassungsmauer um den heiligen Bezirk, den
Temenos.

Die Formen

Die architektonischen Gestaltungsmöglichkeiten waren vielfältig. Drei Hauptgruppen sind zu unterscheiden (*Abb. 67*).
Typ VII und IX kennzeichnen eine aus gleich hohen Blök-
ken in Schichten zurückspringende Mantelfläche ohne bzw.
mit Sockel. Dieser Typ endete mit drei Ausnahmen um etwa
185 v. Chr. Für die nächsten 280 Jahre war Typ X mit einer besonderen Ausbildung der Kanten und seinen sieben
Variationen A–G gebräuchlich. Scharfkantige (X.C, D, F,
G) und dreiviertelstab-ähnliche Ausbildungen (E) oder
auch eine Kombination beider (A, B), ohne oder mit hori-
zontalem Band in Zweidrittel der Höhe (B, F), waren ebenso möglich wie auch glatte oder abgetreppte Seitenflächen
(*Abb. 68*). Die Typen XIV.B und C gehörten zu Sonderlö-
sungen aus dem I. Jahrhundert n. Chr. Nach 100 n. Chr.
verzichtete man auf Kantendekorationen und ging zur glatten Mantelfläche (Typ XI–XIII) über.

Für eine Bekrönung auf der Plattform zeugen sieben
bis jetzt gefundene besonders geformte Abschlußsteine, die
die innere Füllung von oben verschlossen und eventuell als
Dekoration eine Skulptur oder auch eine Sonnenscheibe
getragen haben könnten[33].

Abb. 68   Zeichnerische Rekonstruktion der Pyramidengruppe N 11,
N 12 und N 13 im königlichen Nordfriedhof in Meroë. (M. Hinkel)

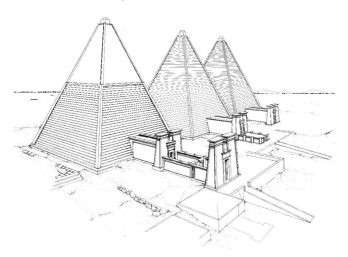

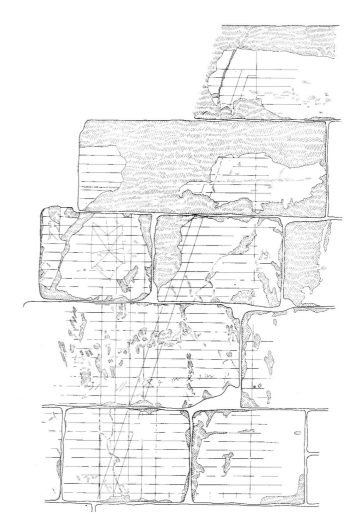

Abb. 69   Rißzeichnung zum Bau der Pyramide N 2 im Nordfriedhof
von Meroë. (F. W. Hinkel)

Die Bauplanung

Die erstmalige Entdeckung einer Konstruktionszeichnung
zum Bau einer Pyramide im Nordfriedhof gestattete einen
Einblick in die meroïtische Bauplanung[34]. Die 168 cm hohe
Rißzeichnung stellt die linke Hälfte eines Pyramidenstump-
fes vom Typ X.C auf einer halben Grundseite von 57,8 cm
und einer halben Plattformseite von 5,8 cm dar (*Abb. 69*).
Die Zeichnung war im Maßstab 1 : 10 konstruiert und
zeigt einen Pyramidenstumpf mit einer Seitenlänge von
11,58 m, einer Höhe von 16,80 m und einem Neigungswinkel von 72°45'. Die obere Plattform lag damit auf
Neunzehntel der idellen Höhe. Das Verhältnis zwischen
Höhe und Standfläche beruhte auf der harmonischen Pro-

portion 8 : 5. Die einzige Pyramide in der Nordgruppe, die den Kriterien der Zeichnung entspricht, ist die N 2 des Königs Amanikhabale (etwa in der zweiten Hälfte des 1. Jahrhunderts v. Chr.).

Das Baumaterial

Im Unterschied zu den Pyramiden in Nuri, die auch im Inneren aus behauenen Blöcken errichtet waren, begann man in Meroë damit, nur noch den Mantel der Pyramide aus ein bis drei Sandsteinblöcken zu errichten und das Innere mit Schutt zu füllen. Diese Konstruktion wird wohl bald zu Setzungen im Kern, zu seitlichen Pressungen und zu schweren Schäden geführt haben. An vielen Stellen finden sich Mantelblöcke mit Steinbruchzeichen und Rißmarken. Ihre Bossen wurden nach den konstruktiven Arbeiten abgeschlagen und für die Aufnahme des Putzes vorbereitet. Mit Beginn des 2. Jahrhunderts n. Chr. ersetzte man den Steinmantel der Pyramiden durch Ziegel und später durch Bruchsteinmauerwerk (Typ XII und XIII). Auch die Opferkapellen wurden nun aus Ziegelmauerwerk gebaut, und nur noch der Innenraum erhielt eine Werksteinverkleidung zur Aufnahme der Reliefs. Für Deckenblöcke, Hohlkehlen und die Säulen des Portikus wurde auch weiterhin Sandstein verwendet. Wie bei der Profanarchitektur und den Tempeln wurden auch Pyramiden und Opferkapellen mit dem harten meroïtischen Kalkmörtelputz zum Schutz des weichen Sandsteins, zur Erzielung zusammenhängender Flächen und als Untergrund für die farbliche Behandlung versehen.

Die Baudurchführung

Nach den Vermessungsarbeiten zur Lage, Größe und der Orientierung[35] und nach der Grundsteinlegung begann die oberirdische Bauphase mit den Fundamentarbeiten. Die Entdeckung von senkrechten Baumstämmen (*cedrus libani*) in einem zentralen Schacht von bisher vier Pyramiden gibt uns Hinweise auf die Benutzung des Schadufs (*Abb. 70*), eines im Niltal seit dem 15. Jahrhundert v. Chr. nachgewiesenen Hebezeuges zur Bewässerung von Gärten und kleinen Feldern[36]. Die Kombination von Standpfahl mit oberer Gabel und daraufliegendem Schwenkarm erlaubte durch Hebelwirkung das Heben von Lasten. Die Verwendung des Schadufs als Bauhilfsmittel wird den starken Neigungswinkel von 65° und 73° der Pyramiden erzwungen haben. Durch wiederholtes Hochziehen des Standpfahles konnte das Hebezeug dem Baufortschritt angepaßt werden und die

Arbeit bis zur Plattform begleiten. Eine in einer Spitze endende Pyramide war daher mit dem Schaduf nicht zu bauen. Nach dem Abbau des Standbaumes in Höhe der Plattform konnte ein seitlich abgesetzter Abschlußstein auf die Plattform über den Schacht geschoben werden und die innere Füllung der Pyramide abdecken. Eine Methode zur Einhaltung des gewünschten Neigungswinkels ohne notwendige Berechnung wurde beim Aufbau der Pyramide N 19 ausprobiert[37] und mag als eine alte Vermessungstechnik gedient haben. Auf Grund von Arbeitszeitstudien muß für den Bau der größeren Pyramiden mit einer einjährigen Bauzeit gerechnet werden.

Abb. 70   Benutzung des Schadufs beim Wiederaufbau einer Pyramide. (Foto: F. W. Hinkel)

Die Restarbeiten

Zu den restlichen Arbeiten gehörte der Aufbau der Kapelle. Ihre Innenwände wurden geglättet, und die Künstler begannen mit der roten Vorzeichung und dem Ausarbeiten der Reliefszenen, die dann, mit dünnem Kalkmörtelputz versehen, farbig ausgemalt wurden. Auf dem äußeren, dikkeren Putz der Pyramide, der Kapelle und Temenosmauer begann die farbliche Behandlung der Flächen. Unter der Plattform eingesetzte runde Fayencescheiben bei den späten Pyramiden zierten die Ostseite und konnten durch Bemalung zu geflügelten Sonnenscheiben ergänzt werden.

Abb. 72   Meroë. Westfriedhof, Pyramidenkapelle W 5 einer Königin (Ende 1. Jahrhundert v. Chr.). Relief der Westwand. Die Verstorbene opfert vor Osiris. Hinter dem Gott steht Nephthys. (Zeichnung I. Fechner)

Abb. 71   Meroë. Südfriedhof, Pyramidenkapelle S 10 einer Königin (Anfang 3. Jahrhundert v. Chr.). Relief der Nordwand (Zeichnung I. Fechner)

Auch für einen aufgemalten weißen Sternenfries auf der sonst roten Oberfläche gibt es eindeutige Hinweise[38].

Die Reliefs

Ähnlich wie die architektonische Gestaltung der Pyramiden, ihre Größe und ihr Baumaterial sind auch die Aussage und der Stil der Reliefs der Veränderung unterworfen gewesen[39]. Frühe Darstellungen in einem stark ägyptisch beeinflußten Stil zeigten bis etwa 200 v. Chr. die Göttin Isis hinter dem König auf dem Löwenthron und drei Register mit Göttern und opfernden Dienern vor ihm[40] (*Abb. 71*). In den nächsten 200 Jahren finden sich Mitglieder der königlichen Familie hinter Isis, die Anzahl der Register vor dem König erhöht sich, und Darstellungen aus dem Totenbuch und lange Reihen Trauernder mit Palmwedeln sowie der Nachfolger als Weihrauch opfernder Priester vor dem Verstorbenen beherrschen die Szene. Etwa um 30 n. Chr. tritt ein erneuter Wechsel durch die Einfügung eines Opfertisches vor dem Verstorbenen, durch eine Vereinfachung in den Registern und durch das Auftreten von Anubis und Nephthys mit ihren Wasseropfern ein. An der Nordwand und an Stelle der Register lassen sich nun Familienangehörige darstellen, wohl um ihre Anwesenheit bei der Trauerfeier zu dokumentieren. An der Westwand wechseln Darstellungen von Scheintüren mit Stelen in Nischen zu Opferszenen des Verstorbenen vor Osiris oder von Angehörigen vor dem Verstorbenen als Osiris (*Abb. 72*).

Die Bauabfolge

Nach der Beisetzung, Schließung und Abmauerung des Einganges zur unterirdischen Grabanlage und dem anschließenden Verfüllen des Treppenschachtes, also noch während der Zeremonie und unter Zeugen konnte man mit dem Bau des oberirdischen Ensembles beginnen. Mit der Vollendung der Arbeiten und dem Beginn der Opferhandlungen in der Kapelle hatte der rechtmäßige, legitimierte Nachfolger seine Verpflichtung gegenüber seinem Vorgänger wohl erfüllt.

Die Abfolge der beiden Bauphasen wie auch alle anderen Erkenntnisse zu Architektur, Baukonstruktion, -planung und -technik fordern kritisches Überdenken und neues Bewerten früherer Beobachtungen und Berichte, von Reliefszenen, Inschriften, Funden und Zuordnungen. Beispiel für eine entsprechende Betrachtung ist die Wertung der bekannten Erzählung des Abenteurers G. Ferlini über seinen spektakulären Fund eines Goldschatzes unterhalb der 'Spitze' der Pyramide N 6 der Königin Amanishakheto (etwa 10–0 v. Chr.). Archäologische Hinweise und baukonstruktive Bedingungen wie auch die Bauabfolge schließen einen Fund in der Pyramide und unterhalb ihrer Plattform aus. Neue Untersuchungen weisen auf den Zusammenhang zwischen den Fundstücken Ferlinis und den restlichen Funden aus der Grabkammer hin. Es gibt keinen überzeugenden Grund, warum die Königin ihren Schmuck nicht – wie üblich – in ihre Grabkammer mitnehmen ließ, sondern ihren Nachfolger (der bei ihrem Tod noch gar nicht festgestanden haben muß) und den eventuellen Baubeauftragten mit seinen Arbeitern verpflichtet haben sollte, etwa ein Jahr nach ihrem Tod und kurz vor Vollendung ihres oberirdischen Denkmals den Schatz getrennt von ihr in einer noch zu bauenden Kammer im obersten Ende der Pyramide zu deponieren. Der störende Schaft des Schadufs im Zentrum der Pyramide hätte den Bau einer derartigen Kammer verhindert, da er andernfalls seinen Halt und seine Standfestigkeit verloren hätte. Ohne Schaduf, d. h. ohne entsprechendes Hebemittel aber wären die weitere Baudurchführung, der Transport der schweren Deckenplatten zur Abdeckung der Kammer, somit die Fertigstellung der Pyramide selbst unmöglich geworden. Die schon öfters angezweifelte Erzählung Ferlinis wird aus architektonisch-baukonstruktiver Sicht als unrealistisch bestätigt. Allem Anschein nach ging es Ferlini um die Irreführung eventuell nachfolgender Schatzsucher, die über den wahren Fundort des Schmucks im unklaren gelassen werden sollten.

Der Wandel

Sicherlich können wir nicht annehmen, daß sich z. B. das nördliche Pyramidenfeld in den 600 Jahren seiner Nutzung immer in tadellosem Erhaltungszustand befand (*Abb. 73*). Es gibt Hinweise auf Pyramiden, die über den Baubeginn nicht hinaus kamen und auf andere, die anscheinend zerfallen waren und abgeräumt wurden, um neuen Grabbauten Platz zu machen und Baumaterial zu gewinnen. Gelegentlich beobachtete wiederverbaute Relief- und Architekturblöcke zeugen von den immer wieder erneut notwendigen Baumaßnahmen im Pyramidenfeld. Reparaturen und Stützmauern sind an mehreren Bauten sichtbar. In der Nordgruppe der Pyramiden lassen sich aber auch aus Größe, Material und Qualität der handwerklichen und künstlerischen Ausführung sowie aus der Standortwahl Macht und Stellung, Blütezeit und Niedergang des Königshauses ablesen. Dagegen zeugen die Privatgräber in der Westgruppe von einer gewissen Zunahme des Wohlstandes einer wie auch immer gearteten Mittelschicht.

Der vorausgegangene Überblick über verschiedene Aspekte der meroïtischen Architektur hat gezeigt, daß sich eigenständige Formen mit äußeren Anregungen unter Benutzung althergebrachter oder auch fremder Gesetzmäßigkeiten und Praktiken zu neuen beeindruckenden Ausdrucksformen verbanden. Eine Entwicklung, die wir fasziniert entdecken, feststellen und zu verstehen beginnen.

Abb. 73   Meroë. Nordfriedhof. Zeichnerische Darstellung des rekonstruierten Pyramidenfeldes. (F. W. Hinkel)

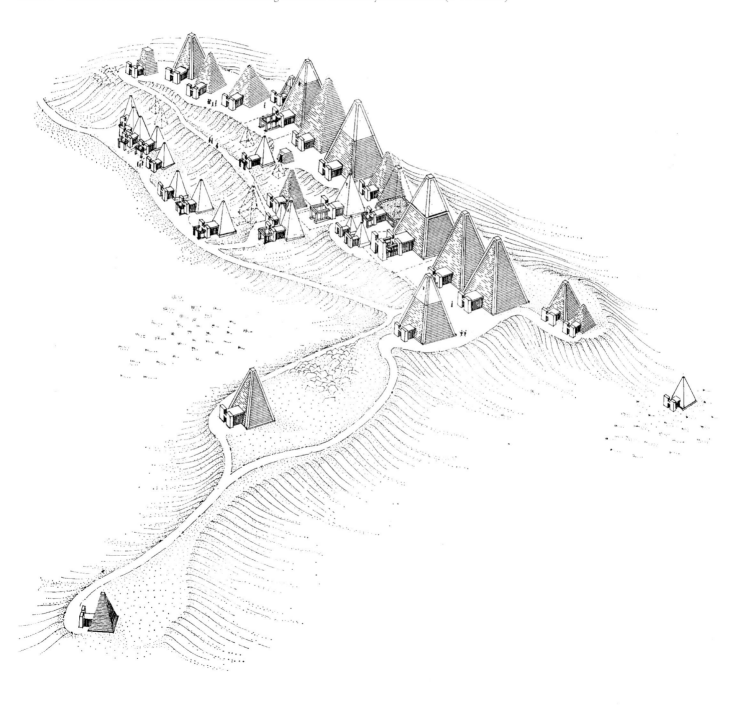

415

ANHANG

Salah Mohamed Ahmed, 175 Jahre Archäologie im Sudan

1   Zu den klassischen Quellen über Nubien und den Sudan vgl. W. Y. Adams, Nubia. Corridor to Africa, London 1977, 68–70, 685; L. Török, Der meroïtische Staat (= Meroïtica 9), Berlin 1986.

2   P. L. Shinnie, Meroë. A civilization of the Sudan, London 1967, 23.

3   Zu den Kirchenschriftstellern vgl. J. Vantini, The excavation of Faras. A contribution to the history of Christian Nubia, Bologna 1970

4   Vgl. Y. Hassan Fadul, The Arabs and the Sudan from the 7th to ca 16th centuries, Edinburgh 1967; ders., Tabagat Wad Deifalla, Khartum 1973.

5   J. Bruce, Travels to discover the source of the Nile in the years 1768–73 (7 Bände), London – Edinburgh 1813.

6   J.-L. Burckhardt, Travels in Nubia, London 1819.

7   F. Cailliaud, Voyage à Méroé, au Fleuve Blanc ..., à Syouah et dans cinq autres oasis; fait dans les années 1819, 1820, 1821 et 1822, Paris 1826.

8   M. Linant de Bellefonds , Journal d'un voyage à Méroé dans les années 1821 et 1822 (Hgb. M. Shinnie), Sudan Antiquities Service Occasional Papers (SASOP) 4, Khartum 1958.

9   G. Waddington – B. Hanbury, Journal of a visit to some parts of Ethiopia, London 1822.

10 Travels in Ethiopia, above the Second Cataract of the Nile, London 1935.

11 K. R. Lepsius, Denkmäler aus Aegypten und Aethiopien, Berlin 1849–1859.

12 Reisner, in: The Archaeological Survey Bulletin 3, 1909, 5–20; ders., The Archaeological Survey of Nubia. Report for 1907–1908, I, Archaeological Report, Kairo 1910; C. M. Firth, The Archaeological Survey of Nubia. Report for 1908–1909, Kairo 1912; ders., The Archaeological Survey of Nubia. Report for 1910–1911, Kairo 1927.

13 W. B. Emery – L. P. Kirwan, The excavations and survey between Wadi es-Sebua and Adindan, 1929–1931, Kairo 1935; diess., The royal tombs of Ballana and Qustul, Kairo 1938.

14 T. Säve-Söderbergh, Temples and tombs of ancient Nubia. The international rescue campaign at Abu Simbel, Philae and other sites, London 1987.

15 F. Hinkel, Auszug aus Nubien, Berlin 1978.

16 D. Randall-MacIver – C. L. Woolley, Areika, Oxford 1909.

17 C. L. Woolley, Karanog. The town, Philadelphia 1911; C. L. Woolley –D. Randall-MacIver, Karanog. The Roman Nubian cemetery, Philadelphia 1910.

18 G. Mileham, Churches in Lower Nubia, Philadelphia 1910.

19 G. Steindorff, Aniba, I-II, Glückstadt – Hamburg 1935–1937.

20 H. Junker, Bericht über die Grabungen der Akademie der Wissenschaften in Wien auf den Friedhöfen von El-Kubanieh-Nord, Winter 1910–1911, Wien 1920.

21 H. Junker, Ermenne. Bericht über die Grabungen der Akademie der Wissenschaften in Wien auf den Friedhöfen von Ermenne

(Nubien) im Winter 1911/12, Wien – Leipzig 1925; ders., Bericht über die Grabungen der Akademie der Wissenschaften in Wien auf dem Friedhof von Toschke (Nubien) im Winter 1911/12, Leipzig 1926.

22 E. A. W. Budge, The Egyptian Sudan. Its history and monuments, I–II, London 1907.

23 J.-W. Crowfoot, The island of Meroë, London 1911.

24 Scott-Moncrieff, in: Proceedings of the Society of Biblical Archaeology (PSBA) 29, 1907, 39–46; ders., in: PSBA 30, 1908, 192–203.

25 J. Garstang, Meroë. The city of the Ethiopians, Oxford 1911; ders., in: Liverpool Annals of Archaeology and Anthropology (LAAA) 3, 1910, 57–70; ders., in: LAAA 4, 1912, 45-52; ders., in: LAAA 5, 1913, 73–83; ders., in: LAAA 6, 1914, 1–21; ders., in: LAAA 7, 1914–1916, 1–10

26 F. Addison, Jebel Moya, London 1949; O. Crawford – F. Addison, Saqadi & Dar el Mek, London 1951.

27 F. Ll. Griffith, in: LAAA 13, 1926, 17–37.

28 ders., in: LAAA 10, 1923, 73–171.

29 M. F. L. Macadam, The temples of Kawa, I–II, London 1949–1955.

30 G. A. Reisner, Excavations at Kerma, I–II, Cambridge/Mass. 1923; zu neueren Forschungen: C. Bonnet (Hrgb.) et al., Kerma. Royaume de Nubie, Genf 1990.

31 D. Dunham, The royal cemeteries of Kush (RCK), I, El Kurru, Boston 1950.

32 ders., RCK II, Nuri, Boston 1955.

33 ders., RCK IV, Royal tombs at Meroë and Barkal, Boston 1957.

34 ders., RCK V, The west and south cemeteries at Meroë, Boston 1963.

35 D. Dunham – M. Janssen, Second Cataract forts, I, Semna Kumma, Boston 1960; D. Dunham, Second Cataract fortresses. Uronarti, Shalfak, Mirgissa, Boston 1967.

36 U. Monneret de Villard, La Nubia medievale, Kairo 1935–1957

37 A. J. Arkell, The old stone age in the Anglo-Egyptian Sudan, Khartum 1949.

38 ders., Early Khartum, London 1949.

39 ders., Shaheinab, London 1953.

40 O. H. Myers – P. L. Shinnie, in: Sudan Notes and Records 29, 1948, 128–129.

41 P. L. Shinnie – H. Chittick, Ghazali. A monastery in the Northern Sudan, Khartum 1961.

42 P. L. Shinnie, in: Kush 2, 1954, 66-85.

43 ders., Excavations at Soba, Khartum 1961.

44 J. Vercoutter, in: Syria 39, 1962, 263–299.

45 F. Hintze, in: Forschen und Wirken 3, 1960, 361–399; ders., in: Kush 10, 1962, 170–202; ders., Musawwarat es Sufra, I, 2, Der Löwentempel, Berlin 1971.

46 A. E. Marks – A. Mohammed Ali, The late prehistory of the eastern Sahel. The mesolithic and neolithic from Shaqadud in the Sudanese Butana, Dallas 1991.

47 J. Vercoutter, Mirgissa, I, Paris 1970.
48 M. Schiff Giorgini, Soleb, I–II, Florenz 1971.
49 Ch. Maystre, in: Kush 15, 1967–68, 193–199; ders., Tabo, I, Genf 1986.

50 P. L. Shinnie – R. J. Bradley, The capital of Kush, I (= Meroïtica 4), Berlin 1980.
51 Shinnie, in: Journal of Egyptian Archaeology 37, 1951, 5–11; H. S. Smith, The fortress of Buhen, I–II, London 1976.

Jacques Reinold – Lech Krzyzaniak, Vor 6000 Jahren

A. S. Mohammed Ali, The Neolithic period in the Sudan (= Cambridge Monographs in African Archaeology 6), Cambridge 1982.
A. J. Arkell, Early Khartum, London 1949.
ders., Shaheinab, London 1953.

ders., The Old Stone Age in the Anglo-Egyptian Sudan, Khartum 1963.
Krzyzaniak, in: Antiquity 65, 1991, 515–532.
ders., Late prehistory of the Central Sudan, Poznan 1992.
F. Wendorf, The prehistory of Nubia, I–II, Fort Burgwin 1968.

Charles Bonnet, A-Gruppe und Prä-Kerma

1 G. A. Reisner, The archaeological survey of Nubia. Report for 1907–1908, Kairo 1910.
2 W. Y. Adams, Nubia. Corridor to Africa, London 1977, 118–141; D. O'Connor – St. Wenig, in: Africa in Antiquity, New York 1978, I, 46–53; II, 23–25; H.-A. Nordström, Neolithic and A Group sites, Scandinavian Joint Expedition 3, Uppsala 1972; B. Trigger, Nubia under the Pharaohs, London 1976, 32–48; J. Vercoutter – J. Geus, in: Nubie. Les cultures antiques du Soudan, Lille 1994, 23–30, 89–97.
3 H. S. Smith, The development of the „A-Group" culture in northern Lower Nubia, in: W. V. Davies (Hrgb.), Egypt and Africa, London 1991.
4 Vgl. A. Vila, La prospection archéologique de la vallée du Nil au sud de la cataracte de Dal, II, Paris 1979. Neue Ergebnisse sind von den laufenden Arbeiten von Fr. Geus in Sai zu erwarten.
5 Ch. Bonnet (Hrgb.) et al., Kerma. Royaume de Nubie, Genf 1990, 29–31; Honegger, in: Genava XLIII, 1995, 58–59; Ch. Bonnet, in: Genava XXXVI, 1988, 5–9.

6 Reinold, in: Ch. Bonnet (Hrgb.), Etudes nubiennes, II, Genf 1994, 89–91.
7 Kantor, in: JNES 3, 1944, 110–136; C. M. Firth, The archaeological survey of Nubia. Report for 1910–1911, Kairo 1912, 204–212.
8 B. B. Williams, The A-Group royal cemetery at Qustul. Cemetery L, Chicago 1986, Tf. 34.
9 Lal, in: Fouilles en Nubie (1961–1963), Kairo 1967, 97–118.
10 Piotrovsky, in: Fouilles en Nubie (1961–1963), Kairo 1967, 127–140.
11 Honegger, o. c. (vgl. Anm. 5), 58–59.
12 Privati, in: Ch. Bonnet (Hrgb.), Kerma. Royaume de Nubie, 121–131.
13 H.-A. Nordström, o. c. (vgl. Anm. 2), Tf. 36–48.
14 Reinold, in: W. V. Davies (Hrgb.), Egypt and Africa, London 1991, 16–29.
15 A. J. Arkell, Early Khartoum, London 1949.

Charles Bonnet, C-Gruppe

1 Emery, in: Kush 11, 1963, 116–120.
2 A. & A. Castiglioni – K. Sadr, Season 1994 in the Nubian Desert. Preliminary Report, 1994; A. & A. Castiglioni – J. Vercoutter, L'Eldorado dei Faraoni, Novara 1995.
3 Gratien, in: JEA 81, 1995.
4 M. Bietak, Studien zur Chronologie der nubischen C-Gruppe, Wien 1968.
5 ders., Ausgrabungen in Sayala-Nubien 1961–1965. Denkmäler der C-Gruppe und der Pan-Gräber-Kultur, Wien 1966, 31–38.
6 G. Steindorff, Aniba, I, Glückstadt 1935, 202–219.

7 ders., o. c., II.
8 Sauneron, in: BIFAO 63, 1965, 161–167; Gratien, in: CRIPEL 7, 1985, 39–70.
9 D. Randall-MacIver – C. L. Woolley, Areika, Philadelphia 1909.
10 Bietak, in: Meroïtica 5, 1979, 107–127..

Charles Bonnet, Das Königreich von Kerma

1   B. Trigger, Nubia under the Pharaohs, London 1976, 56–60; O'Connor, in: JARCE 23, 1986, 26–50.

2   G. A. Reisner, Excavations at Kerma (= Harvard African Studies 5, 6), Boston 1923.

3   B. Gratien, Les cultures Kerma. Essai de classification, Lille 1978, 307–312.

4   Bonnet, in: Genava XXX, 1982, 39–51.

5   Privati, in: Genava XXX, 1982, 55–64.

6   Chaix, in: Ch. Bonnet (Hrgb.), Kerma. Royaume de Nubie, 109–113.

7   Bonnet, in: Genava XXXII, 1984, 15–17; Chaix, in: Memorie della Soc. Italiana di Sc. Nat. e del Mus. Civico di Storia Naturale 26/2, 1993, 161–164.

8   Bonnet, in: ders. (Hrgb.), Kerma. Royaume de Nubie, 53 ff.

9   G. A. Reisner, Excavations at Kerma, II, 208–226.

10 Bonnet, in: Genava XXXIX, 1991, 16.

11 Bonnet, in: Genava XLIII, 1995, 46–50, Abb.19–20.

12 Bonnet, in: BSFE 133, 1995, 6–16.

Timothy Kendall, Die Könige vom Heiligen Berg

1   Der Text der Barkal-Stele Tuthmosis' III. spielt auf eine Ansiedlung am Gebel Barkal vor dem Neuen Reich an (Reisner – Reisner, in: ZÄS 69, 1933, 35); den archäologischen Beweis liefern Keramikfunde der Klassischen Kerma-Kultur im Tempelbezirk des Gebel Barkal, die der Autor im April 1996 gemacht hat. Vgl. B. Gratien, Les cultures Kerma, Lille 1978, 21. Der Name Napata ist erstmals unter Amenophis II. belegt.

2   W. Y. Adams, Nubia. Corridor to Africa, London 1977, 228, 302–303; D. Welsby, The kingdom of Kush. The Napatan and Meroïtic empires, London 1996, 171–172.

3   Vgl. A. J. Arkell, A history of the Sudan from the earliest times to 1821, London (2. Aufl.) 1961, 83; Bradbury, in: KMT 3, 3, 1992, 57; D. Dunham, The Barkal temples, Boston 1970, Tf. XLVII.H; Pamminger, in: Beiträge zur Sudanforschung 5, 1992, 93–140.

4   Török, in: CRIPEL 17, 1995, 206; Kendall, in: Meroïtica 15, 1996, 79–85 (mit Bibliographie).

5   Reisner – Reisner, in: ZÄS 69, 1933, 26; Kendall, in: La Nubie (= Les Dossiers d'archéologie 196, 1994), 52; ders., in: Meroïtica 15 (im Druck).

6   Morkot, in: Wepwawet. Research papers in egyptology 3, 1987, 37f38; ders., in: P. James (Hrgb.), Centuries of darkness. A challenge to the conventional chronology of Old World Archaeology, London 1991, 204–219; ders., in: Ch. Bonnet (Hrgb.), Etudes nubiennes, II, Genf 1994, 45–47 mit Bibliographie; Zibelius-Chen, in: SAK 16, 1989, 335–337; dies., in: Gundlach – Kropp – Leibundgut, Der Sudan in Vergangenheit und Gegenwart, 195f203; Török, in: CRIPEL Suppl. 4, 1995, 17–28.

7   Török, o. c., 23–24; M. L. Macadam, The temples of Kawa, II, History and archaeology of the site, London 1955, 14; Reisner, in: JEA 6, 1920, 264; ders., in: ZÄS 66, 1931, 77–79, 84; vgl. auch Kemp, in: Cambridge Archaeological Journal 1, 2, 1991, 239–244.

8   Horton, in: W. V. Davies (Hrgb.), Egypt and Africa, London 1991, 264–268.

9   Säve-Söderbergh, in: Kush 9, 1963, 57; ders. et al., Middle Nubian sites, SJE IV, Stockholm 1989, 200–205, Tf. XXXV–XXXVIII; Heidorn, in: JARCE 31, 1994, 120; Kendall, in: Meroïtica 15, 1996 (im Druck).

10 Kendall, o. c.

11 K. A. Kitchen, The Third Intermediate Period in Egypt. 1100–650 B. C., Warminster 1973, 293, 295–296, 309; Zibelius-Chen, in: SAK 16, 1989, 335–337; vgl. dies., in: Gundlach – Kropp – Leibundgut, Der Sudan in Vergangenheit und Gegenwart, 1995, 195–217.

12 Morkot, in: CRIPEL 17, 1995, 184–186; ders., in: CRIPEL 17, 1995, 237; Heidorn, in: Meroïtica 15 (im Druck).

13 Heidorn, in: Seventh International Conference for Meroïtic Studies, Humboldt Universität zu Berlin, Berlin 1992; ders., in: JARCE 31, 1994, 127–131; Kendall, in: Meroïtica 15 (im Druck).

14 Kendall, o. c.

15 Kendall, o. c.; zu anderen Erklärungsversuchen vgl. Morkot, in: CRIPEL 17, 1995, 238–241; Török, in: CRIPEL Suppl. 4, 1995, 29–42 – Entgegnung durch Kendall, in: Meroïtica 15, 1996 (im Druck); vgl. auch Yellin, in: CRIPEL 17, 1995, 243–248.

16 Eide – Hägg – Pierce – Török (Hrgb.), Fontes Historiae Nubiorum, I, Bergen 1994, 41–42 mit Bibliographie.

17 Die zunächst als spät-napatanisch angesehene Stele (M. L. Macadam, The temples of Kawa, I, The inscriptions, 76–81, Tf. XXXII–XXXIV) wurde von Morkot, in: P. James (Hrgb.), Centuries of darkness, London 1991, 216–217, als frühnapatanisch erkannt. Zur Zuschreibung an Alara vgl. Kendall, in: Meroïtica 15 (im Druck).

18 Kendall, in: Meroïtica 15 (im Druck).

19 M. L. Macadam, The temples of Kawa, II, History and archaeology of the site, London 1955, 17, 20–21; Reisner, in: JEA 6, 1920, 254; Kendall, o.c.

20 Zur Regierung des Kaschta: Eide – Häg – Pierce – Török, o. c. 42–45; Leclant, in: ZÄS 90, 1963, 74–81; Priese, in: ZÄS 98, 1970, 16–24; Kendall, in: Meroïtica 15, 1996 (im Druck), Abb.18.

21 Leclant, in: ZÄS 90, 1963, 74–81; Eide – Hägg – Pierce – Török, o. c., 45–47.

22 Reisner, in: JEA 6, 1920, 248–254; Hofmann –Tomandl, in: Beiträge zur Sudanforschung Beiheft 1, 1986, 25; Kendall, o. c. (im Druck).

23 Kendall, in: W. V. Davies (Hrgb.), Egypt and Africa, London 1991, 308, datierte zunächst die ältesten Bauschichten von B 1200 in die Zeit des Piye, vertritt jedoch jetzt die frühere Datierung auf Kaschta (in: Meroïtica 15, 1996 [im Druck]).

24 Kenedall, o. c.

25 Zu Piyes Regierung Eide – Hägg – Pierce – Török, o. c., 47–119; zur Lesung des Namens Piye: Priese, in: Mitteilungen des Instituts für Orientforschung 14, 1968, 166–175; Leclant, in: LÄ IV, 1982, 1047.

26 Reisner, in: ZÄS 66, 1931, 76–88; Kendall, Gebel Barkal epigraphic survey: 1986. Report to the Visiting Committee of the Department of Egyptian and Ancient Near Eastern Art, MFA Boston, May 23, 1986, 7–20; Kendall, in: Meroïtica 15 (im Druck).

27 Reisner, o. c., 80, 82; Reisner – Reisner, in: ZÄS69, 1933, 24–39.

28 Reisner, o. c., 89–97; Priese, in: ZÄS 98, 1970, 25; Eide – Hägg – Pierce – Török, o. c., 55–62.

29 Kendall, in: La Nubie (= Les Dossiers d'Archéologie 196, 1994), 52–53; ders., in: Meroïtica 15 (im Druck).

30 Zu anderen Ergänzungen des Textes vgl. Eide – Hägg – Pierce – Török, o. c., 47, 60–62, 228–229.

31 Gitton – Leclant, in: LÄ II, 1976, 791–812.

32 K. A. Kitchen, The Third Intermediate Period in Egypt: 1100–650 B. C., Warminster 1973, 175–176; N. Grimal, A history of Ancient Egypt, Cambridge, Mass., 1992, 335.

33 Kitchen, o. c., 362–368; N. Grimal, Etudes sur la propagande royale égyptienne, I, La stèle triomphale de Pi(ankh)y au Musée du Caire JE 48862 et 47086–47089, Kairo 1981; M. Lichtheim, Ancient Egyptian literature, III, The Late Period, Berkeley 1980, 66–84; Eide – Hägg – Pierce – Török, o. c., 62–117.

34 F. Snowden, Blacks in Antiquity, Cambridge/Mass. – London 1970, 144–155.

35 Kitchen, o. c., 371.

36 Spalinger, in: JSSEA 11, 1981, 46–52; Kendall, Gebel Barkal epigraphic survey (vgl. Anm. 26), 7–20, Abb.8–10.

37 Eide – Hägg – Pierce – Török, o. c., 47–52; Pamminger, in: RdE46, 1995, 150.

38 Kendall, in: Meroïtica 15 (im Druck).

39 Zur Diskussion um eine küzere Regierungszeit und eine Kurzchronologie der frühen 25. Dynastie vgl. Depuydt, in: JEA 79, 1993, 269–274; Morkot, in: CRIPEL 17, 1995, 238 mit Bibliographie.

40 D. Dunham, The royal cemeteries of Kush I, El-Kurru, Boston 1950, 64–66; Kendall, in: Meroïtica 15 (im Druck).

41 Kendall, o. c.; Bökönyi, in: Acta Archaeologica Academiae Scientiarum Hungaricae 45, 1993, 301–316; L. Török, Meroë. Six studies on the cultural identity of an African state, Budapest 1995, 195–201.

42 Kendall, o. c.; Török, in: CRIPEL 17, 1995, 226; ders., Meroë (vgl. Anm. 41), 99–100

43 Kendall, o. c.

44 W. Y. Adams, Nubia. Corridor to Africa, London 1977, 285–288.

45 Leclant–Clerc, in: Orientalia 63, 1994, 457–458; Referat von I. Vincentelli-Liverani, 8th International Conference of Nubian Studies, Lille 1994.

46 Leclant, in: LÄ V, 1983, 499–513.

47 Vgl. Eide – Hägg – Pierce – Török, o. c., 132; B. J. Kemp, Ancient Egypt. Anatomy of a civilization, London 1989, 20–27.

48 Reisner, in: ZÄS 66, 1931, 91.

49 Vgl. Török, in: CRIPEL 17, 1995, 215–217; Zu Schabaqa, Schebitqu und Taharqa vgl. Leclant, in: LÄ V, 1983, 499–513, 514–520; LÄ VI, 1986, 156–184.

50 Fazzini, in: Iconography of religions, XVI, 10, Egypt, Dynasty XXII–XXV, Leiden 1988, 7; Kemp, Ancient Egypt (vgl. Anm. 47) 26–27; N. Grimal, A history of Ancient Egypt, Cambridge/Mass. 1992, 343–345.

51 N. Grimal, Etudes (vgl. Anm. 33), Kairo 1981, 194; P. D. Manuelian, Living in the past, London 1994, passim.

52 B. V. Bothmer, Egyptian sculpture of the Late Period, Brooklyn 1960, 1–24; Wenig, in: Africa in Antiquity, II, Brooklyn 1978, 49; E. R. Russmann, Egyptian sculpture. Cairo and Luxor, Austin 1989, 164–171.

53 Leclant, in: LÄ V, 1983, 499, 514.

54 Kemp, Ancient Egypt (vgl. Anm. 47) 20–27.

55 E. R. Russmann, The representation of the king in the XXVth dynasty, Brüssel 1974, 9–24; Wenig, in: Africa in Antiquity, II, Brooklyn 1978, 49.

56 Russmann, o. c., 25–44; Wenig, o. c., 49; L. Török, The royal crowns of Kush. A study in Middle Nile Valley regalia and iconography in the 1st millennia B. C. and A. D., Cambridge 1987; ders., in: Archéologie du Nil Moyen 4, 1990, 151–202; Leahy, in: JEA 78, 1992, 223–240.

57 Török, in: CRIPEL Suppl. 4, 1995, 57–82; Morkot, in: Meroïtica 15 (im Druck); Török, in: Meroïtica 15 (im Druck).

58 Kendall, in: National Geographic 178, 1990, 111–124; ders., in: La Nubie (= Les Dossiers d'archéologie 196, 1994), 51–53; vgl. Priese, in: Ägypten und Kusch (Fs Hintze), Berlin 1977, 361; C. Robisek, Das Bildprogramm des Mut-Tempels am Gebel Barkal, Wien 1989, 53; K.-H. Priese, Das Gold von Meroë, Mainz 1993, 34, Abb. 31a.

59 Vgl. S. B. Johnson, The Cobra Goddess of Ancient Egypt, London – New York 1990.

60 H. Junker, Die Onurislegende, Wien 1917; L. Troy, Patterns of queenship in ancient Egyptian myth and history, Uppsala 1986.

61 Troy, o. c., 5–25; Kendall, in: Ch. Bonnet (Hrgb.), Etudes nubiennes, II, Genf 1994, 9–11,28–29, Abb. 9; B. Streck, Steinerne Gräber und lebendige Kulturen am Nil, Köln 1983, 81; Bolton, in: SNR 19, 1936, 97–100; Bell, in: JNES 44, 1985, 313–316.

62 Troy, o. c., 15–16.

63 Troy, o. c., 21; Kemp, Ancient Egypt (vgl. Anm. 47) 1989, 4–5.

64 Török, Meroë (vgl. Anm. 41), 127–128; Kemp, o. c., 27–31.

65 H. Junker, Die Onurislegende, Wien 1917; Otto, in: LÄ I, 1973, 562–567; Smith, in: LÄ V, 1984, 1082–1087.

66 Leclant, in: MDAIK 15, 1957, 166–171; Gitton – Leclant, in: LÄ II, 1976, 799.

67 D. Dunham, The Barkal temples, Boston 1970, Tf. 7, 8, 19, 21f.

68 K. A. Kitchen, The Third Intermediate Period in Egypt: 1100–650 B. C., Warminster 1973, 387–393; Leclant, in: LÄ VI, 1986, 156–184; Eide – Hägg – Pierce –Török, o. c., 1994, 129–190.

69 Lauffray, in: Kêmi 20, 1970, 111–162.

70 R. A. Parker – J. Leclant – J.-Cl. Goyon, The edifice of Taharqa by the Sacred Lake of Karnak, Providence 1979; Fazzini, in: Iconography of Religions, XVI, 10, Egypt, Dynasty XXII–XXV, Leiden 1988, 23.

71 Leclant, in: LÄ VI, 1986, 158–160.

72 C. Robisek, Das Bildprogramm des Mut-Tempels am Gebel Barkal, Wien 1989.

73 Kendall, in: National Geographic 178, 1990, 90–125; ders., in: La Nubie (= Les Dossiers d'archéologie 196, 1994), 46–53.

74 K. A. Kitchen, The Third Intermediate Period (vgl. Anm. 68), 391–393.

75 D. Dunham, The royal cemeteries of Kush, II, Nuri, Boston 1955, 6–16; T. Kendall, Kush. Lost kingdom of the Nile, Brockton 1982, 33–36.

76 Leclant, in: LÄ VI, 1986, 159; S. Aufrère – J.-Cl. Golvin – J.-Cl. Goyon , L'Egypte restituée. Sites et temples de Haute Egypte, Paris 1991, 43–44.

77 L. Troy, Patterns of queenship in ancient Egyptian myth and history, Uppsala 1986, 32–43.

78 Beobachtungen des Autors im April 1996 legen diese Deutung nahe; zum endgültigen Beweis müßte die Konstellation am 22. Juni überprüft werden. Vgl. T. G. Allen, The Book of the Dead, Chicago 1974, 159; Griffith, in: LAAA 9, 1922, 72–73; Herodot II,19.

79 Leclant, in: LÄ VI, 1986, 211–215.

80 K. A. Kitchen, The Third Intermediate Period (vgl. Anm. 68), 394–406; N. Grimal, A history of ancient Egypt, Cambridge/Mass. 1992, 341–366.

81 F. Snowden, Blacks in Antiquity, Cambridge/Mass.– London 1970, 144–155; Diodor III,1–4.

Friedrich W. Hinkel, Meroïtische Architektur (300 v. Chr.–350 n. Chr.)

1 Sogenanntes arish-Haus (A. J. Arkell), noch heute auf der Insel Argo zu beobachten.

2 C. L. Woolley, Karanog. The town, Philadelphia 1911.

3 Nach Grzymski, in: Meroïtica 7, 1984, 289. Wegen der vornehmlich anders gearteten Hausstruktur und Flächennutzung in der königlichen Stadtanlage in Meroë, d. h. in einem bedeutenden Teil der Stadtfläche, erscheint dieser Ansatz von ca. 18–21 m²/Person als zu hoch. Diese Überlegung gilt auch für das etwa gleichgroße Stadtgebiet von Naga, das wohl zu keiner Zeit eine derartige Bevölkerungszahl aufwies.

4 J. Garstang, et al., Meroë. The city of the Ethiopians, Oxford 1911, und Vorberichte in LAAA 3–7.

5 Zum Vorbericht siehe J. Vercoutter, in: Syria 39, 1962, 263–299.

6 A. H. Sayce, Reminiscenses, London 1923, 355, meint die Stadtmauer und nicht die Temenosmauer von MER 260, wenn er ihre Höhe mit etwa 9 m annimmt.

7 M. Hinkel, in: ZÄS 118, 1991, 32–48.

8 z. B. unter Taharqa: TABO 100 (Amun); KAWA 400 (Amun); SANAM 100 (Amun); aber auch SEMNA 300 (Sesostris III.); BARKAL 200 (Amun) und BAR 300 (Mut).

9 z. B. BODEGA (Thoth von Pnubs); KAWA 300 (Schabaqa / Anukis); AMENTEGO (Schabaqa); KAWA 200 (Taharqa / Amun); BARKAL 800 (Kaschta, Piye / Amun); BAR 900 (Tanwetamani).

10 z. B. BAR 800 (Anlamani u. a. /Amun); BAR 900 (Harsiyotf / Amun); KAWA 300 (Harsiyotf u. Aryamani / Amun?); MEROE 250 (nach 500 v. Chr.).

11 D. Arnold, Wandrelief und Raumfunktion in ägyptischen Tempeln des Neuen Reiches, Berlin 1962.

12 Sayce in: LAAA 4, 1911–12, 63, datiert die jetzige Mauer in das Ende des 3. Jahrhunderts v. Chr. Siehe auch Török, in: Meroïtica 17, 1984, 351–356.

13 Ägyptische Maßeinheit von ca. 52,3 cm. In den beigegebenen Zeichnungen mit 'c.' (cubit) bezeichnet.

14 Hinkel, in: Meroïtica 12, 1990, 149; ders., in: W. V. Davies (Hrgb.), Egypt and Africa, London 1991, 222.

15 KERMA CE 115, K XIV.A und B, K XV.A, B, C, D, K XVI und K XXXIII.a.

16 Vgl. die nachträgliche Anordnung von der aus griechischer Tempelarchitektur übernommenen Krepis und Säulenreihung am Tempel MER 250. Bei Neubauten in meroïtischer Zeit könnte jedoch eine derartige Lösung von vornherein geplant gewesen sein. Entsprechende Untersuchungen fehlen.

17 F. Hintze, Musawwarat es Sufra, I,2, Der Löwentempel (Tafelband), Berlin 1971, I,1, Der Löwentempel (Textband), Berlin 1993.

18 Erbaut unter Natakamani und Amanitore, Ende I. Jahrhundert v. Chr.

19 Ausdruck für die von Vitruv (IV. 6) beschriebene und in der griechischen Architektur benutzte gestelzte Tür- oder Fensteröffnung.

20 Siehe Hinkel – B. Grunert – S. Grunert – Schneider, in: Altorientalische Forschungen 12, 1985, 22–51.

21 Als frühes Beispiel BAR 700.a (Atlanersa u. Senkamanisken / Amun).

22 MER 4.600, MER 4.700, MER 291, Hamadab.

23 MUS 200, 1100.

24 z. B. MER 101; TABO 400 ähnelt in seinem Grundriß dem Tempel in Semna-West (Taharqa / Sesostris III.); gehört aber unverkennbar zu einer meroïtischen Lösung mit einem kräftigen Pylon.

25 Hinkel, in: Hommages à Jean Leclant (= Bibliothèque d' Etude 106/2), Kairo 1994, 203–219.

26 Hintze, in: Wiss. Zeitschrift der Humboldt-Universität, gesellsch.-sprachwiss. Reihe XVII, 1968, 667–684; XX, 1971, 227–245.

27 Hinkel, in: Meroïtica 10, 1989, 231–267.

28 Hinkel, in: Altorientalische Forschungen 12, 1985, 216–232.

29 Garstang, in: LAAA 5, 1912–13, 76–77.

30 Im Südfriedhof gehörten am Ende allein 24 der dortigen 90 Graboberbauten zum Typ der Pyramiden.

31 Vgl. zu diesen vier königlichen Friedhöfen: D. Dunham, The royal cemeteries of Kush, IV–V, Boston 1957–1963.

32 Hierzu und im folgenden vgl. Hinkel, in: Meroïtica 7, 1984, 310–331.

33 Hinkel, in: ZÄS 109, 1982, 127–148.

34 Hinkel, in: ZÄS 108, 1981, 105–124; ders., in: New discoveries in Nubia (Proceedings of the colloquium on Nubian Studies, The Hague 1979), Den Haag1982, 45–49.

35 Die Achsen liegen in der Nordgruppe zwischen 73° (Pyr. N 2) und 136° (Pyr. N 22).

36 Hinkel, in: ZÄS 109, 1982, 27–61; ders., in: Meroïtica 7, 1984, 462–468.

37 Hinkel, o. c.; ders., in: M. Krause (Hrgb.), Nubische Studien, Mainz 1986, 99–108.

38 Hinkel, in: ZÄS 109, 1982, 127–148.

39 Yellin, in: Meroïtica 12, 1990, 361–374.

40 Eine abweichende Darstellung für eine nicht-herrschende Königin zeigt *Abb. 72.*

Salah Mohamed Ahmed
Direktor der Abteilung Feldarchäologie des National Board for Antiquities and Museums, Khartum

Charles Bonnet
Landesarchäologe der Schweiz, Genf
Leiter der Ausgrabungen in Kerma

Friedrich Hinkel
Forschungszentrum Sudan, Berlin
Leiter der archäologischen Arbeiten in den Friedhöfen von Meroë
Autor der Archaeological Map of the Sudan

Hassan Hussein Idris
Generaldirektor des National Board for Antiquities and Museums, Khartum

Timothy Kendall
Associate Curator am Museum of Fine Arts, Boston
Leiter der Ausgrabungen am Gebel Barkal

Lech Krzyzaniak
Direktor des Archäologischen Museums Posen
Leiter der Ausgrabungen in Kadero

Jean Leclant
Secrétaire perpétuel de l'Académie des Inscriptions et Belles-Lettres, Paris
Leiter der Ausgrabungen in Soleb und Sedeinga

Karl-Heinz Priese
Direktor am Ägyptischen Museum und Papyrussamlung, Berlin
Mitglied der Ausgrabungen in Musawwarat es-Sufra und Naga

Jacques Reinold
Section Française de la Direction des Antiquités du Soudan, Khartum
Leiter der Ausgrabungen in Kadruka und el-Kadada

Dietrich Wildung
Direktor des Ägyptischen Museums und Papyrussammlung, Berlin
Leiter der Ausgrabungen in Naga

In den Literaturangaben des Katalogs und der Essays sind folgende Abkürzungen verwendet worden:

AiA   Africa in Antiquity, I–II, Brooklyn 1978

LAAA   Liverpool Annals of Archaeology and Anthropology, Liverpool 1908–1948

MNL   Meroïtic Newsletter, Paris 1968 ff.

RCK   D. Dunham, The royal cemeteries of Kush I–V, Boston 1950–1963

REM   Repertoire d'épigraphie méroitique

Grundlegende Literatur:

W. Y. Adams, Nubia. Corridor to Africa, London – Princeton 1977

A. J. Arkell, A history of the Sudan to 1821, London ²1961

Ch. Bonnet (Hrgb.), Kerma. Royaume de Nubie, Genf 1990

M. Damiano-Appia, Il sogno dei faraoni neri, Florenz 1994

W. V. Davies (Hrgb.), Egypt and Africa, London 1991

D. N. Edwards, Archaeology and settlement in Upper Nubia in the 1st millennium A. D., Cambridge 1989

W. B. Emery, Egypt in Nubia, London 1965

B. Gratien, Les cultures Kerma, Lille 1978

A. M. A. Hakem, Meroïtic architecture. A background to an African civilization, Khartum 1988

F. W. Hinkel, Auszug aus Nubien, Berlin 1977

F. und U. Hintze, Alte Kulturen im Sudan, Leipzig 1966

S. Hochfield – E. Riefstahl (Hrgb.), Africa in Antiquity I. The arts of Ancient Nubia and the Sudan. The essays, Brooklyn 1978

I. Hofmann, Studien zum meroïtischen Königtum, Brüssel 1971

T. Kendall, Kush. Lost kingdom of the Nile, Brockton, Massachusetts 1984

D. O'Connor, Ancient Nubia. Egypt's rival in Africa, Philadelphia 1993

K.-H. Priese, Das Gold von Meroë, Mainz 1992

T. Säve-Söderbergh, Ägypten und Nubien, Lund 1941

P. L. Shinnie, Ancient Nubia, London – New York 1996

J. H. Taylor, Egypt and Nubia, London 1991

L. Török, Der meroïtische Staat (Meroïtica 9), Berlin 1986

L. Török, Geschichte Meroës, in: Aufstieg und Niedergang der römischen Welt II/10.1, Berlin – New York 1988, 107–341

B. G. Trigger, History and settlement in Lower Nubia, New Haven 1965

B. G. Trigger, Nubia under the Pharaohs, London 1976

D. A. Welsby, The kingdom of Kush. The Napatan and Meroïtic empires, London 1996

F. Wendorf, The prehistory of Nubia, Fort Burgwin 1968

St. Wenig, Africa in Antiquity II. The arts of Ancient Nubia and the Sudan. The catalogue, Brooklyn 1978

L. V. Zabkar, Apedemak. Lion god of Meroë, Warminster 1975

K. Zibelius-Chen, Die ägyptische Expansion nach Nubien, Wiesbaden 1988

Die Kunsthalle der Hypo-Kulturstiftung

Die Kunsthalle der Hypo-Kulturstiftung gibt zu jeder Ausstellung sorgfältig bearbeitete Kataloge heraus. Ihr Wert liegt sowohl in den wissenschaftlichen Beiträgen als auch in den zahlreichen Abbildungen.

Deutsche Romantiker
Bildthemen der Zeit von 1800–1850
14. Juni bis 1. September 1985 (vergriffen)

Jean Tinguely
27. September 1985 bis 6. Januar 1986 (vergriffen)

Lovis Corinth 1858–1925
24. Januar bis 30. März 1986
224 Seiten, 157 Abbildungen, 90 in Farbe
DM 36,– (vergriffen)

Ägyptische und moderne Skulptur – Aufbruch und Dauer
18. April bis 22. Juni 1986 (vergriffen)

Fernando Botero
Bilder – Zeichnungen – Skulpturen
4. Juli bis 7. September 1986 (vergriffen)

Albertina Wien – Zeichnungen 1450–1950
18. September bis 19. November 1986 (vergriffen)

Fabergé – Hofjuwelier der Zaren
5. Dezember 1986 bis 22. Februar 1987 (vergriffen)

Niki de Saint Phalle
Bilder – Figuren – Phantastische Gärten
26. März bis 5. Juli 1987 (vergriffen)

Venedig – Malerei des 18. Jahrhunderts
24. Juli bis 1. November 1987 (vergriffen)

René Magritte
13. November 1987 bis 14. Februar 1988 (vergriffen)

Georges Braque
4. März bis 15. Mai 1988 (vergriffen)

München Focus '88
10. Juni bis 2. Oktober 1988
196 Seiten, 86 Abbildungen, 53 in Farbe
DM 34,– (erhältlich)

Fernand Léger
25. Oktober 1988 bis 8. Januar 1989
180 Seiten, 95 Abbildungen, 86 in Farbe
DM 37,– (erhältlich)

Paul Delvaux
20. Januar bis 19. März 1989 (vergriffen)

James Ensor
Belgien um 1900
31. März bis 21. Mai 1989
272 Seiten, 115 Abbildungen, 105 in Farbe
DM 42,– (erhältlich)

Kleopatra – Ägypten um die Zeitwende
16. Juni bis 10. September 1989 (vergriffen)

Egon Schiele und seine Zeit
28. September 1989 bis 7. Januar 1990
295 Seiten, 196 Abbildungen, 137 in Farbe
DM 45,– (erhältlich)

Anders Zorn
24. Januar bis 25. März 1990 (vergriffen)

Joan Miró – Skulpturen
7. April bis 24. Juni 1990 (vergriffen)

Königliches Dresden
Höfische Kunst im 18. Jahrhundert
17. November 1990 bis 3. März 1991 (vergriffen)

Marc Chagall
23. März bis 30. Juni 1991
298 Seiten, 122 Abbildungen, 114 in Farbe
DM 39,– (erhältlich)

Denk-Bilder
Kunst der Gegenwart 1960–1990
13. Juli bis 18. September 1991
156 Seiten, 47 Abbildungen, 26 in Farbe
DM 29,– (erhältlich)

Matta

20. September bis 11. November 1991
264 Seiten, 107 Abbildungen, 85 in Farbe
DM 42,– (erhältlich)

Traumwelt der Puppen

6. Dezember 1991 bis 1. März 1992
360 Seiten, 475 Abbildungen, 355 in Farbe
DM 48,– (erhältlich)

Georg Baselitz

20. März bis 17. Mai 1992
264 Seiten, 132 Abbildungen, 119 in Farbe
DM 39,– (vergriffen)

Karikatur & Satire

5. Juni bis 9. August 1992 (vergriffen)

Expressionisten
Aquarelle, Zeichnungen, Graphiken der „Brücke"

21. August bis 1. November 1992 (vergriffen)

Friedrich der Große
Sammler und Mäzen

28. November 1992 bis 28. Februar 1993 (vergriffen)

Picasso – Die Zeit nach Guernica

13. März bis 6. Juni 1993 (vergriffen)

Günther Uecker
Eine Retrospektive

19. Juni bis 15. August 1993
213 Seiten, 150 Abbildungen, 121 in Farbe
DM 42,– (erhältlich)

Dada – Eine internationale Bewegung

4. September bis 7. November 1993
270 Seiten, 351 Abbildungen, 75 in Farbe
DM 42,– (erhältlich)

Winterland – Von Munch bis Gulbransson

19. November 1993 bis 16. Januar 1994 (vergriffen)

Pierre Bonnard

28. Januar bis 24. April 1994
375 Seiten, 170 Abbildungen, 149 in Farbe
DM 42,– (erhältlich)

El Dorado – Das Gold der Fürstengräber

20. Mai bis 4. September 1994
244 Seiten, 252 Abbildungen, 225 in Farbe
DM 39,– (erhältlich)

Munch und Deutschland

23. September bis 27. November 1994 (vergriffen)

Paris Belle Epoque

16. Dezember 1994 bis 26. Februar 1995 (vergriffen)

Wilhelm Trübner

10. März bis 21. Mai 1995
324 Seiten, 150 Abbildungen, 117 in Farbe
DM 39,– (erhältlich)

Das Ende der Avantgarde
Kunst als Dienstleistung

13. Juni bis 13. August 1995
176 Seiten, 92 Abbildungen, 10 in Farbe
DM 39,– (erhältlich)

Félix Valloton

25. August bis 5. November 1995
255 Seiten, 220 Abbildungen, 116 in Farbe
DM 39,– (vergriffen)

Das Alte China
Menschen und Götter im Reich der Mitte
5000 v. Chr. – 220 n. Chr.

2. Dezember 1995 bis 3. März 1996
500 Seiten, 420 Abbildungen, 152 in Farbe (vergriffen)

Christian Rohlfs 1849–1938

22. März bis 16. Juni 1996
256 Seiten, 160 Abbildungen, 144 in Farbe
DM 39,– (erhältlich)

Amerika – Europa
Sammlung Sonnabend

5. Juli bis 8. September 1996
167 Seiten, 97 Abbildungen, 65 in Farbe
DM 39,– (erhältlich)